LES

ŒUVRES

COMPLETES

DE

VOLTAIRE

79A(II)

VOLTAIRE FOUNDATION

OXFORD

2012

ISBN VOL.2 978 0 7294 1057 1
ISBN SET 978 0 7294 1017 5

Voltaire Foundation Ltd
University of Oxford
99 Banbury Road
Oxford OX2 6JX

A catalogue record for this book
is available from the British Library

www.voltaire.ox.ac.uk

MIX
Paper from
responsible sources
FSC® C013056

The Forest Stewardship Council is an international network to
promote responsible management of the world's forests.

Printed on FSC-certified and chlorine-free paper at
T J International Ltd in Padstow, Cornwall, England.

La Bible enfin expliquée par plusieurs aumôniers de S. M. L. R. D. P.

II

Edition critique

par

Bertram Eugene Schwarzbach

GENÈSE

[1] Gen. i.2. Calmet, *Commentaire littéral ... Genèse* (Paris, 1707; BV613), avait traduit, 'Au commencement Dieu créa le ciel et la terre'. Voir *CN*, t.2, p.42-49, qui contient très peu de notes sur la Genèse.

[2] L'hébreu et le 'phénicien', langue parlée à Sidon et à Tyr, sont des langues sémitiques de la branche nord-ouest, mais le syriaque est un dialecte de l'araméen oriental, attesté pour la première fois à Edesse, et non en Palestine, depuis le deuxième siècle avant l'ère moderne. Voir Yehoshua Blau, תורת ההגה והצורות (s.l., 1972), p.15. Pour des opinions plus nuancées de Voltaire sur la langue hébraïque, voir le *Traité sur la tolérance*, ch.13, n.c, *OCV*, t.56, p.211.

[3] Voir 'Genèse' du *DP*, *OCV*, t.36, p.164-65, et les *Examens de la Bible* I.5. La question de savoir si le dieu (אלהים, *elohim*) qui crée le monde selon Genèse i est singulier ou pluriel est évoquée par Calmet, p.2, '*Creavit Deus*. Dieu créa [...] dans l'hébreu, au lieu de Dieu créa, on lit à la lettre, les Dieux créa [...] On trouve de semblables expressions, irregulières en hébreu, comme dans toutes les autres langues; et cela dans des endroits où il ne paraît aucun mystère.' Thomas Hyde, *Veterum Persarum et Parthorum et Medorum religionis historia*, 2ᵉ éd. (Oxford, 1760; BV1705; *CN*, t.4, p.577-81), p.159, dont il s'agira dans la suite, avait proposé la même solution que Calmet.

Voltaire traduit 'fit' là où Calmet avait traduit 'créa' pour insister sur le fait que le texte impliquait une création *ex nihilo*, c'est-à-dire, selon Calmet, '1° Tirer du néant; 2° donner la forme à quelque chose. Tous les Juifs et les Chrétiens le prennent ici dans le premier sens.' En fait la création *ex nihilo* n'est pas une doctrine explicitement énoncée dans la Genèse, mais voir Ps. xxxiii.9. Elle est entrée dans la pensée juive relativement tard, quand elle fut soutenue par Sa'adia (882-942), *Emunot ve-dé'ot*, Traité 1, ch.i-iii, puis par Maïmonide (1135-1204), *Moreh nevukhim*, Partie 2, ch.13-24.

[4] Voir Calmet, p.3-4, 'Rien ne convient mieux à l'idée de Moyse que le cahos des anciens, décrit par les Poëtes', et il cite Ovide, *Metamorphoseon*, liv.1, dont les vers 5-87 racontent la création, plutôt qu'aucun Grec. Voltaire avait déjà parlé du chaos dans *Le Philosophe ignorant*, ch.14, *OCV*, t.62, p.47-48.

Au contraire de Calmet, p.10, n.a, Voltaire invoque ici le récit mythologique attribué à Sanchoniathon (douzième siècle avant l'ère moderne) aux dires de Philon de Byblos (environ 64-141 de l'ère moderne). Il en parlait dès *La Philosophie de l'histoire*, ch.13, *OCV*, t.59, p.134-35. Voir aussi *Dieu et les hommes*, *OCV*, t.69, p.312, n.1, et p.314, *La Défense de mon oncle*, *OCV*, t.64, p.219 et 402, n.1, p.405-406, n.12, 13, et *CN*, t.3, p.449, l'*Examen important de milord Bolingbroke*, ch.2, *OCV*, t.62, p.178-79, note, 'Genèse' du *Dictionnaire philosophique*, *OCV*, t.36, p.145, et *Les Loix de Minos*, Acte 1, *OCV*, t.73, p.169, n.g, et dans plusieurs de ces écrits Voltaire soutient que Sanchoniathon ignorait l'existence de Moïse et de ses enseignements. Il pouvait connaître le texte de Sanchoniathon par Richard Cumberland, *Sanchoniato's Phœnician history, translated from the first book of Eusebius's De præparatione evangelica* (Londres, W. B. for R. Wilkin, 1720; BV921), *CN*, t.2, p.845, pas de notice, ce qui implique que Voltaire n'a pas annoté son exemplaire. Calmet, p.10, disserte sur les *erebus* (ἔρεβους), ténèbres, dont parle Voltaire ici et ailleurs. Calmet en parle aussi dans une 'Dissertation sur les divinités phéniciennes, ou cananéennes', *Commentaire littéral ... I-III Rois* et *Dissertations qui peuvent servir de prolégomènes à l'Ecriture sainte* (Paris, 1720; BV616), t.2, p.441-76, d'où Voltaire aurait pu extraire ce qu'il dit ici sur Sanchoniaton, p.464. Voir *CN*, t.2, p.344.

⁵ Ce que Voltaire a pu savoir sur les légendes persanes se trouvait déjà dans Thomas Hyde, voir ci-dessus, n.3, qu'il cite plus bas, et il devait connaître la mythologie et les légendes égyptiennes par les témoignages grecs dont les plus étendus sont ceux d'Hérodote, *Historiēs*, liv.2, sections 2-18, de Diodore de Sicile, *Bibliothēkē historikē*, liv.1, sections 10-23, et de Plutarque, *De Iside et Osiride*, qui ne parlent cependant pas de la création du monde. Voir l'*Examen important*, ch.6, *OCV*, t.62, p.193.

⁶ Voir *Fragments sur l'Inde et sur le général Lalli* (1773), Partie 2, art.2, *OCV*, t.75B, p.195, où Voltaire fait l'éloge des Chinois pour ne pas avoir eu de mythologie de la création, et *Dieu et les hommes*, ch.14, *OCV*, t.69, p.334, où, selon Voltaire, 'Toutes les nations (excepté toujours les Chinois) se vantent d'une foule d'oracles et de prodiges.' Voir aussi *Des Juifs* (avant sept. 1749), *OCV*, t.45B, p.136, où Voltaire loue les Chinois pour ne pas avoir de dieux 'subalternes', les représentant comme des rationalistes ou des théistes avant la lettre. Les informations de Voltaire sur la pensée des Chinois semblent venir de Jean-Baptiste Du Halde, *Description géographique, historique, chronologique ... de l'empire de la Chine* (La Haye, H. Scheurleer, 1736; BV1132), mais le *CN*, t.1, ne signale pas de notes marginales dans ce livre. Il se peut aussi qu'il les ait trouvées dans les recueils de la correspondance des missionnaires jésuites en Chine que sont les *Lettres édifiantes et curieuses* ... (Paris, N. Le Clerc, 1707-1776) dont les recueils 1-34 sont BV2104; *CN*, t.5, p.335-54, sans note ni annotation touchant la cosmologie chinoise. Voir Du Halde, t.3, p.44, où un philosophe chinois explique que 'le ciel et la terre n'étaient point encore, lorsqu'au milieu d'un vide immense, il n'y avait qu'une substance extrêmement confuse; *Hoen gen y ki*. Cette substance en cet état de chaos, est l'illimité, le non borné, *Vou ki*: ce qu'il y a de subtil et de spiritueux dans cette masse indéfinie, et comme forme *Li ki*, et l'âme du *Tai ki*, du premier et suprême état de l'univers, a été justement le principe du ciel et de la Terre, le germe qui les a fait éclore: par la même voie sont sortis une infinité d'êtres', ce que Voltaire résume en affirmant que les Chinois n'avaient pas de mythe de création. Voir Andrew Plaks, 'Creation and non-creation in early Chinese texts', dans *Genesis and regeneration. Essays on conceptions of origins*, éd. Shaul Shaked (Jerusalem, 2005), p.164-91, qui nuance cette idée généralement reçue par les sinologues depuis Matteo Ricci. Voir aussi Barbara Widenor Maggs, 'Answers from eighteenth-

century China to certain questions on Voltaire's sinology', *SVEC* 120 (1974), p.179-98.

[7] Eusèbe, *Præparatio evangelica*, liv.1, ch.10, sections 33-42, *P.G.*, t.21, col.75-90.

[8] Voir Gen. i.16-18; voir les *Examens de la Bible* I.4. Voir aussi *Il faut prendre un parti*, *OCV*, t.74B, p.55.

[9] Voir *Eléments de la philosophie de Newton*, Partie 2, ch.1, section 4, *OCV*, t.15, p.261-69 et p.279 où Voltaire parle de la Genèse et nie que la Bible puisse enseigner la physique. L'astronome Ole Rømer (1644-1710) travaillait à Paris où il publia la 'Démonstration touchant le mouvement de la lumière trouvée par M. Romer de l'Académie royale des sciences', *Journal des savants* (7 déc. 1676). Voir aussi les *Examens de la Bible*, Genèse, n.8, qui comporte une discussion de la date à partir de laquelle Voltaire considérait la question du temps qu'il faut à la lumière du soleil pour arriver sur la terre. En effet il s'y intéressait avant 1736, voire avant la rédaction de la XIIIe des *Lettres philosophiques* parue en 1733-34, si la 'lettre sur l'âme' est authentique.

Voltaire n'entre pas ici, comme il venait de le faire dans ses *Fragments sur l'Inde et sur le général Lalli*, Partie 2, art.3, n.c, *OCV*, t.75B, p.203, dans la question discutée par Boileau et par l'évêque et homme de lettres Pierre-Daniel Huet à savoir si le 'Que la lumière soit, et la lumière fut' de Gen. i.4 était vraiment sublime dans le sens de Longin, *Traité du sublime*, ch.7.

[10] C'est la thèse de l'"accommodation" exploitée par les théologiens comme Calmet, p.17-18, pour éluder la science naturelle de la Bible quand elle n'était plus à la page, et pour expliquer pourquoi l'Eglise n'exigeait plus l'observance de certaines lois prescrites dans le Pentateuque. Pourtant Calmet essaie de distinguer entre des descriptions poétiques du cosmos, qu'il ne se tenait pas obligé de croire à la lettre, et la cosmologie des anciens Juifs qu'il estimait incontournable, 'Diodore de Sicile [*Bibliothēkē historikē*, liv.1, section 6] dit que les Egyptiens sont partagés sur la question de l'origine du monde; les uns le croient éternel, incorruptible, et soutiennent que les hommes ont toujours été; les autres reconnoissent qu'il y a un commencement et que les hommes ont été produits de la manière que nous allons dire' (Calmet, p.8-9). Contrairement à Calmet, Mme Du Châtelet invoque la thèse de l'accommodation dès le début de son commentaire au sujet de la cosmologie de la Bible (*Examens de la Bible* I.1), mais non au sujet du corpus des lois.

[11] Ce sont des informations erronées puisées chez Calmet, p.20, 'Les premiers chapitres de la Genèse sont extrêmement difficiles à expliquer selon le sens littéral et surtout pour ce qui regarde le peché d'Eve et d'Adam, leur punition et celle du serpent. Les Juifs défendent aux jeunes gens au-dessous de 25 ou 30 ans de les lire'. Voir Herman Hailperin, *Rashi and the Christian scholars* (Pittsburgh, 1963), p.43 et 271, n.12. Voltaire parle ailleurs de cette interdiction qui n'a jamais existé: *Discours de l'Empereur Julien*, *OCV*, t.71B, p.147, n.11, p.276, et *Homélies prononcées à Londres* III, *OCV*, t.62, p.465. Jean Meslier avait déjà parlé d'Adam et Eve et du 'simple serpent [que Dieu a envoyé] pour les séduire, et pour perdre par ce moyen tous les hommes', *Extrait des sentiments de Jean Meslier*, dans ses *Œuvres*, t.3,

p.453, et dans *OCV*, t.56A, p.121. Le texte que Voltaire abrège ici se trouve dans les *Mémoires des pensées et sentiments*, *Œuvres* de Meslier, t.1, p.167. Voltaire, dans *Il faut prendre un parti* XXII, *OCV*, t.74B, p.55, et ailleurs, parle lui aussi du jardin qu'Adam et Eve étaient chargés de cultiver et de garder, ainsi que de la langue dans laquelle l'éloquent serpent s'exprimait.

[12] Hyde, p.161.

[13] On ne voit guère à qui Voltaire fait allusion ici. Wilhelm Christianus Justus Chrysander (Goldmann) fut professeur de théologie à Helmstedt dans les années 1740. Un sondage dans les catalogues de plusieurs grandes bibliothèques montre que son dernier ouvrage recensé date de 1751. Au reste cet auteur ne publia rien en exégèse ni sur la théologie du livre de la Genèse.

[14] Calmet translittère ainsi, *ad loc.*, p.3, n.c. Voir les *Examens de la Bible* I.5. La transcription de רקיע par Voltaire est assez malheureuse. La vocalisation tibérienne incite à lire *raki'a*, tandis que Calmet avait transcrit une fois *rakiah* (*ad loc.*) et une fois *rakah* (p.13), et cette distinction pourrait être due à une faute de compositeur. La cosmologie que Voltaire attribue à la Bible est celle de Ptolémée; la description que Calmet en fait (p.6-7) est moins explicite que la sienne. Voir aussi 'Ciel des anciens' dans le *DP*, *OCV*, t.35.

[15] Calmet cite ces mêmes Pères, p.14-15.

[16] Voltaire prend ce qui ne peut être qu'une image poétique, וארבת השמים נפתחו, *va-arubot ha-shamayim niftahu*, les écluses (?) du ciel s'ouvrirent, de Gen. vii.11, pour l'expression de la science naturelle de la Genèse. Voir Calmet, p.14. Pour les eaux qui demeurent au-dessus du *raki'a*, voir Ps. cxlviii.4, cité par Calmet.

[17] Citation d'Ovide, *Metamorphoseon*, liv.1, vers 83, 'et que le fils d'Iapet [...] l'ait modelée à l'image des dieux, maîtres de l'univers' (trad. Georges Lafaye).

[18] Voir les *Examens de la Bible* I.2-3.

[19] Calmet traduit Gen.ii.3, '[...] après l'ouvrage de la création', et, dans le commentaire sur ce verset, p.43, il fait la réflexion rapportée par Voltaire comme sienne, que אשר ברא אלהים לעשות, *asher bara elohim la'asot*, veut dire 'à la lettre: *Il avait cessé tout l'ouvrage qu'il avait créé pour le faire ou en le faisant*'.

[20] Hyde, p.166. Voir *CN*, t.4, p.577, qui transcrit une note marginale de la p.162, 'creatio 6 Gahambars'.

[21] Gen. ii.6. Voltaire contredit Calmet, p.44, 'en fin il y avait un obstacle insurmontable à ce que la terre pût produire d'elle-même les plantes; c'est qu'elle était tout couverte d'eau: [...] la terre étant toujours inondée'. Calmet ne parle pas ici d'eaux souterraines, mais la Genèse (vii.11) parle explicitement des מעינות תהום רבה, *ma'yenot tehom rabbah*, des fontaines du *tehom* profond, ou des profondeurs ou des abîmes, et il se peut que Voltaire y ait pensé en esquissant sa géologie biblique.

[22] Gen. ii.7. Calmet traduit, 'et il [Dieu] répandit sur son visage [celui d'Adam] un souffle de vie', mais Voltaire retient plutôt la traduction de ce verset qui se trouve dans le commentaire, 'L'hébreu se peut traduire: Il souffle dans ses narines un souffle de vie', et Calmet veut que ce souffle soit l'âme, ce que Voltaire ne soutient ni ne nie ici.

[23] Gen. ii.8, Calmet traduit, 'un jardin délicieux', mais Voltaire suit plutôt son commentaire sur ce verset, p.51, 'l'hébreu, *Plantavit Dominus hortum in Eden ab Oriente*'. Calmet veut que ce jardin soit situé vers les sources communes – il en suppose une – du Tigre et de l'Euphrate. Sur les emprunts de la cosmologie biblique aux Perses et aux Indiens, ainsi que sur la légende d'un jardin de délices, voir l'*Examen important*, ch.6, *OCV*, t.62, p.193.

[24] Voir Hyde, p.170-73. Finalement, Voltaire reconnaît ici ce qu'il ne comprenait pas lors de la rédaction de l'*Essai sur les mœurs*, ch.5, *OCV*, t.22, p.102, variante de w56-w56G, que le *Sadder* est un écrit. Voir *Questions sur l'Encyclopédie*, 'Amour Socratique', *OCV*, t.38, p.262, n.8. Sur le *Sadder*, voir Hyde, p.27. Voltaire ou peut-être un secrétaire a mal transcrit, *shang diʒoucho* pour '*Ghang-diʒ Houscht*', i.e., le *Paradisus Judæorum* mentionné par Hyde, p.170. Celui-ci parle aussi, p.171, du *Behishtighangh*, i.e., *Paradisus Gangis*, ce que Voltaire a pris pour un paradis au Bengale, à l'embouchure du Gange, tandis que Hyde parlait d'un paradis légendaire au Cachemire, aux sources de l'Indus (voir *CN*, t.4, p.577, qui transcrit 'paradis terrestre' de la p.170 de Hyde). Voir les *Lettres chinoises, indiennes et tartares*, *M*, t.29, lettre 10, 'Sur le paradis terrestre de l'Inde', p.485-88.

[25] Voltaire avait déjà comparé le 'paradis terrestre' aux jardins de Saana dans *La Philosophie de l'histoire*, ch.15, *OCV*, t.59, p.140, mais parler des douceurs du Bengale dans ce contexte est nouveau ici. Dans les *Fragments sur l'Inde et sur le général Lalli*, Partie 2, art.3, *OCV*, t.75B, p.204-205, ouvrage presque exactement contemporain de la rédaction du début de la Genèse dans *La Bible enfin expliquée*, Voltaire trouve dans le récit de la révolte des anges contre Dieu racontée dans Jude l'écho des légendes indiennes d'une révolte des 'debta', mais il ne cherche pas dans ces légendes l'origine du paradis de Gen. ii d'où l'homme fut chassé, et encore moins sa situation géographique. Voir Calmet, p.73, 'Mais nous ne doutons point que le lieu où fut planté le Paradis ne subsiste encore, quoique dépoüillé de ces beautez qui le rendoient si agréable'. Voir 'Genèse' du *Dictionnaire philosophique*, *OCV*, t.36, p.155-56 et n.43-45, que Voltaire reprend ici.

[26] Horace, *Epistulæ* I.v.19, 'Quel est l'homme que les coupes fécondes n'ont pas rendu éloquent?', trad. François Villeneuve (Paris, 1989).

[27] Voir les *Examens de la Bible* I.535 et II.271 pour des critiques, notamment celles de Richard Simon, de l'interprétation allégorique.

[28] Gen. ii.11. Voir Calmet, p.57, 'Le premier des quatre fleuves qui sortaient d'Eden est le *Phison*; c'est-à-dire, le *Phasis*, Fleuve célèbre de la Colchide', et p.59, 'Si la Mingrélie, qui est l'ancienne Colchide, n'est pas aujourd'hui célèbre par ses richesses, personne n'en doit être surpris. Il y a peu de pays dans le monde aussi célèbres que la Colchide pour son or'. Le nom moderne de ce fleuve est le Riou, et la Mingrélie est le nom ancien de la Géorgie occidentale. Calmet cite d'anciennes versions qui traduisaient diversement בדלח, *bdolah*, par escarboucle, cristal, bdellium, ébène, poirier ou béryl (voir 'Bdelium' des *Questions sur l'Encyclopédie*, *OCV*, t.39, p.334-35, où Voltaire cite Calmet qui cite plusieurs opinions savantes sur l'identité de cet métal), et ajoute, 'un grand nombre de savants hommes [...]

soutiennent que ce sont des Perles' (p.60). Calmet ne mentionne personne qui identifie cette substance avec le baume, comme le fait ici Voltaire, et pourtant le *Lexicon in vetus testamenti libros* de Ludwig Koehler et Walter Baumgartner (Leyde, 1985) l'identifie avec *commiphora mukul Engler*, 'gomme de bdellium', en raison de l'acadien, *budulhu*.

²⁹ Calmet traduit כוש, *Kush*, par Ethiopie, suivant la Vulgate, et Voltaire suit Calmet, avec bonne raison. Mais dans son commentaire sur le vs.13, Calmet identifie le Physon avec l'Oxus ou Araxe qui prend sa source 'aux environs de celles du Tigre et de l'Euphrate' (p.62). Voir *Instructions du gardien des capucins de Raguse à frère Pédiculoso* (1768) I, *OCV*, t.67, p.227, et *Questions de Zapata* 10°, *OCV*, t.62, p.384.

³⁰ Calmet, p.69, 'On a déja vu aux sources de l'Araxe, et l'on voit encore ici, qu'on ne peut pas exactement fixer les sources de ces fleuves [le Tigre et l'Araxe], et qu'elles peuvent bien avoir changé de place depuis le tems de Moïse, et paroître aujourd'hui assez éloignées, quoiqu'alors elles fussent plus près l'une de l'autre'. La source des informations géographiques de Calmet sur la Colchide, donc aussi celle de Voltaire, était Pline, *Historia naturalis*, liv.6, ch.25.

³¹ Benjamin ben Yonah de Tudèle, מסעות של רבי בנימין, trad., Jean-Philippe Baratie sous le titre, *Voyages de rabbi Benjamin fils de Jona de Tudèle en Europe en Asie et en Afrique* (Amsterdam, Aux dépens de la Compagnie, 1734), t.1, p.221, 'De là à la terre d'*Asvan*, il y a vingt journées par le desert de Saba, le long du fleuve *Phison* qui vient du pays de *Cusch*'. Benjamin voyagea de 1159 ou 1167 jusqu'en 1172/1173 de Navarre jusqu'à Baghdad, descendit vers le sud-est de l'Egypte et l'Ethiopie, puis retourna en Espagne, où il écrivit des descriptions détaillées de tout ce qu'il avait vu. A sa mort Voltaire ne possédait que le t.2 de l'éd. de 1734, BV345, *CN*, t.1, p.287, sans notes, qui ne contient que neuf dissertations rédigées par le traducteur et annotateur. Voltaire parle de ce traducteur savant et extraordinairment précoce dans le 'Catalogue des écrivains français du siècle de Louis XIV' bien qu'il ait été né en 1721, sous Louis XV. Les remarques de Voltaire montrent qu'il connaissait bien l'histoire des éditions et traductions des *Voyages* de Benjamin. Il s'agira de Benjamin de Tudèle encore une fois dans la, Genèse, ci-dessous n.(*en*), puis dans Samuel, n.(*fg*). Voltaire parle aussi de Benjamin dans *La Philosophie de l'histoire*, ch.42, *OCV*, t.59, p.121, et dans ses *Lettres chinoises, indiennes et tartares*, lettre 2, *M*, t.29, p.457.

³² Gen. ii.16-17. L'hébreu, עץ, *'eẓ*, signifie soit un arbre, comme le traduit ici la Vulgate, 'Ex omne ligno Paradisi comede', soit du bois, soit, par métonymie, le fruit d'un arbre, comme le traduit Calmet en développant le texte de la Vulgate, 'Mangez de tous les fruits des arbres du paradis [...] mais ne mangez point du fruit de l'arbre de la science du bien et du mal.' Mais Voltaire refuse de traduire par métonymie et rend *'eẓ* par bois, tout court, ce qui n'est ni faux, ni très logique. Il se peut que par ce littéralisme déplacé Voltaire ait voulu rapprocher ce verset de Deut. xxi.22-23, לא תלין נבלתו על העץ, *lo talin nivlato 'al ha-'eẓ*, ne laissez pas son cadavre [celui d'un condamné] pendu à l'arbre, *i.e.*, au gibet, car l'apologétique chrétienne (Gal. iii.13) prend cet *'eẓ*, arbre, pour une figure du bois duquel la croix de Jésus serait façonnée (voir les *Examens de la Bible* II.439-40).

33 Flavius Claudius Julianus, *Contra Galileos*, ouvrage détruit sur l'ordre de l'empereur chrétien, Théodose II, dont seuls les fragments réfutés par Cyrille d'Alexandrie ont survécu. Jean-Baptiste Le Boyer d'Argens les a rassemblés et traduits dans sa *Deffense du paganisme par l'empereur Julien* (Berlin, Ch. F. Voss, 1764; BV1760, p.33-37, passage remarqué dans *CN*, t.4, p.633, qui identifie sept signets), duquel Voltaire a tiré son *Discours de l'empereur Julien*, nouv. éd. (Berlin [Genève], Chrétien Frédéric Voss, 1768 [1769]; BV1761). Voir édn. Moureaux, *SVEC* 322, p.147, n.11, et le commentaire de Moureaux, p.305, qui renvoie à *La Philosophie de l'histoire*, ch.2, *OCV*, t.59, p.121, n.(*).

34 Voltaire ne mentionne pas que l'apologétique de Calmet insiste sur l'historicité des miracles de l'Ancien Testament afin de garantir la réalité des révélations de Dieu aux Israélites avec les lois qu'elles comportent. Voir Schwarzbach, 'Les Cauchemars de Dom Calmet', dans *Dom Calmet. Un itinéraire intellectuel*, sous la direction de Philippe Martin et Fabienne Henryot (Paris, 2008), p.197-234. Pour la constatation, fréquente dans cet ouvrage, que la religion est, par sa nature, contraire à la raison, et qu'il faut 'anéantir' la raison pour croire en la religion révélée dans la Bible, voir Schwarzbach, 'Coincé entre Pluche et Lucrèce: Voltaire et la théologie naturelle', *SVEC* 192 (1980), p.1072-84, et 'Voltaire et les *Lettres à Eugénie*', *La Lettre clandestine*, no.16 (2008), p.41-66.

35 Calmet affaiblit sa traduction, 'vous mourrez d'une mort certaine', par son commentaire, '*Morte morieris* marque seulement la nécessité de mourir un jour, et un commencement de mort par affaiblissement [...] qui devait aboutir à la mort, à quelque temps de là', ce que Voltaire résume par l'expression, 'une peine comminatoire'. Calmet cite 'Aug[ustin], lib.1 de *De peccatorum meritis et remissione*' (*P.L.*, t.44, col.109). Ainsi que Voltaire cite cet ouvrage, il semble qu'il s'agit du premier écrit de ce saint, ce qui ne semble pas avoir été le cas. Voir le *Dictionnaire de théologie catholique*, *s.v.*, 'Augustin (Saint)', t.1, col.2280, qui le date de l'an 412, tandis que les premiers écrits d'Augustin sont les traités contre Manès, 397, contre Faustus, 400, et contre Secondinus, 405. Voir *Instruction ... au frère Pédiculoso* II, *OCV*, t.67, p.228-29.

36 Voir Hyde, p.168.

37 Voir *Ezour vedam. A French veda of the eighteenth century*, éd. Ludo Rocher (Amsterdam, Philadelphie, 1984), p.113. Voltaire avait acquis cet ouvrage d'authenticité plus que douteuse entre le 10 septembre (voir D9214, D'Alembert à Voltaire) et le 8 octobre 1760 (D9289, à D'Alembert) du chevalier de Modave ou de Maudave, et il le déposa ensuite à la Bibliothèque du roi. Ce manuscrit est actuellement conservé à la BnF, N.a.f. 452. Voir aussi, *Notebooks*, *OCV*, t.81, p.68. Une édition en fut tirée du vivant de Voltaire, *L'Ezour Vedam ou Ancien commentaire du Vedam*, éd. Guillaume de Sainte-Croix (Yverdon, de Felice, 1778). Voltaire avait déjà parlé de ce texte qu'il prenait pour authentique dans *La Philosophie de l'histoire* (1765), ch.17, *OCV*, t.59, p.149, et dans *La Défense de mon oncle* (1767), ch.13, *OCV*, t.64, p.221-22. Voir aussi les *Homélies prononcées à Londres* (1767) I et III, *OCV*, t.62, p.442 et 461.

[38] Hésiode, *Théogonie* 570-616, Eschyle, *Prométhée, passim*, et Ovide, *Metamorphoseon*, liv.i, vers 82s.

[39] Gen. ii.20. La prétention que les noms qu'Adam donna aux bêtes convenaient à leurs qualités fut exploitée en apologétique depuis Philon d'Alexandrie. Voir Harry Austryn Wolfson, 'The veracity of Scripture from Philo to Spinoza', dans *Religious philosophy: A group of essays* (New York, 1965), p.225-26. Pour la source immédiate de Voltaire, voir Calmet, *ad* Gen. ii.19, p.80: 'Ce passage nous donne l'idée d'un assez petit nombre d'animaux, et nous porte à croire, que peut-être Dieu n'en avait d'abord point créé ailleurs, qu'aux environs du Paradis terrestre. Il n'est pas concevable que les animaux créés dans toutes les parties du monde, eussent député chacun un ou deux de chaque espèce, pour venir rendre hommage à Adam; beaucoup moins qu'ils y soient venus tous ensemble de toutes parts, durant le peu de tems qu'Adam conserva son innocence.'

[40] Voir Calmet, p.80: 'Il n'est pas nécessaire de dire, que les poissons se présenterent tous à Adam: il n'y eut apparemment que ceux qui furent créez dans le Fleuve qui arrosoit le canton d'Eden, qui se présentèrent à Adam sans sortir de l'eau. Saint Augustin [*De Genesi ad litteram*, liv.9, section 12; *P.L.*, t.34, col.401] ne croit pas que les poissons se soient assemblez devant Adam, de même que les autres animaux. Il dit, que le premier homme, ou ses descendants, imposerent le nom aux poissons, à mesure qu'ils vinrent à connoître leur nature et leurs propriétez'.

[41] Voir Calmet, ad vs.21, p.83: 'Si Dieu tira une côte d'Adam, il ne la tira pas nue et sans chair; ainsi lorsqu'on dit qu'il remit de la chair en sa place, on peut croire qu'il ne la remit pas sans la côte. Mais saint Augustin [*De Genesi ad litteram*, liv.9, section 13; *P.L.*, t.34, col.402] paraît persuadé que Dieu ne lui remit pas une nouvelle côte; mais simplement de la chair, conformément au texte de Moïse. Quelques commentateurs s'embarrassent assez inutilement, de savoir si Adam avait été créé ayant une ou deux côtes de plus que nous n'en avons, ou s'il demeura toute sa vie en ayant une ou deux de moins que nous: Si supposé cela, il ne devait pas passer pour un monstre. Ce sont des questions puériles, propres à amuser les gens qui abusent de leur loisir.'

[42] Gen. iii.1. Mme Du Châtelet pose, elle aussi, des questions sur la langue dans laquelle le serpent s'est fait entendre d'Eve, *Examens de la Bible* I.6. Calmet ne précise pas l'espèce de ce serpent. Pour les commentaires de l'empereur Julien, voir le *Discours de l'empereur Julien*, *OCV*, t.71B, p.277. Voir Calmet, p.87: 'L'empereur Julien traitait toute cette histoire de fable, et la comparait aux fictions des poètes: Il demandait avec insulte quelle langue le démon avait parlé en s'entretenant avec Eve [...] Qu'au reste un payen avoit mauvaise grâce de nous faire ces objections, puisque toute l'histoire grecque ancienne était pleine d'exemples d'animaux qui parlaient.'

Pour les animaux loquaces cités ici par Voltaire et également par Mme Du Châtelet dans sa discussion de l'histoire de Balaam et de son âne, *Examens de la Bible* I.141, ainsi que pour le sujet d'autres animaux qui parlaient, voir Calmet, *Commentaire littéral ... Nombres et Deutéronome* (1709), *ad* Nom. xxii.28. D'après les notes *b* et *c* du poème satirique, *Le Marseillois et le lion*, *OCV*, t.66, p.754, où Voltaire parle de ces mêmes animaux, il est clair qu'il les a trouvés dans le *Commentaire littéral* de Dom Calmet. Le cheval d'Achille s'appelait Xanthos (*Iliade*, chant 19, vers 402-17); l'ânesse anonyme est évidemment celle de Balaam; Oannes, le monstre marin qui monta de l'Euphrate pour enseigner aux hommes est attesté dans Bérose, fragment 1, repris d'Eusèbe, *Chronicon ...*, *P.G.*, t.19, col.106-114. Voltaire associe aussi déluge, Oannes et Bérose dans les *Questions sur l'Encyclopédie*, 'Ignorance', Ignorance 2º, *OCV*, t.42A, p.360, 'Miracles II' et 'Sammonocodom', t.20, p.82, et p.390-93. (Sur Bérose dont Voltaire connaissait, semble-t-il, tous les textes existants, voir Gerald P. Verbrugghe et John M. Wickersham, *Berossos and Manetho, introduced and translated. Native traditions in ancient Mesopotamia and Egypt*, Ann Arbor, 1996.)

[43] Voir Calmet, *ad* vs.5, 'Les Rabbins et plusieurs Interprètes: *Vous serez comme des anges*'. Il ne spécifie pas de quels rabbins il s'agit. En effet, plusieurs exégètes rabbiniques des plus classiques, Abraham ben Méïr Ibn Ezra (1092-1167), David ben Joseph Kimhi (environ 1160-1235) et Joseph Bekhor Shor (apparemment R. Joseph ben Isaac d'Orléans, troisième quart du douzième siècle), *ad loc.*, interprétaient le verset dans ce sens, et quelques interprètes (chrétiens) le traduisaient ainsi.

[44] Voir Calmet, *ad* vs.5, '*Vous serez comme des Dieux, sachant le bien et le mal*. Le terme hébreu Elohim, signifie Dieu, les Dieux, les Princes, les Anges, les juges'.

[45] Juges ix.7-21. 'Joatham' est l'orthographe de la Vulgate pour 'Jotham'.

[46] Agrippa Menenius Lanatus, consul à Rome en 503 avant l'ère moderne. Voir Tite-Live, liv.2, ch.7.

[47] Voir le *Zend-Avesta, ouvrage de Zoroastre, contenant les idées théologiques, physiques et morales de ce législateur ...*, trad. Abraham Hyacinthe Anquetil Du Perron (Paris, N.-M. Tilliard, 1771; BV232; *CN*, t.1, p.181-84), p.264. Avant d'avoir lu Anquetil Du Perron Voltaire avait déjà parlé d'Adimo et Pocriti dans *La Philosophie de l'histoire*, ch.17, *OCV*, t.59, p.152, dans 'Genèse' du *Dictionnaire philosophique*, *OCV*, t.36, p.159, et il parle d'anges déchus dans 'Ange' et 'Brachmanes, Brames' des *Questions sur l'Encyclopédie*, *OCV*, t.38, p.373, et t.39, p.467, dans les *Homélies prononcées à Londres* III (1767), *OCV*, t.62, p.464, dans *Dieu et les hommes* (1769), ch.5, *OCV*, t.69, p.293-95, et dans *Il faut prendre un parti* xvii, *OCV*, t.74B, p.43-45. Voir Daniel S. Hawley, 'L'Inde et Voltaire', *SVEC* 120 (1974), p.150.

[48] Ophionée est un des géants qui combattirent contre Zeus. Voir Apollonios de Rhodes, *Argonautica*, liv.1, vers 503-11. Voir *La Philosophie de l'histoire*, ch.6, *OCV*, t.59, p.106; 'Genèse' des *Questions sur l'Encyclopédie*, *OCV*, t.42A, p.40.

[49] Voir Diodore de Sicile, *Bibliothēkē historikē*, liv.4, section 4, signe 1, pour un deuxième Dionysos, appelé Sabazius (le Zagréus de Voltaire), fils de Zeus et de Perséphone. Voir les *Hymnes orphiques* 48, à Sabazios, lignes 1 et 49, à Hipta, ligne 2 (*The Orphic hymns*, éd. Apostolos N. Athanassakis, Atlanta, GA, 1977, p.65), Firmicus Maternus, *De errore profanarum religionum* 10.32-35, et Pindare, *Odes*

isthmiennes 7.5, pour la légende selon laquelle Zeus, sous la forme d'un taureau, forniqua avec Demeter. Perséphone, issue de cette union, devint enceinte par Zeus qui avait pris la forme d'un serpent, et de cette union naquit le dieu Dionysos-Zagréus dont parle Voltaire.

[50] Mme Du Châtelet soulève les mêmes questions sur la nourriture du serpent, *Examens de la Bible* I.9. Voir Calmet, p.88, 'Josèphe, Philon, Saint Basile, Saint Ephrem et d'autres, semblent savoir qu'alors le serpent avait l'usage de la parole. Joseph et Saint Basile ont même cru, que le serpent avant la tentation d'Eve, marchait droit; que Dieu l'obligea à ramper en punition de ce qu'il avait servi d'instrument à la malice du démon', et, p.97, 'quelques-uns avaient donné des pieds, et un corps droit et élevé au serpent'. Quant à sa nourriture, voir Calmet, p.97, '*Vous mangerez la terre*. Cela ne doit pas se prendre à la lettre; l'on sait que le serpent ne se nourrit pas de terre, et qu'il mange des fruits, des herbes, des grenouilles, du poisson, des oiseaux, etc. [...] ainsi quand le Prophète dit qu'il mange de la poudre, ou de la cendre comme pain, *Cinerem tanquam panem manducabam* [Ps. cii.10], il veut dire seulement, que demeurant assis sur la cendre, il ne prenait qu'une nourriture vile et mal propre.' Que les serpents mangent de la terre ressort de ce verset, et qu'ils en mangeront dans les temps messianiques, pour ne pas nuire aux hommes et aux autres animaux, ressort d'Is. lxv.25.

[51] Calmet imagine, p.100-101, qu'en résultat de la chute, 'La femme perd justement une liberté dont elle avait fait un si mauvais usage; et pour avoir souhaité d'être égale à Dieu, Dieu la rend soumise à son mari. [...] Dans l'Egypte [Diodore de Sicile, *Bibliothēkē historikē*, liv.1, section 27, signe 7], d'où les Hébreux sortaient, les femmes avaient plus d'autorité que les hommes, les Reines étaient plus honorées que les Rois; et dans le domestique l'homme était soumis à la femme. [...] Moïse marque ici l'ancienne origine, et le fondement du domaine que l'homme exerçait sur sa femme parmi les Hébreux, et il détruit indirectement la superstition des Egyptiens à cet égard, et le mauvais ordre de leur police.' Voltaire a emprunté à l'anthropologie de Calmet sans adopter sa misogynie.

[52] Dans la langue de la Bible, le mot לחם, *lehem*, voulait dire non seulement le pain mais aussi parfois, par métonymie, plus généralement, la nourriture, *e.g.*, dans Ps. cxlvii.8, où les bêtes aussi reçoivent leur *lehem* de Dieu, et dans Lévit. xxi.6, כי את אשי ה' לחם אלהיך הוא מקריב, *ki et ishei Adonai, lehem elohekha hu makriv*, car il [le kohen] offre les sacrifices d'Adonai, le *lehem* de votre dieu. N'étant pas hébraïsant, Voltaire ne le savait pas et évidemment ne croyait pas Calmet qui assurait que '*Panis*, est mis pour la nourriture en général' (*Commentaire littéral ... Genèse*, p.103).

[53] Calmet n'avait pas de scrupule à admettre que Dieu lui-même avait fabriqué des vêtements pour Adam et Eve, et il n'était donc pas tenté d'interpréter le vs.24 autrement qu'à la lettre. Ailleurs, *Dictionnaire philosophique*, 'Genèse', *OCV*, t.36, p.164, Voltaire fait une plaisanterie sur Dieu le tailleur. Quant à l'"insulte' aux malheureux pécheurs, Adam et Eve, c'est une incivilité que Mme Du Châtelet croyait indigne de Dieu ('il s'abaisse à se moquer d'Adam et à insulter à son malheur', *Examens de la Bible* I.10).

⁵⁴ Calmet, *ad* Gen. iii.1, déplore l'absence de référence explicite au démon, 'La manière dont Moïse raconte cette histoire de la chute de nos premiers pères, est tout à fait particulière. Il se sert d'expressions figurées et énigmatiques, et il cache sous une espece de parabole, le récit d'une chose très réelle et d'une histoire la plus sérieuse et la plus importante qui fut jamais. Il nous présente un serpent, le plus rusé de tous les animaux, qui parle, qui raisonne avec Eve, qui la séduit, et qui attire les maledictions de Dieu. Il semble que l'Historien Sacré ait oublié le démon, qui était la première cause du mal; et que toute la peine que le serpent invisible méritait, soit retombée sur cet animal, qui n'était que l'instrument dont le démon s'était servi' (p.87). Essayant de distinguer la théologie de la Bible de celle des Pères, Voltaire a fait ici et ailleurs, notamment dans *La Philosophie de l'histoire*, ch.48, *OCV*, t.59, p.255-56, et dans les *Fragments sur l'Inde et sur le général Lalli*, Partie 2, art.3, *OCV*, t.75B, p.208, la même observation à savoir que l'identification du serpent avec le diable que fait John Milton dans *Paradise lost* n'est pas explicite dans le texte de la Genèse, et dans ses *Lettres chinoises, indiennes et tartares* (1776) IX, *M*, t.29, p.483, Voltaire soutient également que la chute des anges ne figure pas non plus dans la Genèse.

⁵⁵ Alexander Dow, trad., Muhammad Kasim Ibn Hindu Shah Firishtah, *The History of Hindostan* (Londres, 1768). Voltaire ne possédait que la traduction française, par Rudolph Sinner, bibliothécaire à Berne, avec qui il était en correspondance, *Essai sur les dogmes de la métempsychose et du purgatoire enseignés par les bramins de l'Indostan* (Berne, Société Typographique, 1771; BV3182; *CN*, t.2, pas de notice), où la chute des anges est traitée aux p.68-78, d'après John Zephania Holwell, *Interesting historical events, relative to the provinces of Bengal, and the empire of Indostan* (Londres, T. Becket et P. A. de Hondt, 1766-1767; BV1666). Dow et Holwell figurent aussi dans les *Fragments sur l'Inde et sur le général Lalli*, Partie 2, art. 2, *OCV*, t.75B, p.194-95, où Voltaire mentionne Sinner, et dans les *Lettres chinoises, indiennes et tartares* IX, *M*, t.29, p.482, où Voltaire transcrit 'Moisazor'. Dans 'Genèse' du *Dictionnaire philosophique*, *OCV*, t.36, p.164, l.261, Voltaire ajoute, d'après Calmet, que Dieu fit des vêtements pour Adam et Eve de la peau du serpent, légende qui figure dans le recueil midrashique, פרקי דר׳ אליעזר, *Pirkei de R. Elie︮zer*, ch.20, éd. crit., Horowitz (Jérusalem, 1972), p.70, où elle est bien attribuée à un rabbin Eliezer.

⁵⁶ Holwell, *Interesting historical events* .... (le *CN*, t.4, p.465, indique que, dans le t.3, en marge de la p.42, il y a la note, 'chute des anges'), assimile la chute d'Adam et Eve à la chute des anges dont il trouve le prototype dans des textes indiens. Il parle de Moisazoor [*sic*] et de la révolte des anges au t.3, p.35-36. Ces sources étaient loin d'être fiables. Voltaire parle des origines indiennes des récits d'une chute des anges dans ses *Lettres d'Amabed* (1769), *M*, t.21, p.437, dans *Dieu et les hommes* (1769), ch.5, *OCV*, t.69, p.291-95, et dans les *Fragments sur l'Inde et sur le général Lalli*, Partie 2, art.3, *OCV*, t.75B, p.206. Voir Hawley, p.139-78, qui soutient que Voltaire fut mal informé par Holwell et ensuite par Dow.

⁵⁷ Pour Arimane, voir Hyde, ch.9, p.159-61; *Zend-avesta*, p.264 et n.48. Voir aussi *La Philosophie de l'histoire*, ch.48, *OCV*, t.59, p.254.

[58] Pour ce que Voltaire pouvait savoir sur Typhon et sur la mythologie égyptienne, voir Plutarque, *De Iside et Osiride*, sections 2, 8, 13 et 18-19. Voltaire parle de Typhon aussi dans les *Fragments sur l'Inde et sur le général Lalli*, Partie 2, art.3, *OCV*, t.75B, p.204.

[59] Voltaire mentionne Enoch dans les *Lettres chinoises, indiennes et tartares* IX, *M*, t.29, p.481, et dans les *Fragments sur l'Inde et sur le général Lalli*, Partie 2, art.3, *OCV*, t.75B, p.204. Le livre apocryphe d'Enoch (éthiopien) i.9 est cité approximativement dans Jude 14-15, et Enoch lui-même est mentionné dans Heb. xi.5 que Calmet traduit ici, 'C'est par la foi qu'Enoch fut enlevé afin qu'il ne vît pas la mort', mais il n'est mentionné ni dans I Pierre, ni dans II Pierre. Pourtant Jude 6 parle d'une légende d'anges déchus.

D'où Voltaire a tiré la notion que 'ce [un ange déchu] fut enfin le diable des pharisiens' n'est pas évident. Le diable n'est jamais mentionné dans la mishna, seul recueil existant des maximes des pharisiens, et des démons n'y figurent que dans un passage, Avot, ch.5, section 6, selon lequel les מזיקים, *maẓikim*, 'ceux qui nuisent', ont été créés la veille du sabbat. Même Calmet ne parle pas ici du diable, seulement du 'démon'. D'où Voltaire tire la notion que le sanhedrin fut établi 'par le grand Pompée' n'est pas évident non plus. En fait Pompée assiégea Jérusalem et réussit à pénétrer dans le temple au milieu de l'été 63 avant l'ère moderne (voir Flavius Josèphe, *Antiquitates*, liv.14, ch.4, et Dion Cassius, *Historiæ romanæ*, liv.37, section 16) après quoi la Judée devint tributaire de Rome, mais on ne trouve rien de plus dans les sources. La première attestation de l'existence d'un sanhedrin date de 57 avant l'ère moderne, quand Gabinius partagea la Judée en cinq 'synhedria' (Flavius Josèphe, *Antiquitates*, liv.14, ch.5, section 3) ou 'synodi' (*idem, De bello jud.*, liv.1, ch.8, section 5). Que Pompée ait créé un sanhedrin dans le sens d'un corps de juges et de législateurs de droit religieux, comme Voltaire le prétend ici, est peu probable car les Romains ne s'ingéraient pas dans la vie religieuse des peuples conquis. Voir ci-dessous, 'Sommaire de l'histoire juive depuis les Machabées jusqu'au temps de Jésus-Christ', n.45. Voir *Instructions ... au frère Pédiculoso* III, *OCV*, t.62, p.229.

[60] Gen. iii.24. Voir Calmet, *ad* vs.24, p.107, 'Il paraît par Ezéchiel i.10, comparé au chapitre x.14 du même prophète, que ces chérubins avaient beaucoup de ressemblance au Bœuf, puisque ce prophète met la face de Cherub comme paralléle à la face du bœuf, [...]. On remarque aussi, que *Cherub* vient d'une racine, qui en Chaldéen et en Syriaque signifie *labourer*, ce qui est le principal ouvrage des bœufs. *Cherub* signifie aussi *fort et puissant*'. Des lexiques modernes, comme celui de Koehler et Baumgartner, n'acceptent pas cette étymologie. Voir *Instructions ... au frère Pédiculoso III*, *OCV*, t.62, p.229.

[61] Gen. iv.1-16. Voltaire pense à Gen. xviii.1-15, dont le premier verset contient un résumé de ce qui suivra, 'Yahweh parut à Abraham'. Ensuite 'trois hommes' passent devant la tente d'Abraham qui les invite à se rafraîchir à sa table. Finalement, Gen. xix.1 les identifie comme des 'anges' ou des messagers (מלאכים, *malakhim*), mais jamais dans ce récit ils ne sont identifiés comme des 'dieux'.

[62] Voir les *Examens de la Bible* I.14, 'On voit que Caïn croyait pouvoir tromper

Dieu; car lorsqu'il lui demande où était Abel son frère, Caïn lui répondit, verset 9, qu'il n'en savait rien et qu'il n'est pas le gardien de son frère.' Mme Du Châtelet s'étonne, elle aussi, de la clémence de Dieu envers Caïn, *Examens de la Bible* I.13.

Encore une fois, Voltaire distingue entre la théologie biblique, qui ne prévoit ici que des punitions temporelles qui sont devenues le sort de tous les hommes, sans que le texte leur impute une culpabilité héréditaire, et la théologie catholique: Calmet et la tradition des interprètes chrétiens croyaient trouver ici l'âme (voir *Dictionnaire philosophique*, 'Ame', *OCV*, t.35, p.311, n.11, et sa reprise dans les *Questions sur l'Encyclopédie*, 'Ame V', *OCV*, t.38, p.234-37, pour des renvois aux autres ouvrages de Voltaire où il nie qu'il en soit jamais question dans l'Ancien Testament) et sa damnation.

Quant à l'immortalité qui devait être le sort d'Adam et Eve, Voltaire répète, ici et ailleurs, deux légendes qui racontent comment les hommes ont perdu le privilège d'être immortels. Dans la première le serpent a convaincu l'âne qui portait la drogue de l'immortalité de passer dans une fontaine où sa charge s'est diluée et a donc été perdue pour les hommes; une fois l'homme et la femme, qui se nourrissaient d'ambroisie, ont goûté une nourriture plus consistante et ont dû chercher la garde-robe qui, comme objet immonde, était située loin du ciel qu'ils habitaient. Voir *La Philosophie de l'histoire*, ch.6, *OCV*, t.59, p.106, *Les Adorateurs* (1769), *M*, t.28, p.321, *Dictionnaire philosophique*, 'Tout est bien', *OCV*, t.35, p.423-24; *Notebooks*, *OCV*, t.81, p.256 et 546, et les autres ouvrages qui y sont cités, ainsi que la reprise de 'Tout est bien' dans les *Questions sur l'Encyclopédie*, *OCV*, t.39, p.385-86. La première légende est proche de Gilgamesh XI, 266-70 (une plante qui produit l'immortalité), 285-89 (le rôle du serpent). Voir A. R. George, *The Babylonian Gilgamesh epic* (Oxford, 2003), v.1, p.525, n.291, 'A Greek version is told by Nicander and Ælien (see M. L. West, *East face of Helicon* (Oxford, 1997), p.118), whence it found its way into the writings of Voltaire (C. Virolleaud, 'De quelques survivances de la légende babylonienne concernant la plante de la vie', *Journal asiatique* 239 (1951), p.127-32).' West fait remonter l'histoire du serpent qui vole la drogue d'immortalité à Claudius Ælien, *De historia animalium libri XVII*, VI.li [*sic*]. Virolleaud montre que ce conte fut repris par Jean-Paul Bignon, *Les Avantures d'Abdalla fils d'Hanif* (Paris, Pierre Witte, 1712-1714), t.1, p.225-26, le second conte de Loulou.

Voltaire attribue toujours la seconde légende aux Syriens. En fait, il améliore un conte prétendument persan raconté par Choang dans le roman épistolaire de Jean-Baptiste le Boyer d'Argens, *Lettres chinoises*, éd., Jacques Marx (Paris, 2009), Lettre XXVII, t.1, p.347-48.

63 Calmet transcrit מחייאל/מחויאל *Mehuya'el/Mehiya'el* — les deux formes existent dans le même verset — par 'Maviaël', suivant Jérôme qui prenait le *vav* de מחויאל pour la consonne, *v*, tandis que la vocalisation massorétique le considère comme la *mater lectionis* représentant la voyelle, *u*. Soit le secrétaire de Voltaire, soit son premier compositeur savait lire l'alphabet hébraïque mais s'est trompé ici, lisant un ז (*ζayin*) au lieu de ו (*vav*).

⁶⁴ Calmet transcrit יבל, *Jabel*, suivant la Vulgate. (La vocalisation massorétique est plutôt *Yuval*.) Soit Voltaire, soit son secrétaire ou son premier compositeur s'est trompé encore une fois ici.

⁶⁵ Voltaire paraphrase ici Calmet, d'où l'exclusion d'Ada et Zila du cantique (la bigamie étant une abomination pour lui), alors que le texte massorétique les invoque pour faire des hémistiches parallèles: 'Ada et Zila, écoutez ma voix! Femmes de Lamech, entendez ma parole!' Voltaire écrit 'par ma blessure' et 'par ma meurtrissure' là où Calmet emploie la préposition 'pour'.

⁶⁶ Voir les *Examens de la Bible* I.6, 11.

⁶⁷ Gen. iv.17. Selon Calmet, *ad loc.*, p.125, Isaac de La Peyrère avait posé la même question, 'L'auteur des Préadamites propose quelques difficultés, prises de ce que dit l'Ecriture, des professions de Caïn et d'Abel, qui demandaient beaucoup plus d'outils, de secours et de métiers, qu'ils n'en pouvaient avoir alors, s'il n'y eût pas eu dans le monde d'autres hommes que ceux de la race d'Adam. [...] Pour qui Caïn bâtissait-il une ville si sa famille n'était pas nombreuse? et que craignait-il pour avoir tué Abel, si ce juste n'avait point de frères, ni de fils qui s'intéressassent à sa vengeance?' Voir les *Examens de la Bible* I.14 pour une discussion du manque de raison pour que Caïn craigne la vengeance des hommes. Voir *Instructions ... au frère Pédiculoso* IV, *OCV*, t.62, p.230.

⁶⁸ Gen. v.1. Ce que Voltaire semble vouloir voir ici est un texte en bon ordre, sans redites et sans incohérences, un texte qui, dans les termes d'Aulikki Nahkola, 'The memoirs of Moses and the genesis of method in biblical criticism. Astruc's contribution', et Stephen Prickett, 'Robert Lowth and the idea of biblical tradition', dans John Jarick, éd. *Sacred conjectures: The Context and legacy of Robert Lowth and Jean Astruc* (Londres, 2007), p.204-19 et 48-61, serait 'horacien', et quand il ne trouve pas un tel texte, il suppose soit une faute de transmission, comme ci-dessous, n.(*af*), soit, comme ici, une faiblesse de rédaction de la part des auteurs du texte sacré.

⁶⁹ Voir Calmet, *ad loc.*, p.127, 'Cet endroit est un des plus difficiles de l'Ecriture', et il cite diverses interprétations du *targum*, des exégètes juifs et des Pères, dont aucune ne suppose, comme le fait ici Voltaire, de fautes de copistes. (Dès *Des Juifs* (avant septembre 1749), *OCV*, t.45B, p.120, Voltaire suppose l'existence de fautes de copistes pour résoudre des difficultés textuelles au prix de l'inerrance du texte hébraïque.) En fait Voltaire ne pouvait connaître que très mal les théogonies du Moyen-Orient, faute de textes fiables. Il extrapole ici du fatras de Manéthon.

⁷⁰ Gen. i.27 et v.1. Calmet redoute le problème, évoqué par Voltaire, de la ressemblance des hommes à Dieu, et donc de la matérialité du Dieu dans la conception des auteurs du texte, et préfère y voir une 'ressemblance de nature' (p.139).

⁷¹ Voir Calmet, *ad loc.*, p.141, 'Plusieurs anciens croient que son corps fut enterré à Hebron, fondez sur ce passage de Josué xiv.15, *Adam maximus ibi ... situs est.*' Quant à l'âge des Egyptiens, Calmet assure, p.137, que 'les Egyptiens donnaient des milliers d'années à quelques-uns de leurs Rois, et ils comptaient depuis le commencement de leur monarchie, jusqu'au temps des Ptolomées, trente-

six mille cinq cent vingt-cinq ans, trompés par la brièveté de leurs anciennes années'.

[72] Comparer Gen. iv.17 et v.18.

[73] Voir Calmet, *ad* vs.24, p.142, 'Les Pères et le commun des Commentateurs assurent qu'Henoch est encore en vie; que Dieu l'a transporté, aussi bien qu'Elie, hors du monde, et que ces deux Saints doivent venir avant le Jugement dernier pour s'opposer à l'Antéchrist, et pour rappeler les peuples égarés.'

[74] Voir Calmet, p.145, 'Les Profanes ont conservé quelque connaissance d'Henoch, et des prédictions qu'il fit du Déluge. Etienne le Géographe le nomme *Annacus*, [...] les Phrygiens, à sa mort, donnèrent de si vives marques de douleur, qu'elles sont passées en proverbe, et que l'on dit, *Pleurer Anac*'

[75] Voir Calmet, p.145, 'si le Livre d'Henoch eût été connu parmi les Juifs depuis le temps du Déluge, on en trouverait quelque chose dans l'Ancien Testament, et ni les Juifs, ni après eux, les Chrétiens ne l'eussent pas rejetté du canon des Ecritures. Ajoutez qu'en lui-même il porte les caractères de sa fausseté par les contes ridicules qu'il contient.'

[76] Gen. vi.1-4. Voir Calmet, *ad* vs.2, où il traduit 'les enfants de Dieu', mais dans son commentaire il laisse le choix au lecteur: 'les fils des Princes' suivant le *targum*, 'les fils des puissants' suivant Symmaque, 'les fils des illustres' suivant une version arabe, et 'les anges' suivant la Septante, des versions adoptées par les éxégètes chrétiens et par la plupart des commentateurs juifs, tous cherchant à éviter de prendre les בני אלהים, *bnei elohim, fils du* (ou *des*) *elohim*, à la lettre, comme le fait ici Voltaire. Quant à leurs rejetons: 'Saint Justin le Martyr, dans son *Apologie* [liv.2, section 92, *P.G.*, t.6, col.451], a avancé que de ce commerce monstrueux sont nés les démons. Athénagoras [*sans renvoi*] croit que la chûte des mauvais Anges est venue de leur amour impudique pour les femmes; et que de là naquirent les géants. S. Clément d'Alexandrie [*Stromates*, liv.3, section 7, et liv.5, section 1 et section 10, signe 2, *P.G.*, t.8, col.1152-53 et t.9, col.23] paraît dans les mêmes sentiments. Tertullien [*De idolatria*, ch.9, *P.L.*, t.1, col.671, et *De cultu feminarum*, liv.2, ch.10, *P.L.*, t.1, col.1328] attribue à ces Anges amoureux des femmes, l'invention de l'astrologie, des pierres précieuses, des métaux et des drogues dont les femmes se servaient pour augmenter leur beauté [...] Saint Cyprien [*Liber de habitu virginum*, ch.14, *P.L.*, t.4, col.453, et *De singularitate clericorum*, *P.L.*, t.4, col.847] a suivi son maître jusqu'à dans ces sentiments exaggérés. Saint Ambroise [*De Noë et arca*, ch.4, *P.L.*, t.14, col.365-67] et plusieurs autres ont suivi la foule; et cette opinion ne doit paraître si extraordinaire, dans un tems où l'on croyait communément que les anges, bons et mauvais, avaient des corps, et étaient capables comme nous, de passions sensibles et que leur état n'était pas encore fixé.'

Voir aussi Calmet, p.154-55, 'Saint Justin le Martyr qui avait puisé son sentiment dans le livre apocryphe d'Henoch, a cru que les Géants dont parle Moïse n'étaient que des démons sous la forme humaine. Paul de Burgos a renouvelé ce sentiment, et l'a soutenu avec assez d'érudition; mais on ne doit pas se mettre beaucoup en peine d'en prévenir les suites. Il aura peu de sectateurs.'

Voltaire donne un petit catalogue des rejetons du commerce des dieux des Grecs avec des mortelles: pour Persée, fils de Zeus et de Danaë, voir Homère, *Iliade*, chant 14, vers 381-84, Hésiode, *Le Bouclier d'Hercule*, vers 216, et Ovide, *Metamorphoseon*, liv.4, vers 610, 640; liv.5, vers 250; pour Phaëton, fils d'Hélios et de Clymène, *Metamorphoseon*, liv.1, vers 751, 763, 771; pour Hercule, fils de Zeus et d'Alcmène, reine de Thèbes, voir Homère, *Iliade*, chant 14, 387-88, Plaute, *Amphytruo*, Prologue, vers 110-115, acte 5, vers 1134-43; pour Esculape, fils d'Apollon et de Coronis, *Metamorphoseon*, liv.2, vers 629 *et seq*; pour Minos, fils de Zeus et d'Europa, voir Homère, *Iliade*, chant 14, vers 385, Hygin, *Fabulæ* 178, etc. Contrairement aux autres mortels mentionnés dans ce catalogue, Amphytrion n'est pas le rejeton d'un commerce entre un dieu et une mortelle, mais le mari d'Alcmène, mère d'Hercule. Voltaire avait déjà parlé de ce chapitre de la Genèse dans le *Discours de l'empereur Julien*, *OCV*, t.71B, p.331-34, n.57.

⁷⁷ Voir Calmet, *ad* vs.3, p.151, 'Ceux qui prennent ce passage comme une menace que Dieu fait aux hommes d'abréger leur vie, doivent dire qu'elle n'eût son exécution que par degrés; et qu'à la lettre elle ne regarde que les hommes, qui ont vécu vers le temps de Moïse. Usserius [James Ussher (1581-1656), évêque anglican d'Armagh] remarque que depuis le Déluge jusqu'au tems de la Tour de Babel, les hommes vécurent encore quatre et cinq cents ans. Depuis la construction de la Tour de Babel jusqu'à Abraham, ils vivaient encore deux et trois cents ans. Depuis Abraham jusqu'à Moïse, on les voit vivre communément cent quarante et cent trente ans. [...]'.

⁷⁸ La traduction de Voltaire suit Calmet qui suit la Vulgate qui traduit l'hébreu, נפלים, *nefilim*, 'géants', bien que celui-ci admette que, d'après Aquila, le mot veut dire 'des hommes qui tombent dessus', ce qu'il glose comme ceux 'qui attaquent', pour éviter que ce soit eux plutôt que les anges rebelles dont il venait de parler qui sont tombés des cieux, ou qu'il s'agisse ici d'une perte d'innocence primordiale, ce qu'il voulait associer exclusivement avec la chute d'Adam et Eve. Voir p.153, où Calmet essaie d'harmoniser ce récit biblique avec les données archéologiques qu'il connaissait: 'Quelques auteurs anciens et nouveaux, se sont figurés qu'il n'y avait jamais eu de géants d'une hauteur aussi extraordinaire qu'on se l'imagine: que les géants étaient des hommes d'une stature et d'une taille avantageuse; mais non pas beaucoup au dessus de la commune. [...] Ces Auteurs rejettent les histoires où l'on parle des os de géants trouvés sous la terre: ils soutiennent que ce sont des os ordinaires qui se sont pétrifiés et grossis dans les cavernes; ou des os de quelques autres animaux; ou enfin des os fossiles que la terre a formés par hazard dans son sein, comme elle y forme quelquefois des pierres d'une forme qui nous surprend. [...] ainsi quand on avouerait que les hommes d'avant le Déluge auraient eu pour l'ordinaire dix ou douze, ou même quinze pieds de haut, on ne pourrait pas raisonnablement soutenir, qu'extraordinairement ils aient pu aller jusqu'à trente ou quarante, ou même soixante pieds; ce qu'on est pourtant obligé de dire, si l'on veut soutenir les histoires [de Pline, *Historia naturalis*, liv.7, section 16] des géants trouvés sous la terre. Par exemple, celui du Géant Antée trouvé par [Quintus] Sertorius [militaire

romain, assassiné en 72 avant l'ère moderne], de la hauteur de soixante coudées; ou cette tête trouvée sur le mont Ida, grosse trois fois comme les têtes ordinaires.'

Voir Plutarque, *Vie de Sertorius* 9.6, pour l'histoire de la découverte, vers 80 avant l'ère moderne, près de Tingis (Tanger), des ossements du roi légendaire Antée, longs de soixante coudées. Calmet ne mentionne pas Teutobocus dans son *Commentaire littéral*, mais il en parle dans sa 'Dissertation sur les géans', *Dissertations qui peuvent servir de prolégomènes à l'Ecriture sainte*, t.2, Partie 2, p.35. Le *CN*, t.2, p.342, signale ce commentaire, 'Teutoboc / ah pauvre / Calmet'. Voir les *Fragments sur l'Inde et sur le général Lalli*, *OCV*, t.75B, p.204-205, n.e. Un chirurgien nommé Mazurier avait annoncé en 1613 la découverte d'ossements de grande taille qu'il avait identifiés comme étant ceux de Teutobocus, prétendu roi des Teutons. Les ossements furent envoyés à Paris pour être examinés par des anatomistes dont l'un, Nicolas Habicot, soutenait qu'ils étaient ceux d'un géant, tandis qu'un autre, Jean Riolan, prétendait qu'ils étaient ceux d'un grand quadrupède, en fait d'un éléphant ou d'un mastodonte. Leurs livres manquent à la BV. Pourtant Calmet soutenait encore en 1720 que les os découverts en 1613 étaient ceux d'un géant. Voir Karl Alfred von Zittel, *Geschichte der Geologie und Paläologie bis Ende des 19. Jahrhunderts* (Münich et Leipsig, 1899), p.101. Comparer 'Fossiles' dans l'*Encyclopédie*: 'On sentit cependant qu'il y avait des corps *fossiles* que l'on trouve dans plusieurs endroits de la terre, comme ayant appartenu aux géants dont parle la Sainte-Ecriture; cependant un peu de connaissances dans l'anatomie auraient suffi pour convaincre que ces ossements, quelquefois d'une grandeur demesurée, avaient appartenu à des poissons ou à des quadrupèdes, et non à des hommes' (t.7, p.210, article non signé). Voir *Instructions ... au frère Pédiculoso* VI, *OCV*, t.62, p.230.

[79] Gen. vi.6. Voir Calmet, *ad loc.*, p.155-56, 'Dieu n'est pas capable de se repentir, puisqu'il ne fait jamais de mal, et qu'il ne peut jamais reformer ses premiers desseins, pour en prendre de meilleurs. Cependant il agit quelquefois au dehors, comme s'il se repentait, comme s'il s'impatientait, comme s'il avait de la douleur de quelque chose.' Pour l'innocence des animaux, voir Calmet, p.157, 'et quand les animaux n'auraient point été corrompus en eux mêmes, on ne peut nier qu'ils ne le fussent par le mauvais usage qu'en faisaient les méchants'. Voir aussi les *Examens de la Bible* I.19.

[80] Gen. vi.13-14. Calmet connaît, évidemment, le texte de 'Berose le Chaldéen [qui] donnait à l'Arche cinq stades de longueur sur deux de largeur' (p.16). Bérose n'est connu que par des fragments intégrés dans Flavius Josèphe, *Antiquitates*, liv.1, ch.3, section 6, et Syncellus, *Ekloge chronographias*, sections 53-56. Calmet évite de faire ce que fait ici Voltaire, la comparaison entre l'arche que décrit Bérose et celle de Noé, mais on la trouve dans Jean Le Pelletier, *Dissertations sur l'arche de Noé et sur l'Hémine et le livre de S. Benoist* (Rouen, J.-B. Besongne, 1700 et 1704), manque à la BV, mais Voltaire devait connaître cet ouvrage car il en parle dans 'Déluge universel' des *Questions sur l'Encyclopédie*, *OCV*, t.40, p.361-66.

Il n'y a, au catalogue de la BnF, aucune édition des *Pensées* de Pascal publiée à

Rouen ni en 1700, ni en 1704. Les autres informations de Voltaire sur Le Pelletier (1633-1711), marchand à Rouen et savant amateur, comme Voltaire lui-même, sont confirmées par J.-M. Quérard, *La France littéraire* (Paris, 1833), t.5, p.187, qui donne ses dates. Voir aussi, dans l'*Encyclopédie*, l'"Arche de Noé', de l'abbé Edme Mallet, qui spécule sur l'économie de ce vaisseau. Voltaire parle des recherches de Pelletier sur Noé et son arche aussi dans *Instructions ... au frère Pédiculoso* VII, *OCV*, t.62, p.230.

[81] Ogygos était un autochtone qui régna sur les Ecténiens en Béotie à l'époque de Deucalion et vit un déluge selon Pausanias, liv.1, ch.8, section 7. Deucalion était fils de Prométhée et prit pour femme la fille de Pandore. Lui et sa femme furent épargnés quand Zeus voulut, selon Lucien, *De Dea Syria* 12, Ovide, *Metamorphoseon*, liv.1, vers 312-415, et Platon, *Timée* 22b, détruire le monde par un déluge à cause des vices de l'humanité. Calmet parle de Deucalion, de son déluge et de son vaisseau, p.224. Voir *La Défense de mon oncle* xxi, *OCV*, t.64, p.251. La très riche île d'Atlantide, à l'ouest de Gibraltar, fut, selon Platon, *Timée*, 24b-d, et *Critias*, 108e-109a, finalement engloutie par un cataclysme. Voltaire parle des déluges de Deucalion et d'Ogygos ainsi que de l'Atlantide dans *Dieu et les hommes*, ch.27, *OCV*, t.69, p.395.

[82] Gen. vii.11. Voltaire réfute Calmet, p.175-91, qui essaie de démontrer que le déluge universel est bien arrivé et que, selon certains systèmes, il n'était pas contraire à la nature. Mme Du Châtelet nie, dans les *Examens de la Bible* I.20, qu'il y ait eu un tel déluge. La datation de la Genèse que Voltaire propose implicitement est extrême et n'est guère nécessaire si Bérose résume d'anciennes légendes, comme cela semble le cas.

[83] Le commentateur qui avait révoqué en doute la possibilité d'un déluge universel était Isaac Vossius (1618-1689) de qui on disait qu'il croyait tout, sauf la Bible. Voici le résumé de son argument, rapporté par Calmet: 'Et dans sa réponse à André Colvius, il dit que c'est avoir une idée fausse de la grandeur de Dieu, de le croire capable de faire des choses contraires à la nature et à la raison. Il avance que l'universalité du Deluge est contraire à l'une et à l'autre: Que l'on peut démontrer par des preuves géométriques, que quand toutes les nuées de l'air se réduiraient en eau, et fondraient sur la terre, elles ne couvriraient pas toute sa superficie à la hauteur d'un pied et demi. Et que quand les eaux des fleuves et des mers se répandraient sur la terre, elles ne viendraient jamais à la hauteur de quatre mille pas, pour atteindre le sommet des plus hautes montagnes; à moins qu'elles ne se raréfiassent d'une façon extraordinaire; et en ce cas elles ne seraient pas capables de supporter le poids de l'Arche, quand même elle n'aurait point été chargée comme elle l'était. Enfin ceux qui veulent que Dieu ait créé de nouvelles eaux, ou qu'il en soit descendu de divers corps celestes sur terre, supposent des choses qu'un théologien n'admettra jamais sans preuves; [...] J'avoue, dit Vossius, que la toute puissance de Dieu peut faire des choses qui nous paraissent impossibles; mais il ne peut ni vouloir, ni faire ce qui est contraire à la raison et aux lois éternelles de la nature. [...]' (*ad* Gen. vii.11, p.178). Voltaire avait lu ce passage de Calmet, à en juger d'après le *CN*, t.2, p.44, en raison d'un trait dans la marge, et il avait déjà

parlé de Vossius dans 'Déluge universel' des *Questions sur l'Encyclopédie*, *OCV*, t.40, p.365, où il assure que celui-ci niait l'historicité d'un tel déluge.

[84] Gen. vii.17-viii.8. Voltaire reprend ici l'argument qu'il avait proposé dans sa n.(*ao*), mais cette fois il tient compte de la possibilité d'une source folklorique commune à Bérose et à la Genèse, ce qui ne l'oblige plus à dater la Genèse après Bérose.

[85] Gen. viii.17-ix.5. En hébreu, יד, *yad*, main (vs.5), s'emploie très fréquemment, comme ici, dans un sens figuré. Il n'est pas évident de quel commentateur, allemand ou autre, parle ici Voltaire. Calmet n'en cite aucun qui soutienne la thèse de Voltaire. Voir les *Examens de la Bible* I.19.

[86] Lévit. xx.15-16; xviii.23; Deut. xxvii.21.

[87] Ex. xx.10; Deut. v.14.

[88] Eccl. iii.19. Il s'agit évidemment de l'Ecclésiaste plutôt que de l'autre livre sapiential, l'Ecclésiastique, canonique pour les catholiques mais non pour les Juifs.

[89] Jonas iii.7 et voir iv.11.

[90] Gen. ix. 12-17. Calmet, *ad* vs.13, reconnaît que des arcs-en-ciel étaient visibles même avant le déluge, mais il soutient que l'arc-en-ciel est devenu un 'signe d'alliance' seulement depuis que les hommes sont sortis de l'arche (p.218). Voir les *Examens de la Bible* I.22-23 et les *Eléments de la philosophie de Newton* (1738), ch.11, *OCV*, t.15, p.362-73. Pour l'histoire des théories scientifiques de l'arc-en-ciel à l'époque de Voltaire et avant, voir Michel Blay, *Les Figures de l'arc-en-ciel* (Paris, 2005).

[91] L'ignorance des légendes et rites des autres peuples du monde antique que Voltaire attribue ici aux rédacteurs de la Bible n'avait pas évoqué de commentaire de la part de Calmet. Un tel commentaire aurait en fait été inutile car celui-ci se livre à une débauche de 'comparatisme' et identifie les légendes païennes, telles qu'il les connaissait, à des développements de récits bibliques qui en furent, croyait-il, les formes primitives: 'On attribue à Saturne d'avoir commencé à cultiver la terre et la vigne. On lui donne la terre pour épouse. L'Ecriture dit la même chose de Noé; elle l'appelle l'homme de la terre: *Vir terræ*; ou Agricola au chapitre ix.20. On célébrait des fêtes en l'honneur de Saturne dans la débauche et dans l'ivrognerie. Dans ces fêtes, les serviteurs étaient servis par leurs maîtres. Cela s'observait à Rome, en Grèce, à Babylone. Saturne fit une loi qui défendait de voir les dieux nus. Toutes ces fables ne marquent-elles pas Noé qui se laisse surprendre de vin, qui assujettit Canaan à Sem et à ses frères? Le symbole de Saturne était le vaisseau' (*Commentaire littéral ... Genèse*, p.225-27). Pourtant Calmet prétendait aussi, d'après Manéthon, cité par Eusèbe, que 'La théologie des Egyptiens a conservé quelque mémoire de Noé et de ses trois fils sauvés dans l'Arche. [...] Osiris bâtit la ville de Thèbes, érigea des autels et des temples, trouva la vigne, usa le premier le vin, et enseigna l'agriculture aux hommes. L'Egypte attribue à Osiris ce que Moïse attribuë à Noé' (p.227). Voltaire n'a pas cité cette remarque de Manéthon, bien qu'il acceptât son témoignage sur d'autres points.

[92] Par 'commentateurs' Voltaire entend les commentateurs juifs. Ceux qui furent

les plus lus aux dix-septième et dix-huitième siècles, comme ils le sont encore de nos jours, figurent dans les 'Bibles rabbiniques'. La plus récente, מקראות גדולות הכתר, éd., Menahem Cohen (Ramat Gan, 1996-), est le recueil d'exégèse juive médiévale le plus complet actuellement disponible. De ces exégètes, seul Shlomo ben Isaac (RaShI, 1040-1105), *ad* Gen. ix.22, cite T.B., Sanhedrin 70a, où Rav prétend que Ham avait châtré son père, Noé, tandis que Samuel, son contemporain et homologue, prétend que Ham eut des rapports sexuels avec Noé. Mais Calmet, *ad* vs.25, ne renvoie qu'au midrash, *Genèse rabbah*, péricope *Beréshit*, no.37, qui prétend que Canaan avait vu la nudité de son grand-père et en avait parlé à son père, Ham, qui l'a raconté à ses frères.

[93] Spinoza fut excommunié le 27 juillet 1656. Voltaire a dû trouver cette histoire douteuse, soit dans Bayle, *Dictionnaire historique et critique*, *s.v.* 'Spinoza', qui raconte, sur la foi d'un éditeur, que Spinoza avait été attaqué à la sortie d'une synagogue, nécessairement avant son excommunication car il n'aurait pas été admis dans une synagogue après cette date, soit dans les *Lettres juives* du marquis d'Argens, Lettre XLVI, éd. de La Haye, 1736, t.2, p.53.

[94] Gen. ix.20-21. Philon, *De legatione*. Calmet ne parle pas de Philon dans ce contexte, mais Voltaire possédait Flavius Josèphe, *Histoire des Juifs*, trad. Robert Arnauld d'Andilly (Paris, Caillu [etc.], 1735-36; BV1743), dont le t.5 contient la 'Relation faite par Philon de l'Ambassade dont il était le chef, envoyée par les Juifs d'Alexandrie vers l'empereur Caïus Caligula', p.473-550, et voir, en particulier, le ch.6, p.492. (Parce que les divisions du texte dans la version d'Arnauld d'Andilly ne correspondent pas à celles de l'édition que nous employons – la version de William Whiston (1737) – , nous avons signalé ici le tome et la page dans une édition proche de celle que Voltaire possédait, celle de Paris, 1744, plutôt que les divisions internes.)

[95] La malédiction de Canaan n'est jamais rappelée dans l'Ancien Testament après ce récit. Voir Calmet, *ad* vs.25, qui remarque que les descendants de Canaan ne devaient pas 'porter la peine pour un mal auquel ils n'avaient aucune part', puis s'efforce d'expliquer que 'les 70 dans quelques exemplaires, au lieu de Canaan, lisent Cham, comme si le texte qui porte Canaan était corrompu'. Le *Tractatus theologico-politicus* ne contient pas de discussion de la malédiction de Ham, pas même dans le ch.8, section 8, signe 4, où Spinoza parle, selon l'interprétation d'Ibn Ezra, de l'établissement des Cananéens en Palestine d'après Gen. xiii.6.

[96] Voir Gen. x.15-32 et les *Examens de la Bible* I.23-24 sur la dispersion des descendants de Noé et la séparation des langues. Voir Calmet, p.226, 'Noé donne l'Afrique à Cham' et 'Quoi qu'on dise ordinairement que *Sem* eût pour partage l'Asie, que Japhet eût l'Europe, et que *Cham* eût l'Afrique' (p.228), et 'Cham eût l'Afrique entière, une partie de la Syrie et de l'Arabie, et quelque chose entre le Tigre et l'Euphrate, où regna Nemrod' (p.229, *ad* vs.1, et encore une fois *ad* vs.6, p.256). Mais Calmet ne voit pas d'incohérence avec la malédiction de Ham. Il reconnaît implicitement que quelques difficultés s'attachent à son ethnologie, et il avoue, p.228, §VI, que 'Moïse ayant eu dessein de ramasser ici tout ce qui regarde

le partage des descendants de Noé, il n'a pu conserver l'ordre des temps; il s'est vu obligé de faire des anticipations, et de parler de certains événements, et de certaines colonies qui ne sont venues que depuis la confusion arrivée à Babel'. Le grand manuel d'ethnologie biblique auquel Calmet puise est le *Geographiæ sacræ pars prior, Phaleg, seu de Dispersione gentium et terrarum divisione facta in aedificatione turris Babel* de Samuel Bochart (Caen, 1646). Voltaire ne prenait pas l'ethnologie biblique de Bochart suffisamment au sérieux pour acquérir ce livre. Eusèbe Pamphile, *Thesauro temporum*, éd. Joseph-Juste Scaliger (Amsterdam, Johann Jansson, 1658), p.10, est aussi cité par Calmet, *ad* vs.1, p.229. Voltaire possédait ce Père dans l'édition de Leyde, 1606, BV1248.

97 Gen. x.15-31. Voir les *Examens de la Bible* I.23-24. L'infertilité de la Palestine, vraie ou supposée, était une des obsessions de Voltaire, inspirée, semble-t-il, par une lettre de Jérôme qu'il cite, voir, ci-dessous, Exode, n.(*l*), et 'Judée' du *Dictionnaire philosophique*, *OCV*, t.36, p.263, n.5. Voir aussi l'*Essai sur les mœurs*, ch.53, et *Un chrétien contre six Juifs I*, *OCV*, t.79B, où Voltaire traduit cette lettre.

98 'Une lèvre', traduction littérale de la Vulgate, *labia*, qui traduit littéralement l'hébreu, שפה, *safa*, mot qui s'emploie ordinairement par métonymie pour 'langue'. Voltaire répète la question qu'il venait de poser, éventuellement parce que Calmet avait cité Guillaume Fillastre (1348-1428), cardinal, canoniste et géographe, qui prétendait que tout le monde parlait encore la langue d'Adam, mais que 'les langues étaient diverses entr'elles; mais de manière néanmoins que chacun les entendait toutes' (p.312). Quant à la population déjà si nombreuse, Calmet remarque que 'Ce ne fut qu'après bien des années' (p.313) que la migration d'Ararat vers la plus fertile Babylonie fut achevée et que la population s'agrandissait au point d'encourager la construction de la tour de Babel, mais il revient sur la question, embarrassé par la supposition d'une population restreinte qu'il a dû faire pour d'autres raisons, 'Pourquoi donc dans l'espace de cent quarante-quatre ans les hommes sauvés du Déluge n'auraient-ils pas pu se multiplier autant [que l'ont fait les descendants de Jacob en Egypte], puisqu'ils vivaient plus longtemps, qu'ils avaient plus de facilité de nourrir leurs enfants, et plus d'envie d'en avoir, que n[']on[t] pas les Israélites, qui vécurent un assez long temps dans une rude servitude' (p.320).

99 C'est la question que pose Calmet, *ad* vs.2.

100 Voltaire contredit ici Calmet, *ad* vs.5, 'C'est une manière de parler humaine'.

101 Voir Calmet, p.316, 'Saint Jérôme dit [*In Is.*, liv.5, ch.14, *P.L.*, t.24, col.164], sur le rapport des autres, que la Tour de Babel avait de hauteur quatre mille pas. [...] Les Juifs dans le livre Jalcut l'élevent jusqu'à vingt-sept mille pas.' Voir les *Notebooks*, *OCV*, t.82, p.651, 'Nb. La tour de Babel fut élevée comme on sait 120 ans après le déluge universel. Flavian Joseph croit qu'elle fut bâtie par Nemrod ou Nembrod. Le judicieux Don Calmet a donné le profil de cette tour élevée jusqu'à onze étages, et il a orné son *Dictionnaire* de tailles douces dans ce goût d'après les monuments. Le livre du savant juif Jaleus [*sic pour* Jalcut] donne à la tour de Babel 27 000 pas de hauteur, ce qui est bien vraisemblable. Plusieurs voyageurs ont vu les restes de cette tour.' Voir aussi 'Babel' du *Dictionnaire philosophique*, *OCV*, t.35,

p.394, 'Abraham' des *Questions sur l'Encyclopédie* (1770), *OCV*, t.38, p.53, et 'Babel I', *ibid.*, t.39, p.262, où Voltaire écrit: 'Quoiqu'il en soit, les commentateurs se sont fort tourmentés pour savoir jusqu'à quelle hauteur les hommes avaient élevé cette fameuse tour de Babel. Saint Jérôme lui donne vingt mille pieds. L'ancien livre juif intitulé *Jacult* [*sic pour* Jalcut] lui en donnait quatre-vingt-un mille. Paul Lucas en a vu les restes, et c'est bien voir à lui'.

La source du chiffre que citent Calmet et Voltaire est le ילקוט הנקרא שמעוני, *Yalkut ha-nikra Shim'oni*, péricope No'ah, n.62, *incipit*, והוא היה גבור ציד (Venise, Bragadini, 1566), f.17r, que Calmet, dans son ignorance, prenait pour source très ancienne de traditions authentiques. En fait, *Yalkut* ne veut rien dire d'autre que 'recueil'. Il s'agit ici d'un recueil midrashique médiéval attribué à un Shim'on ha-darshan, Simon le prédicateur, de Francfort, très loin donc d'être un 'ancien livre juif' comme le suppose implicitement Calmet et comme le prétend explicitement ici Voltaire, bien que, comme tous les autres recueils midrashiques, le *Yalkut Shim'oni* puisse faire écho, ici et là, à des éléments folkloriques assez anciens.

[102] Voir Calmet, *ad* v.7, p.322, 'C'est un des plus grands miracles, dont nous parle l'Ecriture, que celui de la confusion des langues arrivée à Babel. Changer la mémoire, l'imagination, l'esprit de la plupart des hommes; leur faire perdre une habitude prise depuis un grand nombre d'années, de prononcer certains termes pour signifier une chose, et leur donner une habitude toute contraire, et cela tout d'un coup; c'est sans doute une chose que l'on a peine à concevoir: c'est cependant l'idée que l'Ecriture nous donne de cette confusion, qui arriva à la construction de Babel. Quelques auteurs, qui croient rendre service à Dieu en diminuant le nombre de miracles, se sont efforcés d'expliquer d'une manière naturelle ce que dit l'Ecriture.' Après avoir compté cinq familles de langues, y compris le chinois, Calmet énumère les langues créées dans la confusion de Babel, p.325, et l'on trouve dans cette liste de trente-quatre langues celles de l'Europe, du Moyen-Orient, de l'Asie Mineure ainsi que le punique, mais aucune mention de celles qui sont parlées en Asie.

[103] Gen. xi.14-xii.4. Voir Calmet, *ad* v.4, p.337, 'Ceux qui veulent qu'Abram soit né la soixante et dixième année de Tharé, trouvent ici une difficulté que saint Jérôme et saint Augustin [*Quæstiones in Genesim*, liv.1, ch.25, *P.L*, t.34, col.553, et *De Civitate Dei*, liv.16, ch.15, *P.L.*, t.41, col.494] croient inexplicable. Et en effet si Tharé est mort âgé de deux cent cinq ans, et si Abram est né la soixante-dixième année de Tharé, il est clair qu'à la mort de Tharé, Abram avoit cent-trente cinq ans; ce qui est bien éloigné des soixante-quinze ans que l'Ecriture lui donne ici.' Voir *La Défense de mon oncle*, ch.8, *OCV*, t.64, p.211, 'Abraham' du fonds de Kehl, *M*, t.17, p.40, 'Abraham' du *Dictionnaire philosophique*, *OCV*, t.35, p.292, et *La Philosophie de l'histoire*, ch.16, *OCV*, t.59, p.142-45. Pour le discours d'Etienne, voir Actes vii.2-4.

[104] Gen. xii.1. Calmet, *ad* vs.31, p.331-32, ne demande pas pourquoi Abram est appelé à quitter son pays natal pour un pays moins fertile et moins riche, mais il cite, d'après les exégètes juifs qui puisaient au midrash, des raisons religieuses non

précisées dans le texte biblique qui avaient disposé Abram à obéir au commandement de Dieu et à quitter Ur en Chaldée.

[105] Gen. xii.6. Ce verset avait déjà été remarqué par Ibn Ezra, dans son commentaire *ad* Deut. i.2, avec plusieurs autres versets qui, à première vue, semblent avoir également été écrits après la mort de Moïse. Ensuite son analyse implicite a été reprise et explicitée par Spinoza, *Tractatus theologico-politicus*, ch.8, et par Richard Simon, *Histoire critique du Vieux Testament* (1678; Rotterdam, Amsterdam, 1685), ch.5. Même Calmet, *ad loc.*, avoue que 'Plusieurs croient que ce passage est une glose qui a passé de la marge dans le texte de Moïse, et qu'elle y a été ajoûtée dans le temps que les Juifs étaient maîtres de ce pays, et peut-être par Esdras, qui revit ces livres après la captivité de Babylone.'

[106] Voir ci-dessus, n.97. Curieusement, contrairement à ce que prétend ici Voltaire, *Triticum dicoccoides* poussait à l'état sauvage dans la région du Mont Carmel, et c'est de cette espèce que s'est développé le *Triticum dicoccum*, 'petit épeautre', et, selon certaines opinions scientifiques, d'autres espèces de blé aussi et leur culture, et sa culture se répandit de là en Europe.

[107] Gen. xii.15. Le mot hébreu, אֹן, *on*, se trouve dans la Bible mais nulle part il ne désigne le dieu soleil des Egyptiens (voir le *Lexicon* de Koehler et Baumgartner, *s. v.*, où ce mot est un toponyme). Le nom du roi d'Egypte, פַּרְעֹה, *far'o*, s'écrit avec un ע et non un א comme אֹן, et ne se termine pas par un *n*. La fausse identification de *on* avec le soleil que cite Voltaire remonte au moins à Jérôme pour l'étymologie du mot 'Pharaon', et elle figure dans Calmet non *ad loc.*, mais *ad* Gen. xli.45, p.742, au sujet de Putiphar, beau-père de Joseph et 'prêtre d'On', 'Héliopolis, ou ville du Soleil, est appelée On dans l'hébreu'. (Actuellement on croit que le titre des rois d'Egypte se prononçait *per aa*, ce qui voulait dire 'la grande maison' ou 'le palais' ou, par métonymie, 'la dynastie'. Voir Koehler-Baumgartner, *s.v.*, פרעה.)

Voltaire ne possédait pas le *Hierozoicon sive de animalibus sanctæ Scripturæ* (Londres, 1663) du pasteur et archéologue biblique, Samuel Bochart (1599-1667), qui, assure Calmet, p.345, 'montre par plusieurs dictionnaires arabes et cophtes, que le nom de Pharaon signifie un crocodile'.

[108] Gen. xii.13. Qu'Abraham était le fils d'un fabricant d'idoles et non d'un potier est une légende juive très ancienne attestée dans le midrash בראשית רבה, *Genèse Rabbah*, péricope *No'ah*, 38.28), reprise par Calmet. Voir *ad* Gen. xi.20, p.317, 'Saint Epiphane met l'origine de l'idolatrie sous Sarug. [...] Tharé pere d'Abraham introduisit l'usage des statues et des figures de métal, de bois et de pierres. L'Ecriture nous apprend que Tharé a adoré les idoles.' Pour l'idolâtrie de Tharé, voir Jos. xxiv.2.

Voir Calmet, *ad* vs.13, p.342, 'Origène a avancé, que dans une conjoncture pareille à celle-ci, lorsqu'Abimelec Roi de Gerare enleva Sara, Abraham non seulement fit un mensonge, mais qu'il trahit et abandonna la chasteté de son épouse. [...] Mais saint Augustin [*Contra mendacium*, lib.1, ch.10, *P.L.*, t.40, col.546-47, parlant des mensonges et n'appliquant pas ses principes à Abraham] fait l'apologie de toute la conduite que suivit Abraham dans cette occasion si delicate. Il montre

qu'il n'a point fait un mensonge; il a simplement tû et dissimulé la vérité.' Voir
Instructions ... au frère Pédiculoso IX, *OCV*, t.62, p.232.

[109] Il est assez difficile de justifier avec précision l'âge que Voltaire donne à Sara.
Dans le chapitre qui précède ce récit, Abraham circoncit Ismaël à l'âge de treize
ans, quand lui-même avait quatre-vingt-dix-neuf ans (Gen. xvii.24) et Sara quatre-
vingt-dix ans (Gen. xvii.17), donc neuf ans de moins que son mari. Abraham avait
donc quatre-vingt-six ans et Sara soixante-dix-sept ans lors de la naissance
d'Ismaël. Elle avait donné Hagar, sa servante, à Abraham comme concubine
après un nombre indéterminé d'années de stérilité. Donc donner à Sara soixante-
cinq ans lors de son enlèvement par Pharaon comme le fait ici Voltaire est une
hypothèse qui correspond à la logique du récit. Voir *La Défense de mon oncle*, ch.8,
OCV, t.64, p.210-13, et Voltaire à Charles-Joseph, prince de Ligne, D11712, du 18
févr. 1764 pour d'autres disussions de l'âge de Sara.

[110] Sara fut enlevée encore une fois par Abimelech, roi des Philistins (Gen. xx)
alors qu'elle était enceinte d'Isaac et qu'elle avait donc cent treize ans environ.
Meslier a parlé de cet enlèvement dans ses *Mémoires des pensées et sentiments*,
Œuvres, t.1, p.164, mais sans préciser l'âge de Sara. Cette observation a été
conservée par Voltaire dans son *Extrait des sentiments de Jean Meslier*, *Œuvres*, t.3,
p.453, et *OCV*, t.56A, p.121, où le roi de Guérar est sauvé d''une faute légère',
ironie plutôt voltairienne, texte qui ne parle pas non plus de l'âge de Sara.

[111] Gen. xiii.1. La traduction de Voltaire ne correspond pas à celle de Calmet,
'Abram étant donc sorti de l'Egypte [...] il vint dans la partie méridionale [de la
terre de Canaan]'. Elle est plus proche de l'hébreu où le verbe employé dans ce
verset et ailleurs pour indiquer un trajet vers la Palestine est עלה, *'ALA*, 'monter', et
celui qui s'emploie pour la quitter est ירד, *YRD*, 'descendre', comme dans Gen.
xii.10. Pourtant Voltaire se trompait car, comme l'avait bien expliqué Calmet *ad loc.*,
dans la langue biblique, le Negev désigne soit le sud, soit, comme ici, la partie
méridionale de la Palestine.

[112] Voir Gen. xiii.2 pour la richesse d'Abraham, et Gen. xii.16 pour son
acquisition de biens grâce à Sara.

[113] Gen. xiv. Pont est l'identification faite par Jérôme, d'après Aquila, de la
région appelée אלסר, *Elasar*. L'Ecriture laisse entendre que la plaine du Jourdain
(ככר הירדן, *kikar ha-Yarden*) n'était pas aride, comme le dit Voltaire, mais fertile avant
la destruction de Sodome et Gomorrhe, car Loth l'avait choisie parce qu'elle était
bien arrosée (Gen. xiii.10). Au vs.3, c'est la 'vallée des Siddim' qui est identifiée avec
la 'Mer du Sel', la Mer Morte. Calmet mentionne plusieurs traductions des anciens
mais suit Jérôme, 'vallem Silvestrem', d'où la 'vallée du bois' de Voltaire. (שדים,
Siddim, mot autrement inconnu dont l'orthographe non vocalisée est identique à
celle de *shédim* qui signifie démons, comme dans Deut. xxxii.17.) Quant à la
transformation de cette vallée en 'lac asphaltide, ou en la mer salée', voir Gen. xix.24-
25, qui parle de renverser (ויהפך, *va-yahafokh*) ces villes et toute la plaine (ככר, *kikar*),
sans spécifier la vallée des *Siddim*.

[114] Gen. xiv.14-15. Ceci est encore un des versets classiques signalés par Spinoza,

Tractatus theologico-politicus, ch.8, p.335, par Simon, *Histoire critique du Vieux Testament*, liv.1, ch.5, p.32, et par Jean Leclerc, *Sentimens de quelques théologiens de Hollande* ... (Amsterdam, H. Desbordes, 1685, manque à la BV), p.113, comme ayant été écrits après la conquête de Canaan, quand le nom de la tribu de Dan était attaché à la partie nord de la Palestine. Voltaire imagine Abraham comme un pauvre nomade, tandis que Calmet, suivant Flavius Josèphe, 'quelques historiens plus anciens' et surtout Claude Fleury, *Les Mœurs des Israélites* (1681), l'imagine en roi ayant un entourage suffisant pour prévaloir dans une guerre contre les cinq grands rois (*ad* vs.14). Calmet ne cite aucun 'interprète' ancien ou moderne qui corrige Dan en Damas. Voir *La Philosophie de l'histoire*, ch.18, *OCV*, t.59, p.145, et 'Genèse' des *Questions sur l'Encyclopédie*, *OCV*, t.42A, p.45, où Voltaire parle de la grande distance entre Sodome et Damas sans invoquer le problème d'avoir poursuivi les troupes des cinq rois jusqu'à Dan. Pour les rapports d'Abraham avec les Perses et sa victoire contre 'Nembrod', voir Calmet, *ad* Gen. x.8, 9, et Hyde, p.36 et 41, qui écrivent le nom de ce roi sans *b*, comme le font la Vulgate et le texte hébreu, נמרד, *Nimrod*. Il se peut que le *b* de Nembrod ne soit pas une faute de plus de Voltaire, mais un *b* épenthétique introduit par un compositeur peu soigneux, coquille que Voltaire n'a jamais corrigée.

[115] Qu'Abraham était le 'Brama' des Indiens est suggéré par Hyde, ch.2, p.27-36. Voir *CN*, t.4, p.577, qui signale les deux notes, 'Abram Abraham' et 'Kish Ibraham', à la p.27. Voir, plus généralement, Alphonse Dupront, *Pierre-Daniel Huet et l'exégèse comparatiste au XVIIe siècle* (Fontenay-aux-Roses, 1930). Dans plusieurs de ses écrits, notamment dans *La Philosophie de l'histoire*, ch.16, *OCV*, t.59, p.142-43, Voltaire essaya de trouver les sources des légendes bibliques dans les légendes indiennes. Voir ci-dessus, n.55 et 56.

[116] Voir Gen. xvi.1-2 pour le don ou le prêt d'Hagar à Abraham afin que Sara puisse adopter son enfant comme sien. Pour les deux épouses de Lamech, voir Gen. iv.19. Pour la polygamie, Calmet assure, p.381, qu'elle 'était autorisée par la coûtume, et tolérée de Dieu même'. Pour l'expulsion d'Hagar et de son fils de la maison d'Abraham, voir Gen. xxi.14. Pour la comparaison de Sara avec l'Eglise et de Hagar avec la synagogue, voir Meslier, *Extrait des sentiments de Jean Meslier*, *Œuvres*, t.3, p.471, et *OCV*, t.56A, p.145. Dans les *Mémoires des pensées et sentiments*, le texte que Voltaire prétend avoir abrégé pour rédiger l'*Extrait*, Hagar représente l'Ancien Testament plutôt que la synagogue. Voir les *Œuvres* de Meslier, t.1, p.338 et 347. La démonstration qu'Hagar n'était pas une deuxième épouse mais seulement une concubine semble une réinvention de Voltaire. Voir le commentaire de Nahmanide, *ad* Gen. xxv.6.

[117] Gen. xvi.13-14. Calmet traduit 'profecto hîc vidi posteriora videntis me', 'Vous êtes le Dieu qui m'avait vu[e]' (vs.13), et 'certainement j'ai vu derrière celui qui m'a vue'. Dans son commentaire il traduit, 'J'ai vu ici par derrière celui qui me voit.' L'hébreu massorétique écrit באר לחי ראי, *be'er lahai ro'i* (vs.14), ce qui est loin d'être clair, mais n'emploie pas l'adverbe, אחרי, *aharei*, derrière (mais voir le vs.13), comme le fait Ex. xxxiii.23, où le même mot est un substantif auquel Voltaire prête un

sens indécent. Evidemment Voltaire a modifié les trois traductions de Calmet pour en donner une qui se prêterait à un sens leste.

Ni Voltaire, ni Mme Du Châtelet avant lui, ne remarque dans ce récit ce qui saute aux yeux, que l'annonce faite à Marie (Luc i.31-32) est calquée sur l'annonce faite à Hagar (Gen. xvi.11, voir les renvois dans les éditions de la Vulgate, qui associent les deux passages).

[118] Gen. xvi.7-15.

[119] Ex. xxxiii.23 pour voir Dieu 'par derrière', et Nom. xii.8 et Deut. xxxiv.10 pour la communication de Dieu avec Moïse 'face à face'.

[120] 'Jéhovah' est la transcription du tétragramme inventée par P. Galatinus en 1516 qui fut ensuite employée par William Tyndale, dans sa traduction anglaise d'Ex. vi.3 (1530, voir *OED*, *s.v.*, 'Jehovah'), et peu après par Pierre-Robert Olivétan dans sa version française (1535) de Gen. xvii.1. Voir Calmet *ad* Gen. xvii.1, 'Le Traducteur de Sanchoniaton, ancien Historien Phénicien, parle d'une divinité de ce pays nommée *Agros*, ou *Agrotes*, ce qui revient assez à *Saddaï*, pris dans le sens du Dieu maître des biens de la campagne [...]. D'autres derivent Sadaï, de *Schad*, la mamelle [...]. D'autres enfin derivent Saddaï de l'hébreu *Schadad* [*en note*: שדד], ruiner, desoler, détruire. Un Dieu foudroyant et terrible, qui ravage et qui détruit ses ennemis.' En fait, שדי, *shaddaï*, semble dériver de שדה, *sade*, champ, ce qui ferait de ce nom l'indication d'un dieu chtonique (voir Koehler-Baumgartner, *s.v.*). Selon les conventions de translittération de l'époque on transcrivait la lettre *shin*, ש, par un *s* ou un *sc*, d'où le '*Sadaï*' de Voltaire pour '*Shaddaï*'.

Les autres noms mentionnés par Voltaire, *El Eloa* et *Ba'al Bel*, sont ceux de dieux célestes du panthéon ougaritique ou cananéen dont les deux premiers ont été adoptés pour désigner le dieu d'Israël. Contrairement à ce que prétend ici Voltaire, ni Bel, ni d'ailleurs Ba'al, ne s'emploie jamais dans l'Ancien Testament pour désigner le dieu d'Israël, maître de l'univers. La liste des noms donnés au dieu d'Israël dans les livres bibliques que Voltaire dresse ici semble provenir de Calmet, 'Préface sur le livre de Job' car, dans la réédition de cette 'Préface' dans les *Dissertations qui peuvent servir de prolégomènes à l'Ecriture Sainte ...* de Calmet, t.2, p.170-71, une telle liste a suscité une note marginale de Voltaire signalant l'équivalence de ces noms. Voir le *CN*, t.2, p.340.

Parfois 'Adonaï', dont le sens littéral est mon (ou mes) maître(s), est employé dans des versets adressés à Dieu, où le mot peut avoir le sens non religieux de 'mon Seigneur' (voir Ex. xv.17, Is. vi.11 et de nombreux autres exemples); mais dans des passages comme Is. vi.1 et 8, il est, comme le dit ici Voltaire, le nom du dieu d'Israël; parfois encore il s'agit d'une corruption du texte où 'Adonaï', prononciation employée par les Juifs pieux pour ne pas profaner le tétragramme, remplace celui-ci. Voir *Dieu et les hommes*, ch.16, *OCV*, t.69, p.344-47. Voltaire discute les noms de dieu empruntés par les Israélites à leurs voisins pour désigner leur dieu dans 'Ignorance, 5°' des *Questions sur l'Encyclopédie*, *OCV*, t.42A, p.361-64, et dans *La Philosophie de l'histoire*, ch.13, *OCV*, t.59, p.134-35.

Dans le paragraphe suivant Voltaire traduit Gen. xvii.23 par 'il leur coupa la chair du prépuce, comme le Dieu Sadaï l'avait ordonné' bien que le texte biblique soit כאשר דבר אתו אלהים, *ka'asher diber ito Elohim*, comme le lui avait dit Elohim, sans le qualificatif 'Sadaï'.

[121] Gen. xvii.5. Calmet déclare ici qu''Abram signifie, un père élevé, *Pater excelsus*, ou plutôt Ab-rab-hamonon, le pere élevé d'une multitude de peuples', étymologie fantaisiste. Pour les étymologies persanes, voir, ci-dessus, n.115. Autrement dit, Voltaire invente ici encore une fois.

[122] Gen. xvii.1-14. Voir Calmet, 'Dissertation sur l'origine et l'antiquité de la circoncision', *Commentaire littéral ... Genèse*, p.42, 'Les Egyptiens ont prétendu autrefois que la Circoncision avait pris naissance dans leur pays. Hérodote instruit par les prêtres de cette nation, l'avait persuadé aux Grecs; et les ennemis de la religion chrétienne esperans de rendre la religion de Jesus-Christ odieuse et méprisable, en traduisant le judaïsme en ridicule, ne manquèrent pas de nous objecter que la circoncision n'était point une chose singulière chez les Juifs, qu'elle avait été inventée dans l'Egypte'. Quand Voltaire prétend que les Israélites ne pratiquaient pas la circoncision en Egypte, il confond les récits bibliques: selon Jos. v.5, les Israélites qui sortirent d'Egypte étaient en fait circoncis, mais la circoncision ne fut pas pratiquée sur leurs fils pendant les pérégrinations dans le désert. Voir aussi Calmet, p.45.

Quant à la 'circoncision' des femmes, voir Calmet, p.46, 'Les juifs ne donnent la circoncision qu'aux mâles, [...] les Egyptiens la donnent aux hommes et aux femmes', sur l'autorité de Strabon, liv.17, et d'Ambroise.

[123] Gen. xvii.15-16. Voir Calmet, *ad loc.*, 'Le nom de Saraï signifie Madame, ou Ma Princesse; celui de Sara, La Princesse, ou la dame.' En effet, la racine de ces formes féminines est שר, *SR*, détenteur de l'autorité ou chef d'une unité militaire ou administrative, et l'on trouve une fois le pluriel de Sara, *sarot* (Est. i.18), comme s'il s'agissait des épouses des *sarim*, des administrateurs de l'empire d'Assuérus, car ce livre ne parle jamais d'administratrices. Voir aussi Lam. i.1 שרתי במדינות, *sarati bamedinot*.

[124] Gen. xvii.17. Pour les âges de Tharé et d'Abraham aux divers moments de ses pérégrinations, voir n.109. Il n'est pas évident où Voltaire a trouvé les 'huit ans' de la résidence d'Abraham en Canaan, ni l'âge d'Abraham lors de son union avec Ketura, Gen. xxv.1-8. Calmet, *Commentaire littéral ... Genèse*, p.510, lui donne cent quarante ans sans expliquer son calcul, et s'étonne, lui aussi, de la vigueur d'Abraham à cet âge.

[125] Gen. xvii.24-25. Voir Calmet, 'Dissertation sur l'origine et l'antiquité de la circoncision', p.46, pour la circoncision chez les Juifs, prescrite pour huit jours après la naissance (voir Gen. xvii.12; xxi.4 et Lévit. xii.3), mais Calmet ne spécifie pas l'âge où les Arabes la pratiquaient. Que les Arabes soient les descendants d'Ismaël est écrit dans le Coran II.124-26. Voltaire possédait *The Koran, commonly called the Alcoran of Mohammed*, trad., George Sale (Londres, J. Wilcox, 1734; BV1786).

[126] Gen. xviii.1-3. Voir Calmet, *ad vs.1*: 'Saint Ambroise a cru que ces trois hommes, dont il est parlé ici, représentaient les trois personnes de la Trinité.

D'autres Pères ont dit qu'il y avait deux anges, et que le troisième était le Fils de Dieu, et la seconde personne de la Trinité. L'Eglise semble avoir adopté ce sentiment dans son Office, où elle repéte ces mots qui ne sont point dans l'Ecriture, mais qui se trouvent dans les Pères, *Tres vidit, et unum adoravit*. Il en vit trois, mais il n'en adora qu'un seul. Le Concile de Sirmich prononça anathème contre ceux qui diraient qu'Abraham n'avait pas vu le Fils; mais le Dieu non engendré, ou une partie de ce Dieu.' C'est Voltaire qui ajoute que la Trinité ne figure jamais expressément dans l'Ancien Testament.

¹²⁷ Gen. xviii.6. Voltaire se met ici à contredire Calmet qui, *ad* vs.6, soutient que 'le repas qu'Abraham fit aux trois anges n'était pas fort somptueux, mais il était fort abondant', car un סאה, *se'a*, selon Calmet 'revient environ à neuf pintes un demi septier et un quart', d'où le calcul de Voltaire qui donne 29 pintes. ('Sata', forme araméenne, est la traduction de la Vulgate pour סאים, *se'im*, pluriel de סאה.) Voltaire introduit cette équivalence en mesures françaises dans sa traduction. Il traduit le 'butyrum' (beurre) de la Vulgate par kaïmac alors que Calmet, *ad* Gen. xviii.8, affirme, 'Sous le nom de *beurre*, on doit entendre ici de la crème'.

Kaïmac est un mot d'origine turque déjà employé par Voltaire dans *Candide*, ch.30, 'du kaïmac piqué d'écorces de cédrat confit', qui n'est entré dans le *Dictionnaire de l'Académie* que dans la septième édition (1884), comme une 'espèce de crème en usage chez les Orientaux', après que *Littré* l'eût déjà accepté en 1877 comme une 'sorte de sorbet turc', citant *Candide*, mais ne citant ni *La Bible enfin expliquée*, ni Sénecé dont parle Voltaire. Cet auteur était un poète satirique, Antoine Bauderon de Sénecé ou Sénecy (1643-1737), dont un conte, 'La Confiance perdue, ou Le Serpent mangeur de kaïmak et le Turc son pourvoyeur. Fable turque, mise en vers par Mr de Sénéçai [*sic*] premier valet de chambre de la reine Marie-Thérèse d'Espagne, épouse de Louis XIV', parut dans ses *Nouvelles en vers* (Paris, 1695) qui manquent à la BV. Voltaire édita ce conte dans *Les Choses utiles et agréables* (Berlin [Genève, Cramer], 1769[-1770]; BV3507), BnF D²5302(1), t.2, p.88-98, comme une fable 'retouchée par M. de la Parisière Evêque de Nîmes'.

Le mariage de Mahomet et Kadisha ou Khadijah ou Cadigha n'est pas mentionné dans le Coran, mais George Sale dans le 'Preliminary discourse' à sa traduction du Coran, p.38, et Humphrey Prideaux, *La Vie de l'imposteur Mahomet, recueillie des auteurs arabes* (Paris, Jean Musier, 1699; manque à la BV), p.15-16, le mentionnent d'après diverses traditions musulmanes, sans qu'aucun des deux n'indique le menu du festin. Voltaire parle du mariage de Mahomet et 'Cadige' dans l'*Essai sur les mœurs*, ch.6, éd. Pomeau, t.1, p.256.

¹²⁸ Voir Calmet, *ad* Gen. xviii.10, 'L'ange parle d'une manière humaine', mais il ne remarque pas qu'un ange ne pouvait douter qu'il serait encore en vie un an plus tard.

¹²⁹ Voir Calmet, *ad* Gen. xviii.28, p.415, qui renvoie à Ovide, *Fasti*, liv.5, vers 495-545, et écrit, 'On reconnaît aisément, sous le nom d'Hyriée, Abraham venu de la ville d'Ur. Les trois Anges qu'il reçut, et les trois dieux que reçut Hyriée, ont un rapport visible. Les termes hébreux [לשרה אשתך, *le-sara ishtekha*] dont se servent les

anges pour promettre un fils à Abraham, se peuvent lire, sans y rien changer, de manière qu'ils rendront ce sens.'

130 Gen. xviii.23-33. Sur la possibilité qu'un ange ait vraiment mangé chez Abraham, et pour les opinions des théologiens à ce sujet, voir Calmet, *ad* Gen. xviii.9. Calmet ne s'offense pas de la nécessité d'interpréter l'Ecriture à deux vitesses, tantôt à la lettre et tantôt allégoriquement ou figurativement, car il ne ressent pas le besoin de pratiquer une stratégie exégétique cohérente, ce qui est un des thèmes de cet ouvrage et des *Examens de la Bible*. Voir I.535 et II.271.

131 Gen. xii.4; xvii.5-7, mais Voltaire exagère car le texte ne promet pas à Abraham que tous les peuples de la terre seraient ses descendants.

132 Gen. xiv.14.

133 C'est un retour au thème déjà abordé dans 'Genèse' du *Dictionnaire philosophique*, qui soutient que la Bible est inexplicable quand elle est lue avec un œil critique, mais qu'elle peut enseigner la piété si elle est lue avec un esprit docile envers l'Eglise, *OCV*, t.36, p.157, puis répété dans 'Genèse' des *Questions sur l'Encyclopédie*, *OCV*, t.42A, p.37, 46-47, etc. Voir ci-dessus, n.(*ap*) et n.34.

134 Gen. xix.1.

135 Qu'un ange est resté auprès d'Abraham est ce que prétend Calmet, *ad* Gen. xix.1. Celui qui prétendait que les trois hommes ou anges étaient les trois personnes qui composent la Trinité est Ambroise. Voir, ci-dessus, n.126. Meslier évoque cet épisode dans *Mémoires des pensées et sentiments*, *Œuvres*, t.1, p.164.

136 Calmet, *ad* Gen. xix.8, emploie le même mot, 'Voilà une étrange proposition! [...] Est-il permis de faire un mal, pour en éviter un autre?' Finalement, Calmet rejette les justifications de la conduite de Loth proposées par Ambroise et Chrysostôme, 'Enfin Loth a péché contre l'ordre de la charité, qui voulait qu'il préferât l'honneur de ses filles, à la défense de ses hôtes' (p.420). Cf. le *Sermon des cinquante*, *OCV*, t.49A, p.74-75. Voir aussi les *Homélies prononcées à Londres* III, *OCV*, t.62, p.471, pour l'argument qu'il est improbable voire impossible que tous les hommes de la ville aient voulu violer les deux anges, et pour le caractère moral des deux filles de Loth, voir les *Questions de Zapata* 17°, *OCV*, t.62, p.386. Voir *Instructions ... au frère Pédiculoso* X, *OCV*, t.62, p.233.

137 Voir Ovide, *Metamorphoseon*, liv.8, vers 616-715, pour l'histoire de l'hospitalité offerte par Philémon et sa femme Baucis à Zeus et Hermès alors que les autres habitants de leur village refusaient de les recevoir. On voit la même association des filles de Loth avec Philémon, Cinyra et Myrrha dans 'Genèse' du *Dictionnaire philosophique*, *OCV*, t.36, p.171. Cette comparaison est dans le répertoire voltairien au moins depuis le *Sermon des cinquante*, *OCV*, t.49A, p.74 et voir n.6. Dans *Des Juifs*, *OCV*, t.45B, p.116, Voltaire raconte à ce propos que les Arabes demandent un tribut en 'filles nubiles' pour droit de passage des caravanes, puis raconte la même chose dans le *Traité sur la tolérance*, ch.12, *OCV*, t.56C, p.198.

138 II Pierre ii.7-9, qui prend à la lettre le récit de la villainie des Sodomites, puis des anges qui ont sauvé Loth de la destruction de Sodome.

139 C'est la seconde des harmonisations proposées par Calmet pour résoudre la

contradiction entre avoir des filles vierges et avoir des gendres: que les deux filles que Loth avait offertes aux Sodomites étaient fiancées, et donc que Loth avait des gendres, mais qu'elles n'avaient pas encore consommé leur mariage selon les coutumes juives témoignées par Léon de Modène au dix-septième siècle (*I Riti degli Ebrei*, Paris, 1637; *Coutumes et cérémonies des Juifs*, trad., Richard Simon, Paris, Louis Billaine, 1674), et qu'elles pouvaient donc encore être vierges. La première harmonisation est, suivant Jérôme, que Loth avait des filles autres que celles qu'il a offertes aux Sodomites et que ce sont ces autres filles qui furent tuées avec leurs maris dans la destruction de Sodome (Calmet, *ad* Gen. xix.14).

[140] Le nom de la femme de Loth ne figure pas dans la Genèse, seulement dans le midrash, פרקי דר׳ אליעזר, *Pirkei de R. Elieʒer*, ch.25, p.89, comme l'a écrit Calmet dans son *Dictionnaire ... de la Bible* (Paris, 1730; BV615), *s.v.*, t.3, p.224, et comme l'a répété Voltaire. Voltaire parle aussi de la femme de Loth dans 'Genèse' des *Questions sur l'Encyclopédie*, *OCV*, t.42A, p.46, dans les *Lettres chinoises, indiennes et tartares*, Lettre II, *M*, t.29, p.457, et dans *Un chrétien contre six Juifs*, XXXI, *M*, t.29, p.537-38.

[141] *Antiquitates*, liv.1, ch.12, section 4, cité par Calmet, *ad* Gen. xix.26, p.433, n.*c*.

[142] Sagesse x.7-9. Calmet, p.436, mentionne le livre de la Sagesse mais ne cite pas ces versets explicitement. Ce que Voltaire en extrait semble plus proche de Luc xvii.32 et de Mt xxiv.17.

[143] Benjamin ben Yonah de Tudèle, *Voyages,* t.1, p.106-107. Voir Calmet, p.433, sans référence précise.

[144] Calmet, p.433, cite Irenius, *Contra hæreses*, liv.4, ch.51 [*sic pour* 31], *P.G.*, t.7, col.1070. Dans son texte il écrit, 'les incommodités ordinaires, qui sont propres à son sexe', avec la source dans la n.*b*, mais il présente de telles traditions comme 'un embellissement poétique, ou comme une de ces traditions populaires, qu'on ne doit recevoir qu'avec examen'.

[145] Pour la légende d'Eurydice, voir, entre autres sources, Ovide, *Metamorphoseon*, liv.19, vers 10-64.

[146] Entre toutes les sources pour la légende de Niobé, Voltaire devait connaître Ovide, *Metamorphoseon*, liv.6, vers 146-312, et l'*Iliade*, chant 24, vers 708. Calmet remarque ces parallèles si évidents *ad* Gen. xix.37, p.443, où il mentionne aussi la légende de Philémon et Baucis, et voir, ci-dessus, n.(*cb*) et n.137.

[147] Flavius Josèphe, *Contra Apion.*, liv.1, section 11. L'édition des *Antiquités* que Voltaire possédait, BV1743, inclut le *Contra Apionem*. L'isolement des Juifs hors de la culture matérielle et intellectuelle des pays voisins, notamment des Grecs et des Romains, est un des thèmes fréquents dans les polémiques de Voltaire contre la Bible. Voir *La Philosophie de l'histoire*, ch.42, *OCV*, t.59, p.231-36; *Dieu et les hommes*, ch.14-15, *OCV*, t.69, p.334-42; *Examen important*, ch.5-9, *OCV*, t.62, p.190-203.

[148] La traduction de Calmet est plus pudique, 'afin qu'il nous donne de la postérité', vs.32. Voltaire dit des filles de Loth dans le *Sermon des cinquante*, 'Il fallait que ces filles fussent étrangement accoutumées à se prostituer puisque la première chose qu'elles font après que leur ville a été consumée par une plaie de feu

et que leur mère a été changée en statue de sel, est d'enivrer leur père deux nuits de suite pour coucher avec lui l'une après l'autre', *OCV*, t.49A, p.74. Voir aussi l'*Instruction du gardien des capucins de Raguse à frère Pediculoso* X, *M*, t.27, p.304, et, sur la virginité de ces deux filles, les *Examens de la Bible* I.28, 'Mais je n'en crois rien, car les Sodomites n'en voulurent point.'

149 Calmet ne pose pas la question de la compatibilité des richesses des cinq villes avec leur situation géographique, comme le fait Voltaire, mais il discute, p.418, leur situation géographique par rapport à la bataille des cinq rois, Gen. xiv, et Voltaire lui emprunte sa conclusion.

150 Calmet, p.414, spécule sur l'endroit exact où se trouvait Zo'ar, mais il ne mentionne pas de commentateurs qui situent ce lieu, comme le prétend Voltaire, à 'quarante-cinq milles de Sodome'.

151 Myrrha est la jeune fille qui fut transformée en arbre à myrrhe pour ses amours coupables avec son père Thias, dans la version primitive de la légende (Apollodore, *Bibliothēkē*, liv.3, ch.14, section 4; Hygin, *Fabulæ* 58; Ovide, *Metamorphoseon*, liv.10, vers 320-55, etc.) et avec son père Cinyras, roi de Chypre, dans des versions plus tardives. Calmet ne fait pas cette comparaison.

152 Le texte appelle cette ville de refuge מצער, *Miẓ'ar* (vs.20), et aussi צוער, *Zo'ar* (vs.21 et 30). La racine est la même, צער, *Za'ar*, douleur, détresse. Dans la version de Calmet, le nom de cette ville ne figure pas aux vs.20 et 21, mais seulement au vs. 30, où Calmet le transcrit, comme le ferait ici Voltaire, *Segor*. (Dans la Vulgate le ע est parfois transcrit par un *g*, comme ici et comme dans 'Gomorrhe' (עמורה, '*Amora*), et parfois il n'est pas transcrit du tout, faute d'une consonne latine dont la prononciation ressemblât suffisamment à celle du ע tel que Jérôme l'entendait chez les Juifs qu'il consultait.)

153 Gen. xx.1.

154 Calmet situe Guerar entre les déserts de Shur et de Kadesh, d'où peut-être l'idée chez Voltaire que Guerar aussi était désertique. Calmet ne remarque pas le parallèle entre ce récit et celui de Gen. xii.10-20, où c'est un roi d'Egypte qui fait enlever Sara, mais il ne peut s'empêcher de remarquer certaines autres invraisemblances: 'Il faut que Sara ait eu un grand fond de beauté, puisque à l'âge de quatre-vingt-dix ans, et enceinte qu'elle était d'Isaac, elle put attirer les yeux du roi de Gerare qui l'enleva', *ad* Gen. xx.2. Voltaire parle ailleurs aussi de la beauté que l'Ecriture attribuait à Sara, toute vieille qu'elle fût. Outre les renvois signalés dans la n.109, voir 'Abraham' des *Questions sur l'Encyclopédie*, *OCV*, t.38, p.50; 'Abraham' du fonds de Kehl, *M*, t.17, p.41, et voir *CN*, t.2, p.46. Dans *Les Questions de Zapata* 15°, *OCV*, t.62, p.386, Voltaire demande, comme ici, si Abraham n'a pas vendu son épouse au roi de Guerar. Cet épisode a été évoqué par Jean Meslier, *Mémoires des pensées et sentiments*, *Œuvres*, t.1, p.164.

155 Traduction assez galante du vs.23. Calmet avait traduit simplement, 'Vous me ferez cette grace dans tous les lieux où nous irons.'

156 Gen. xx.13, כאשר התעו אתי אלהים, *ka'asher hit'u oti elohim*, quand les *elohim* m'ont fait errer, car le verbe est accordé au pluriel comme si אלהים, *Elohim*, était un pluriel.

573

Calmet évoque le problème, sans proposer ni ici, ni à propos de Gen. i.1, une transcription au singulier de *Elohim*, et le résout en identifiant les *Elohim* dont il s'agit ici avec 'des princes, des magistrats, des anges, et Dieu même' suivant l'interprétation juive traditionnelle d'Ex. xxi.8. Il ne mentionne pas ici l'idée qu'il s'agit des trois hommes ou anges ou dieux qui sont apparus à Abraham dans Gen. xviii. Voir, ci-dessus, n.126. Voltaire puise donc à une source autre que Calmet.

[157] Gen. xxi.1.

[158] L'hébraïsant amateur que fut Voltaire se trompait ici. Le contraire de l'expression, כי עצר עצר ה' בעד כל רחם לבית אבימלך, *ki 'aẓor 'aẓar Adonai be'ad kol rehem le-veit Avimelekh* (Gen. xx.18), se trouve aussi au sujet de Rachel, qui était stérile, dans Gen. xxx.22, ויפתח את רחמה, *va-iftah et rahmah*, 'Dieu ouvrit sa matrice', où le contexte ne permet guère de se tromper, Dieu l'a rendue fertile et elle a conçu les jumeaux Jacob et Esaü.

[159] Que Sara n'avait plus ses règles est constaté dans Gen. xviii.11. Calmet ne calcule pas ici l'âge d'Abraham, ni ne parle de St Etienne qui, aux dires d'Actes vii.2-8, avait parlé d'Abraham et de la naissance d'Isaac dans son résumé de l'histoire d'Israël.

[160] Gen. xxi.14.

[161] Orthographe bizarre de *Be'er Sheva*, 'puits du serment' (Gen. xxi.31) ou 'puits des sept' (Gen. xxvi.33), selon les deux étymologies bibliques, comme si Voltaire confondait ce nom avec celui de Batsheva, 'fille de Sheva' et finalement épouse de David. Calmet transcrit ici 'le desert de Bersabée' (Gen. xxi.14).

[162] Gen. xxii.1.

[163] Gen. xxii.3. Négligence de la part de Voltaire. Le texte hébraïque porte qu'Abraham se leva tôt le [lendemain] matin, וישכם אברהם בבקר, *va-yashkem Avraham ba-boker*, mais Voltaire suit la Vulgate ('igitur Abraham de nocte consurgens') et la traduction de Calmet, 'Abraham donc se levant la nuit', vs.3.

[164] Pour la prétendue pratique de couvrir les puits, dont l'eau était évidemment précieuse, il semble que Voltaire généralise ici le récit de Gen. xxix.3.

[165] Ceci est la première mais non la dernière fois dans cet ouvrage que Voltaire charge Nicolas-Antoine Boulanger (1722-1759) de ses propres opinions. Boulanger, qui savait un peu d'hébreu, avait écrit l'article 'Hébraïque [langue]' dans le huitième tome de l'*Encyclopédie* (1765), article qui contient quantité de philologie fantaisiste mais aucune critique biblique. Voir René Pomeau, *La Religion de Voltaire*, p.344, et surtout D13585, du 24 sept. 1766, où Voltaire admet enrôler des alliés à titre posthume pour cautionner ses propos, 'Ce M. Boulanger là a bien fait de mourir, il y a quelques années, aussi bien que La Mettrie, Dumarsais, Fréret, Bolingbroke et tant d'autres.'

Bolingbroke, que Voltaire avait connu personnellement, est l'auteur des *Letters on the study and use of history*, publiées dans *The Philosophical works of the late honourable Henry St John lord viscount Bolingbroke*. Voltaire possédait la traduction française de ce texte, *Lettres sur l'histoire*, trad., [J. Bareu Du Bourg] (s.l., 1752; BV455). C'est à la fin de la Lettre III des *Letters on the study and use of history*, p.83-

116, que Bolingbroke commence à parler de la Bible et met en doute la fiabilité de la transmission des textes bibliques, et c'est dans la Lettre IV qu'il soutient que les récits historiques et en particulier les chronologies et généalogies qui y figurent ne peuvent pas être utilisés sans précautions. Pour cette thèse il semble puiser à l'*Histoire critique du Vieux Testament* de Richard Simon ainsi qu'à son *Histoire critique du texte du Nouveau Testament* (Rotterdam, Reinier Leers, 1689; BV3172) qu'il cite (p.92). Simon avait traité les récits et généalogies d'"extraits' de témoignages plus fiables, et remarqué que Jérôme avait déjà soutenu qu'il était impossible de fixer la chronologie d'après les textes vétéro-testamentaires. Pourtant ces 'Lettres' de Bolingbroke ne contiennent aucune critique de texte.

Quant à l'apport de Bolingbroke à la critique biblique de Voltaire, les appréciations sont diverses: Norman Torrey l'a minimisé dans 'Bolingbroke and Voltaire, a fictitious influence', *PMLA* 42 (1927), p.788-97, tandis qu'Antony McKenna soutient son importance dans '*La Moïsade*: un manuscrit clandestin voltairien', *Revue Voltaire* 8 (2007), p.67-97. Il signale trois autres ouvrages de Bolingbroke qui contiennent des réflexions sur les Juifs ou sur la Bible, les *Fragments or minutes of essays* (rédigés pour Alexander Pope), *Philosophical works* (Londres, 1754), t.5, que Voltaire mentionne dans 'Tout est bien' du *Dictionnaire philosophique*, *OCV*, t.35, p.424, et n.17, *Essay the fourth* (*ibid.*, t.4), et *A Letter occasioned by one of Archbishop Tillotson's sermons* (*ibid.*, t.5). Aucun de ces ouvrages ne semble contenir les conséquences que Voltaire prétend en tirer.

166 Le rédacteur de ce chapitre croyait que le nom de *Moriah* était dérivé de la racine ראה, *ro'eh*, voir. L'identification du mont Moriah avec l'emplacement du temple est explicite dans II Chr. iii.1, qui rappelle que David eut une vision en cet endroit et qu'il l'acheta à Aravnah le Jébuséen, sans rappeler le sacrifice d'Isaac. Calmet ne parle pas de la construction du temple sur cette montagne dans son *Commentaire*, mais il en fait mention dans son *Dictionnaire de la Bible*, *s.v.*, 'Isaac', t.1, p.446, et Hyde en parle, ch.2, p.76. Avant eux Spinoza avait remarqué cet anachronisme, *Tractatus theologico-politicus*, ch.8, signe 5, p.331.

167 Voltaire connaissait Sanchoniathon dans la traduction de Richard Cumberland. Voir, ci-dessus, n.4.

168 Voir les *Examens de la Bible* I.28.

169 Voir Calmet, *ad* Gen. xxii.5, 'Les Pères et les interprètes prennent à tâche de justifier ici Abraham de mensonge', mais aucun des interprètes que cite Calmet ne qualifie son mensonge de 'barbare'.

170 Calmet a dû sentir cette difficulté car il passe, *ad* vs.6, à une interprétation allégorique, identifiant le bois que porta Isaac avec le bois de la croix que Jésus devrait porter mille et quelques centaines d'années après.

171 Juges xi.34-40. Voltaire en parle souvent, depuis le *Sermon des cinquante*. Voir, ci-dessous, Juges, n.(*u*) et (*v*).

172 En fait, Is. lvii.5, 9. Le *Commentaire* de Calmet ne semble pas être la source de ce renvoi. Voir *Les Loix de Minos*, Acte I, n.*f*, *OCV*, t.73, p.171.

173 'Sabre' est une traduction peut-être trop spécifique mais certainement bizarre

de la Vulgate, 'gladium', pour מאכלת, *ma'akhelet*, vs.6, mot rare de la racine אכל, *AKL*, nourriture ou acte de manger ou de consommer, d'où le sens de 'ce qui sert à préparer la nourriture'. Calmet l'avait traduit simplement par 'le couteau'. Voir, *ad* vs.6, 'A la lettre, *l'épée*. Ce que la Vulgate nomme ici *gladius* peut être traduit par *culter*, un couteau propre à égorger une *victime*.'

174 Voltaire est modeste. On ne connaît pas chez ses prédécesseurs cette idée qu'un conte, une fois introduit dans le canon, devient sacré. Les 'contes arabes' qui sont son repère ici, sont probablement *Les Mille et une nuits* traduits par Antoine Galland (Paris, 1704-1717). Ce point de repère se trouve ailleurs chez Voltaire, par exemple dans le *Discours de l'empereur Julien*, *OCV*, t.71B, p.350, n.75, et il est explicite et fréquent dans les *Examens de la Bible*. Voltaire possédait la 'nouvelle édition corrigée' des *Mille et une nuits* (Paris, 1747; BV2457).

175 Gen. xxiii.1.

176 Gen. xxiii.8. Voltaire suit la Vulgate encore plus littéralement que Calmet qui avait traduit, 'Si vous trouvez bon que j'enterre celle qui m'est morte [...] intercédez pour moi'.

177 Dans la Vulgate et chez Calmet ce nom propre s'écrit toujours Ephron, transcription plus juste de l'hébreu.

178 Gal. iv.22, 23, mentionné par Calmet, *ad* Gen. xxiii.1, comme 'une des plus belles figures de l'Eglise'.

179 Voir Calmet, *ad* Gen. xxii.6.

180 Voir Calmet, *ad* v.15, p.488, 'Nos commentateurs disent que le sicle dont il est parlé ici pesait une once, et qu'il valait environ trente sols de notre monnoye.'

181 On croit (voir *Encyclopædia judaica*, *s.v.*, 'Coins and currency') que le sicle (*shekel*), au temps d'Abraham, pesait 8,4 grammes, et que ce mot vient du babylonien *šiglu*.

182 Voltaire tire ses informations et ses erreurs de Calmet, 'Recherches sur l'antiquité de la monnoye frappée au coin: pour servir de supplément au commentaire du verset 16. chapitre xx, de la Genèse', *Commentaire littéral ... Genèse*, p.50-62. Voltaire parle dans 'Genèse' des *Questions sur l'Encyclopédie*, *OCV*, t.42A, p.47, de la monnaie d'Abraham qui ne pouvait avoir encore existé. Voir les *Examens de la Bible* I.33-34.

183 Les exégètes juifs prenaient ce serviteur pour l'Eliezer mentionné par Abraham dans Gen. xv.2. Le 'chef [מחוקק, *mehokek*] sorti de la "cuisse" de Juda' est une citation de Gen. xlix.10. Dans la n.(*ec*), l.9, Voltaire traduit le même mot hébraïque par 'roi', ce qui est difficile à justifier. L'idée exprimée ici que les récits bibliques ont été conçus et rédigés à des fins politiques est une application de la thèse du *Traité des trois imposteurs*.

184 Rébecca est décrite comme עלמה, *'almah*, 'une jeune personne féminine', avec la précision supplémentaire qu''aucun homme ne l'a connue' (charnellement).

185 Calmet discute la coutume d'employer des jeunes filles, même de bonne famille, pour puiser l'eau, *ad* Gen. xxiv.11.

186 Calmet disserte, *ad* Gen. xxiv.22, sur la nature des ornements portés par les

femmes orientales et même africaines, avec la même comparaison qu'ici avec les femmes indiennes.

[187] L'attribution de cette question à Ibn Ezra est gratuite car celui-ci, *ad* Gen. xxiv.2, ne fait qu'une comparaison avec la manière de prêter serment en Inde à son époque, et Calmet, *ad* Gen. xxiv.1, ne renvoie à Ibn Ezra que pour l'explication du geste qui accompagne l'acte de prêter serment.

[188] Ici Voltaire contredit Calmet qui, apparemment conscient de cette difficulté, soutient, *ad* vs.4, contrairement au sens de la Genèse qui prétend que c'était Abraham qui avait découvert l'adoration du seul et vrai dieu, que 'la famille de Nachor avoit conservé la connoissance du vrai Dieu et quelque exercice de la vraie religion, quoique mêlée de superstition'.

[189] Voltaire traduit ici le vs.27, où le serviteur d'Abraham soit fait une déclaration, soit parle à Rébecca, mais clairement ne parle pas encore au 'maître de la maison'.

[190] Voir Calmet, *ad* Gen. xxiv.1, p.492-93, *incipit*, *Ut non accipias uxorem*, pour la méchanceté des Cananéens qui justifie leur expulsion ultérieure de Canaan.

[191] Voltaire a perdu un des enfants d'Abraham, Madian, et changé l'orthographe de Jecsan en Jexan, et de Sué en Suhé, sans raison évidente.

[192] Voir Calmet, *ad* Gen. xxiv.67.

[193] Gen. xxv. Voir Calmet, *ad* Gen. xxv.1, 'Il paraît fort extraordinaire qu'Abraham à l'âge de cent quarante ans, aille se remarier, et surtout avec une Cananéenne; lui qui avait si fort appréhendé qu'Isaac s'engageât dans de semblables alliances'.

[194] Gen. xviii.12.

[195] Voir Calmet, *ad* Gen. xxv.2, p.511, 'Josèphe, et après lui saint Jérôme croient que les fils de Cethura demeurèrent dans l'Arabie heureuse qui est sur la mer rouge, et dans le pays des Troglodytes.'

[196] Calmet, *ad* Gen. xxv.22, cherche des précisions sur le sens de ויתרצצו הבנים בקרבה, *va-yitroẓaẓu ha-banim be-kirbah*, 'comme les fils s'entrechoquaient dans son sein' (trad., Dhorme, dans la Pléiade), *ad* vs.22 et 23, et sur le lieu où Rébecca alla consulter un oracle.

[197] Calmet parle bien d'enfants nés poilus, *ad* Gen. xxv.25, mais ne remarque pas, comme le fait ici Voltaire, la rareté d'un jumeau né tenant dans sa main un membre de l'autre.

[198] Voir Calmet, *ad* Gen. xxv.31, '2° Le premier-né avait double portion [*en note*: Deut. xxi.17] dans la succession.' Il suppose, p.528, 'S'il y eut eû sur cela [les héritages et la succession sacerdotale] une loi fixe, ou une coûtume ayant force de loi, l'on n'en serait venu à ces extrémités [les revendications concurrentes sur le droit d'aînesse et sur le droit sacerdotal]', autrement dit, les lois du Deutéronome et des Nombres sur les héritages étaient censées avoir été données après la vente par Esaü de son droit d'aînesse. Voltaire prend comme fait la supposition de Calmet qu'il n'existait pas encore ce qu'il qualifie ici de 'code de lois', et de 'droit positif' dans le *Traité sur la tolérance*, ch.12, *OCV*, t.56c, p.192, et les *Notebooks*, *OCV*,

t.82, p.526 et 595. Mais Calmet n'en tire pas la conséquence apologétique proposée par Voltaire, que la Genèse fut rédigée avant les livres bibliques qui contiennent des lois sur les héritages. Cette déduction est en contradiction avec plusieurs autres notes de cet ouvrage, comme Tobie, n.(c), où Voltaire soutient que la Genèse fut rédigée tard, après que la société israélite fût devenue sédentaire et policée.

[199] Voir Calmet, p.529, 'II. On ne peut pas disconvenir qu'Esaü n'ait fait un fort grand peché, en vendant son droit d'aînesse.' Calmet continue à défendre Jacob, 'III. La conduite de Jacob envers Esaü peut être excusée par ces raisons.' La phrase, ויעקבני זה פעמים, *va-ya'akveni ze pa'amayim* (Gen. xxvii.36), est généralement traduite avec le sens de 'il m'a trompé deux fois', mais Calmet suit la Vulgate, 'supplantavit enim me', avec 'voici la seconde fois qu'il m'a supplanté', pensant, peut-être, à Rom. ix.12, et Voltaire lui a emprunté cette traduction si chrétienne.

[200] La Pétra actuelle (et post-biblique) est en Jordanie, à l'est de l''Aravah, et les monuments qui y subsistent sont plus tardifs que ce récit, tandis que la terre des Philistins, où se trouve Guerar (voir Gen. xx.2 et xxi.32-33 pour l'appartenance de Guerar à Abimelech, rois des Philistins), est à l'ouest, sur la côte de la Méditerranée, et n'est pas désertique. On ne trouve de 'désert de Gérar' dont parle ici Voltaire nulle part dans le texte biblique.

[201] Cette expression de 'horde' (voir ci-dessus, n.(ce)), pas exclusivement appliquée aux Juifs bibliques, se trouve souvent dans les œuvres de Voltaire, par exemple dans l'*Examen important*, *OCV*, t.62, p.178-79.

[202] Gen. xxvi.12.

[203] Gen. xx.2. Calmet, *ad* Gen. xxvi.8, reconnaît le problème que Voltaire évoque, et le résout en supposant que l'Abimelech de ce récit fut le fils de l'Abimelech qui avait enlevé Sara.

[204] Cette remarque est l'écho de l'éducation de Voltaire chez les jésuites du Collège Louis-le-Grand qui voulaient voir chez tous les païens un quasi-monothéisme primitif qui s'était différencié au cours des temps en plusieurs polythéismes plus ou moins équivalents. Voir Pomeau, *La Religion de Voltaire*, p.46-63.

[205] Gen. xxvii.1.

[206] Voltaire contredit Calmet qui, *ad* Gen. xxvi.12, pose les mêmes questions, 'Il arrive quelquefois, sans un fort grand miracle, que la terre produit le centuple. Les terres d'Egypte, de la Bétique et de la Sicile rapportent autant pour l'ordinaire. Pline assure que quelques terres d'Afrique rendent même le cent cinquantième. Il n'y a que la circonstance de la stérilité qui regnait alors, qui rende cette multiplication si merveilleuse. Le centuple peut marquer en général une abondance extraordinaire.'

[207] Voltaire extrapole ici à partir du récit où Jacob découvre seul le puits d'Aram (Gen. xxix.2-10), du récit sur les puits d'Abraham si bien cachés qu'il fallait que les serviteurs d'Isaac les redécouvrissent (Gen. xxvi.18), et des remarques de Calmet, *ad* Gen. xxvi.19, 'Les eaux vives sont les sources d'eaux qui ne tarissent point. [...] Le pays de Gerare était tout plein de sel; [...] La plûpart des puits devaient être salés, et un puits d'eau douce était une bonne découverte.' Voir n.160.

[208] En fait, la défense générale d'épouser des Cananéennes (Ex. xxxiv.12-17) est, d'après l'ordre des récits et des lois dans la Bible, dit histérologique (voir Pierre Gibert, éd., Astruc, *Conjectures sur les mémoires*, Paris, 1999, p.80), postérieure à ce récit, et elle est formulée dans un autre contexte.

[209] Gen. xxvii.1. Calmet traduit מטעמים, *mat'amim*, de טעם, *ta'am*, goût, 'ce qui a du goût', du vs.4, 'Faites-m'en cuire un mets', et Voltaire le rend plus spécifique, 'un ragoût', suivant le commentaire de Calmet, *ad* vs.4, et les *mat'amim* qu'Esaü prépare, vs.31, deviennent, dans la version de Voltaire, une 'fricassée' (ci-dessous, ligne 644).

[210] Calmet, *ad* vs. 19, ne se demande pas comment Isaac a pu se tromper, mais si l'on peut excuser Jacob du mensonge, ou s'il faut reconnaître ici encore une vie de saint 'qui n'est pas exem[p]te de toutes sortes de fautes'.

[211] Gen. xxvii.29. Calmet traduit 'que les Tribus se prosternent devant vous', ce qui est plus proche de l'hébreu, וישתחו לך לאמים, *ve-yishtahavu lekha leumim*, que la traduction de Voltaire, 'que les tribus t'adorent!'

[212] La dette de l'Eglise envers les Juifs qu'elle abhorre est une ironie fréquente dans les écrits antérieurs de Voltaire: *Dieu et les hommes*, ch.34, *OCV*, t.69, p.434, 437; *Sermon du rabin Akib*, *passim*; *Examen important*, ch.16, *OCV*, t.62, p.192, 243; *Questions de Zapata* 3ⁿ et 4ⁿ, *OCV*, t.62, p.381-82; *Le Dîner du comte de Boulainvilliers*, *OCV*, t.63A, p.361-62; 'Tolérance' du *Dictionnaire philosophique* (1765), *OCV*, t.36, p.559-61; *Notebooks*, *OCV*, t.81, p.51, 112, 345, et voir aussi les *Examens de la Bible* I.120.

[213] La chronologie de Voltaire est un peu confuse ici: Saül (I Sam. xiv.47) puis David (vers 1000 avant l'ère moderne, selon II Sam. viii.13, lisant Edom pour Aram, selon I Chr. xviii.13 et Ps. lx.2) conquirent les Iduméens qui se révoltèrent ensuite sous Salomon. En 586 avant l'ère moderne Nabuchodonosor 'a ruin[é] Jérusalem' avec l'aide des Iduméens, à en juger d'après l'oracle d'Abdias, et voir Is. xxxiv, Jér. xlix et Lam. iv.21-25, tandis que les premières victoires des Hasmonéens sur les Séleucides datent de 164 avant l'ère moderne et, d'après Flavius Josèphe (*Antiquitates*, liv.13, ch.9), Yohanan Hyrcanus de la dynastie des Hasmonéens vainquit encore les Séleucides à la fin du second siècle avant l'ère moderne. Les Iduméens furent convertis de force et intégrés au peuple juif. Un des leurs, Hérode, fut nommé par les Romains roi des Juifs, et les Iduméens participèrent à la défense de Jérusalem contre les forces de Titus et de Vespasien en 70 de l'ère moderne.

[214] En l'année 40 de l'ère moderne.

[215] La conquête de Jérusalem par Omar date de 637, et sa reconquête, des mains des croisés, par Saladin date de 1187. Voltaire suppose donc que, malgré leur intégration au peuple juif par Yohanan Hyrcanus, les Iduméens étaient restés un peuple distinct et hostile aux Juifs aussi tard qu'en 1187.

[216] Gen. xxviii.10.

[217] Apparemment Voltaire pense à l'"ancile', bouclier réputé être tombé du ciel sous le règne de Numa, sur la préservation duquel dépendait le bien-être de Rome. Voir Ovide, *Fasti*, liv.3, vers 377; Tite-Live, liv.1, ch.20; Virgile, *Enéide*, liv.8, vers

626-31 et 729-32; Tacite, *Historia*, liv.i, section 89; Suétone, *De Vita XII cæsarum*, 'Otho', section 8, signe 5. Voir l'*Essai sur les mœurs*, ch.10, *OCV*, t.22, p.198.

[218] Une statue de la déesse Athéna, debout ou assise, protégeait Troie avant d'être dérobée par Ulysse et Diomède (voir Ovide, *Metamorphoseon*, liv.13, vers 99) ou par Diomède seul selon un autre récit, puis transportée à Rome (voir Virgile, *Enéide*, liv.2, vers 162) ou dans une autre ville pour en devenir la statue protectrice.

[219] 'Se proportionner', et 'accommodation' sont les expressions employées par les théologiens comme Calmet, *Commentaire littéral ... Genèse*, p.18, 19, pour éviter de prendre un texte biblique à la lettre. Voir ci-dessus, n.10. Voltaire emploie cette expression (ironiquement) dans *Le Dîner du comte de Boulainvilliers*, entretien 2, *OCV*, t.63A, p.359, le *Traité sur la tolérance*, ch.12, *OCV*, t.56C, p.192, *La Philosophie de l'histoire*, ch.25, *OCV*, t.59, p.178, l'*Examen important*, ch.3, *OCV*, t.62, p.184, les *Homélies prêchées à Londres* III, *OCV*, t.62, p.462, les *Questions sur les miracles* VI, *M*, t.25, p.396, et, selon Mme Du Châtelet, Dieu 'se proportionne' à l'ignorance des Juifs plutôt que de leur enseigner la physique (*Examens de la Bible* I.2). Voir aussi Voltaire, *Lettres philosophiques* XXV, section 31.

[220] Gen. xxix.1.

[221] L'hébreu, בית, *bayit*, veut dire maison, et sa forme dite 'construite', *beit*, veut dire, 'la maison de ...'. Calmet remarque que l'endroit où Jacob s'endormit s'appelait Luza, mais il ne suggère pas, *ad* vs.19, que son identification avec Bethel, toponyme mentionné plusieurs fois dans l'histoire des Israélites, témoigne d'une rédaction tardive.

[222] L'*Encyclopédie* contient un article 'Bétyles' par G (l'abbé Edme Mallet) qui renvoie à Samuel Bochart et à une 'Dissertation sur les bætyles' par Camille Falconet de Lyon (1671-1762) dans les *Mémoires de l'Académie des inscriptions et belles-lettres* (sept. 1722), t.6 (1729), p.513-30. Mallet prétend que les bétyles ne sont autres que la pierre de Jacob dont il s'agit ici. *Le Grand Robert*, *s.v.*, signale que le mot est attesté depuis 1586 (dans Le Loyer, *Histoire des spectres*), et propose deux étymologies qui s'excluent mutuellement: d'une part, du latin, *bætulus*, espèce de pierre météorique, du grec, βαίτυλος, pierre sacrée, et de l'autre, de l'hébreu, בית אל, *beth-el*, maison de Dieu. Aucun des dictionnaires standards ne remarque que Voltaire a employé le mot ici avec une orthographe inhabituelle.

[223] Voir Gen. xiv.20 pour la dîme que soit Abraham donne à Melchisédec, soit Melchisédec donne à Abraham. Mme Du Châtelet parle très brièvement du rêve de Jacob, *Examens de la Bible* I.38, mais ne dit pas un mot de son marchandage avec Dieu, et ne conjecture pas, comme le fait Voltaire, d'après la quantité du don promis, que l'auteur ou rédacteur était un Lévite ou un Cohen qui prétendait avoir droit à une dîme de la production agricole selon Nom. xviii.21, 24 et 26; Deut. xii.17, xiv.22, 23 et 28 et xxvi.12.

[224] La traduction de Voltaire suit bien le latin, 'ingrediar ad illam', plutôt que Calmet, 'afin que je l'épouse', mais elle est plus grossière que l'hébreu, ואבואה אליה, *va-avo'a éleihah*, afin que je m'approche d'elle, expression standard pour le mariage tel que le Pentateuque le connaît.

[225] Voltaire suit la traduction de Calmet, 'et la semaine étant passée' bien que l'hébreu, שבע זאת, shevu'a ʒot, qui vient de שבע, sheva, sept, désigne ici la période de sept ans convenue entre eux.

[226] Voir Calmet, ad Gen. xxix.25, 'Jacob est trompé, comme il avait lui-même trompé son père Isaac.'

[227] Voltaire ne semble pas croire l'explication de la méprise de Jacob qu'offre Calmet, p.576, qui suppose que les coutumes chaldéennes de l'époque ressemblaient à celles de Rome où l'on conduisait la mariée 'couverte d'un voile, d'où vient le terme Nuptia, dérivé de Nubo, couvrir, cacher' jusqu'au lit de son mari.

[228] Gen. xxx.1.

[229] Probablement une faute de transcription de la part de Voltaire, ou une faute typographique répercutée dans toutes les éditions, et répétée ci-dessous. Dans la Vulgate et dans Calmet le nom est transcrit, Aser.

[230] Gen. xxx.14.

[231] Voltaire semble se moquer ici de la peine qu'a Calmet, ad Gen. xxix.23 et 25, pour déterminer si Léa avait commis un adultère, et si 'l'erreur de Jacob regardant la personne de Lia qu'on lui donne au lieu de Rachel, suffisait pour le dispenser d'épouser Lia, s'il eût voulu ne pas l'avoir pour femme, même après ce qui s'était passé. Cette erreur était essentielle, et les contrats n'obligent que lorsqu'ils se font volontairement et avec connaissance', car Calmet suppose que le droit canon de son temps s'appliquait déjà dans le monde de Laban, Jacob, Léa et Rachel.

[232] Pour ce que Voltaire savait ou croyait savoir sur la forme et les qualités médicinales et autres des mandragores, voir Calmet, ad Gen. xxx.14.

[233] Ceci est une association fréquente chez Voltaire, la prostitution et les vices sexuels avec la vie citadine, tandis que la vie pastorale est réputée plus saine. Voir, par exemple, ci-dessous, Nombres, n.(u).

[234] Calmet veut déterminer si les troupeaux de Jacob se sont multipliés par miracle, cas où Jacob ne serait pas coupable d'avoir volé son beau-père, ou si au contraire leur multiplication a été produite par des moyens naturels habilement utilisés, ce qui aurait constitué un vol. Il se réfère à Aristote et à Pline pour justifier cette deuxième possibilité, mais ne parle pas de priapes que Jacob aurait pu pendre aux branches pour encourager les femelles à mettre bas des petits tachetés. Meslier parle du rêve de Jacob et de la multiplication de ses troupeaux dans ses Mémoires des pensées et sentiments, Œuvres de Meslier, t.1, p.204-205, et Voltaire abrège le passage dans son Extrait des sentiments de Jean Meslier, Meslier, Œuvres, t.3, p.462 et OCV, t.56A, p.133-34.

[235] 'Valet' est la description assez méprisante de Voltaire. Ni Calmet, ad Gen. xxx.31: 'je m'engage à continuer à faire paître vos troupeaux', ni la Vulgate: 'sed si seceris quod postulo, iterum pascam, et custodiam pecora tua', et encore moins l'hébreu, ne qualifient Jacob d'homme exerçant un métier déshonorant.

[236] Niccolò Machiavelli, La Mandragola (1518). Voltaire possédait ses Opere (La Haye, 1726; BV2242) où figure La Mandragola dans la partie 4.

[237] Le chevalier de Préfontaine, Maison rustique, à l'usage des habitans de la

partie de France equinoxale connue sous le nom de Cayenne (Paris, C. J. B. Bauche, 1763), manuel d'économie rustique, souvent réimprimé au dix-huitième siècle et encore mis à jour au dix-neuvième, qui nonobstant manque à la BV. Le texte 'biblique' de Voltaire à cet endroit est un peu confus: il veut dire, 'toutes les chèvres et brebis d'une couleur unie que se trouveraient chez moi désormais devraient être réputées volées.'

[238] Albert le Grand (environ 1200-1280) fut un des maîtres de la théologie de l'école, écrivain encyclopédique, surtout sur des sujets scientifiques, et, de son propre aveu, 'expert en magie', d'où sa réputation de 'mage' et de 'nécromant'. Le recueil, *Liber aggregationis seu Liber secretorum Alberti Magni de virtutibus herbarum, lapidum et animalium quorundam*, dit le 'Grand Albert', existe en traduction française depuis 1703 et semble avoir suscité en 1704 la rédaction d'un *Petit Albert* qui se réclame des manuscrits d'un Albertus Parvus Lucius. Ce livre est constitué en grande partie de recettes puisées en divers recueils secrets et de fragments de traités alchimiques ou magiques. Voir la préface de Bernard Husson à son édition du *Liber aggregationis* (Paris, 1978), p.10-13. Il y eut vingt éditions du 'Grand Albert' entre 1704 et la parution de *La Bible enfin expliquée*, ainsi que plusieurs éditions sans lieu ni date, mais Voltaire ne devait connaître ces livres que par réputation car aucune édition ne figure à la BV.

[239] Calmet, p.607.

[240] La bibliographie dressée par Chantal Grell, 'Etude chronologique des recherches historiques de N. Fréret', dans *Nicolas Fréret. Légende et vérité*, textes réunis et présentés par Chantal Grell et Catherine Volpilhac-Auger (Oxford, 1994), p.25-48, ne connaît aucun texte de critique biblique de la plume de ce membre de l'Académie des inscriptions, chronologiste et grand érudit. Une *Lettre de Thrasybule à Leucippe*, qui critique la religion en général, lui est plausiblement attribuée mais, parce que Thrasybule est censé être païen, il ne connaît pas la Bible, et cet ouvrage ne contient donc pas de critique biblique formelle. Plusieurs textes dits clandestins dont Fréret n'a certainement pas été l'auteur ont été inclus dans les trois éditions de ses *Œuvres philosophiques* ou *complètes* (Londres [Amsterdam?], 1776 et 1787, et Paris, 1792), tandis que d'autres traités clandestins critiques de la Bible ont été publiés séparément sous son nom.

[241] Voir ci-dessus, n.208. Il se peut que Voltaire pense au midrash connu dont parlait Calmet, *ad* Gen. xxvi.4, 'Quelques Rabbins avancèrent qu'Abraham a observé tous les six cent treize commandements de la Loi' (opinion déjà soutenue dans la Mishna, Kiddushin, ch.4, *halakha* 14, puis dans T. B., Yoma 28b, et, sous une forme plus modeste, T. B., Nedarim 32a), parmi lesquels il y a la défense d'épouser un membre de l'une des sept nations de Canaan.

[242] Voir Calmet, *ad* Gen. xxxi.19, p.618, 'Plusieurs Pères [*en note*: Cyril, Chrysostome] assurent qu'elle [Rachel] adorait ces Teraphims, aussi bien que Lia. Ces deux sœurs joignaient au culte des Teraphims, celui du vrai Dieu de Jacob'. Le mot *teraphim*, comme *cherubim*, est déjà un pluriel, mais Voltaire a hérité de Calmet le *s* du pluriel français.

243 Calmet, *ad* Gen. xxxi.26, ne parle pas du conflit entre Laban et Jacob comme d'une figure du conflit entre la synagogue et l'Eglise de Jésus-Christ. Il se peut que Voltaire pense encore à ce qu'avait expliqué Calmet, *ad* Gen. xxix.17, 'Les Pères et les Interprètes remarquent dans cette histoire de Lia et de Rachel le grand mystere de la Synagogue et de l'Eglise. [...] Jacob est la figure de Jesus Christ, Rachel représente l'Eglise, Lia la Synagogue'.

244 Gen. xxxii.25-29. Le 'fantôme' puis le 'spectre' sont l'invention de Voltaire, l'hébreu ayant איש, *ish*, homme, la Vulgate, *vir*, et Calmet, 'homme', dans tout le passage, mais le vs.28, qui salue la victoire de Jacob contre אלהים, *elohim* (probablement un pluriel ici), Vulgate, 'contra Deum fortis', Calmet, 'contre Dieu', suggère soit un dieu, soit un ange.

245 Calmet discute ces questions *ad* Gen. xxxi.19, p.616, mais il ne demande pas pourquoi Rachel ne pouvait pas se lever devant son père. Il explique plus loin, *ad* vs.33, avec beaucoup d'ingéniosité, pourquoi Laban n'a pas insisté que Rachel se lève devant lui, 'Qui aurait pu se persuader qu'une femme souillée voulut s'asseoir sur des figures qu'elle adorait?'

246 Calmet avait demandé ce que sont les *teraphim*, p.614-15, et il avait essayé de déterminer leur forme et leur fonction d'après les autres passages où ils figurent, notamment I Sam. xix.13-17, 'On croit que ces Teraphims avaient la forme humaine, ou une forme approchante de l'humaine; parce que Michol femme de David mit une de ces figures dans le lit de son mari, pour faire croire à ceux qui le cherchaient qu'il y était lui-même'.

247 Calmet, p.613, cite la traduction de Sébastien Châteillon, *La Bible nouvellement translatée* (Bâle, Jehan Hervage, 1555), qui les appelle 'des Dieux penates', mais il ne parle ni d'Enée, ni de Genseric, roi des Vandales (428-477), ni de Totila, roi des Ostrogoths en Italie (541-552), ni de Charles, duc de Bourbon (1489-1527), qui saccagea Rome en 1527 à la tête d'une 'redoutable armée d'aventuriers et de luthériens allemands' comme Voltaire le décrit dans l'*Essai sur les mœurs*. Pour Attila et Genseric, voir l'*Essai sur les mœurs*, ch.11, *OCV*, t.22, p.216-17, pour Charles de Bourbon, voir *ibid.*, ch.123 et 124, éd. Pomeau, t.2, p.183 et 189, et pour Totila, voir les *Remarques pour servir de supplément à l'Essai sur les mœurs* X, éd. Pomeau, p.921. Genseric est mentionné aussi dans *Dieu et les hommes*, ch.1, *OCV*, t.69, p.279, dans les *Questions sur l'Encyclopédie*, arts. 'Franc', *OCV*, t.41, p.494, et 'Rome, cour de', *M*, t.20, p.378, dans *Timon*, *M*, t.23, p.484, dans *L'A.B.C.*, *M*, t.27, p.345, dans l'*Epître au roi de Prusse*, *M*, t.10, p.320, vers 57, et deux fois dans le *Commentaire sur l'Esprit des lois*, 'Des Francs', *M*, t.30, p.450.

248 Titre inexact. Voltaire semble mécontent des *Conjectures sur les mémoires originaux dont il paroit que Moyse s'est servi pour composer le livre de la Genèse* (Bruxelles [Paris], Fricx [Cuvelier ou Cavalier], 1753; BV200), *CN*, t.1, p.164, avec deux signets et rubans, de Jean Astruc, soit parce qu'Astruc n'avait pas étendu son analyse documentaire au-delà de la Genèse, soit parce qu'Astruc avait présenté son livre comme un ouvrage à finalité apologétique. Comparer, dans 'Genèse' des *Questions sur l'Encyclopédie*, 'Le médecin Astruc, [...] dans son livre, devenu très

rare, intitulé *Conjectures sur la Genèse*, ajoute de nouvelles objections insolubles à la science humaine [...] Son travail est exact, mais il est téméraire. Un concile aurait à peine osé l'entreprendre. Et de quoi a servi ce travail ingrat et dangereux d'Astruc? A redoubler les ténèbres qu'il a voulu éclaircir', *OCV*, t.42A, p.48-53.

[249] Voltaire s'éloigne de l'hébreu, כי שרית עם אלהים ועם אנשים ותוכל, *ki sarita 'im elohim ve-'im anashim va-tukhal*, où la comparaison n'est pas explicite, mais il suit la Vulgate, 'quoniam si contra Deum fortis fuisti, quantò magis homines prævalebis!' et Calmet, 'Car si vous avez pû tenir contre Dieu, à plus forte raison l'emporterez-vous sur les hommes.'

[250] Gen. xxxiii.19. La traduction du *hapax*, קשיטה, *ksita*, par 'agneaux' vient de la Vulgate et de Calmet (p.644-46). Il n'est pas évident d'où Voltaire tire ses 'cent dragmonim' comme explication des 'cent agneaux'. Le mot, avec sa désinence du pluriel, *-im*, qui est tout à fait hébraïque, semble de sa propre invention.

[251] Gen. xxxiv.

[252] Voir Calmet, *ad* vs.26, 'Les Payens [*en note*: Vide Grot[ius]] remarquent qu'au lever du Soleil les phantômes disparaissent', et il cite des vers de Plaute, *Amphitruo*, Acte 1, ligne 375, où Jupiter dit, 'Exire ex urbe prius quam lucescat volo', et de l'*Enéide*, liv.5, vers 153, 'Jamque vale: torquet medios nox humida cursus, / Et me sævus equis Oriens afflavit anhelis.' Voir Shakespeare, *Hamlet*, Acte 1, vers 157, que Voltaire devait connaître à en juger par sa critique de cette pièce dans les *Lettres philosophiques* XVIII et dans la *Lettre de Voltaire à l'Académie française* (1777).

[253] Calmet, p.635, cite plusieurs étymologies que les anciens avaient proposées: 'Israël signifie un Prince de Dieu, un grand prince, ou un homme qui a surmonté Dieu ou qui a vaincu un ange. [...] La plupart des anciens ont crû qu'Israël signifioit un homme qui voit Dieu. Philon [*De Temulent, De Præmiis et pœnis* et ailleurs], Origène, Saint Basile, Saint Grégoire de Nazianze, Saint Chrysostôme, Saint Augustin l'ont entendu dans ce sens. [Flavius] Joseph[e] semble dire [*Antiquitates*, liv.1, ch.20, section 2] qu'on donne ce nom à Jacob à cause de son combat contre un ange.'

[254] C'est la traduction de Calmet du v.26, 'qui [la cuisse] se sèche aussitôt', ce qui a donné à Voltaire raison d'imaginer que la cuisse de Jacob était desséchée, bien que l'hébreu soit ותקע כף ירך יעקב, *va-ték'a kaf yerekh Ya'akov*, dont le verbe rare, יקע, *YK'A*, signifie casser plutôt que dessécher. Voir le *Lexicon* de Koehler et Baumgartner, *s.v.*

[255] Ni Moshe ben Maïmon (Maïmonide, 1135-1204), dans son *Guide des égarés*, ouvrage philosophique et apologétique plutôt qu'exégétique, ni Ibn Ezra, dans son commentaire sur Gen. xxxiv, ne calcule l'âge de Dina lors du viol. Par ailleurs, Maïmonide ne parle jamais d'elle dans cet ouvrage.

Selon une opinion rapportée dans la guemara, T.B., Bava batra 15b, et T.J., Sota v.8, 20c-d, ce fut Job lui-même, et non pas l'auteur de son livre, qui épousa Dina après cette aventure. Spinoza, *Tractatus theologico-politicus*, ch.10, §8, p.393, avait rapporté cette tradition immédiatement après avoir parlé de l'opinion de

Maïmonide sur l'identité de l'auteur du livre de Job et après avoir soutenu que ce livre est une parabole. Calmet connaît cette tradition et la réfute, *Dictionnaire ... de la Bible, s.v.*, 'Dina', t.1, p.250.

[256] Il n'y a rien non plus sur l'âge de Dina dans les *Commentaria in Genesim* d'Alphonsus Tostatus (*Opera omnia*, Cologne, Johann Gymnicus et Anton Hieratus, 1613; aucune éd. ne figure dans la BV), sur ce chapitre de la Genèse. Tostatus, évêque d'Avila, mort en 1454, était l'exégète qu'il était logique de citer ici car, ayant connu quelques commentaires de l'école judéo-espagnole, y compris celui d'Ibn Ezra, il soutenait parfois des thèses osées, en particulier que certains versets du Pentateuque furent des ajouts introduits après la mort de Moïse. Calmet ne cite, à propos de l'âge de Dina, ni ses opinions ni celles du cardinal Thomas de Vio, dit Cajetan (1468-1534), exégète qu'il était logique de citer dans ce contexte car il était très estimé pour son dévouement à l'interprétation littérale et directe des textes bibliques, et n'aurait pas omis l'âge de Dina s'il était identifiable. Voltaire nous livre donc ici quatre pistes fausses mais plausibles.

[257] Dans le *Tractatus theologico-politicus*, ch.9, §4, Spinoza explique qu'elle 'avait sept ans à peine lorsque Sichem la viola, Siméon et Lévi à peine douze et onze lorsqu'ils mirent à sac cette cité entière et firent périr tous ses citoyens par le glaive' (trad. Beaumartin et Lagrée, p.359, et cf. leur n.14, p.669).

Astruc, dans sa Remarque XI, dans l'édition de Gibert, p.459-70, prétend que, si l'on établit une chronologie histérologique – pour la définition de ce mot, voir n.208 – des mariages de Jacob à Haran puis de son retour en Israël avec le viol de Dina comme premier épisode, celle-ci ne peut avoir eu plus de quatre ans, et Astruc signale de plus qu'il est aussi absurde d'attirer la passion d'un prince à l'âge de onze ans qu'elle aurait eu selon d'autres hypothèses qu'à l'âge de trois ans. La proposition d'Astruc est d'attribuer le récit du ch.34 à une source supposée, 'D', ce qui permet de contourner l'obligation de suivre l'ordre histérologique en supposant que le récit du viol de Dina fut introduit dans le texte de la Genèse hors de l'ordre chronologique des événements, et qu'en fait il soit arrivé bien après l'arrivée de Jacob en Canaan et la vente de Joseph en Egypte.

En 1762, c'est à dire tôt dans sa carrière de critique biblique, dans *L'A.B.C.*, *M*, t.27, p.344, Voltaire avait déjà parlé de l'aventure de Dina avec 'le fils du roi de Sichem'. Dans l'art. 'Genèse' des *Questions sur l'Encyclopédie*, *OCV*, t.42A, p.51, Voltaire écrit, 'Mais il y a encore une impossibilité plus palpable: c'est que, par la supputation exacte de temps, Dina, cette fille de Jacob, ne pouvait alors être âgée que de trois ans, et que, si on force la chronologie, on ne pourra lui en donner que cinq tout au plus'. Curieusement le nom d'Ibn Ezra est mal orthographié, 'Aben Hesta', dans cet article, comme il l'est ('Aben Hezra') dans les *Lettres à Son Altesse Monseigneur le prince de* **** IX, *OCV*, t.63B, p.471, ce qui suggère soit deux négligences semblables de deux compositeurs jamais répérées par Voltaire, soit une seule source aussi ignorante de l'hébreu que lui-même.

[258] Gen. xxxiv.30.

[259] Gen. iv.25.

²⁶⁰ Gen. xxxv.

²⁶¹ L'expression dans le texte hébraïque, כברת הארץ, *kivrat ha-areẓ*, est très rare, paraissant deux fois dans la Genèse pour décrire la distance entre le lieu de l'enterrement de Rachel et Ephrath (Gen. xxxv.16 et xlviii.7), et une fois dans II Rois v.19. La traduction par 'printemps' employée ici par Voltaire est un legs de Calmet, 'c'était au printemps', emprunté à la Vulgate, 'venit verno tempore ad terram quæ ducit Ephratam'.

²⁶² Gen. xxxvi.1.

²⁶³ Voltaire venait d'appeler cette personne Basamath (ligne 693). La Vulgate, le grec et Calmet vocalisent les consonnes de ce nom propre, Basemath. La vocalisation de l'hébreu est d'interprétation ambiguë, soit Basemath, soit Bosmath, comme si ce nom propre venait du mot בשם, *bosem*, aromate.

²⁶⁴ Gen. xxxvi.31.

²⁶⁵ Calmet, *ad* Gen. xxxv.19, avait fait la même remarque que Voltaire, 'Bethlehem ne fut appelée Ephrata, que depuis l'entrée des Hébreux dans le pays de Canaan. Ce fut Ephrata femme de Caleb, qui lui fit donner ce nom.' Il n'en tire pas la conséquence que tire Voltaire, que le texte de cet épisode est d'une époque postérieure à la conquête de Canaan, quand cette région était devenue la part de la tribu d'Ephraïm et avait pris son nom.

²⁶⁶ La note de Voltaire est un peu confuse. Voir Calmet, *ad* Gen. xxxv.22: 'On peut voir le chapitre xlix.4 où Jacob fait allusion à cette action infâme de Ruben.' Voir les *Examens de la Bible* I.44, où Mme Du Châtelet critique l'indulgence de Jacob. Calmet suit l'exégèse traditionnelle de Gen. xlix.5-7, y voyant un reproche à ces deux frères pour leur cruauté envers Sichem qu'il ne peut excuser: 'On ne peut regarder l'action de Siméon et de Levi sans horreur. Elle renferme une insigne perfidie, une cruauté et une injustice criante' (p.656).

²⁶⁷ Le premier exégète qui soutint que le vs.31 de Gen. xxxvi aurait pu être post-mosaïque semble avoir été le très conservateur Shlomo ben Isaac (RaShI), *ad loc.*, 'Ils [les rois d'Iduménie] étaient huit, et contre eux Jacob a énuméré [les rois de Juda] aux temps des quels le royaume d'Iduménie fut détruit, [...]'. Ibn Ezra, *ad loc.*, prétendument scandalisé, interprétait cette explication de RaShI, non pas comme une suggestion que le vs.31 était prophétique, mais comme une assertion qu'il faisait partie d'une rédaction tardive, en raison de la forme du verbe qu'il contient, מלכו, *malekhu*, 'régner', au passé, 'Il y a ceux qui disent que ce verset fut prononcé prophétiquement, et le Yizhaki [*i.e.*, Shlomo ben Isaac, mais Uriel Simon, dans son article sur Ibn Ezra dans la אנציקלופדיה מקראית, *Encyclopédia mikra'it*, t.8, p.662, soutient qu'il s'agit ici non pas de RaShI mais du philologue hétérodoxe, Isaac Ibn Yashush (982-1067)] a dit dans son livre que ce paragraphe fut écrit au temps de Josaphat ... Que Dieu nous garde de dire qu'on parle ici de l'époque de Josaphat, et son livre [celui de Yizhaki, qui qu'il fût] est digne d'être brûlé.' Ce qui confirme qu'Ibn Ezra était vraiment scandalisé est qu'il n'inclut pas ce verset dans son catalogue de versets post-mosaïques, *ad* Deut. i.2. C'est ce catalogue qui avait inspiré Spinoza, *Tractatus theologico-politicus*, ch.7, §4.4, p.335, puis Simon. Mais Spinoza

et Simon ont tous deux élargi le catalogue d'Ibn Esra, et Simon traite ce verset comme un ajout introduit par un des 'écrivains publics' lors de la transmission de la partie historique du Pentateuque, *Histoire critique du Vieux Testament*, liv.1, ch.5, p.32. Quant à Leclerc, dans les *Sentimens de quelques théologiens de Hollande*, p.114, il soutient que cet ajout fut introduit par 'un sacrificateur Israelite' revenu de Babylone pour enseigner la religion de Palestine aux Samaritains nouvellement installés en ce pays en rédigeant le Pentateuque à leur usage (p.128-30). Voltaire énonce, ci-dessous (Exode, n.(*ak*) et Nombres, n.(*v*) et (*y*)), que certains chapitres du Pentateuque furent rédigés par un Lévite, apparemment un autre que celui de Leclerc car il était 'un Lévite faussaire', sans préciser ni son identité ni la période de son activité.

En fait, au moins deux critiques bibliques hollandais avaient précédé Jean Astruc: Simon Bischop ou Episcopius (1584-1643) et Campegius Vitringa (1659-1722). En Allemagne, Henning Bernhard Witter (1683-1715) avait déjà aussi, dans ses *Iura Israelitarum in Palaestinam terram Chananæam commentatione in Genesim perpetua sic demonstrata* (Hildesheim, 1711), anticipé l'analyse documentaire d'Astruc. Voir Jean-Robert Armogathe, 'Sens littéral et orthodoxie' dans la *Bible de tous les temps* 7, éd. Armogathe (Paris, 1986), p.431-39. Mais aucune de leurs œuvres ne figure à la BV, et Voltaire n'en parle jamais. Les 'plusieurs théologiens de Hollande' dont il parle ici semblent donc être plutôt les 'quelques théologiens' dont l'auteur des *Sentimens* prétend qu'ils sont d'accord avec lui.

Newton parle, lui aussi, de cette difficulté dans un chapitre intitulé, 'Concerning the compilers of the old Testament', *Observations upon the prophecies of Daniel and the Apocalypse of St. John* (Londres, 1733), p.299. (Ce livre manque à la BV donc il se peut que Voltaire le citait de mémoire ou de réputation. Pourtant il possédait trois éditions d'un autre ouvrage du grand physicien: *The Chronology of ancient kingdoms amended* (1728; BV2567), une version française par F. Granet de la même année, BV2566, et l'*Abrégé* dressé par Nicolas Fréret en 1725, relié avec Humphrey Prideaux, *Histoire des Juifs et des peuples voisins depuis la décadence des royaumes d'Israël et de Juda jusqu'à la mort de Jésus-Chris*, trad. de l'anglais [par de La Rivière et Du Soul] (Paris, J. Cavalier, 1726; BV2811). Aucun de ces livres ne figure dans le *CN*, t.6, comme ayant été annoté par Voltaire.) Voir 'Genèse' des *Questions sur l'Encyclopédie* (alinéa omis en 1764 ou ajouté en 1774), 'C'est ici le passage fameux [...] qui a déterminé le grand Newton, le pieux et sage Samuel Clarke, le profond philosophe Bolingbroke, le docte Leclerc, le savant Fréret, et une foule d'autres savants, à soutenir qu'il était impossible que Moïse fût l'auteur de la Genèse', *OCV*, t.42A, p.52.

268 Cette version est le legs de la Vulgate, 'crimine pessimo'. L'hébreu est רבתם, leur *dibah*, terme plus faible signifiant, semble-t-il, des informations défavorables. Cf. Nom. xiii.32. Voir Bernhard Lang, *Joseph in Egypt. A cultural icon from Grotius to Goethe* (New Haven et Londres, 2009), p.270-86.

269 Gen. xxxvii.23 ne dit que, dans la version de Calmet, 'ils le dépouillèrent de sa robe de diverses couleurs'. La nudité de Joseph est l'invention de Voltaire.

[270] C'est l'argument apologétique qu'emploie assez souvent Calmet quand il veut voir chez les prophètes une prophétie touchant Jésus ou quand il veut, comme ici, contourner un élément anachronique dans un récit en le lisant comme une prophétie, 'par anticipation', mais il ne l'emploie pas au sujet de ce verset. Voir Calmet, *ad* Gen. xxxvi.1, p.672-74.

[271] Plutôt שר הטבחים, *sar ha-tabahim*, chef des bouchers, car la racine טבח, *TBH*, est apparentée à l'ougaritique, *tbh*, et à l'akkadien, *tabahu*, abattre des bêtes. Voltaire suit Calmet qui traduit, 'chef des troupes', d'après la Vulgate, 'princeps exercitus', sans justification évidente.

[272] Mme Du Châtelet est obsédée par les rêves qui figurent dans l'Ancien Testament, Voir les *Examens de la Bible* I.48-49 et surtout I.113.

[273] Gen. xxxviii.1.

[274] Ceci est un thème fréquent chez Voltaire. Voir, par exemple, 'Ame' du *Dictionnaire philosophique*, *OCV*, t.36, p.311-16, et 'Ame IV' des *Questions sur l'Encyclopédie*, *OCV*, t.38, p.230-33. Mais voir Emile Puech, 'La croyance à la résurrection dans le judaïsme ancien', dans la *Revue de la société Ernest Renan* (2002-08), p.25-39.

[275] Voltaire met en question l'antiquité du texte de la Genèse par la traduction anachronique qu'il a choisie pour שק, *sak*, tissu rude de poils de chameau ou de chèvre ou vêtement fabriqué d'un tel tissu, et porté comme signe de deuil. Voir Calmet, *ad* Gen. xxxvii.34, 'L'Hébreu, le Samaritain, le Chaldéen, l'Arabe et les 70. Il se couvrit d'un sac. On nommait les habits de deuil des sacs, parce qu'ils étaient étroits et serrés comme un sac. On les nommait aussi cilices, parce qu'ils étaient tissés de poils de boucs de Cilicie'. La Cilicie est mentionnée explicitement dans Judith i.7, et שק est un mot assez fréquent, mais ni Calmet, ni personne après lui n'a identifié un verset dans Esdras qui désigne la Cilicie.

[276] Ni le *Littré*, ni *Le Grand Robert* n'indique l'orthographe 'moëre', et aucun de ces dictionnaires ne connaît d'emploi du mot mohair en français avant 1860, tandis que le *Trésor de la langue française* n'en connaît pas avant 1868. Le Webster-Merriam donne une étymologie qui fait remonter le mot à l'arménien, *mukhayyar*, par l'italien, *moccaiaro*.

[277] La disproportion entre l'importante population de l'Egypte et le petit nombre de descendants de Jacob qui y émigrèrent est implicite dans le récit de Gen. xlvi.8-27. En ne comptant que quatorze personnes, Voltaire oublie les cinquante-cinq petits-fils de Jacob.

[278] Aucun texte de la Genèse ne fait une telle défense. Voir ci-dessus, n.208 et 241.

[279] Voir Calmet, *ad* Gen. xxxviii.7, 'L'Ecriture n'exprime point en quoi consistait son crime. Saint Augustin a cru que c'était la cruauté. D'autres, que c'était le péché contre nature, qui se trouve marqué à peu près dans les mêmes termes que celui de Her [Genèse xiii.13]. Les Juifs enseignent qu'Her pour conserver la beauté de sa femme, qu'il aimait éperdument, empêchait, par une action abominable, qu'elle ne pût concevoir.' En fait les deux versets sont très

banals et n'emploient pas d'expressions identiques, mais Voltaire semble avoir cru l'analogie que Calmet prétendait y avoir découvert.

[280] A en juger d'après Gen. xxiv.65, les femmes se couvraient d'un voile pour se rendre plus attirantes. Calmet interprète ce verset différemment, *ad*. Gen. xxxviii.14, 'On a remarqué sur le chapitre xxiv.65 de ce livre, que les femmes ne paraissaient en public que couvertes d'un voile. Les femmes de mauvaise vie se couvraient de même, comme on le voit de cet endroit.'

[281] Voir Calmet, *ad* Gen. xxxviii.15: 'Les Prophètes nous font remarquer qu'anciennement les femmes débauchées se tenaient pour l'ordinaire sur les grands chemins', ce qu'il soutient par des versets de Jérémie et d'Ezéchiel qui sont beaucoup plus tardifs (quatrième siècle avant l'ère moderne) que le récit sur Juda et Thamar prétend l'être (vers le quinzième siècle avant l'ère moderne).

[282] Voltaire n'avait pas de scrupule à écrire, ci-dessus, 'entre dans elle', 'en entrant dans sa femme' et 'répandre sa semence par terre', pourtant ici il traduit זונה, *ẓona*, prostituée, par l'euphémisme, 'fille de joie'. Calmet, plus pudique que Jérôme, qui avait traduit, 'meretrix', traduit, 'empêchait par une action exécrable qu'elle ne devînt mere', puis décrit Thamar comme une 'personne de mauvaise vie'.

[283] Gen. xxxviii.24-25. Cf. *Examens de la Bible* I.45.

[284] Calmet ne donne pas l'exemple de Thyeste qui séduisit Aéropé, épouse d'Atrée, son frère, et devint le père d'Egisthe par sa propre fille, Pélopie. Voltaire aurait pu connaître cette légende par la *Thyeste* de Sénèque dont il rédigea une version dans *Les Pélopides* (1770).

[285] Calmet, *ad* Gen. xxxviii.2, p.702. Voltaire compare Thamar à Ruth et soit à Bethsabée, comme ici, soit à Rahav, dans le *Discours de l'empereur Julien*, *OCV*, t.71B, p.277, n.13, comme femme indigne de figurer dans la généalogie de Jésus.

[286] Le texte de Voltaire est plus explicite que celui de Calmet, 'Thamar votre belle-fille est tombée en fornication; car sa grossesse commence à paraître' (vs.24), et plus proche de la Vulgate, 'videtur uterus illius intumescere'. L'hébreu est moins anatomique, וגם הנה הרה לזנונים, *ve-gam hine hara li-ẓenunim*, 'Et là voici enceinte par un commerce extra-marital'.

[287] Voir ci-dessus, n.272.

[288] Bellérophon, après avoir commis un assassinat, se réfugie à Tyrinthe, à la cour de Prœtus, qui le purifie. L'épouse de Prœtus, Sthénébée ou Antéia, tombe amoureuse de lui mais il refuse ses avances. Pour se venger elle prétend que Bellérophon voulait la séduire, et Prœtus prépare diverses stratégies pour le faire tuer. Voir l'*Iliade*, chant 6, vers 155-205. Calmet, *ad* Gen. xxxix.21, p.719, compare aussi la chasteté de Joseph à celle de Bellérophon et à celle d'Hyppolyte, parmi plusieurs autres.

[289] Hyppolyte est le fils de Thésée et de l'amazone Mélanippe. Il suscite la passion de Phèdre, deuxième épouse de Thésée, qui prétend qu'Hyppolyte voulait la violer. Voir l'*Hyppolyte* d'Euripide et *Phèdre* de Racine.

[290] Calmet ne se demande pas ce que Putiphar, étant eunuque, aurait pu faire avec son épouse, mais Mme Du Châtelet souligne qu'il n'est pas étonnant qu'elle

soit peu satisfaite de ses services conjugaux, *Examens de la Bible* I.48. Voltaire projette ici sur l'Egypte du second millénaire ce que Montesquieu raconte, dans les *Lettres persanes*, sur la vie des harems surveillés par des gardiens encore concupiscents bien qu'ils aient perdu leur virilité.

291 Voir Calmet, *ad* Gen. xl.1, 'Il arriva que deux Eunuques [ou Officiers] du Roi d'Egypte [...]'.

292 Deut. xiii.2 condamne explicitement les interprètes de rêves, tandis que Lévit. xx.6 et 27, ne condamne que les détenteurs d'un '*ov*' (אוב) ou d'un '*yid'oni*' (ידעני, de la racine ידע, *YD'A*, savoir ou connaître), donc probablement des diseurs de bonne aventure d'un type ou d'un autre.

293 Gen. xl.8.

294 La suggestion de fraude est due à la Vulgate, 'Quia furto sublatus suum de terra Hebræorum', et à Calmet 'Parce que j'ai été enlevé par fraude de la terre des Hébreux'. En hébreu, כי גנב גנבתי מארץ העברים, *ki gunov gunavti mé-erez ha-'ivrim*, ne comporte rien de plus que le vol d'un objet de valeur qu'était, à l'époque, un jeune homme vigoureux qu'on pouvait asservir. La traduction dans le commentaire de Calmet est plus exacte, 'J'ai été enlevé de la terre des Hébreux, et vendu pour esclave', mais Voltaire suivait la version officielle.

295 Ces remarques sont en rapport avec l'idéologie du programme des études au collège Louis-le-Grand que René Pomeau a identifiée. Voir, ci-dessus, n.204. Voltaire semble remarquer ici qu'il n'y a presque rien dans la Bible sur la religion des Egyptiens, ce qui suggère que la valeur historique du récit de la servitude des Israélites en Egypte est assez faible, mais il cite Flavius Josèphe et Tacite sur leur expulsion en tant que vauriens et lépreux. De nos jours, Umberto Cassuto observait dans son ספרות מקראית וספרות כנענית, *Sifrut mikra'it ve-sifrut kena'anit* (Jérusalem, 1972), p.20, qu'il y a peu d'informations dans la Bible sur la religion et les mœurs des grands pays du nord d'Israël, Akkad et l'Assyrie. En fait le déchiffrement de tablettes akkadiennes, assyriennes et ougaritiques a permis aux critiques bibliques d'identifier, surtout dans le psautier, dans Isaïe et dans Job, un substrat de mythologie des pays du nord où figurent Ba'al, El, Mot, Ashera, Nergal, Tammuz, 'Anat et des combats avec la mer et avec des monstres marins. Voltaire n'a pas été sensible aux échos de cette mythologie dans la Bible malgré ses lectures dans les *Sentimens de quelques théologiens de Hollande* de Jean Leclerc, p.129-30, où les influences nordistes sont mises en valeur. Ces échos auraient été incompatibles avec l'hypothèse qu'il voulait soutenir, que les Israélites avaient emprunté leur folklore et leur théologie plus ou moins monothéiste aux Etats du nord lors de l'exil de 587 avant l'ère moderne.

296 Calmet avait évoqué la question de la paternité d'Asnath, *ad* Gen. xxxix.21 et encore *ad* Gen. xli.45, p.741.

297 Gen. xlii.1.

298 Le Coran xii.23-29 n'identifie pas le témoin avec Asnath.

299 Calmet ne dit rien sur l'existence d''hôtelleries' en Egypte, et ne dit pas que le mot de מלון, *malon*, s'emploie aussi ailleurs, ce qui est le cas.

300 Voir les *Examens de la Bible* I.46 sur la sécurité dont les patriarches jouissaient en Palestine.

301 La Vulgate et Calmet traduisent 'amygdalarum', amandes, là où Voltaire traduit, 'menthe'. L'hébreu ne pose pas de problèmes ici, שקדים, *shkédim*, voulant bien dire des amandes.

302 Gen. xliii.16. 'Victimes' suggère un sacrifice bien que l'hébreu, וטבח טבה והכן, *u-tvo'ah tevah ve-hakhen*, abattre [un animal] pour le préparer, soit plutôt neutre. Calmet traduit, 'tuez des animaux pour manger'.

303 La Genèse ne spécifie pas la ville où sont allés les frères de Joseph à la recherche de nourriture. L'identification de cette ville avec Memphis est de l'invention de Voltaire, mais l'Egypte est qualifiée dans les hymnes liturgiques (d'après Osée ix.6), de ארץ מף, *ereʐ Mof*, 'le pays de Moph', homonyme de Memphis à un *m* près.

304 Quant à une souillure contractée en mangeant avec un étranger, Voltaire enchérit sur ce que Calmet raconte, *ad* Gen. xliii.32, d'ailleurs sans autres sources que Gen. xliii.34 et, sans doute, Ex. viii.22.

305 Voltaire venait de remarquer que le Pentateuque n'identifie pas les dieux égyptiens ni ne décrit le culte local. Voir ci-dessus, n.295.

306 Ce Boyer Bandol devait être membre d'une famille d'Ollioules, marchands d'huile d'olive annoblis au début du règne de Louis XIII dont plusieurs fils sont attestés à Paris, élèves au collège Louis-le-Grand vers la fin du dix-septième siècle. Voir Frédéric d'Agay, 'L'huile d'olive d'Ollioules à Versailles', *Les Méridionaux à Versailles, Bulletin du Centre de recherche du château de Versailles*, mis en ligne le 13 juin 2008, URL: http://crcv.revues.org/document9783.html. M. d'Agay nous suggère que, en raison des dates, le Boyer Bandol dont parle Voltaire est Pierre-Jules de Boyer, né à Aix le 1er août 1677, élevé comme ses frères au collège Louis-le-Grand, d'abord appelé l'abbé de Bandol car il voulait devenir prêtre, puis le chevalier de Bandol. Il fut fait chevalier de l'ordre de Malte en 1701, puis en fut nommé officier. Il reçut de son frère pour légitime une pension de 2.000 livres puis une somme de 10.000 livres par transaction du 5 juillet 1701. Mort à Aix le 4 mai 1743, il resta sans postérité (communication privée du 22 juillet 2008). Voltaire ne parle d'aucun Boyer de Bandol ailleurs, et aucun membre de cette famille ne figure dans les dictionnaires de la Régence.

307 Il s'agit des convulsionnaires du cimetière de Saint-Médard, à Paris, qui, entre 1731 et le 29 septembre 1732, quand il fut fermé par décret royal, prétendaient avoir été guéris par le mérite de l'abbé de Pâris qui y était enterré. Le mouvement continua après cette date mais de manière clandestine.

308 Le texte hébreu de Gen. xlv.14 dit que Joseph a pleuré sur le cou de Benjamin sans dire explicitement qu'il l'a embrassé. Pourtant Calmet avait traduit, 'Et se jettant au col de Benjamin son frère..., pour l'embrasser, [Joseph] pleura, et Benjamin pleura aussi.' Ensuite, vs.15, le texte indique que Joseph a embrassé ses (autres?) frères. Ici et ailleurs, par exemple quelques versets plus loin, quand il traduit 'le père, le sauveur du pharaon' (ligne 1155) là où Calmet suivait l'hébreu

scrupuleusement, 'le père de Pharaon', Voltaire fait le roman de Joseph en Egypte à sa façon.

[309] La pièce de l'abbé Charles-Claude Genest, *Joseph, tragédie tirée de l'Ecriture Sainte* (Paris, E. Ganeau et J. Estienne, 1711), fut jouée par la Comédie-Française en décembre 1720 et en janvier 1721, et fut éditée en 1731, 1743 et 1788. Genest, reçu à l'Académie française en 1698, écrivait des ouvrages sur une grande diversité de sujets pieux et belles-lettristes, y compris des divertissements pour la cour de la duchesse du Maine au château de Sceaux qu'il fréquentait. Voir Kurt Feeß, *Charles Claude Genest. Sein Leben und seine Werke* (Strasbourg, Trübner, 1912), p.60-66, 77-78, R. Pomeau, *D'Arouet à Voltaire* (*VST*, Oxford, 1995), t.1, p.62-63, et Eric van der Scheuren, 'La tragédie biblique à Sceaux: le *Joseph* de Charles-Claude Genest (1706)', dans *La Duchesse du Maine (1676-1753). Une mécène à la croisée des arts et des siècles*, éd. Fabrice Preyat, *Etudes sur le 18e siècle*, 31 (Bruxelles, 2003), p.209-29. *Joseph* fut joué par les amateurs de Sceaux en 1706 et ensuite sur le théâtre privé de la duchesse à Clagny, près de Versailles, elle-même jouant un rôle, mais Voltaire, n'ayant alors que douze ans, n'aurait pu être parmi les comédiens amateurs. Il doit donc parler ici par ouï-dire ou comme spectateur de la pièce à la Comédie française. Voir Lang, p.315.

Le P. Pierre-Joseph Arthuys fut l'auteur d'une autre pièce édifiante au sujet de Joseph, *Benjamin, ou Reconnoissance de Joseph, tragédie chrétienne en 3 actes et en vers* (Paris, Cailleau, 1749). Selon un programme conservé dans la collection de la Bibliothèque nationale de France, cette pièce, sous un titre modifié, *Joseph reconnu par ses frères*, devait être jouée 'par les pensionnaires du collège Louis-le-Grand' le 7 mai 1749, quand Voltaire était à Cirey. Aucune de ces pièces ne figure dans la BV.

[310] C'est Flavius Josèphe (*Antiquitates*, liv.12, ch.4, sections 2-6) qui parle d'un fermier juif, Joseph ben Tobias, sous Ptolémée Evergète (246-221 environ, avant l'ère moderne), et de ses méthodes brutales mais efficaces, ce qui donnerait une date absurdement tardive pour l'insertion du récit de Joseph dans le Pentateuque. (La Septante contient bien l'histoire de Joseph, mais elle fut rédigée plus ou moins du vivant de ce roi et son texte ne peut donc soutenir ou infirmer l'hypothèse d'une rédaction antérieure à ce Ptolémée.) Thomas Morgan (mort en 1743) parle de Joseph dans *The Moral philosopher* (Londres, 1737; manque à la BV), réimpression (Londres, 1995), p.239-41.

[311] Gen. xlvi.1. Voltaire suit Calmet qui suit la Vulgate en traduisant ici le toponyme de Be'er Sheva selon l'étymologie donnée dans Gen. xxi.31. Voir n.161.

[312] Voltaire confond le transport et l'enterrement de Jacob à Hebron, accompli par Joseph, Gen. l.1-13, avec le transport par Moïse, lors de l'exode, des ossements de Joseph pour les enterrer en Israël, Ex. xiii.19.

La source que cite Voltaire est un midrash dont la première édition parut à Constantinople en 1516, et la deuxième à Venise en 1564. Ce midrash fut édité et traduit par Gilbert Gaulemin ou Gaulmin (1585-1665) sous le titre דברי הימים ופטירתו של מ׳רעה. *De Vita et morte Mosis* (Paris, Tussanum Du Bray, 1629), partie hébraïque, f.16, partie latine, p.33, 38-39, dont Voltaire possédait une réédition, *De vita et morte Mosis libri tres* (Hambourg, Ch. Liebezeit, 1714; BV957). Il mentionne ce livre déjà dans les *Notebooks*, *OCV*, t.82, p.625. On croit que ce midrash date d'entre 775 et 900 de l'ère moderne, mais certains de ses éléments sont beaucoup plus anciens, étant attestés dans les *Antiquitates*, liv.2, ch.2, sections 1-2, de Flavius Josèphe et dans le Targum de Jérusalem, *ad* Ex. i.15. Voltaire cite les récits tirés de ce midrash ci-dessous, comme sources ou amplifications des récits de l'Exode et du Deutéronome, ainsi que dans 'Apocryphe' des *Questions sur l'Encyclopédie*, *OCV*, t.38, p.455, et *Dieu et les hommes*, ch.24, *OCV*, t.69, p.385.

313 Gen. xlvii.

314 L'hostilité de Voltaire envers l'Inquisition en raison des cruautés qu'elle exerça aussi contre les Juifs et les crypto-juifs n'est plus à démontrer. Voir notamment le *Sermon du rabin Akib* (1761), *OCV*, t.52, p.483-534, et l'*Essai sur les mœurs*, ch.111.

315 Voir Calmet, *ad* Gen. xlv.34, p.787, qui répète ce que Flavius Josèphe avait cité de Manéthon (*Contra Apion.*, liv.1, sections 14-15) pour nier comme calomnie qu''une troupe sans réputation et d'une origine basse et obscure [qu'on] nomma Hycussos, c'est-à-dire Rois Pasteurs' avait dominé la Basse Egypte pendant 'environ cinq cent onze ans. Je croirais que c'est de là qu'il faut tirer la vraie cause de la haîne des Egyptiens contre les pasteurs [...] Cette irruption des pasteurs arriva selon Usserius, dont nous suivons la chronologie, vers l'an du monde 1920, environ cent ans avant la naissance d'Abraham.' La recherche moderne date la période des Hyksos de 1650 à 1540 environ avant l'ère moderne.

316 Traduction très libre. Calmet: 'Temps court et mauvais: et je ne suis point encore parvenu à l'âge de mes pères'.

317 Nous ne trouvons cette thèse chez aucun des précurseurs dont Voltaire parle ici et dans son étude des sources de l'iconoclasme des Lumières, *Lettres à Son Altesse Monseigneur le prince de *** IV, 'Sur les auteurs anglais'*, *OCV*, t.63B, p.407-21.

Voltaire ne possédait aucun livre de Lord Edward Herbert de Cherbury qui, dans son *De religione laici*, 1645, soutenait avoir trouvé 'the pure and undisputed word of God' dans l'Ecriture. Voir la traduction par Jacqueline Lagrée, *Le Salut du laïc* (Paris, 1989), surtout p.172. Pour Bolingbroke, voir ci-dessus, n.165. Voltaire ne possédait pas les *Characters* (1711) d'Anthony Ashley Cooper comte de Shaftesbury (1687-1713), mais il possédait ses *Lettres sur l'enthousiasme*, trad. Lacombe (Londres, 1762; BV3159), dont la critique 'morale' de la Bible a des rapports avec la sienne.

Pour le contenu rationnel que des anglicans de l'époque croyaient avoir trouvé dans les Ecritures et que Bolingbroke voulait y trouver, voir Gerard Reedy, *The Bible and reason* (Philadelphie, [1985]), p.20-23, et Henning Graf Reventlow, *The Authority of the Bible and the rise of the modern world* (Londres, 1980), p.185-93 sur Herbert, et p.308-20 sur Shaftesbury. Reventlow ne parle pas de Bolingbroke.

Comme on vient de le remarquer ci-dessus (n.163 et 240), on ne connaît d'ouvrages de critique biblique attribuables ni à Fréret, ni à Boulanger.

[318] II Rois viii.1.

[319] Gen. l.2.

[320] Voir Gen. xlvii.22

[321] Voltaire aurait pu trouver tous ces renseignements, sauf la provenance indienne des drogues pour l'embaumement, chez Calmet, p.837-39, y compris des renvois à Hérodote, *Historiēs*, liv.2, sections 86-90, et à Diodore de Sicile, *Bibliothēkē historikē*, liv.1, section 91, mais là où ces auteurs et donc Calmet décrivent le processus d'embaumment des cadavres, ils ne mentionnent pas l'Inde.

[322] C'est Voltaire qui spécule sur la religion des Egyptiens, sur leur doctrine de l'immortalité de l'âme et son rapport avec les pyramides et les momies. Voir Calmet, *ad* Gen. l.25, p.851-52.

[323] Flavius Josèphe, *Antiquitates*, liv.2, ch.9, section 1.

[324] Voir Calmet, p.853, pour les étymologies du nom de Joseph et les identifications que les comparatistes avaient proposées. *De mirabilibus sacræ scripturæ*, commentaire anonyme sur la Bible (Irlande, VIe siècle), non mentionné par Calmet dans sa déscription des momies et cercueils égyptiens.

[325] Ceci est, encore une fois, la thèse des maîtres jésuites de Voltaire au Collège Louis-le-Grand, selon qui il y eut un théisme universel qui se dégrada en polythéisme dans la suite des temps. Voir, ci-dessus, n.204. Evidemment, on ne savait sur l'histoire de la religion des Egyptiens que ce qui avait été transmis par les Grecs, surtout par Plutarque, dans son *De Iside et Osiride*, par Hérodote, *Historiēs*, liv.2, et par Flavius Josèphe, *Contra Apion.*, liv.1, sections 14-16. Le grand livre de l'époque sur l'Egypte était le *Chronicus canon ægyptiacus, ebraicus, græcus et disquisitiones* de John Marsham (Londres, G. Wells, A. Scott, 1672) qui manque à la BV.

[326] Voltaire possédait Humphrey Prideaux, *Histoire des Juifs*, voir t.1, p.47-48, 62-63, sur l'Egypte. Prideaux raconte l'histoire d'Israël à partir de la fin de la monarchie et a donc peu à dire sur l'Egypte pharaonique.

[327] Jacques Bénigne de Bossuet, *Discours sur l'histoire universelle*, nouvelle édition (Paris, M.-E. David, 1739; BV483), t.1, p.480-507.

EXODE

[1] Ex. i.1.

[2] Actes vii.14. Voir Calmet, *Commentaire littéral ... Exode* (Paris, 1708), *ad* Ex. i.5.

[3] Voir Calmet, *ad* Ex. i.8, et Flavius Josèphe, *Contra Apion.*, liv.1, sections 14-16.

[4] Ex. ii.1.

[5] Voir Calmet, p.8, qui ne fait pas cette hypothèse. Voltaire pense à Gen. xlvii.11, 'dans le pays de Ramessès'.

[6] Voir Calmet, *ad* Ex. i.15, 'Il devait y en avoir plusieurs autres dans un si grand peuple; mais ces deux étaient les principales et les plus connues.'

[7] Voltaire emprunte ses renseignements géographiques à Calmet, *ad* Gen. xlv.10, p.771-72, 'Les géographes appellent Nome Arabique, *Nomum Arabicum*, celui qui approchait le plus de l'Arabie et de la Mer rouge, vis-à-vis du Nome de Tanis.' Calmet ne spécule pas sur la distance à traverser pour noyer les enfants mâles dans le Nil. Quant au mont Casius, c'est un nom de forme latine plutôt que sémitique qui semble donc être la traduction plutôt que la transcription d'un toponyme hébraïque. En fait, dans le *Dictionnaire de la Bible*, *s.v.* 'Casius', Calmet prétend qu'il y avait deux monts Casius: Casius I qui sépare la Palestine de l'Egypte, ce qui est géographiquement possible puisqu'il y a une chaîne de montagnes traversant le Sinaï, et possible comme lieu du décès d'Aaron sur le הר ההר, *Hor ha-har*, 'sur la frontière avec l'Iduménie', d'après Nom. xx.22-29 et xxxiii.37-38 – sans indiquer aucun verset biblique qui en fait mention, mais en fournissant une étymologie hébraïque le faisant venir de Kez ou Cas, mots inconnus dans l'hébreu biblique – et Casius II qu'il identifie avec un autre הר ההר, *Hor ha-har*, montagne qui sépare la Syrie d'Israël, selon Nom. xxxiv.7, 8.

[8] Il n'est pas évident de quels critiques parle ici Voltaire. Les *Examens de la Bible* I.56 ne parlent pas de cet épisode.

[9] Il s'agit du midrash sur la vie de Moïse édité par Gilbert Gaulemin, f.2r-5r; p.3-12. Voir ci-dessus, Genèse, n.312. Voir aussi l'*Examen important*, ch.4, *OCV*, t.62, p.188, où Voltaire cite des noms de Moïse et de sa mère que l'on trouve dans cette même source.

[10] Flavius Josèphe, *Antiquitates*, liv.2, ch.9, section 7.

[11] Gaulemin, f.7v-8v; p.19-22. Voir aussi Flavius Josèphe, *Antiquitates*, liv.2, ch.10, sections 1-2.

[12] Voir le *targum Yerushalmi*, *ad* Ex. vii.11, où les magiciens de Pharaon sont identifiés comme ימבריס et יניס, Yimbris et Yanis. En fait, ces deux noms figurent dans II Tim. iii.8 comme Mambrès et Jannès, et, dans un autre contexte, le T.B., Menahoth 85a, parle de ממרא et יוחנה, Mamré et Yuhanah, les mêmes noms légèrement déformés.

[13] Ex. iii.1.

[14] Cette description de la situation du mont Horeb vient de Calmet, *ad* Ex. iii.1, p.22-23, qui ne cite l'autorité d'aucun voyageur.

[15] Voltaire se trompe pour ce cas particulier. Les *Antiquitates*, liv.2, ch.12, section 1, parlent d'un buisson d'épines sur le Sinaï qui brûle sans être consumé. Mais en général, il a raison. Flavius Josèphe explique les miracles rationnellement quand il peut.

[16] Encore une fois, on ne connaît pas de 'critiques' avant Voltaire qui aient proposé cette déduction, ni la datation des textes qui s'en suivait. Voltaire a oublié ici que, dans la Bible, des lieux auparavant sans sainteté particulière, comme l'endroit où Jacob dormit (Gen. xxviii.16-19), ou celui près de Jéricho où Josué rencontra le 'prince des milices célestes' (Jos. v.13-15), ou l'aire d'Aréunah ou Aravnah ou Aranyah le Jébusite où s'arrêtera la peste qui dévastait le royaume de David (II Sam. xxiv.16-21), devinrent sacrés, sans qu'il y eût (encore) de temple, et qu'on ne se déchaussait pas pour entrer dans le temple de Jérusalem, contrairement à ce que Voltaire aurait pu lire chez Calmet, *ad* Ex. iii.5, p.24-25, par exemple, parlant des mosquées et des temples païens et en particulier des 'pagodes' hindoues.

[17] Dans *Un chrétien contre six Juifs* (1776, *M*, t.29, p.502-503), Voltaire mentionne une lettre de Jérôme à Dardanus, sur l'aridité de la Palestine, *Epistola* CXXIX(b), *P.L.*, t.22, col.1099-1107, de l'année 414 environ, et ce qu'il en cite se trouve au col. 1104. Voltaire possédait les *Lettres de S. Jerosme, traduites en françois, sur la nouvelle édition des pères bénédictins de la Congrégation de S. Maur*, trad. dom Guillaume Roussel (Paris, Bordelet, 1743; BV1636), édition que nous n'avons pas réussi à localiser. Pourtant la traduction de dom Roussel avait paru en 1707, en trois tomes, où la lettre qu'il cite est le no.LXXXV, comme Voltaire la cite ici, t.3, p.52. Il y eut deux autres éditions des lettres de Jérôme en 1743, une chez Herissant Fils et une autre chez Gissey et toutes les deux, comme celle signalée dans la BV, publiées à Paris. La question de savoir si la Palestine était fertile ou aride semble implicite dans les remarques de Calmet, *ad* Ex. iii.8, où il se met à beaucoup de peine pour apporter des témoignages, notamment ceux de Jérôme (sans renvoi précis) et de Brocard, dominicain allemand qui voyagea au Moyen-Orient en 1232, sur l'étendue importante de la Palestine et sur sa fertilité. Voltaire a donc dû trouver le témoignage contraire qu'il cite sans l'aide de Calmet. Quant au témoignage de 'leurs propres livres' que Voltaire évoque, il semble qu'il pense aux nombreuses occasions, selon les livres de Samuel, Rois et Maccabées, où Israël ou Juda furent conquis par leurs voisins.

[18] Calmet qualifie la description de la Palestine du vs.8, 'une terre où coulent des ruisseaux de lait et de miel', d'"expression hyperbolique'. (D'ailleurs le mot de 'ruisseau' n'est pas dans l'hébreu.) Au contraire de Calmet, qui imaginait la Palestine très fertile conformément aux promesses de Dieu aux Israélites, Voltaire est obsédé par la stérilité de la Palestine et la démontre par le témoignage de Thomas Shaw tiré des *Voyages de monsr Shaw, M. D., dans plusieurs provinces de la Barbarie et du Levant: contenant des observations géographiques, physiques, philologiques et mêlées sur les royaumes d'Alger et de Tunis, sur la Syrie, l'Egypte et l'Arabie Petrée* ... (La Haye,

J. Néaulme, 1743; BV3163), ch.2, p.13-18. Voltaire ne possédait pas les *Viaggi di Pietro della Valle il pellegrino* (Rome, Vitale Mascaradi, 1650) dont il parle ici.

[19] Voir, ci-dessus, Genèse, n.120. Il est difficile de décider ici quel roman étymologique est plus fantaisiste, celui de Calmet ou celui de Voltaire. 'Jehovah' est une vocalisation du tétragramme inventée en transcrivant le *yod* initial par un *j* plutôt que par un *i* ou un *y*, et le *vav* par un *v*. (Evidemment le *i* et le *j* représentaient la même lettre romaine, et le *v* représentait le son du *w*, ainsi *Jehovah* ne différait du *Yahweh* des Bibles modernes que par les conventions typographiques de l'époque.) Calmet en invente un sens, 'il signifie son existence actuelle, et l'existence qu'il donne aux créatures' (p.26). Pour sa définition, 'destructeur, et quelques-uns croient [qu'il] signifie créateur', Voltaire pense peut-être à un dieu comme la déesse indienne Kali, ou la déesse palestinienne-ougaritique 'Anah ou 'Anath, dont le nom figure dans des généalogies bibliques (Gen. xxxvi.2, 14, 18, 20, 24, 25, 29, ainsi que leur parallèles dans I Chr. i.38, 40 et Jug. iii.31; v.6, respectivement) comme si ce nom avait déjà perdu ses connotations mythologiques. Mais Voltaire ne pouvait pas connaître 'Anath comme déesse destructrice car sa mythologie n'avait pas encore été déchiffrée.

Quant à la formule hébraïque, '*Eheyeh asher eheyeh*', la racine est évidente, היה, *HYH*, être, et la forme est le futur, première personne du singulier, en hébreu moderne, d'où la tautologie, 'je serai ce que je serai'. Pourtant, en hébreu biblique la conjugaison avec préfixes, en l'occurrence le א de אהיה pour la première personne, s'emploie parfois pour le futur et parfois pour le passé (voir Alexander Sperber, *A Historical grammar of biblical Hebrew* (Leiden, 1966), p.66-75). Que les Egyptiens prononçaient ce nom de Dieu 'Jaou' (voir Origène, *Contra Celsum*, liv.6, section 32), qu'Origène prétend que le nom hébraïque de Dieu s'emploie pour des exorcismes (voir *ibid.*, liv.1, section 6), que Clément d'Alexandrie soutient que prononcer le nom hébraïque de Dieu dans l'oreille de quelqu'un le fera tomber 'roide mort' (*Stromates*, liv.5, section 6, *P.G.*, t.9, col.59) viennent, avec les renvois corrects mais incomplets que cite Voltaire, de Calmet, *Commentaire littéral ... Exode*, p.30, n.*o, p* et *q*. Voir aussi Diodore de Sicile, *Bibliothēkē historikē*, liv.1, section 94, signe 2, où il identifie le dieu des Juifs comme 'Ιαώ, *Iao*. Voltaire avait déjà discuté les noms (empruntés) que les Israélites donnaient à leur dieu dans l'*Examen important*, ch.5, *OCV*, t.62, p.190, et il possédait le *Traité d'Origène contre Celse, ou Défense de la religion chrétienne*, dans la traduction d'Elie Bouhéreau (Amsterdam, 1700; BV2618).

[20] Jusqu'ici ce sont des informations qui viennent de Calmet, p.30. Les réflexions sur la parenté de Theos, Zeus, Deus et Dieu, et de Gott, Gud et God sont la contribution de Voltaire.

[21] Voir 'De la liberté' du *Dictionnaire philosophique* de 1764, *OCV*, t.37, p.289-93.

[22] Que les autres enfants de Jacob ont participé au sac et au massacre de Sichem est de l'invention de Voltaire.

[23] 'Et tout ce que tu me dis me rend plus bègue encore' est de l'invention de Voltaire.

[24] Ex. iv.18.

[25] Ici Voltaire propose de fausses pistes. Thomas Woolston écrivit sur les miracles de Jésus, *A second [-sixth] discourse on the miracles of our Saviour* (Londres, 1727-1729), texte exploité par Mme Du Châtelet, mais jamais sur l'Ancien Testament. Quant aux *Mémoires des pensées et sentiments* que Jean Meslier rédigea entre 1718 environ et sa mort en 1729, ils contiennent une critique biblique qui réfute l'application des prophéties de l'Ancien Testament à la naissance de Jésus et à sa carrière, et ce curé intrépide y attaque les personnages vétero-testamentaires que l'apologétique chrétienne considérait comme symboles de Jésus et de son Eglise ou de ses actes. Autrement dit, Meslier était obsédé par l'urgence de déchristianiser l'Ancien Testament, tandis que Voltaire, dans cet ouvrage, essaye de le discréditer plus généralement. L'argument que Voltaire attribue ici à Meslier, que l'histoire des patriarches et des Juifs n'est qu'un tissu de vols et d'exploitations, n'est donc pas dans le répertoire de Meslier, et nous ne l'avons pas trouvé dans ses *Mémoires des pensées et sentiments*.

La Bible enfin expliquée n'est pas le seul ouvrage de Voltaire au sujet de la Bible qui donne de fausses pistes. Le *Traité sur la tolérance*, ch.12, n.g, *OCV*, t.56c, p.195, cite l'autorité de William Wollaston, Anthony Collins, Matthew Tindal, Shaftesbury, et de Bolingbroke, tous critiques du christianisme orthodoxe, mais le savant éditeur du *Traité* pour les *OCV* n'a pu trouver chez aucun d'eux ce que Voltaire lui attribue. En effet, Reventlow, *The Authority of the Bible and the rise of the modern World*, et 'English rationalism, Deism and early biblical criticism', dans *Hebrew Bible Old Testament. The History of its interpretation*, éd., Magne Sæbø (Göttingen, 2008), p.851-74, ne trouve pas chez eux, lui non plus, un corpus de critique biblique textuelle qui ressemble à ce que Voltaire écrit ici. Voir aussi, ci-dessus, Genèse, n.317.

Le vol par les Israélites des vêtements et bijoux que les Egyptiens leur avaient prêtés, vol commandé expressément par Dieu ou seulement prédit par lui, est un problème très grave pour Calmet, p.33-36. Voltaire a signalé, dès le *Sermon des cinquante*, *OCV*, t.49A, p.80-81, et dans plusieurs de ses ouvrages, les divers vols qu'il attribue ici aux patriarches. Voir aussi l'*Examen important*, ch.7, *OCV*, t.62, p.195.

La légende homilétique que Voltaire cite ici sur le jugement d'Alexandre vient du T.B., Sanhedrin 91a, repris par John Selden, *De Jure naturali et gentium*, liv.7, ch.8 (Strasbourg, G. A. Dolhoff et J. E. Zetzner, 1665), p.865-67. Voltaire aurait dû la trouver chez Calmet, p.35, qui imaginait que les Juifs la tenaient pour historiquement valable.

[26] Meslier, dans ses *Mémoires des pensées et sentiments*, évoque la métamorphose de la verge de Moïse en serpent, *Œuvres*, p.162.

[27] Selon Calmet, *ad* Ex. v.1, ce fut James Ussher, pour qui voir ci-dessus, Genèse, n.77, qui identifia ce roi avec Aménophis. Calmet ne donne pas ses raisons. Voir Flavius Josèphe, *Contra Apion.*, liv.1, sections 15 et 26, où il parle, d'après Manéthon, de quatre rois égyptiens qui s'appelaient Aménophis. Il s'agit ici du quatrième, celui que Flavius Josèphe qualifie de supposé.

[28] L'hébreu est מלון, *malon*, auberge. Voltaire confond la tradition que les Israélites ne circoncisaient pas les nouveaux-nés pendant les pérégrinations dans le désert (Jos.

v.7) avec la prétention qu'ils ne les circoncisaient pas en Egypte, précisément ce qui est nié par Jos. v.5. Voir, ci-dessus, Genèse, n.122.

Que l'Exode représente Dieu comme un 'génie malfaisant', ce que Voltaire répète, ci-dessous, n.(ν) ('mauvais génie'), est le cauchemar déjà évoqué par Mme Du Châtelet, *Examens de la Bible* I.147, qui emploie la même expression.

29 Pour Bolingbroke, voir Genèse, n.165. La thèse principale de ses *Lettres sur l'histoire* est le pyrrhonisme qu'il faut adopter par rapport aux témoignages historiques des anciens. En l'occurrence, Bolingbroke ne parle pas, dans la Lettre III, de la circoncision du fils de Moïse, ce pour quoi son autorité est invoquée ici, de même qu'elle vient d'être citée et sera citée dans la suite pour couvrir d'autres thèses de critique biblique que Bolingbroke n'avait jamais soutenues.

30 Ex. iii.22; xi.2-3 et xii.12, 35. Calmet, *ad* Ex. iii.22, p.33-36, et *ad* Ex. xi.2, ne demande pas s'il était utile ou juste de faire mourir les premiers-nés des bêtes, mais Mme Du Châtelet avait posé ces deux questions, *Examens de la Bible* I.58-59 et 69. Quant au vol des objets d'or et d'argent et des vêtements des Egyptiens avant la sortie des Israélites vers la liberté, Voltaire vient d'en parler ci-dessus, voir n.22. Il en avait parlé dès le *Sermon des cinquante*, 1er point, *OCV*, t.49A, p.80-81. Voir aussi, parmi ses autres œuvres, l'*Examen important*, ch.7, *OCV*, t.62, p.195. et, au sujet de la mort des premiers-né, *Il faut prendre un parti* XXII, *OCV*, t.74B, p.56.

31 Maxime de la rhétorique et de la logique des écoles, employée déjà par Dante, *Quæstio de aqua et terra* [xi], *Li Opere di Dante. Testo critico della Società Dantesca Italiana* (Florence, 1960), p.433, et par Thomas d'Aquin, *Commentaria in octo libro physicorum Aristotelis*, liv.1, ch.3, section 5, *Opera omnia* (Rome, 1884), t.2, p.13, parmi beaucoup d'autres. Il se peut que cette maxime fût, chez Voltaire, un souvenir de collège.

Voir Calmet, *ad* Ex. viii.19, 'Le pouvoir de la créature ne s'étend pas jusque là; soit que Dieu ait arrêté et suspendu le pouvoir du Démon, soit que le concours des causes secondaires, conscrites et mues par le Démon, ne peut produire cet effet. Les magiciens égyptiens avaient pu croire jusqu'alors, que Moyse n'était qu'un enchanteur, mais plus puissant qu'eux: ici ils reconnaissent qu'il y a dans lui quelque chose de plus que de la magie, et que Dieu s'en mêle.'

32 Ex. xii.3. Dans le texte massorétique, dans la Vulgate et dans la version de Calmet, le verbe est accordé au pluriel.

33 Ex. xii.15. Traduction redondante et exagérée de ונכרתה הנפש ההוא מישראל, *ve-nikhreta ha-nefesh ha-hi mi-Yisrael* (pour une traduction, voir la suite). En fait, c'est l'interprétation de Calmet, *ad* Gen. xvii.14, 'Cette façon de parler, sera exterminé [*delebitur*] etc. marque ordinairement la peine de mort' et, *ad* Ex. xii.15, 'Quiconque aura mangé du pain levé, depuis le premier jour [de la fête] jusqu'au septiéme, perira [*peribit*] du milieu d'Israël', mais à la fin de ses remarques il renvoie à des commentaires qui interprètent cette phrase avec plus d'indulgence (p.395). Non-obstant, à cause de la traduction que donne Calmet de ces termes, '[il] sera exterminé du milieu de son peuple', Mme Du Châtelet (*Examens de la Bible* I.27) et Voltaire ont exagéré la sévérité de la loi biblique, comme ils l'ont fait en maints endroits. Les

rabbins médiévaux (voir les Tosaphoth, *ad* T.B., Shabbath 25a, *incipit*, כרת, *karet*) distinguèrent déjà entre les peines capitales confiées aux tribunaux d'une part, et une peine capitale administrée par 'les cieux' quand et comme il leur plaît (מתה בידי שמים, *mita biyedei shamayim*, mort infligée par les cieux, d'après Lévit. xvii.10 et xx.3, 5), pour des délits non soumis à la jurisprudence halakhique. L'expression est donc généralement interprétée comme, 'et cette personne sera séparée d'Israël' ou de son peuple, selon le cas.

[34] Ex. xi.1. Cf. Mme Du Châtelet sur les animaux qui devaient ressusciter pour 'remourir' lors d'une plaie suivante puis ressusciter une seconde fois pour se noyer avec la cavalerie de Pharaon quand la mer s'est renfermée sur eux, *Examens de la Bible* I.65-66.

[35] Ex. xiii.17.

[36] Ex. xii.12.

[37] Voir Calmet, *ad* Ex. v.12, p.110. Ce sont Juvénal, *Satires* XV.9, 'porrum cæpe nefas violare et frangere morsu', 'C'est un sacrilège que d'outrager, en y mettant la dent, le poireau et l'oignon', trad. Pierre de Labriolle et François Villeneuve (Paris, 1983), et Pline, *Historia naturalis*, liv.19, section 101, 'Alium cepasque infer deos in iure iurando habet Ægyptus', qui disent que les Egyptiens adoraient les oignons. Pour Richard Cumberland, *Sanchoniatho's Phoenician history*, voir, ci-dessus, Genèse, n.4.

[38] Voir les *Examens de la Bible* I.75. Justin Champion, *Republican learning. John Toland and the crisis of Christian culture, 1696-1722* (Manchester et New York, 2003), p.69-90, 190-210, a trouvé dans les *œuvres* de Toland, notamment dans *Christianity not mysterious* (1696) et *Nazarenus* (1718) surtout une critique du Nouveau Testament, mais Champion, dans son chapitre 'Respublica mosaica', p.173-85, identifie aussi certains éléments d'une critique du Pentateuque inspirée du *Tractatus* de Spinoza ainsi que de la thèse des 'Trois imposteurs' qui l'amène à représenter Moïse comme un législateur qui exploite la religion pour établir son autorité. L'avis de Champion est confirmé par le ch.2 de Diego Lucci, *Scripture and deism* (Berne, Berlin, Bruxelles, 2008). Ceci est donc encore un exemple de Voltaire se réclamant d'une source inexistante pour cacher sa propre audace.

[39] Voir Calmet, 'Dissertation sur le passage de la Mer rouge', *Commentaire littéral ... Exode*, p.xxxviii-xli.

[40] Ex. xiv.18.

[41] Ex. xv.22. Voir *Instructions ... au frère Pédiculoso* XI, *OCV*, t.62, p.233.

[42] Pour le passage d'Alexandre par la Mer de Pamphilie, voir Strabon, *Geographicon*, liv.14, ch.9, et Flavius Josèphe, *Antiquitates*, liv.2, ch.16, section 5. Voir aussi Calmet, p.xxix. Pour la liberté de choisir son système sur le passage par la mer Rouge, voir Flavius Josèphe, *Antiquitates*, *loc. cit*. Pour le nombre des Israélites qui sont sortis d'Egypte, voir *Des Juifs*, *OCV*, t.45B, p.115-16.

[43] Voltaire puise encore une fois à la traduction par Gilbert Gaulemin, ופטירתו של מ׳רעה דברי הימים, *De vita et morte Mosis libri tres*, partie hébraïque, f.13*v*, partie latine, p.35. Pour ce livre, voir Genèse, n.312, Exode, n.9 et Nombres, n.45.

[44] Voir Flavius Josèphe, *Contra Apion.*, liv.1, section 15.

[45] Voltaire avait l'assurance de Calmet pour l'existence d'une fontaine à Horev. Voir Calmet, *ad* Ex. xvii.6. Les déserts dont parle Voltaire figurent bien dans le texte biblique. Quant à l'âge de Moïse, Voltaire se trompe un peu. Ex. vii.7 lui donne quatre-vingts ans quand il se présenta devant Pharaon pour la première fois, et Deut. xxxiv.7 lui donne cent vingt ans à sa mort.

[46] Diodore de Sicile, *Bibliothēkē historikē*, liv.1, section 91, signe 5.

[47] Ex. xvii.8.

[48] Voltaire parle ailleurs aussi des Israélites comme de lépreux à qui on a coupé le nez, esclaves en Egypte avant leur expulsion de ce pays: *Dieu et les hommes*, ch.14, *OCV*, t.69, p.336, où Actisan est roi d'Ethiopie; *La Défense de mon oncle* XXI, 4ᵉ diatribe, *OCV*, t.64, p.257. Evidemment, Voltaire invente ici. Les archéologues n'ont aucune preuve que des tribus israélites aient séjourné en Egypte, encore moins qu'ils y aient exercé le métier de brigand.

[49] Calmet, *ad* Ex. xvi.15, p.175-78, parle des différents types de manne connus, y compris, p.176, la manne de Calabre.

[50] Calmet signale, *ad* Ex. xvii.8, qu'Amalec fut le fils d'Eliphas, fils aîné d'Esaü, selon Gen. xxxvi.12, 16 et 22. Mais en fait Gen. xiv.7 parle déjà d'une bataille qui avait eu lieu du temps d'Abraham aux 'champs des Amalécites'. Le Pentateuque mentionne une bataille avec Amalec aussi dans Nom. xiv.45, mais la thèse reste pourtant astucieuse, car cet épisode semble moins bien ancré dans la mémoire nationale, ainsi qu'elle est réfléchie dans l'Ecriture, que celui de l'autre bataille avec Amalec sous Moïse (Deut. xxv.17-19). L'Ecriture parle encore des Amalécites comme habitant depuis toujours le pays au sud d'Israël, même après qu'ils avaient tous été tués par les troupes de Saül (I Sam. xv.7-8), puis sous David (II Sam. i.1). Pourtant on ne trouve pas chez les prophètes d'oracles prédisant la chute d'Amalec, comme les nombreux oracles contre les voisins d'Israël et surtout contre l'ennemi national, l'Iduménée, comme si, contrairement à ce que Voltaire prétend ici, l'Amalec historique avait disparu de la scène relativement tôt par rapport à la mémoire historique des Israélites.

[51] Ex. xix.1.

[52] Voir Flavius Josèphe, *Antiquitates*, liv.14, ch.13, section 1. Hérode et son frère Phasaël, fils d'Antipater l'Iduméen, furent nommés par Marc Antoine tétrarques de Judée en 43 avant l'ère moderne. Voir, ci-dessous, 'De Hérode'.

[53] Voir les *Examens de la Bible* I.78, qui ne les accusent pas de lâcheté, bien que Mme Du Châtelet soit très sensible au manque de courage.

[54] Jean-Charles de Folard. Voir Calmet, *Dictionnaire*, après p.51 et p.*13-*14 pour les détails sur la participation de Folard à la préparation des gravures des scènes militaires.

[55] Ex. xvii.14.

[56] Ex. xxi.24-25.

[57] Ex. xxi.28. On ne connaît pas de telle remarque dans les écrits de John Toland sur la Bible, dont trois se trouvent dans la BV, *The Miscellaneous works* (Londres,

1747; BV3314), *Lettres philosophiques* (Amsterdam, 1768; BV3315), traduction des *Letters to Serena* (1704), et *Le Na\zaréen*, trad., d'Holbach (Amsterdam, 1777; BV3316). Voir ci-dessus, n.38.

Pour l'ignorance de la langue égyptienne, voir Ps. lxxxi.6. Quant au chapitre 'ajouté', voir un des premiers écrits de critique biblique de Voltaire, le *Traité sur la tolérance*, ch.12, n.g, *OCV*, t.56c, p.195, où il avait déjà morcelé le texte de l'Exode pour prétendre que le ch.32 est un ajout, 'ainsi que plusieurs autres chapitres', pour des raisons qui ne sont pas explicitées dans ce texte mais qui le sont dans celui-ci.

58 Ex. xx.23. Ce verset ne fait pas partie du décalogue que Voltaire vient de réduire à deux commandements. Mme Du Châtelet s'intéressait, elle aussi, à l'interdiction de placer des marches devant l'autel malgré les divers témoignages bibliques selon lesquels l'autel était en fait surélevé et donc inaccessible sans marches. Voir les *Examens de la Bible* I.84.

59 Ex. xxii.17-19. Ceci est exactement ce que Calmet soutenait dans un autre contexte, au sujet du miracle du poisson qui a avalé le prophète Jonas et l'a transporté de Jaffa, sur la côte méditerranéenne de la Palestine, le long de la mer Méditerranée, par Gibraltar, autour du continent africain, enfin dans le golfe Persique pour le déposer indemne devant Ninive, le tout en trois jours. Voir Calmet, 'Dissertation sur le poisson qui engloutit Jonas', dans son *Commentaire littéral ... Les Douze petits prophètes* (Paris, 1715), 'Dés qu'on attaque un miracle de l'Ecriture, il faut les attaquer tous, et l'attaquer elle-même; ou les recevoir tous, avec les Livres sacrez qui les contiennent. ... Est-il plus incroyable que Jonas ait vêcu trois jours dans le ventre d'un poisson qu'il ne l'est que Jésus-Christ soit ressuscité après avoir été trois jours dans le tombeau?' (p.xxxvi-xxxvii). Voir les *Examens de la Bible* I.263 où Mme Du Châtelet soutient la contreposée, 'Ainsi, si on la nie [l'apparition de Samuel devant Saül, I Sam. xxviii.3-25], on sera bien à son aise; car on pourra nier tous les autres miracles. On est donc contraint, quand on admet l'Ecriture, d'admettre cette résurrection.'

60 Ex. xxii.27. Voltaire invente ici. Ni les catalogues de Bibles de Denise Hillard et Martine Delaveau, *Bibles imprimées du XVe au XVIIIe siècle conservées à Paris* (Paris, 2002), p.853, ni le *Historical catalogue of the printed editions of Holy Scripture in the library of the British and foreign Bible society* de T. H. Darlow et H. F. Moule (Londres, 1903; réimpression: New York, Kraus, 1963), t.3, p.565-71, ne connaît aucune traduction du Pentateuque en cette langue publiée avant le *Ulfilas*. *Veteris et Novi Testamenta versiones gothicæ fragmenta quæ supersunt*, éd., H. C. de Gabelentz et J. Loebe (Leipsig, 1843, 1846), Darlow et Moule, no.1846, bien qu'il y ait eu trois éditions d'une version gothique des évangiles que Voltaire aurait pu connaître, surtout lors de son séjour en Prusse: *Quatuor D. N. Christi Evangeliorum versiones perantiquae duæ, Gothica scil. Anglo-Saxonica* (Dordrecht, 1665), dont parle Richard Simon, *Histoire critique des versions du Nouveau Testament* (Rotterdam, Reinier Leers, 1690), ch.19, *Quatuor D. N. Christi Evangeliorum versiones perantiquæ duæ, Gothica scil. Anglo-Saxonica* (Amsterdam, 1684) et *Sacrorum evangeliorum versio*

Gothica (Oxford, 1750-1752). En fait, l'évêque Wulfila – Simon écrit Wlphilas (p.219) – traduisit toute la Bible en gothique au quatrième siècle, sauf 'les livres des Rois'. A en juger d'après 'Adultère' des *Questions sur l'Encyclopédie, OCV*, t.38, p.115, Voltaire connaissait son nom parce que Calmet, *Commentaire littéral ... Jean* (1715), *ad* Jean viii.1, p.184, admet que 'Ulphilas', entre plusieurs traducteurs et commentateurs orientaux, n'aurait pas lu Jean.viii.3-7, parce qu'il n'avait pas traduit le récit sur la femme adultère contenu dans ces versets. Simon ne parle pas dans le ch.13 de son *Histoire critique du texte du Nouveau Testament*, p.99-100, de cette omission en particulier. Mais Voltaire, pouvait-il connaître la version du Pentateuque de Wulfila, encore inédite de son vivant? Pensait-il aux versions du Pentateuque en l'allemand de Luther qui aurait pu lui sembler linguistiquement dépassées?

[61] Ex. xxi.20-21. C'est la traduction de la Vulgate, 'qui pecunia illius est', qui figure dans Calmet que Voltaire suit ici, et elle n'est pas très heureuse. Calmet l'explique ainsi, 'la perte qu'il faisait de son esclave, le punissait assez'.

[62] Ex. xxi.24.

[63] Ex. xxi.28.

[64] Ex. xxiii.17.

[65] Ex. xxii.27.

[66] Ex. xxii.28 (vs.29 dans la Vulgate). La version n'est pas très exacte ici car il y a un autre mot pour dîmes, מעשרות, *ma'asrot*, mais c'est ainsi que Calmet traduit מלאתך ודמעך, *meléatekha ve-dim'akha*. (*Meléa* est certainement la récolte d'une ou de plusieurs céréales, mais le sens de *dim'a* n'est pas évident.)

[67] Ex. xxv.18.

[68] Nom. xxi.8-9.

[69] I Rois vii.25, 44.

[70] *E.g.*, Ex. xviii.11 et Ex. xx.2.

[71] Ex. xx.4, sauf la qualification, לשנאי, *le-sone'ai*, à ceux qui me haïssent.

[72] William Warburton (1698-1779), évêque anglican de Gloucester, soutenait, dans *The Divine legation of Moses* (plusieurs éditions), que l'immortalité de l'âme ainsi que les peines posthumes n'étaient jamais enseignées explicitement dans l'Ancien Testament mais, étant si vraies et fondamentales, devaient avoir été enseignées comme doctrines ésotériques. Il avait attaqué Voltaire personnellement dans son *The Divine legation of Moses* (Londres, 1765), t.4, p.139-53, en 'réfutant' des passages des *Remarques sur les Pensées de Pascal*, des *Additions à l'histoire générale* et du *Traité sur la tolérance* où Voltaire s'était montré hostile aux Juifs. (Dans 'To the Jews', *Divine legation*, t.3, p.xvii-xxii, cet adversaire vigoureux de l'esclavage et défenseur des Juifs bibliques ainsi que de leur ancienne république s'opposait nonobstant à la naturalisation et même au séjour de leurs descendants dans l'Angleterre chrétienne de son temps, ce que Voltaire avait déjà accepté implicitement dans ses *Lettres philosophiques* VI, et ce qu'il ne renia jamais. Voir *Essai sur les mœurs*, ch.102.) Voltaire possédait le t.1 de *The Divine legation* dans les édns. de Londres, 1738-1741, BV3825, Londres, 1755, BV3826, ainsi que le t.2 dans l'éd. de Londres, 1758, BV3827, mais non l'éd. de 1765 où Warburton le critique. Voir 'Ame

V' des *Questions sur l'Encyclopédie*, *OCV*, t.38, p.234-37, et le *Traité sur la tolérance*, ch.13, n.g, *OCV*, t.56C, p.215, parmi beaucoup d'autres ouvrages.

[73] Cette mention du théologien Antoine Arnauld (1612-1698) semble gratuite. Ni l'article du *Dictionnaire* de Bayle, ni celui du *Dictionnaire* de Moréri ne lui attribuent aucune intervention touchant l'immortalité de l'âme. Pourtant, dans le *Traité sur la tolérance*, ch.13, n.g, *OCV*, t.56C, p.215, Voltaire écrit qu'Arnauld avoue, dans 'son apologie de Port-Royal', apparemment l'*Apologie pour les religieuses de Port-Royal* (s.l., 1665), que l'immortalité de l'âme ne figure pas dans l'Ancien Testament, voir les *Notebooks*, *OCV*, t.82, p.489, pour la citation. Mais John Renwick, savant éditeur de ce volume des *OCV*, n'est pas arrivé à identifier les pages de cet ouvrage où Arnauld exprime les propos que Voltaire lui prête là et ici.

[74] Ex. xxii.17, que Voltaire vient de citer dans son texte biblique.

[75] Que Joseph pratiquait la divination (Gen. xliv.5) a déjà été mentionné ci-dessus, Genèse, n.(*eq*).

[76] Ex. xxii.18 et Lév. xviii.23; xx.15-16; Deut. xxvii.20.

[77] Ex. xxii.20 et cf. vs.27.

[78] Ex. xxii.28. 'Décimes' est un synonyme inusité – Littré le trouve chez Calvin puis chez d'Aubigné – pour dîmes.

[79] Ceci est une des thèses courantes parmi les critiques amateurs de la Bible sur la rédaction, plus précisément, sur la 'compilation' du Pentateuque, inspirées de Néh. viii.1-8 et de IV Es. xiii.57-xiv.47, où il est raconté comment Esdras le scribe rétablit les textes sacrés qui s'étaient dégradés pendant l'exil de 586-38. Voir les *Examens de la Bible* I.353-55. Ailleurs, par exemple à la fin de l'article 'Genèse' des *Questions sur l'Encyclopédie*, *OCV*, t.42A, p.46, Voltaire penche pour une autre thèse, 'Bien des savants pensent, avec Newton et le docte Le Clerc, que le Pentateuque fut écrit par Samuel lorsque les Juifs eurent un peu appris à lire et à écrire, et que toutes ces histoires sont des imitations des fables syriennes', et dans le *Traité sur la tolérance*, ch.12, n.g, il se réclame de la caution du plus grand des exégètes juifs, 'Aben-Ezra fut le premier qui crut prouver que le Pentateuque avait été rédigé du temps des rois', *OCV*, t.56C, p.195. Ces deux thèses sont en fait contraires à celle de Leclerc, *Sentimens de quelques théologiens de Hollande*, p.129-30. Voir ci-dessus, Genèse, n.267 et 295.

[80] Voir, ci-dessus, n.71.

[81] Deut. xxiv.16, répété dans II Rois xiv.6, II Chr. xxv.4 et, en forme d'interrogation, dans Jér. xxx.29 et Ez. xxviii.2. Voltaire n'a pas saisi à quel point la responsabilité individuelle est fondamentale dans certains livres de la Bible, malgré la contradiction du décalogue, Ex. xx.5 et Deut. v.9. Calmet, Exode, p.223-27, cite les Pères et 'le *targum*' qui sont ou embarrassés par le Dieu de vengeance du décalogue ou essaient d'harmoniser ce verset avec la vengeance de Dieu exercée, selon plusieurs récits bibliques, sur des enfants de pécheurs. En fait il y avait plusieurs versions araméennes de la Bible, appelées *targumim*. 'Le Targum' dont parle ici Calmet est celui attribué à un Onquelos autrement inconnu, traduction calque du Pentateuque *targumim*, tandis que les autres sont généralement des paraphrases homilétiques.

[82] Ex. xxii.27. Calmet traduit les *diis* de la Vulgate par 'juges', 'Vous ne parlerez

point mal des Juges', *ad loc.*, et il justifie sa traduction par 'le *targum*' et par Philon. Voltaire aurait aussi pu penser à Ex. xxii.8 où אלהים, *elohim*, veut dire soit des juges, soit un oracle.

[83] Ex. xxiii.27-31.

[84] Ex. xxx.11-13. Voltaire traduit ici שקל, *shekel*, 'sicle', par 'obole', l'ancien poids puis pièce de monnaie grecque, ce qui est bizarre.

[85] Ex. xxx.22-33, avec la même traduction exagérée, 'sera séparé' ou 'coupé' de son peuple, que ci-dessus. Voir n.33.

[86] Ex. xxiii.28-31; Deut. vii.21, 22 et cf., Jos. xxiv.12; Sagesse xii.8 et 9, tous versets cités par Calmet qui a aussi fourni, d'après Bochart, les comparaisons avec les Chalcidiens et les Mysiens. Voir Mme Du Châtelet qui fait une plaisanterie sur les moucherons comme 'droles de troupes auxiliaires. On peut appeler cela des troupes légères: la cavalerie légère des Israélites' (*Examens de la Bible* I.203).

[87] Calmet, *ad Ex.* xxx.13, essaie de déterminer ce qu'était le שקל הקדש, *shekel hakodesh*, le sicle de la sainteté ou peut-être du sanctuaire, comme le traduit Calmet, et il y voit, p.444, quelque anachronisme, mais non pas celui que signale ici Voltaire. C'est Voltaire qui, en traduisant 'le sicle du temple', crée précisément l'anachronisme qu'il reproche au texte biblique.

[88] Ex. xxx.33.

[89] Calmet, *ad Ex.* xxx.1-9, ne réfléchit pas sur la quantité d'aromates. Pour la source de ce que Voltaire croyait savoir sur ces aromates, voir Calmet, p.448-52.

[90] Encore une fois, il n'est pas évident quels 'critiques' se sont aventurés dans le domaine du folklore comparé avant Voltaire, certainement pas Mme Du Châtelet.

[91] Voltaire renverse ici la direction du comparatisme classique. Voir Antoine Banier, *La Mythologie et les fables expliquées par l'histoire* (Paris, Briasson, 1738), t.2, p.260-62, où l'auteur cite 'Vossius, *Traité de l'idolâtrie*', *i.e.*, Gerardus Vossius, *De Idolatria liber cum interpretatione latina et notis* (Amsterdam, 1633 et rééditions qui manquent toutes à la BV), traduction du livre, עבודה זרה, '*Avoda zara*, du משנה תורה, *Mishne tora*, recueil halakhique de Moshe ben Maïmon (Maïmonide), 'Vossius a prouvé fort au long que Bacchus est le même que Moyse; et voici les principaux chefs du parallèle qu'il fait. [...] Le poète Nonnus parle de la fuite de Bacchus vers les eaux de la Mer rouge; il ne se peut rien de plus précis pour Moyse. L'armée de ce Dieu, selon Diodore, composée d'hommes et de femmes, traversa l'Arabie pour aller aux Indes; celle du Legislateur remplie de femmes et d'enfants, passa le desert pour aller dans la Palestine qui était dans l'Asie. ... Le Père [Louis] Thomassin [*Lecture des poëtes*, t.2, liv.1, ch.5, sans doute la *Méthode d'étudier et d'enseigner chrétiennement et solidement les lettres humaines* (Paris, F. Mugnet, 1681-1682), 3v.] ajoute de nouvelles preuves au parallèle de [Gerardus] Vossius [...]: M. [Pierre-Daniel] Huet [*Demonstratio evangelica* (Amsterdam, Jansson Waesberg, 1680)] est du même sentiment, et fait aussi un parallèle entre Moyse et Bacchus.' Voir l'*Examen important*, ch.2, *OCV*, t.62, p.177-78, *La Philosophie de l'histoire*, ch.28, 'De Bacchus', *OCV*, t.59, p.183-85, 'Bacchus' des *Questions sur l'Encyclopédie*, *OCV*, t.39, p.271-77, et *Dieu et les hommes*, ch.11, *OCV*, t.69, p.324.

⁹² Ex. xxxi.18.

⁹³ Ex. xxxii.4.

⁹⁴ Voir Calmet, *ad* Ex. xxxii.4, p.459-60, sur l'ordre des opérations dans le travail du sculpteur. Calmet suppose que l'opération de jeter du métal dans un moule précède celle de faire la finition au burin, et c'est donc ainsi qu'Aaron l'a fait, tandis que Voltaire suit la version de Calmet dans son commentaire, 'Il leur forma un veau avec le burin, et il leur fit un veau de fonte', prenant la seconde partie de la phrase pour une seconde opération plutôt que pour un résumé. Calmet n'a pas estimé le temps qu'il faudrait pour sculpter un veau d'or, mais l'abbé Antoine Guénée aborde cette question dans ses *Lettres de quelques Juifs portugais, allemands et polonais à M. de Voltaire avec des réflexions critiques, etc., et un petit Commentaire extrait d'un plus grand* (Lisbonne [Paris], [Laurent Prault], 1769), partie I, lettres v et vi, écrites contre le *Traité sur la tolérance* (1763), ch.12, n.*g*, *OCV*, t.56c, p.195-96. Voltaire conteste les assertions de Guénée dans *Un chrétien contre six Juifs*, ch.v, 'Du veau d'or', et ch.vi, 'De la manière de fondre une statue', *M*, t.29, p.507. Voir aussi 'Fonte' des *Questions sur l'Encyclopédie*, *OCV*, t.41, p.471, et *Les Questions de Zapata*, 23°, *OCV*, t.62, p.389. Curieusement, Voltaire ne parle pas ici du veau lui-même. Dans la même n.*g* du ch.12 du *Traité sur la tolérance*, il l'a identifié avec le dieu égyptien, Apis (p.195). Au sujet des capacités d'Aaron comme chimiste, Calmet s'est rendu compte de la difficulté de transformer l'or en poudre, *ad* vs.20, mais propose qu'en fait Moïse 'le dissipa en une infinité de petites gouttes, aussi menues que la poudre, qu'il jetta dans l'eau'.

⁹⁵ Ex. xxxii.29. Selon le texte massorétique, ne sont morts à cette occasion qu''environ trois mille hommes', comme l'avoue Calmet, *ad* vs.28, qui explique que le chiffre de 23.000 's'est glissé dans les Bibles latines, à l'occasion de ce qu'on lit dans la première Epitre aux Corinthiens [*en note*: x.7, 8]: Ne tombons point dans l'idolâtrie, comme quelques-uns d'eux [...] et ne commettons point de la fornication, comme quelques-uns d'eux, dont il fut tué vingt-trois mille en un jour'. Calmet ne réfléchit pas sur l'impossibilité physique qu'un nombre limité de Lévites tuent autant d'hommes armés.

⁹⁶ Ex. xxxii.27.

⁹⁷ Codrus, fils de Mélanthos, chassé de Pylos, sa patrie, se réfugia à Athènes où le dernier descendant de Thésée lui céda la royauté (voir Pausanias, *Periēgēsis Hellados*, liv.1, ch.19, section 5; liv.2, ch.18, section 8; liv.7, ch.2. section 1; liv.8, ch.52, section 1).

Selon une légende, un gouffre s'était ouvert dans le Forum à Rome et ne se fermerait pas avant que les Romains y jettassent ce qui leur était le plus précieux. Mettius Curtius s'y élança tout armé et à cheval et le gouffre se referma (voir Tite-Live, liv.7, ch.6).

⁹⁸ Ex. xxxii.35.

⁹⁹ Mt xxvi.69-75.

¹⁰⁰ Ex. xxxii.34 d'une part et Ex. xxxiii.2-3 et xxxiv.11 de l'autre. En fait, Calmet n'a pas remarqué cette contradiction. L'harmonisation proposée par Voltaire est bien

la sienne, faite évidemment pour mettre l'accent encore une fois sur le carnage effectué par les Lévites.

[101] Ex. xxxiii.20.

[102] Sémélé fut aimée de Zeus de qui elle eut Dionysus. A la suggestion d'Héra jalouse d'elle, elle demanda à Zeus de lui apparaître dans toute sa gloire, ce qui lui fut fatal (voir Apollodore, *Bibliothēkē*, liv.3, ch.4, sections 2-3 et ch.5, section 3; *Hymnes homériques* I (à Dionysos) 21, VII (à Dionysos) 57-58, XXVI (à Dionysos) 2; Hésiode, *Théogonie* 940 *et seq.*).

[103] Ex. xxxiii.1.

[104] Ex. xxxiii.18-23. 'Les biens' comme traduction d'Ex. xxxiii.19 est un peu maladroit car l'hébreu a 'bien' au singulier et à la forme possessive, première personne, אני אעביר כל טובי על פניך, *ani a'avir kol tuvi 'al panekha*, je ferai passer devant vous toute ma bonté. Calmet traduit 'Je vous ferai voir toute sorte de biens', suivant la Vulgate, 'Ego ostendam omne bonum tibi', en supprimant le possessif de l'hébreu. Il ne traduit donc pas l'hébreu bien qu'il traduise la Septante, le syriaque, l'arabe et d'autres versions.

[105] Eusthathe, archévêque de Thessalonique (mort en 1198), était l'auteur de commentaires très savants sur l'*Iliade* et l'*Odysée*, compilations d'après les anciens grammairiens. Voir Adrien Baillet, *Jugemens des sçavans sur les principaux ouvrages des auteurs*, 2ᵉ éd. (Paris, Moette, Le Clerc, Morisset, Prault, Chardon, 1722), t.2, p.205-206, manque à la BV, qui ne parle pourtant pas de comparaisons entre Homère et la Bible mais souligne qu'Eusthathe 'distingue la Fable avec l'histoire, en représentant l'une et l'autre jusque dans leur origine et les retirant de l'oubli et de l'obscurité où l'Antiquité les avait jetées et confondues l'une avec l'autre'.

[106] C'est ainsi que Calmet traduit Ex. xxxiv.29, כי קרן עור פני משה, *ki karan 'or pnei Moshe*, 'car son visage jetait des rayons de lumière', bien que la Vulgate soit plus proche de l'hébreu, 'cornuta esset facies sua'.

[107] *I.e.* (*aj*). Que Bacchus fut modelé d'après Moyse est la thèse 'comparatiste' de Calmet, *ad* vs.29, p.496-97, mais il ne mentionne pas 'Chosé, divinité arabe'. Voir ci-dessus, n.91.

[108] Ex. xxxviii.24 donne le total des poids des métaux précieux employés dans la construction du tabernacle mais, contrairement à ce que prétend Voltaire, le texte de l'Exode n'indique nulle part combien de talents furent employés pour la construction de l'arche, et combien pour les autres meubles du tabernacle. La question d'où venait une telle quantité de métaux et d'aromates précieux n'était pas posée, mais la question de l'origine des bois de 'shitim' pour la construction du tabernacle était classique, figurant déjà dans le *Midrash Tanhuma*, éd. Varsovie, 1851, péricope Teruma, no.9, qui suppose que Jacob les planta en Egypte en anticipation du besoin de matériaux de construction pour le tabernacle, cité par RaShI, *ad* Ex. xxv.5.

[109] Ex. xxxix.1-31. C'est Calmet qui identifie le תכלת, *tehelet*, dibromindigo selon le *Lexicon* de Koehler et Baumgartner, avec l'hyacinthe, métonymie pour sa couleur (voir Calmet, *ad* Ex. xvi.4, qui croit que le murex duquel cette couleur est extraite est un poisson plutôt qu'un mollusque gastéropode), d'où l'identification par Voltaire de

la couleur des habits d'Aaron et de ses fils (Ex. xxxix.1) avec l'hyacinthe. L'identification des pierres du pectoral d'Aaron vient aussi de Calmet, *ad* Ex. xxxix.9-13.

[110] Mme Du Châtelet avait déjà remarqué le luxe incroyable du tabernacle, puis du temple de Salomon, mais l'idée que la description du tabernacle dans l'Exode fut prise du temple de Salomon, et donc que ce texte fut rédigé après la construction de celui-ci, semble originale chez Voltaire. *La Bible enfin expliquée* n'est pas le premier texte où il propose cette hypothèse; elle avait déjà paru dans le *Traité sur la tolérance*, ch.12, *OCV*, t.56c, p.197.

[111] I Sam. iv.11.

LÉVITIQUE

[1] Lévit. viii.

[2] Lévit. xi.

[3] Calmet, *Commentaire littéral ... l'Exode et le Lévitique* (Paris, 1708), *ad* Lévit. viii.23, p.70, cite Prudence, *Hymnus* X, Incipit passio S. Romani martyris, 'Summus sacerdos nempe sub terram scrobe / Acta in profundum consecrandus mergitur', vers 1011-12, *P.L.*, t.60, col.520.

[4] Voir l'*Encyclopédie*, *s.v.*, 'Espèce de sacrifice expiatoire et purificatoire du paganisme, dont on ne trouve point de trace avant le règne d'Auguste. [...] On creusait une fosse assez profonde, où celui qui devait faire la cérémonie, descendait. [...] On amenait sur ce couvercle un taureau couronné de fleurs [...] On l'égorgeait avec un couteau sacré, son sang coulait par un trou dans la fosse, et celui qui y était le recevait avec beaucoup de respect', description d'après Prudence. La comparaison des rites expiatoires des Grecs avec celles prescrites dans le Lévitique n'est évidemment pas ce que Calmet avait proposé. Voltaire n'adopte pas ici la plaisanterie de Mme Du Châtelet, qu'en raison de l'asymétrie du rite de purification, 'Aaron était consacré du côté droit et profane du côté gauche' (*Examens de la Bible* I.106).

[5] Lévit. xiii.

[6] Voir Calmet, *ad* Lévit. xi.1 et 7, 'Plusieurs croient que la distinction des animaux purs et impurs, est presqu'aussi ancienne que le monde, puisque Dieu ordonne à Noé de faire entrer dans l'arche un certain nombre d'animaux purs, distingués des autres animaux, qui sont nommés impurs' (p.93) et 'Les Egyptiens l'avaient [le pourceau] si fort en horreur, que si quelqu'un, même en passant et sans le vouloir, venait à toucher un porc, il allait aussitôt se plonger tout habillé dans le Nil. [...] On croit que la raison la plus naturelle de l'aversion des orientaux pour cet animal, vient de ce qu'il est fort sujet à la lèpre dans ces pays' (p.98).

[7] Voir Calmet, *ad* vs.6, 'L'on est convaincu aujourd'hui, que le lièvre ne rumine pas, et tout le monde sçait qu'il a les pieds fendus; mais apparemment que le peuple croyait, du tems de Moyse, qu'il ruminait: et ce législateur n'a pas cru devoir corriger cette erreur populaire.'
Voltaire reproche très souvent à la Bible cette prétendue faute de physiologie – prétendue car les quadrupèdes dont la consommation est permise devaient avoir des sabots fendus (מפרסת פרסה ושסעת שסע פרסת, *mafreset parsa ve-shosa'at shesa prasot*, Lévit. xi.2) et être ruminants, mais avoir ces qualités implique l'appartenance au genre des ongulés, auquel le lièvre n'appartient pas, n'ayant de sabots ni fendus, ni entiers: voir *Dictionnaire philosophique*, 'Ame' et 'Pierre', *OCV*, t.35, p.313, et t.36, p.450; 'Juifs II' du fonds de Kehl, *M*, t.19, p.522; *Dieu et les hommes*, *OCV*, t.69, p.437; *Le Dîner du comte de Boulainvilliers*, *OCV*, t.63A, p.356; *Les Questions de Zapata*, 26°, *OCV*, t.62, p.389-90; *Dieu et les hommes*, *OCV*, t.69, p.437; *L'A. B. C.*,

OCV, t.27, p.345; *Discours de l'empereur Julien*, *OCV*, t.71B, p.193, n.67; *Collection de Lettres / Questions sur les miracles*, Lettre III, *M*, t.25, p.379; *Galimatias dramatique*, *M*, t.24, p.77; *Un chrétien contre six Juifs* XVII, *M*, t.29, p.517; *Histoire de l'établissement du christianisme*, ch.5, *M*, t.31, p.54; etc.

⁸ Lévit. xi.20. Calmet, *ad loc.*, en propose des exemples: les chauves-souris parmi les mammifères et divers insectes.

⁹ Juste au contraire, le vs.21 autorise la consommation de plusieurs espèces de sauterelles.

¹⁰ Lévit. xi.13. Voir Calmet, *ad loc.*, 'Les Septante et la Vulgate ont traduit ce terme [פרס, *perès*] par un griffon; soit qu'ils aient entendu par-là quelque oiseau qui ait un bec crochu, car c'est la signification de Grips en grec; soit qu'ils aient entendu le Griffon, qui est un oiseau fabuleux. Voici comme le décrit Servius: cet animal se trouve dans les montagnes des Hiperboréens. Il a le corps d'un lion, la tête et les ailes d'un aigle. Il fait une guerre continuelle aux chevaux, et il est consacré à Apollon.' En fait, l'identification de bêtes, de pierres, de plantes et de couleurs qui figurent dans le vocabulaire de langues anciennes est toujours difficile. La Bible parle de diverses bêtes 'fabuleuses', comme behémoth et léviathan dans Job xl.15 et 25 et ailleurs, mais le *perès* ne paraît jamais dans un tel contexte. On pense actuellement que le griffon fabuleux était un oiseau préhistorique dont des fossiles avaient été rapportés des déserts de l'Asie aux pays des Scythes, des Grecs et des Romains, qui ne se rendaient pas compte que ces oiseaux n'existaient plus, d'où la traduction de la Septante et de Jérôme. Voir Adrienne Mayor, *The First fossil hunters. Paleontology in Greek and Roman times* (Princeton, Princeton University Press, 2002), p.23-34. Voltaire parle du griffon et de l'ixion assez souvent. Voir, par exemple, 'Ame' et 'Chaîne des êtres créés' du *Dictionnaire philosophique*, *OCV*, t.35, p.313 et 516; 'Baptême', 'Chien', 'Lois II' et 'Monstres' des *Questions sur l'Encyclopédie*, *OCV*, t.39, p.308, n.*a*, et t.40, p.55, *M*, t.19, p.617 et t.20, p.108, respectivement; 'Juifs II' du fonds de Kehl, *M*, t.19, p.522; *Le Dîner du comte de Boulainvilliers*, 2ᵉ entretien, *OCV*, t.63A, p.356-57; *Catéchisme de l'honnête homme*, *M*, t.24, p.534.

¹¹ Calmet signale justement, dans sa dissertation en tête du *Commentaire littéral ... Lévitique* (1708), 'Recherches sur la nature, les causes et les effets de la lèpre', p.ix, et encore une fois dans le Commentaire, *ad* Lévit. xiii.1, qu'il y a plusieurs types de lèpre, et il remarque, *ad* vs.2, que 'le prêtre ne se mêlait point de guérir la lèpre; il jugeait seulement si l'on en était atteint, ou non, afin d'empêcher que les lépreux ne communicassent aux autres leurs souillures'.

¹² Lévit. xiv.33-41.

¹³ Voir Jacques Roger, *Les Sciences de la vie dans la pensée française du XVIIIᵉ siècle* (Paris, 1963), qui indique que depuis la découverte des microscopes et surtout depuis l'instrument perfectionné de van Leeuwenhoek et ses observations précises de la structure des 'animalcules' vus à travers sa lentille, on parlait des 'vers spermatiques' décrits par lui, et 'On en vit partout, et l'on recourut à eux [aux insectes microscopiques], en particulier, pour expliquer les épidémies et les maladies contagieuses. Cette idée, exposée dès 1677 [*Philosophical transactions* 136 (juin 1677),

p.891], fut adoptée par Hartsoeker, Vallisneri, Réaumur et beaucoup d'autres' (p.183-84).

14 Lévit. xvii.13-14.

15 Calmet, dans sa dissertation, 'Recherches sur ... la lèpre', soutient que les conditions de vie des Israélites dans le désert étaient propices à la contagion de la lèpre dont il croyait que les médecins avaient identifié les 'vers' à l'aide de leurs microscopes, 'On ne doit pas juger de ce danger [la communication de cette maladie sous les diverses formes dont parle Lévit. xiii et xiv], par rapport au climat où nous habitons, et à nos manières de nous vêtir. Dans les pays chauds, les insectes sont infiniment plus communs que dans les pays Septentrionaux; et du temps de Moyse, l'on n'avait pas ce grand nombre de commodités que l'on a inventées depuis, pour la propreté et pour la commodité du corps et pour la perfection des arts mécaniques, qui regardent les étoffes, les toiles, et les peaux' (Lévit., p.xix). En fait, Calmet, aux p.xvi-xx, exploite l'épidémiologie et la microbiologie les plus à la page, tandis que Voltaire ne semble pas les connaître car il parle de l'influence des 'eaux bitumineuses et nitreuses' sans en établir le lien avec la lèpre, et il nie la théorie selon laquelle des organismes microscopiques sont la cause de plusieurs maladies. A sa décharge il faut se rappeler que ce lien ne fut rigoureusement démontré que dans les travaux de Pasteur entre 1870 et 1887. Calmet défend les Juifs de l'accusation d'être atteints de la lèpre plus souvent que d'autres peuples, 'Quelques anciens [Manéthon, cité par Flavius Josèphe, *Contra Apion.*, liv.1, ch.26] ont prétendu que les Hebreux ne sont sortis de l'Egypte, que parce qu'ils avaient tous été attaqués de la lèpre. Tacite [*Historia*, liv.5, section 3] et Justin [*Cohortatio ad Græcos*, section 10, *P.G.*, t.6, col.262] ont donné dans ces fables, que l'envie des Egyptiens avait inventées contre les Juifs, et qui ont été solidement réfutées par Joseph, qui remarque judicieusement que Moyse n'aurait jamais fait des lois, comme il en a fait, contre les lépreux, s'il eût été le chef d'une armée toute composée de gens attaqués de cette maladie' (p.xiii).

16 Voir Calmet, *Commentaire littéral ... Job* (Paris, 1710), 'Dissertation sur la maladie de Job', 'On implore aussi son intercession contre le mal de Naples, qui fut connu dans les commencements, sous le nom de *Maladie de Saint Job*. Cette dernière maladie n'est autre que la lèpre, suivant plusieurs habiles gens; elle a les mêmes effets, les mêmes signes, les mêmes accidents que la première, et on pourrait les guérir l'une et l'autre, par les mêmes remèdes, si l'on prenait la lèpre dans ses commencements, et avant qu'elle fût invétérée, et qu'elle eût infecté la masse du sang, et des humeurs. Il y a plus d'un commentateur de réputation qui soutiennent que Job a été attaqué par ce honteux mal. [...] Bartholin soutient le contraire, prétendant que ce serait faire injure à un aussi saint homme que Job, de lui donner une incommodité, qui est la juste peine de ceux, et de celles qui se livrent à la débauche la plus déréglée, et la plus honteuse. On dit de plus, que ce mal n'est pas à beaucoup prés si ancien que Job, puisqu'il n'est connu dans l'Europe que depuis la découverte de l'Amérique. [...] Il est aisé de faire voir que la maladie honteuse, qui est aujourd'hui connue sous différents noms, que la pudeur ne permet pas toujours de prononcer, n'est dans le fond que la maladie marquée autrefois sous le nom de lèpre; par conséquent, que ce mal est très ancien

dans le monde', p.xxiii-xxiv. Voir le *Dictionnaire philosophique*, 'Job', *OCV*, t.36, p.252 et n.40, pour l'association de la lèpre biblique avec la vérole, voir aussi 'Amour' du même ouvrage, t.35, p.325-26, et les *Questions sur l'Encyclopédie*, 'Lèpre et vérole', *M*, t.19, p.572-75, et *La Défense de mon oncle*, ch.2, *OCV*, t.64, p.199-200, pour la thèse que la vérole est une maladie qui fut rapportée d'Amérique par les matelots de Christophe Colomb. Voltaire écrit dans 'Lèpre et vérole', p.573, ce qu'il répète ici, 'Vous ne trouverez pas un seul vers dans Horace, dans Catulle, dans Martial, dans Juvénal qui ait le moindre rapport à la vérole.'

Voltaire mentionne ici Jean Astruc, *Traité des maladies vénériennes*, trad. A.-F. Jault et B. Boudon, 4ᵉ éd. (Paris, G. Cavelier, 1764; BV201), et il parle aussi d'Astruc dans ce contexte dans 'Lèpre et vérole' des *Questions sur l'Encyclopédie*, *M*, t.19, p.573.

[17] Juvénal, *Satires* II.12, 'Mais de ton anus épilé, le médecin tranche, en riant, des fics gros comme des murisques', trad. Pierre de Labriolle et François Villeneuve. Calmet ne cite ce vers ni dans son commentaire sur Lévit. xiii, ni dans sa dissertation sur la lèpre placée en tête du commentaire sur le Lévitique, ni dans son *Dictionnaire historique, critique, chronologique, géographique et littéral de la Bible*, s.v., 'Job' et 'Lépres'.

[18] Horace, *Odes* I.xxxvii.9, 'Avec son troupeau malsain d'hommes infâmes et souillés', trad. François Villeneuve (Paris, 1991), cité par Calmet, *Commentaire littéral ... Job*, 'Dissertation sur la maladie de Job', p.xxvi.

[19] Lévit. xvii.7.

[20] Voir la querelle entre Voltaire et Warburton, notamment dans les articles 'Ame' du *Dictionnare philosophique*, *OCV*, t.35, p.315, n.40, et 'Ame V' des *Questions sur l'Encyclopédie*, *OCV*, t.38, p.234-37, n.42 et 45. En fait, du point de vue de la philologie biblique, Voltaire et Warburton avaient tous deux raison de dire qu'il n'y a dans le Pentateuque ni promesses ni prophéties de récompenses ou de punitions posthumes. Le mot biblique, נפש, *nefesh*, traduit dans la Vulgate soit comme 'spiritus', soit comme 'anima', d'où 'âme' dans les versions françaises, veut dire 'une personne' (voir par exemple Ex. i.5; xxi.23; Lévit. v.2, xxii.11; Nom. xxxi.35 et Deut. xxiv.7, etc.) ou 'gorge' (Jonas ii.6, 'Les eaux m'ont enveloppé jusqu'au cou', trad. Dhorme) ou 'bête' (Gen. i.20, 21, 24; Lévit. xi.10, etc.). Le mot רוח, *ru'ah*, qui en général signifie 'vent', est employé à la place de *nefesh* dans un texte tardif, Ecclés. iii.19, 21. Il semble y représenter une qualité personnelle d'un homme ou d'une bête capable soit de monter aux cieux, soit de descendre vers un lieu qui n'est ni caractérisé ni spécifié.

[21] Voir Genèse, n.315, pour les sources de cette légende déjà invoquée par Voltaire dans sa n.(*eu*) sur la Genèse.

[22] Cette formule est le symétrique de celle employée par Montesquieu dans les *Lettres persanes* LX, où il traite le judaïsme comme la mère des deux religions majoritaires dans le monde. Il se peut que la métaphore se soit employé déjà avant les *Lettres persanes*. Voir Schwarzbach, '*A quo*? Datation de l'*Opinion des anciens sur les Juifs. Ad quem*? – Une source des *Lettres persanes*', *La Lettre clandestine*, no.5 (1996), p.33-41, et 'Remarques sur la date, la bibliographie et la réception des *Opinions des*

anciens sur les Juifs', *La Lettre clandestine*, no.6 (1997), p.51-63. Voltaire avait déjà employé cette métaphore dans *Des Juifs*, sous ses deux formes, judaïsme comme père du christianisme et de l'islam, et comme leur mère (*OCV*, t.45B, p.115) et dans 'Juifs II' du fonds de Kehl (*M*, t.19, p.522), soit directement d'après Montesquieu, soit, pour 'Juifs II' d'après l'article 'Juif' du chevalier de Jaucourt, dans l'*Encyclopédie*, t.9, p.24 (*CN*, t.3, n'indiquant aucun trait ni note marginale pour cet article). Voir aussi les *Notebooks*, *OCV*, t.81, p.51.

[23] Que l'histoire juive 'comme toute histoire ancienne, [fut] composée [...] très tard, et avec des fictions tantôt ridicules, tantôt atroces' était loin d'être une thèse courante parmi 'de très savants hommes, abusant de leur science et de leur esprit', quoiqu'en témoigne ici Voltaire. Même des critiques bibliques assez radicaux exploitaient encore les récits bibliques pour en tirer les éléments de l'histoire du Moyen-Orient au cours des siècles reculés. Bolingbroke (voir, ci-dessus, Genèse, n.165 et 317, pour des précisions bibliographiques) semble le premier à avoir assimilé les récits bibliques aux récits légendaires des païens, *On the study of history* III.3, 'Reflections on the state of ancient history', §2, p.83-112, en particulier, 'he who expects to find a system of chronology, or a thread of history, or sufficient materials for either, in the books of the Old Testament, expects to find what the authors of those books, whoever they were, never intended. They are extracts of genealogies, not genealogies, extracts of histories, not histories' (p.102).

Claude-François-Alexandre Houtteville, apologiste catholique, est l'auteur de *La Vérité de la religion chrétienne prouvée par les faits* (Paris, 1722) dont l'édition de 1749 est BV1684, ouvrage très apprécié de son temps. Mais il n'entre pas dans de tels débats sur la fiabilité des récits évangéliques.

Isaac Jaquelot (1647-1708), apologiste huguenot, auteur de *La Conformité de la foi avec la raison, ou Défense de la religion contre les principales difficultés répandues dans le Dictionnaire de M. Bayle* (1705), auquel Bayle avait répondu dans ses *Lettres provinciales* cxxviii-cxxxviii. Dans sa *Dissertation sur l'existence de Dieu, où l'on démontre cette vérité par l'histoire universelle, par la réfutation du système d'Epicure et de Spinoza* (La Haye, 1697), Jaquelot, p.507-22, essaie de réfuter l'*Ethica* plutôt que le *Tractatus*. Il n'y fait aucune concession à la critique biblique de Spinoza, et ne semble pas y aborder de questions de critique du texte de l'Ancien Testament. Nous n'y avons donc pas trouvé la thèse que Voltaire lui attribue, et aucun écrit de cet apologiste ne figure dans la BV.

Jacques Abbadie, apologiste huguenot dont le *Traité de la vérité de la religion chrétienne* (Rotterdam, Reinier Leers, 1694), 2v., figurait au programme des études du collège Louis-le-Grand pendant la scolarité de Voltaire (voir Pomeau, *La Religion de Voltaire*, p.52), connaissait la critique biblique de Spinoza et essayait de la réfuter, t.1, ch.7-8, p.284-98, mais il n'entre pas dans les détails, et ne concède rien quant à l'authenticité du texte. L'édition de La Haye, 1750, en 3 volumes, figure dans la BV, no.6.

Il y eut deux Sherlock. Voltaire possédait le *Préservatif contre le papisme, en deux parties, dont la première contient des conseils fort aisez sur la manière de disputer avec ceux de l'Eglise romaine* (La Haye, J. Néaulme, 1721; BV3164) de William Sherlock, auteur aussi de *Du jugement dernier* (Amsterdam, 1691), tandis qu'un homonyme, Thomas Sherlock, avait écrit plusieurs ouvrages dont trois furent traduits en français: *L'Usage et les fins de la prophétie* (Amsterdam, 1729), *Les Témoins de la résurrection de Jésus Christ examinez et jugez selon les règles du barreau, pour servir de réponse aux objections du sr Woolston...*, trad., A. Le Moine (La Haye, P. Gosse et J. Néaulme, 1732), et *Lettre pastorale sur la cause morale des tremblements de terre* (Paris, 1751). Aucun des ouvrages de Thomas Sherlock ne semble contenir d'arguments contre l'authenticité de l'histoire juive telle qu'elle est contée dans la Bible, et aucun ne figure dans la BV.

24 Lévit. xxvi.14-29.

25 Voir Lévit. xviii.23 et xx.15-16 ainsi que Deut. xxvii.21 pour la prohibition réitérée de la bestialité. Voir Calmet, *ad loc.*, pour l'adoration des boucs à Mendès, en basse Egypte, où il suggère, d'après Hérodote, *Historiēs*, liv.1, section 46, et Strabon, liv.17, section 19, citant Pindare, que cette adoration prenait parfois la forme d'unions sexuelles, puis il ajoute, 'Il est très croyable, que quelques Israëlites avoient imité cette Idolatrie des Egyptiens, et que Moyse y fait ici allusion' (p.176). Calmet ne parle pas ici de Jérôme sauf pour dire (p.175) que la Vulgate traduit שעירים, *se'irim* (Lévit. xvii.7), par démons ('et nequaquam ultra immolabunt hostias suas dæmonibus, cum quibus fornicati sunt'), ce qui rendrait impossible la bestialité que Voltaire voudrait attribuer littéralement aux Israélites car, par définition, les démons ne sont pas des bêtes. Voir le *Traité sur la tolérance*, ch.12, n.g, *OCV*, t.56c, p.198, les *Questions sur l'Encyclopédie*, art. 'Bouc', *OCV*, t.39, p.437-38, et *La Défense de mon oncle*, ch.7, 'De la bestialité, et du bouc du sabbat', *OCV*, t.64, p.208-10.

26 Dans d'autres ouvrages contemporains de *La Bible enfin expliquée*, notamment dans 'Arrêts notables', 'Béker' et 'Bouc' des *Questions sur l'Encyclopédie* (1770-71), *OCV*, t.39, p.40, 343-46, et 436-43, ainsi que dans le *Prix de la justice et de l'humanité* IX, *OCV*, t.80B, p.108, Voltaire fait la même association entre les sacrifices aux boucs interdits dans le Lévitique, le sabbat des sorciers, qui est une invention médiévale, et les rapports des femmes avec des bêtes, en l'occurrence avec le bouc qui préside au sabbat comme représentant du diable. Voltaire laisse entendre que les informations sur les sorcières et les sabbats dans ces articles des *Questions sur l'Encyclopédie* sont puisées à de Lancre, sans spécifier auquel de ses traités. Ici Voltaire ne signale pas ses sources, mais dans ces autres textes il est clair que, pour ses descriptions du mélange de démonologie et de pratiques sexuelles dans le sabbat des sorciers, ses sources directes ou indirectes sont les classiques de la démonologie française, Nicolas Rémi, *Dæmonolatriæ libri tres ex judiciis capitalibus nongentorum plus minus hominum qui sortilegii crimen intra annos quindecim in Lotharingia capite luerunt* (Cologne, H. Falckenburg, 1596), Henry Boguet, *Discours exécrable des sorciers ensemble leur procez, faits depuis 2 ans en ça, en divers endroicts de la France* (Paris, Binet, 1603), Pierre de Lancre, *Tableau de l'inconstance des mauvais anges et démons, où il est amplement traicté des sorciers et de la sorcellerie* (Paris, 1612), Martin del Rio, *Disquisitionum magicarum libri sex quibus continetur accurata curiosarum et vanarum*

superstitionum confutatio (Mayence, 1603), ainsi que la *Dæmonologia, hoc est Adversus incantationem sive Magiam institutio, forma dialogi concepta et in libros III distincta* (Hanovre, 1604) de Jacques Ier d'Angleterre. Parmi ces démonologies, seule celle de del Rio figure dans la BV (Lyon, 1611; BV2984), et elle seule fournit une citation, 'ch. 30', dans le plus détaillé des écrits de Voltaire sur la sorcellerie, le *Prix de la justice et de l'humanité* IX, *OCV*, t.80B, p.96-111, où il répète ce que del Rio raconte sur la croyance en des 'diables masculins qui couchaient avec nos filles en incubes, et comment les diables féminins couchaient en succubes avec les garçons'. Voltaire y décrit aussi, suivant encore del Rio, des sabbats où 'on croyait en effet traverser les airs pendant la nuit, à cheval sur un bâton, en croupe derrière une sorcière', et où les boucs se contentent de 'donner [leur] cul à baiser' (p.106). Voir les *Notebooks*, *OCV*, t.82, p.495. Une note que Kehl ajoute à cet endroit du *Prix de la justice* traite des femmes 'qui avaient eu [les] faveurs [du diable]', possibilité que Voltaire nie ici, et soutient 'quod diaboli membrum esset nigrum, rigidum, quasi ferreum, squammis duris involutum; quod diaboli sperma esset frigidum, glaciale' (p.553). Parce que cette note ressemble tellement à ce qu'écrit Voltaire dans 'Béker', p.344 et 346, elle peut être un fragment authentique, soit une ébauche de la p.344 de 'Béker' soit une esquisse du *Prix de la justice*. Dans le *Prix de la justice et de l'humanité* IX, Voltaire suit encore del Rio (liv.3, *quæst*.30) en situant les origines de la sorcellerie dans l'Ancien Testament, dans les récits sur Joseph qui devine avec une coupe particulière (Gen. xliv.5), sur Balaam à qui les ambassadeurs de Balac offrent de la part de leur maître des honoraires pour ses divinations, bénédictions et malédictions réputées efficaces (וקסמים בידם, *u-kesamim bi-yadam,* des sorcelleries dans leurs mains, métonymie pour les gages pour ses services de sorcier, Nom. xxii.7), sur Saül brièvement possédé (I Sam. x.10-13) puis exorcisé par la musique du jeune David (I Sam. xvi.14-23), sur une 'pythonisse' qui emploie un אא, *ov,* pour évoquer le prophète Samuel, mort et enterré depuis peu (I Sam. xxviii.7-25, et voir l'*Histoire de l'établissment du christianisme*, ch.5, *M*, t.31, p.55), sur Asmodée, démon qui tue les maris de Sara et qui est finalement emprisonné en Egypte par l'ange Raphaël (Tobit iii.8; vi.8; viii.3) ainsi que dans le récit de la tentation de Jésus par le diable (Mt iv.1-11), textes bibliques qui sont tous commentés dans *La Bible enfin expliquée*. Mais parce que les six livres des *Disquisitionum magicarum* de del Rio sont divisés en '*Quæstiones*' et non en chapitres, ainsi que Voltaire les cite dans le *Prix de la justice*, p.109, on peut penser qu'il les citait, comme ses autres sources concernant la sorcellerie, à travers une source intermédiaire, encore non identifiée. (Cette source n'est pas l'*Histoire critique des pratiques superstitieuses qui ont séduit le peuple et embarrassé les sçavans* (Paris, Jean de Nully, 1702; BV1968), de l'oratorien, Pierre Le Brun, parce que ce livre ne traite pas des sabbats des sorciers.) D'autres textes où Voltaire parle de sorciers et de sabbats, et surtout des poursuites cruelles et sans fondement contre ceux dont on prétendait y avoir assisté, sont *Le Siècle de Louis XIV*, ch.31, et surtout le *Commentaire sur le livre Des délits et des peines* (1766) IX. Voir Margaret Libby, *The Attitude of Voltaire to magic and the sciences* (Réimpression: New York, 1966) et Constantin Bila, *La Croyance à la magie au XVIIIᵉ siècle en*

France dans les contes, romans et traités (Paris, 1925). Pour le déclin de la croyance en la sorcellerie à partir du milieu du dix-septième siècle sous l'influence de magistrats éclairés dont témoignent cette note et les écrits de Voltaire cités ci-dessus, voir Robert Mandrou, *Magistrats et sorciers en France au XVIIᵉ siècle. Une analyse de psychologie historique* ([Paris], 1968).

²⁷ Voltaire n'est pas précis ici. La bestialité est interdite parmi d'autres pratiques identifiées comme connues en Egypte, Lévit. xviii.3.

²⁸ Voltaire, dans son *Commentaire sur le Livre des délits et des peines* de Cesare Bonesana, marquis de Beccaria, n'examine pas la question générale de l'interdiction par les législateurs des conduites sexuelles déviantes, ni des peines infligées par les tribunaux pour punir le congrès sexuel avec une bête.

²⁹ Lévit. xxvii.29.

³⁰ Voir les *Examens de la Bible* I.115.

³¹ Ceci est basé sur le témoignage d'Actes xxiii.8 et de Flavius Josèphe, *Antiquitates*, liv.18, ch.1, section 4, et *De Bello jud.*, liv.2, ch.8, section 14.

³² Ici Voltaire contredit la thèse de l'accommodation, selon laquelle la révélation et la Bible plus généralement s'expriment dans une langue que les Juifs de l'époque de Moïse et des prophètes pouvaient comprendre, thèse qu'il avait admise au début de son commentaire sur la Genèse, par exemple dans ses n.(*d*), (*e*) et (*i*).

³³ L'accusation contre les Juifs de l'époque biblique d'avoir offert des sacrifices humains se trouve déjà chez Jean Meslier, *Extrait des sentiments de Jean Meslier*, dans ses *Œuvres*, t.3, p.464, et dans les *OCV*, t.56A, p.135 – texte qui abrège plusieurs pages des manuscrits des *Mémoires des pensées et sentiments*, voir les *Œuvres*, t.1, p.225-38, n.2, *i.e.*, écrits avant la mort de Meslier en 1729, et qui parlait des sacrifices humains chez divers peuples, ne connaissant que le presque sacrifice d'Isaac (Gen. xxii) comme exemple biblique de cette pratique cruelle. Elle se trouve ensuite chez le marquis d'Argens, *Lettres juives* (1736), Lettre IX, t.1, p.78, où un chrétien apostat dresse un mémoire assez imprécis et mal étayé pour convaincre les Juifs et les chrétiens de se convertir à l'islam, dans lequel il prétend que les Juifs, et pas exclusivement les Juifs bibliques, sacrifiaient des hommes, puis vers 1742 chez Mme Du Châtelet, *Examens de la Bible* I.115, 216-17, 249-50 et surtout 312-13. Elle est fréquente chez Voltaire, et presque toujours soutenue par un renvoi à ce verset. Voir par exemple: *Des Juifs*, *OCV*, t.45B, p.117, le *Sermon des cinquante*, premier point, *OCV*, t.49A, p.82; *Traité sur la tolérance*, ch.12, n.o, *OCV*, t.56C, p.200-203, où Voltaire signale une attestation au sacrifice des enfants chez Sanchoniaton, c'est-à-dire dans le fonds païen d'où, selon lui, est finalement issu le judaïsme normatif. Ici et ailleurs Voltaire assimile l'assassinat des adultes lorsqu'il est commandé par Dieu aux sacrifices d'enfants dont la prohibition rigoureuse atteste la pratique. Voir *La Philosophie de l'histoire*, ch.36, *OCV*, t.59, p.214-15; *Dictionnaire philosophique*, art. 'Anthropophages', *OCV*, t.35, p.347; l'*Examen important*, ch.7 et 9, *OCV*, t.62, p.196 et 201; *Les Questions de Zapata*, 41°, *OCV*, t.62, p.395; *Dieu et les hommes*, ch.21, *OCV*, t.69, p.371-75; *Profession de foi des théistes*, *M*, t.27, p.63; voir, ci-dessous, Samuel, n.(*eo*). Voir aussi, pour 'le texte de Jephte', Juges xi.30-40, et, ci-dessous,

Juges, n.(*u*) et (*v*). Pour un traitement moderne de la question de savoir si, à un stade primitif du judaïsme, on sacrifiait des enfants à Yahweh, voir Baruch J. Schwarz, 'העברת הזרע למלך', *Ha'avarat ha-ʒer'a la molekh*, dans שנתון לחקר המקרא והמזרח הקדום, éd., Sara Japhet (Jérusalem, 2000), p.65-82.

C'est Calmet qui identifie l'hébreu חרם, *herem*, qui s'applique à tout objet, soit sacré, soit immonde, dont l'emploi était interdit, avec 'consécration', 'dévouement' et 'anathème', *Commentaire littéral ... Exode*, p.308, et c'est lui aussi qui associe le récit sur Achan (Jos. viii) à ce verset. Calmet ajoute que 'Grotius restreint ceci aux ennemis et aux déserteurs de la milice; on les mettait à mort sans quartier, lorsqu'ils étaient dévoués, mais on ne dévouait pas d'autres hommes à la mort', lui-même ayant encore moins de scrupules quant à la peine capitale, mais Voltaire n'a pas repris cette restriction, et il ne mentionne pas les interdictions de sacrifier des enfants au Molekh faites dans Lévit. xviii.41; xx.2-5; II Rois xxiii.10; Jér. xxxii.35 et Is. lvii.9 (vocalisant *lamolekh*, au [dieu] Molekh, pour *lamelekh*, au roi). Mme Du Châtelet parle d'Achan, *Examens de la Bible* I.185-86 et 81, comme illustration d'Ex. xx.2 et 5, où le décalogue affirme que Dieu punit les enfants pour les péchés de leurs parents, contexte différent de celui de Voltaire ici.

NOMBRES

¹ Nom. v.1-3. La traduction très précise, 'ceux qui ont la gonorrhée', pour זב, *ʒav*, 'qui a un écoulement de peau', vient de Calmet, 'ceux qui sont incommodés de la gonorrhée', et de même 'ceux qui sont souillés pour avoir assisté à des funérailles' est l'explication que donne Calmet en guise de traduction de טמא לנפש, *tamé la-nefesh*, 'qui est impur au même degré que celui qui a touché un cadavre'.

² Nom. v.11-31. Voltaire suit ici la version de Calmet, 'lorsqu'une femme sera tombée en faute, et méprisant son mari' assez éloignée de l'hébreu qui ne parle pas de mépris, seulement de l'offense, ומעלה בו מעל, *u-ma'ala bo ma'al*, expression rare mais formée sur un verbe connu, *M'AL*, employé pour désigner l'emploi non autorisé d'un objet sacré ou la consommation d'un produit agricole avant que les diverses contributions dues aux prêtres aient été prélevées. Le *Robert* signale que Corneille avait employé la forme 'pollu / pollue'.

³ Nom. vi.1-7. La traduction de Voltaire est lacunaire. Le vin, la bière puis le vinaigre élaboré à partir de l'un ou de l'autre sont interdits aux *naʒiréens*.

⁴ Nom. x.1.

⁵ Voir Nom. x.29-30. En fait, le texte identifie ici le beau-père de Moïse avec Hovav, fils du Re'uel le Madianite qui, selon Ex.ii.20, sous le nom de Jéthro, donna sa fille Séporah pour épouse à Moïse, incohérence qui a sans doute amené Voltaire à identifier Hovav avec un frère de Séporah. Toutes les éditions donnent 'frère' pour 'père'.

⁶ Voir la n.(*d*) de Voltaire sur le Lévitique ainsi que la n.16. Voltaire se répète ici. Calmet, *ad* Nom. v.1, p.40, n'est pas offensé par l'expulsion des lépreux hors du camp, prétendant qu'elle n'était que temporaire. L'*Encyclopédie*, *s.v.*, 'Vérole' et 'Vénérienne', affirme qu'on traitait ces maladies avec du mercure, et qu'elles étaient susceptibles de guérison.

⁷ Voltaire avait traduit tous les évangiles apocryphes connus de son temps, y compris le Protévangile, texte découvert par Guillaume Postel. Voir la *Collection d'anciens évangiles* XVI, *OCV*, t.69, p.128-29. Pour les 'eaux de jalousie' ou 'eaux amères', voir Nom. v.11-31. Flavius Josèphe en parle, *Antiquitates*, liv.3, ch.11, signe 6, mais ne dit pas qu'elles s'employaient encore de son temps, sauf si liv.3, ch.12, signe 3 s'appliquait aussi à elles. Mishna Sota, ch.9, *halakha* 9, indique que depuis que les adultères sont devenus plus nombreux, on a cessé d'administrer l'épreuve des 'eaux amères', sans précision chronologique, mais évidemment avant la destruction du temple en 70 de l'ère moderne après quoi le rite était devenu impossible, faute d'autel. Flavius Josèphe, dans son résumé des pratiques des Juifs au sujet des relations entre les sexes, *Contra Apion.*, liv.2, signe 25, ne mentionne pas l'épreuve des 'eaux amères'.

⁸ Nom. xi.4-34.

[9] Nom. xii.1-9.

[10] Voir Calmet, *Commentaire littéral ... Nombres*, ad Nom. vi.3, p. 55-57. Calmet traduit שכר, *shekhar*, par 'vin', mais admet que Strabon parle d''une liqueur d'un miel différent du miel des abeilles; et quoique cette canne ne soit pas un arbre fruitier, elle ne laisse pas de produire un fruit qui enivre.' Il ajoute que 'les Arabes et les Turcs se servent beaucoup de sucre dans leurs boissons, et ils en font qui enivrent comme le vin'. Le seul exemple d'un enfant voué au naziréat par un parent est Samson. Samuel a été consacré à Dieu dès son enfance mais aucun verset ne suggère qu'il fut sujet aux abstinences exigées d'un *nazir*.

[11] Nom. x.2. Ceci n'a rien à voir avec l'invitation faite au beau-père de Moïse d'accompagner les Hébreux dans leurs pérégrinations dans le désert, Nom. x.29-32, qui en fait suit l'ordre de fabriquer des trompettes. Voir Calmet, *ad* vs.2, qui, d'après Flavius Josèphe, *Antiquitates*, liv.3, ch.12, section 6, décrit les trompettes comme 'assez semblables aux nôtres', sans spéculer sur la méthode de leur fabrication. Quant à porter le tabernacle sur un char, cela ne s'applique qu'aux éléments structuraires. Les autels et autres objets cultiques furent portés sur des bâtons sur les épaules des Lévites de la famille de Kohathites. Voir Nom. iv.15 et vii.9.

[12] Nom. xi contient deux récits repris d'Ex. xvi, où les vs.13-14 parlent de la rosée sans dire, comme le prétend ici Voltaire, qu'elle est identique à la manne comestible. Loin de faire l'apologie pour les Israélites, Calmet les traitait de 'mécontents qui cherchent des prétextes de se plaindre et de murmurer' (p.95-96).

[13] Ceci est l'explication édifiante proposée par Voltaire. Calmet se contente de dire qu'ils sont punis pour avoir 'murmuré', *ad* vs.1, mais, au sujet du second récit, p.113, il parle, d'après John Selden, *De synedriis*, de leur 'gourmandise' qui fut punie par l'imposition des lois qui limitaient leur consommation de viande.

[14] Nom. xii.15.

[15] Nom. xiii. Voltaire emploie le verbe 'considérér' ici et plus loin dans le sens d'espionner.

[16] Calmet traduit, 'ils coupèrent une branche de vigne avec son raisin [Vulgate: 'uva sua' d'où le singulier bien que l'hébreu, ענבים, *'anavim*, désigne une grappe de raisins, au pluriel] que deux hommes portèrent sur un bâton', puis, dans le commentaire à ce vs.14, p.127, il écrit 'qu'ils [les espions] prirent une branche de vigne, chargée d'un seul raisin, qu'ils portèrent à deux, sur un bâton, ou sur une espèce de civière, ou de brancard', d'où sans doute 'la voiture' de la version de Voltaire.

[17] Nom. xii.1.

[18] Pour l'histoire non biblique du séjour de Moïse en Ethiopie, voir ci-dessus, Exode, n.(*h*). Pour le mariage de Moïse avec la fille de Jéthro ou Re'uel, voir Ex. ii.20 et, ci-dessus, n.5.

[19] Voir Calmet, p.118, 'Mais pourquoi Aaron, qui avait eu la faiblesse de murmurer avec sa sœur, contre Moyse, n'est-il pas puni de sa faute, tandis que Marie est frappée d'une manière si terrible?' Les *Examens de la Bible* I.125 évoquent la même question.

[20] Cf., Nom. xii.8 et Deut. xxxiv.10.

[21] Voir, ci-dessus, Genèse, n.111. Suivant la Vulgate, Calmet traduit Nom. xiii.22, 'Ils montèrent du côté du Midy', où l'hébreu dit, ויעלו בנגב, *va-ya'alu va-negev*, 'ils sont montés dans (ou vers) le Negev'. Voltaire semble imaginer, d'après les cartes où le nord est généralement vers le haut de la figure, que 'monter' veut dire procéder vers le nord. Faire 'monter' les espions vers le Negev lui semble donc une contradiction car le *Negev* est normalement synonyme de 'sud'.

[22] Pour donner une finalité à un texte qui parle soudainement des Amalécites et des Cananéens, Voltaire ajoute 'ne montez pas par les montagnes' en contradiction avec le texte que Calmet avait traduit, 'Et parce que les Amalécites et les Cananéens habitent dans les vallées [Nom. xiv.25, בעמק, *ba-'emek*, dans la vallée, au singulier], décampez demain, et retournez dans la solitude par le chemin de la Mer Rouge.'

[23] Voltaire se trompe de généalogie, le père de Caleb était Jéphoné, dans la transcription de Calmet, p.122, 135, 141, etc.

[24] C'est Calmet qui prétend que les explorateurs n'ont pris qu'un seul raisin de taille prodigieuse (p.127 et voir, ci-dessus, n.16) parce que '[Jean] Doubdan [chanoine de Saint-Paul, collégiale de Saint-Denis] raconte que des religieux de la Palestine l'ont assuré, que dans la Vallée du Raisin, on en trouve encore qui pesaient jusqu'à dix ou douze livres'. Doubdan arriva à Jérusalem le 30 mars 1652 et était de retour le 22 novembre de la même année.

[25] Calmet ne remarque pas les deux récits parallèles, Nom. xii.27-29 et 31-33.

[26] Nom. xv.32-36.

[27] Nom. xv.37-41.

[28] Calmet, *ad* Nom. xiv.22, 34, ne parle pas de la forme du serment divin, et ne le compare pas formellement aux serments des hommes.

[29] Nom. xiv.25 et 40-45 qui laissent penser que les Amalécites et les Cananéens habitaient les montagnes. Voir Calmet, *ad* Nom. xiv.25, 'On a déjà marqué ailleurs, que les Amalécites demeuraient dans les montagnes, au Midi de la Terre promise [Nom. xiii.29]' et il essaie d'harmoniser ces données, 'Les Cananéens en cet endroit, sont mis pour tous les autres peuples descendus de Canaan, [...] comme on l'a marqué ci-devant'. Nous ne connaissons pas de 'critiques' qui se sont occupés de cette contradiction.

[30] Calmet suit la Vulgate et transcrit יצהר, *Yizhar*, par *Isaar*, le latin n'ayant pas de lettres pour représenter le *tzadik*, צ, ni le *hé*, ה. Voltaire a pris le *r* à la fin du mot Isaar pour un *c*, d'où 'Isaac' qui viendrait d'une autre racine. Toutes les éditions ont Isaac pour Isaü (cf. de Sacy, Isaü) ou, suivant la Vulgate, Isaar.

[31] Nom. xvii.1-xviii.7. Traduction maladroite. Le verset doit se lire: 'Qu'il vous suffise! Tout ce peuple est saint, et le Seigneur est parmi eux, ...'.

[32] Ex. xxxii.1-6. 'Dieu fait miséricorde à qui il lui plaît', traduction d'Ex. xxxiii.19, avec un changement de la première personne en troisième.

[33] Newton prétend, dans ses *Observations upon the prophecies of Holy Writ, particularly the prophecies of Daniel and the Apocalypse of St. John*, ch.1, que le Pentateuque samaritain, qui date de 722 environ avant l'ère moderne selon une

tradition jamais mise en question ni par les savants de l'époque, ni par Voltaire, fixa les grandes lignes du Pentateuque, y compris l'épisode de Coré. Puis il prétend que le Pentateuque fut rédigé par Moïse à partir des sources suivantes, ספר תולדות אדם, *sefer toldot Adam*, 'livre des descendants d'Adam' ou 'livre de l'histoire des hommes' (Gen. v.1) pour la création et les premières générations humaines, ספר מלחמות ה׳, *sefer milhamot adonai*, 'livre des guerres du Seigneur' (Nom. xxi.14) – duquel Voltaire et Mme Du Châtelet (*Examens de la Bible* I.136,137) parlaient – , pour les pérégrinations dans le désert et la conquête de Canaan par Josué, et un ספר הברית, *sefer ha-berit*, 'livre de l'alliance' (Ex. xxiv.7) pour l'alliance du peuple avec Dieu. Newton écrit, p.3 et 6, que, avant la huitième année du roi David, Josué et Samuel avaient terminé la rédaction du Pentateuque en y ajoutant des passages comme la généalogie des rois d'Iduménie qui avaient régné avant le premier roi israélite (Genèse xxxvi). Il prétend aussi que les livres des Rois et des Chroniques furent rédigés après le retour de Babylone, et qu'Esdras fut le rédacteur de ces deux livres ainsi que des livres d'Isaïe et de Jérémie (p.9), mais Newton ne parle pas dans ce livre des récits sur la révolte de Coré, Dathan et Abiram. Voltaire lui fait trop de crédit.

[34] Voltaire avait déjà parlé de la conservation miraculeuse des vêtements, racontée sans doute comme métaphore dans Deut. viii.4. Voir par exemple, ci-dessous, Deut., lignes 18-20, et le *Traité sur la tolérance*, ch.12, p.195, n.g.

Le commandement d'attacher aux coins des vêtements des 'franges' ou des 'rubans' ou des 'houppes', traductions de ציצת, *ẓiẓit*, qui figurent dans le *Dictionnaire ... de la Bible* de Calmet, *s.v.* 'Taled', avec une illustration, t.2, face à la p.403, était pour Mme Du Châtelet aussi le modèle d'une loi absurde. Voir ses *Examens de la Bible* I.86.

[35] Voltaire suppose que le récit de la révolte de Coré est une addition tardive qui reflète une contestation entre les lévites et les *kohanim*, caste de prêtres, concernant la priorité dans le service du temple. Cette hypothèse semble originale bien que Voltaire l'attribue à des 'savants hardis'. Elle sera adoptée, avec diverses modifications, par la critique biblique moderne. Les querelles pour le privilège d'exercer le grand sacerdoce dont parle ici Voltaire sont racontées dans Flavius Josèphe, *Antiquitates*, liv.12, ch.5, et ne datent que de la prêtrise de Jason et de Ménélaus, c'est-à-dire l'an 175 avant l'ère moderne. Voltaire situe donc à l'époque du premier temple des faits attestés trois siècles plus tard, et par conséquent sa datation de la rédaction du récit de la contestation de Coré est beaucoup trop tardive.

Une légende, non de Coré mais de Dathan et Abiram, est pourtant assez ancienne, à en juger d'après les mentions dans Deut. xi.6 et Ps. cvi.16-18, desquelles Voltaire n'a pas tenu compte, et ce chapitre des Nombres figure dans la Septante, rédigée vers 250 avant l'ère moderne, ce qui n'est pas cohérent avec la datation qu'il propose.

[36] Nom. xii.3.

[37] Voir ci-dessus, n.17-19.

[38] 'Synagoga' est le mot grec employé par Jérôme dans Nom. xvi.2 pour traduire l'hébreu עדה, *'eda*, 'communauté', 'assemblée', 'sénat' ou 'multitude'. Ces trois dernières traductions paraissent, soit dans le commentaire de Calmet, soit dans sa

version, p.158, 159, 160. 'Synagogue', symétrique d'Eglise, semble trop institutionnel en français car une telle institution n'est pas encore attestée chez les Juifs de l'époque.

[39] Pour Toland, voir, ci-dessus, Exode, n.57, et pour Woolston, voir, ci-dessus, Exode, n.25.

[40] Voir, ci-dessus, Genèse, n.(*eg*), et, pour des renvois aux autres écrits de Voltaire, voir Genèse, n.274.

[41] Nom. xvi.33.

[42] הילל בן שחר, *Hélel ben shahar*, Is. xiv.12, 'Comment es-tu tombé du ciel, astre brillant, fils de l'aurore' (trad. Pléiade s'inspirant d'Ez. xxviii.12-19, du grec, 'étoile du matin', et de la Vulgate, 'Lucifer', étymologiquement, porteur de lumière). Dans la théologie chrétienne classique, Lucifer est un des noms du diable. Voir, par exemple, le *Paradise lost* de John Milton. La nouvelle version de la Jewish Publication Society (1978) est astronomiquement moins explicite que celle de la Pléiade, 'How are you fallen from heaven, O Shining One, son of Dawn! How are you felled to Earth, O vanquisher of nations!'

[43] Ni Gaulemin, ni Johann Albert Fabricius n'emploie ce titre pour aucune des sources midrashiques qui complètent les récits bibliques sur la vie et les gestes de Moïse. La caractérisation semble donc le fait de Voltaire, peut-être inspiré par le titre, 'Les Paralipomènes', employé par Calmet entre autres pour les livres des Chroniques qui closent la partie historique de l'Ancien Testament dans l'ordre des livres du canon catholique. Voir les *Examens de la Bible* I.338, 'Ce mot de Paralipomenes veut dire le livre des choses omises; mais on devrait l'appeller livre des contradictions. On y rapporte à-peu-près les mêmes choses que les livres des Rois. Mais presque à chaque ligne il y a une contradiction.'

[44] המעשיות והמדרשות, *Ha-ma'asiot ve-ha-midrashot* (Venise, 1551). D'après le catalogue très complet de livres hébraïques, אוצר הספר העברי, *Oẓar ha-sefer ha-'ivri* (Jérusalem, 1994), de Yeshayahu Vinograd, c'est le seul livre portant le titre מעשיות, *ma'asiyot*, imprimé à Venise avant la parution en 1629 de l'édition princeps du midrash דברי הימים ופטירתו של מ'רעה par Gilbert Gaulemin (voir, ci-dessus, Genèse, n.312), qui le mentionne plusieurs fois, p.295, 301, 304, 331, 362, 381, dans l'édition de Hambourg, et toujours comme livre imprimé à Venise, mais sans jamais donner la transcription du titre que Voltaire emploie ici. Dans l''Index auctorum' de l'édition de ce midrash que possédait Voltaire, ce livre est identifié comme '*Moaschiot sive Narrationum liber*', qui n'est guère une meilleure transcription que celle de Voltaire, mais l'édition princeps avait écrit '*Maaschiot*', qui est plus exact.

[45] Voir דברי הימים ופטירתו של מ'רעה, p.164-65, pour le texte hébreu et une traduction latine. Voltaire cite cette satire midrashique encore trois fois, et chaque fois en l'associant avec Gaulemin et Fabricius ou l'un des deux: *Questions sur l'Encyclopédie*, art. 'Curé de campagne', *OCV*, t.40, p.335-36; *Histoire de l'établissement du christianisme*, ch.13, *M*, t.31, p.84; *Profession de foi des théistes*, 'Des superstitions', *M*, t.27, p.59-60; *A monsieur Du M*** membre de plusieurs académies*, *M*, t.30, p.347.

[46] En fait, Johann Albert Fabricius, *Codex pseudepigraphus Veteris Testamenti, collectus, castigatus* (Hambourg, Leipsig, C. Liebezeit, 1713) ne contient pas cet

ouvrage, et d'ailleurs ce *Codex* manque à la BV. Voltaire avait bien exploité son prédécesseur, le *Codex apocryphus Novi Testamenti* (Hambourg, 1703-1719; BV1289), pour sa *Collection d'anciens évangiles*. La source de cette satire, critique des prêtres et des chefs politiques, est le מדרש תהילים רבתא עם מדרש שמואל, *Midrash Tehilim rabata im Midrash Shmuel* (Venise, Daniel Bomberg, 306 [1546]), f.3r, où les protagonistes de cette anecdote sont censés représenter ce qu'est le לץ, *lez*, railleur, du Ps. i.1.

⁴⁷ Deut. xviii.4, qui n'exige pas qu'on donne toute la tonte au prêtre.

⁴⁸ Ex. xiii.12.

⁴⁹ Voir Lévit. vii.33 et Deut. xviii.3 pour les différents dons que celui qui apporte un sacrifice doit offrir au prêtre qui égorge sa bête et en brûle sur l'autel les parties réservées à Dieu. Encore une fois, Voltaire, ou plutôt la source qu'il traduit, exagère.

⁵⁰ Nom. xviii.14.

⁵¹ Nom. xvi.31-32, traduction moins distinguée mais plus fidèle à l'hébreu que celle de Calmet, 'la terre se rompit sous leurs pieds, et s'entr'ouvrant, elle les dévora avec leurs tentes, et tout ce qui leur appartenait'.

⁵² Flavius Josèphe, *Antiquitates*, liv.9, ch.7, section 1. C'est pourtant Voltaire qui est l'auteur de cette conjecture.

⁵³ Voltaire se trompe ici. Selon le texte, les pelles furent sanctifiées parce qu'elles avaient été employées dans le sanctuaire. La mort des rebelles n'est pas représentée comme ayant la capacité de sanctifier quoi que ce soit. C'est une projection de la doctrine de la 'satisfaction' (par la souffrance et la mort de Jésus) sur un récit qui a une autre finalité.

⁵⁴ Nom. vii.6. Ici encore Voltaire substitue son interprétation à la lettre du texte qui ne suggère pas qu'ils se sont enfuis par crainte de la colère du peuple. Le 'Tabernacle du pacte' est une traduction bizarre de אהל מועד, *ohel mo'ed*, 'tente des rendez-vous' (trad. Pléiade). La version de Voltaire semble calquée sur ארון הברית, *aron ha-brit*, le placard ou le coffre de l'alliance, ou, par métonymie, celui qui contient les tables de l'alliance (Nom. x.33; xiv.44, Deut. x.8; xxxi.25, 26), mais l'expression אהל הברית, *'ohel ha-brit*, 'tente de l'alliance', n'est jamais attestée.

⁵⁵ Nom. xix.2. Encore une traduction étrange, 'la religion de la victime' pour 'la loi de la Torah' ou de l'enseignement, mais Voltaire suit ici Calmet.

⁵⁶ Calmet, p.187, renvoie à Marsham, *Chronicus canon Ægypticus*, p.72-74, et à John Spencer, *De Legibus hebræorum ritualibus et earum rationibus* (Cambridge et Londres, John Hayes et Richard Chiswell, 1685), liv.1, ch.4, sections 2-6, p.40-59, qui présente ce que ce savant auteur connaissait sur l'origine et l'antiquité de la circoncision. Ce livre, comme celui de Marsham, manque à la BV. Dans un sens contraire, Calmet prétend que ces savants soutenaient que la circoncision israélite était le symétrique des rites égyptiens, instituée pour éloigner les Juifs des pratiques égyptiennes.

Curieusement, et contrairement à ce que laisse penser ici Voltaire, c'est le seul endroit de l'Ancien Testament où il est question de la vache rousse et des aspersions de l'eau mélangée avec ses cendres, mais il en est question implicitement dans Nom. xxxi.23 et le traité Para de la Mishna est tout entier consacré à la vache rousse.

Voltaire traduit שני תולעת, par 'doublement teint', ce qui est absurde mais suit la Vulgate, 'coccumque bis tinctum', qui prend שני, *shani*, écarlate (cf., Is. i.18) pour שני, *shnei*, forme construite de שנים, *shnayim*, deux, bien que תולעת שני, *tola'at shani*, l'écarlate d'un certain ver, paraisse vingt-six fois dans la Bible et שני תולעת, *shni tola'at*, six fois.

⁵⁷ Nom. xxi.1, sans suggestion d'espionnage dans le texte hébreu, mais Calmet traduit, 'ayant appris qu'Israël était venu par le chemin des espions', דרך האתרים, *derekh ha-atarim*, de la racine *TUR*, parcourir. Voltaire n'a apparemment pas remarqué que Calmet, *ad* Nom. xxi.2, essaie d'harmoniser ce verset avec Jos. xii.14, où les rois de Horma et d'Arad sont parmi ceux qui furent vaincus par Josué, car 'tout ce chapitre jusqu'au verset 21, est extraordinairement embarrassé; soit à cause qu'on ajoute quelques périodes, soit à cause qu'il s'y est glissé quelques termes qui y causent l'obscurité; on a toutes les peines du monde à concilier ce que nous lisons, avec ce qu'on lit ailleurs dans Moyse' (p.213). Voir les *Examens de la la Bible* I.134.

⁵⁸ En effet, la racine de *Horma* (חרמה) est bien *herem* (חרם). La glose, 'c'est-à dire anathème' est déjà dans la Vulgate, et Voltaire copie la traduction de Calmet, bien que les notions de *herem* et d'anathème soient assez différentes, *herem* s'appliquant surtout aux objets dont on n'a pas ou plus le droit de se servir, et anathème impliquant un bannissement ou une malédiction prononcée par une autorité ecclésiastique en raison d'opinions hétérodoxes ou d'une conduite désapprouvée, accompagnés d'excommunication.

⁵⁹ Nom. xxi.4.

⁶⁰ Jésuite allemand et orientaliste, auteur de l'*Obeliscus Pamphilius* (1650), d'*Œdipus Ægyptiacus* (1652-54) et de la *Sphinx mystagoga* (1672), Athanasius Kircher (1601-1680) croyait avoir déchiffré dans l'écriture hiéroglyphique égyptienne un code qui cachait les mystères religieux des prêtres. Calmet ne parle pas de Kircher, et aucun de ses livres ne figure à la BV. Voltaire devait le connaître de réputation et dut l'invoquer comme l'expert sur l'Egypte qu'il était réputé être.

⁶¹ L'association de la vache rousse avec Jésus remonte à Augustin et Théodoret, si l'on en croit Calmet, p.187, '[Spencer] remarque aussi que sous cette couleur, il y avoit un mystère caché, qui nous a été découvert par les anciens Pères, c'est celui de la Passion, et du sang de Jésus-Christ qui s'est livré pour expier nos impuretés', et voir p.197, où Calmet dresse une liste de parallèles entre la vache rousse et Jésus.

⁶² Un deuxième récit de la guerre contre Arad se trouve dans Nom. xxi.1-3. Calmet, puisant à Eusèbe, prétend qu'Arad 'était une des plus Meridionales [des villes] du pays de Canaan, et située assez près de Cadès, [...] à vingt milles de Hébron', *ad loc*. Voltaire n'a saisi ni le parallèle entre ce récit et Nom. xiv.45, où les Amalécites, en principe déjà détruits par Josué (voir Ex. xvii.8-13), aidés par un peuple cananéen, vainquent les Israélites au même endroit, Horma, ni ce que signale Calmet, que Josué xii.14 raconte la victoire de Josué sur Arad et son roi, déjà vaincus selon le récit de Nom. xxi.1-3, quelque part à l'ouest du Jourdain. Ce que Calmet écrit ici aurait dû prévenir Voltaire des incohérences de certains récits du Pentateuque concernent les légendes de la conquête de Canaan. Voir, ci-dessus, n.58.

Le mot 'Adar' dans le texte de Voltaire est certainement une faute typographique pour 'Arad', métathèse du *d* et du *r*, car il n'y a aucune ville nommée Adar dans ce récit. (Adar est le nom d'un mois du calendrier juif, celui pendant lequel les Juifs de l'empire perse, selon le livre d'Esther, réussirent à se défendre contre leurs ennemis.)

63 'Vingt milles [au sud] de Hébron' selon Calmet, *ad* Nom. xxi.1, ce qui situerait Arad dans le désert de Be'er Sheva, mais en fait le texte n'identifie pas Arad autrement que 'dans le Negev', le sud de la Palestine. Le mot, 'Arada', 'vers Arad', ne figure ni dans le texte, ni dans le commentaire de Calmet qui signale que 'quelques-uns croient que la guerre des Israélites contre le Roi d'Arad, est rapportée ici hors de son lieu, et qu'elle n'arriva qu'après le passage du Jourdain'.

64 Nom. xxi.4. Calmet traduit, 'Ensuite ils partirent de la montagne de Hor, par le chemin qui mène à la Mer Rouge, afin de tourner autour du pays d'Edom.'

65 Nom. xxi.6.

66 Vulgate, Ex. xxxii.28; Nom. xxv.9; Nom. xvii.14. Calmet ne commente pas le talent stratégique de Moïse, mais Voltaire a raison quant à l'accroissement du nombre des Israélites dans le désert. Les deux recensements, faits à un intervalle de quarante ans, Nom. ii.32 et Nom. xxvi.51, donnent à peu près les mêmes chiffres, 603 550 et 601 730, respectivement.

67 Nom. xxi.31. La version de Calmet est, 'Et Moyse ayant envoyé du monde pour considérer Jazer'.

68 Nom. xxii.2.

69 Calmet, p.216, raconte 'qu'on montre encore aujourd'hui dans l'église de S. Ambroise à Milan, un serpent d'airain, qu'on assure être celui de Moyse; mais ce ne peut être au plus que quelque serpent fait pour conserver la mémoire de celui que ce Législateur fit elever.' Il parle, p.215, du roi Ezéchias qui fit détruire le serpent de Moïse parce qu'on lui offrait de l'encens dans le temple (II Rois xviii.4), mais ne dit rien *ad loc.* de l'adoration d'un serpent par les Egyptiens. Calmet parle seulement du serpent Serapus qui était adoré à Rome, et écrit, d'après Hérodote, *Historiēs*, liv.2, section 76, que des serpents ailés avaient une fois envahi l'Egypte, mais il ne dit rien du symbolisme du serpent qui se mord la queue.

70 'A droite du Jourdain' si l'on vient de la Syrie. Pour les voyageurs et pour les Israélites qui allaient, avec divers détours, d'Egypte vers Canaan, évidemment à gauche du Jourdain. Calmet 'ne sait pas exactement l'étendue du Royaume des Moabites' (*ad* Nom. xxii.1, p.235), et ne parle pas de la Célésyrie.

71 Voir Nom. xxii.5, 'Il envoya donc des députez à Balaam, fils de Beor, qui était un devin qui demeurait sur le fleuve du pays des Ammonites' (trad., Calmet). Mais dans le commentaire il remarque, 'Nous ne voyons pas quel peut être ce fleuve du pays des Ammonites [ארץ בני עמון, *erez bnei 'amon*], que S. Jérôme avoit en vue dans cette traduction. Le texte hébreu porte [...] le fleuve des enfants de son peuple [ארץ בני עמו, *erez bnei 'amo*]; [...] L'Ecriture marque expressément dans le Deutéronome [xxiii.4], qu'il est venu de Mésopotamie'. Pourtant Calmet n'y parle pas de faute de copiste. La *Biblia hebraica stuttgartensia* (Stuttgart, 1997), *ad* Nom. xxii.5c, indique qu'en fait les textes samaritain et syriaque ainsi qu'un nombre 'non nul' de

manuscrits, *i.e.*, entre onze et vingt, contiennent la leçon, ארץ בני עמון, que Jérôme traduisit, mais retient la leçon massorétique comme référant non à עמו, 'son peuple', mais à un toponyme, *'Amau*, ville ou région située entre Alep et Carkémish. Voltaire parlera de Balaam et de son âne ailleurs, notamment dans le *Prix de la justice et de l'humanité* IX, *OCV*, t.80B, p.108, et dans les *Notebooks*, *OCV*, t.81, p.82, et t.82, p.433 et 494.

[72] Voir Deut. xxiii.4, que Calmet cite p.237, n.*e*.

[73] Expression désobligeante que Voltaire emploie 133 fois dans ses œuvres dont 16 fois dans *La Bible enfin expliquée*, le plus souvent appliquée aux Juifs: 'une horde infâme d'usuriers' (*Lettres de M. de Voltaire à MM. de la noblesse du Gévaudan* IV, *OCV*, t.75A, p.289), 'cette horde d'usuriers fanatiques' (*Dernières remarques sur Pascal* CXIV et CXIX, *M*, t.31, p.133 et 139), 'une horde judaïque' (*Histoire de Jenni*, ch.7, *M*, t.21, p.545, et *La Pucelle*, chant 17, vers 354, *OCV*, t.7, p.530), ou 'quelques hordes vagabondes d'arabes voleurs' (*La Bible enfin expliquée*, Genèse, n.(*ce*)). Il l'applique aussi aux Midianites (*Les Lois de Minos*, Acte I, *OCV*, t.73, p.172, n.*g*).

[74] Gen. xix.37-38.

[75] Nom. xxii.21.

[76] Gen. iii.1, 4 et 14.

[77] Voir Calmet, *ad* Nom. xxii.28. Voir *Les Examens de la Bible* I.141 et, ci-dessus, Genèse, n.(*ap*), où ces légendes grecques sont identifées, sauf 'le fleuve Caucas qui salua Pythagore', qui n'y figure pas. Cette légende se trouve chez Porphyre, *Vita Pythagoræ* 27.

[78] Ici Voltaire suit Calmet, *ad* Nom. xxii.31, 'et il l'adora, s'étant jeté le visage contre terre', qui traduit la Vulgate, 'adoravitque eum pronus in terram', tandis que l'hébreu ne suggère qu'un geste de respect profond tel qu'on en offre aux hommes, וישתחו לאפיו, *va-yishtahu le-apav*, il se prosterna devant lui.

[79] Voir Thomas Stanley, *Historia philosophiæ vitas opiniones, resque gesta, et dicta philosophorum sectæ* (Leipsig, Thomas Fritsch, 1711), t.2, p.658-94, qui traite de la vie de Pythagore. Voltaire possédait l'édition de Venise, S. Coleti, 1731, BV3208.

[80] Voir Stanley, p.686.

[81] Calmet, 'parce que votre voyage est mauvais, et qu'il est opposé à moi'.

[82] Voltaire saisit ici et ci-dessus, sans l'articuler très précisément, la différence entre, d'une part, l'anthropologie biblique, qui identifie des pratiques religieuses, les noms et les doctrines des religions des voisins des Israélites, et de l'autre, une légende didactique qui prête aux voisins d'Israël une religion très semblable à la leur qui exige de tous les hommes une conduite morale: Abraham s'excuse devant Abimelech en disant qu'il craignait qu'il n'y eût pas, chez les Philistins, 'la crainte de ou des Dieux', אין יראת אלהים במקום הזה, *ein yirat Elohim ba-makom hazeh* (Gen. xx.11), et Joseph, prétendant être égyptien, explique qu'il ne pourrait pas faire la vilennie d'empêcher tous ses frères de retourner à Canaan avec du ravitaillement pour leur père et leur famille, car את האלהים אני ירא, *et ha-elohim ani yaré*, j'adore le ou les Dieux' (Gen. xlii.18).

[83] Gen. xxvii.27-40. Voir Calmet, *ad* Nom. xxii.6, 'C'était une persuasion très ancienne parmi les peuples, que les malédictions et les bénédictions, les charmes, les enchantements, et les dévouements des hommes, qu'on croyait inspirés d'un esprit supérieur, bon ou mauvais, avaient de très grands effets, non seulement sur les personnes particulières, sur le bétail, sur les fruits des champs; mais aussi sur les pays, les terres et les peuples entiers. C'est par ces enchantements qu'on évoquait autrefois les divinités tutélaires des villes ennemies, et qu'on leur ôtait ainsi ce qu'on croyait être leur principale défense.'

[84] Ceci est un abrégé du premier des quatre cantiques de Balaam, Nom. xxiii.7-10.

[85] Version de de Sacy et de Calmet d'après la Vulgate, 'cujus fortitudo similis est Rhinocerotis' de Nom. xxiii.22, qui fait partie du deuxième cantique de Balaam.

[86] Jérôme traduisit ראם, *re'em*, par 'rhinoceros', animal connu des Romains qui en firent venir tant d'Afrique du Nord pour leurs spectacles de combats d'hommes avec des bêtes qu'il s'ensuivit l'extinction de la race. Voir Calmet, *ad* Nom. xiii.22, qui dut citer des descriptions de rhinocéros de Pausanius, de Pline et d'autres auteurs classiques, car les rhinocéros étaient devenus rares en Europe, et qui ajoute, 'Le Moine Cosme, dont le R. D. Bernard de Monfaucon a publié les ouvrages [Cosmas dit Indicopleustès, moine voyageur, fin du cinquième – milieu du sixième siècle, auteur d'une *Christiana topographia, sive Christianorum opinio de mundo*, éd. de Monfaucon, *Collectio nova patrum et scriptorum græcorum Eusebii Cæsariensis, Athanasii et Cosmæ Ægypti* (Paris, 1706)] nous a donné la description du rhinocéros, comme un animal connu en Ethiopie. Les Pères Jésuites Portugais, qui ont été longtemps dans ce pays, racontent que non seulement ils ont vu de ces animaux, mais même qu'ils en ont nourri chez eux un jeune, en sorte qu'il n'y a point lieu de douter de l'existence des ces animaux.'

[87] Au moins quatre rhinocéros furent montrés en Europe avant la parution de *La Bible enfin expliquée*. Un fut offert en 1513 à Emmanuel de Portugal qui voulut en faire cadeau au pape, mais l'animal périt dans un naufrage avant d'arriver en Italie. (La gravure de cet animal par Dürer, datée de 1517, fut exécutée d'après un dessin qui lui fut transmis.) Un second fut amené en Angleterre en 1685 et un troisième, un mâle, en 1739, fut décrit par le Dr James Parsons dans les *Philosophical transactions* de 1743, p.523-41. Une femelle nommée Clara, née en 1738, fut élevée par des planteurs en Assam avant d'être vendue à un capitaine de navire hollandais qui l'amena en Europe en 1741 afin de faire fortune en la montrant. Elle y fit le 'grand tour' jusqu'à sa mort en 1758, passant par Leyde de juillet 1741 au printemps de 1746, visite que Voltaire rappelle ici. Elle était à Potsdam et Berlin dès le 26 avril 1746, du 5 au 26 novembre à Vienne, et en janvier 1749 à Paris. Buffon *Histoire naturelle*, t.11 (Paris, 1754), p.198-210, la désigne comme le rhinocéros 'qui était à Paris il y a douze ans', c'est-à-dire vers 1742. Jean-Baptiste Oudry peignit un portrait de Clara en 1746 à la demande de Louis XV. L'*Encyclopédie*, t.14 (1765), *s.v.*, ne parle d'aucun des ces animaux en particulier, mais il semble que les illustrations des rhinocéros dans Buffon et dans l'*Encyclopédie* ont été tirées du portrait exécuté par Oudry. Voir Glynis Ridley, *Clara's grand tour. Travels with a rhinoceros in eighteenth-century*

Europe (Londres, 2004). Voltaire la mentionne en passant, art. 'Rare' des *Questions sur l'Encyclopédie, M*, t.20, p.337.

[88] Les Kithi'im, כתים, sont un peuple mentionné dans Nom. xxiv.23. L'étoile de Jacob dont parle Voltaire figure dans Nom. xxiv.17, verset auquel l'exégèse juive avait déjà prêté un sens messianique. Calmet le signale, *ad loc.*, n.*b*, à partir de renvois aux *targumim* d'Onquelos et de Jonathan, ce dernier probablement rédigé à Jérusalem. Le baton dont parle Voltaire figure dans le troisième hémistiche du verset, וקם שבט מישראל, *ve-kam shevet mi-Yisra'el*, traduit dans la Vulgate par 'et consurget virga de Israel', et par de Sacy suivi par Calmet par 'une verge s'élevera d'Israel'. Le mot שבט, *shevet*, verge, peut aussi se traduire par métonymie 'tribu'.

[89] Ceci est extrait du quatrième cantique de Balaam, qui contient des oracles contre les nations voisines d'Israël, Nom. xxiv.15-23.

[90] Ici Voltaire invente et trahit le texte biblique. De Sacy et Calmet traduisent Nom. xxv.1-2, 'et le peuple tomba dans la fornication avec les filles de Moab. Elles appelèrent les Israélites à leurs sacrifices, et ils en mangèrent. Ils adorèrent leurs Dieux. Et Israël se consacra au culte de Beelphegor.'

[91] Nom. xxv.4. Calmet et Voltaire traduisent la Vulgate, 'et suspende eos contra solem in patibulis', et non l'hébreu, והוקע אותם לה' נגד השמש, *ve-hok'a otam la-adonai neged ha-shamesh*, 'exposez-les à Dieu contre le soleil'. La traduction du verbe très rare, יקע, *YK'A*, 'exposez-les', suit I Sam. xxxi.10. Voltaire parle ailleurs aussi de la proscription des Israélites qui ont couché avec des Midianites. Voir par exemple *Conspirations contre les peuples ou proscriptions*, Section I, 'Conspirations ou proscriptions juives', *Questions sur l'encyclopédie, OCV*, t.40, p.207-208.

[92] Ex. vii.10-12, et voir Exode, n.12.

[93] Cette identification ne figure pas dans Calmet qui ne peut se décider entre deux idées: 'les enfants de Seth, peuvent fort bien signifier tous les Justes, et les Elus; les Chrétiens, les Enfants de Dieu par J. C. qui les a engendrés à son Père, et qui les a assujettis à son empire. [Ou,] sous une autre idée, les enfants de Seth, marquent tous les hommes, qui sont venus de Noë, sorti du Patriarche Seth, et en ce sens la Prophétie convient encore parfaitement à J. C. qui a soumis, ou qui soumettra tous les peuples à son empire, et qui les fera tous comparaître au jour du jugement devant son tribunal. Quelques nouveaux interprètes [Jeronymo da Azambuja, dit Oleaster, *Commentaria in Mosi Pentateuchum*, 1556-1558] croient, que sous le nom d'Enfants de Seth, il faut entendre quelques peuples particuliers, connus et voisins des Juifs' (p.269).

[94] Voltaire invoque des savants qu'il est malaisé d'identifier. Dans le T.B., Bava batra 14b et 15b, une opinion anonyme parle du livre de Balaam comme d'une unité distincte, incorporée dans le livre des Nombres, mais sans prétendre qu'il fut rédigé par un autre que Moïse. Calmet identifie les Kithi'im avec les Macédoniens (*ad* vs.24), suivant la Vulgate, 'Ils viendront d'Italie dans des vaisseaux; ils vaincront les Assyriens, et ils ruineront les Hébreux', en ajoutant le commentaire, 'Les Romains ont vaincu les Assyriens; c'est-à-dire, les peuples de la Syrie, de la Mesopotamie, et des autres provinces de l'Orient. [...] Mais plusieurs veulent que Citthim signifie

divers peuples sortis de ceux qui habitèrent d'abord la Carie, la Syrie, et la Pamphilie; qui de-là envoyèrent des colonies dans l'Italie, dans la Macedoine, dans les isles de Chypre et de Crete. Nous avons tâché de faire voir dans la Genèse [ch.10, p.251], que le veritable pays des Cethim, ou Citthim, était la Macédoine'. Mais contrairement à Voltaire, il ne considère pas ce cantique comme un texte tardif car, pour lui, ce texte est exclusivement prophétique.

95 Il y a au moins un autre passage dans l'Ancien Testament où les étoiles descendent se battre, d'ailleurs se battre pour Israël (Juges v.20), et cela semble une métaphore poétique. Il ne s'agit probablement ici ni de l'étoile d'Israël dans un sens astrologique proche de Dan. x.13, où chaque nation a son שר, *sar*, protecteur céleste ou angélique, ni de l'étoile que les mages suivirent de Mésopotamie jusqu'en Judée selon le récit de Mt ii. Voltaire a inventé les étoiles de Moab et de Midian, qui ne figurent pas dans le texte.

96 Voltaire invente encore plus que Calmet au sujet du 'bordel' dans le désert dont il prétend que le texte biblique suppose l'existence. Voir Calmet, 'En ce même temps il arriva qu'un des enfants d'Israël entra dans la tente d'une femme Madianite, femme débauchée'. Vulgate: 'Et ecce unus de filiis Israel intravit coram fratribus suis ad scortum madianitidem'. L'hébreu est assez clair, והנה איש מבני ישראל בא ויקרב אל אחיו את המדינית, *Ve-hine ish mi-bnei yisrael ba va-yakrev el ehav et ha-midyanit*, 'Un Israëlite vint, et s'approcha de ses frères avec une Madianite' (Calmet), sans réflexion sur le carctère moral de celle-ci. Calmet prétend que les anciennes versions, y compris la samaritaine, sont plus proches de la Vulgate que du texte massorétique, ce qui n'est pas évident pour le texte samaritain qui est presque identique sur ce verset, והנה אחד מבני ישראל בא ויקרב אל אחיו את המדינית, *ve-hiné ehad mi-bnei yisrael ba va-yakrev el ehav et ha-midyanit* (*Der Hebräische Pentateuch der Samaritaner*, éd., August Freiherrn von Gall, Giessen, Verlag von Alfred Topelmann, 1918), ne parlant ni de tente (*scortum*), ni de femme débauchée, seules différences entre la Vulgate et le texte massorétique pour ce verset.

97 Voltaire suit ici (vs.8) la Vulgate pour donner la version la plus scandaleuse possible, 'Ingressus est [Phinees] post virum israëlitem in lupanar, et perfodit ambos simul, virum scilicet et mulierem, in locis genitalibus.' Calmet, 'dans le lieu infâme, il les perça tous deux, l'homme et la femme du même coup, dans les parties que la pudeur cache.' L'hébreu désigne le lieu où Phinée les a trouvés par קבה, *kouba*, mot apparenté à l'akkadien, *qubbu*, *qubbutu*, qui désigne une chambre sous une voûte, une chambre de femmes ou une alcôve. Phinée transperce la Midianite par קבתה, *kavatah*, 'sa kava', *kava* désignant ici l'appendice (voir le *Lexicon* de Koehler et Baumgartner, *s.v.*, qui cite Deut. xviii.3) et non pas, comme le prétend Voltaire d'après la Vulgate, les organes génitaux. Voir Calmet, *ad* vs. 8, 'Le terme de l'Original est traduit dans le même verset par, *lupanar*, un lieu de débauche. On croit qu'il signifie proprement une chambre, un lit, un lieu vouté et couvert, le ventre, une cisterne. Le mot d'alcove qui est en usage dans notre langue, et qui vient de l'Arabe, dérive de la même racine que *kabah*, que nous lisons ici. On pourrait donc traduire; Phinée étant entré dans la chambre, il les perça tous deux dans la chambre de cette femme. Le Caldéen [le

629

targum d'Onquelos] l'a entendu comme la Vulgate. Mais les Septantes sont un peu différents [...]. C'est sans doute le vrai sens du texte.'

Voltaire parle de Phinée ailleurs, notamment dans le *Discours de l'Empereur Julien*, *OCV*, t.71B, p.304, n.34.

⁹⁸ Ceci est une apologie transparente et inattendue chez Voltaire pour les Juifs accusés dans les évangiles d'avoir demandé la crucifixion de Jésus (Mt xxvii.23). Il suit Calmet qui, pour une fois, ne cherche pas à montrer les Juifs anciens sous la pire lumière possible: 'Mais on ne convient ni du genre de leur mort, ni de la nature de la potence sur laquelle ils furent attachés. Les Talmudistes enseignent qu'on les lapida comme idolâtres, et qu'ensuite on les pendit [T.B., Sanhedrin, 45b, 46b]. D'autres soutiennent, que le terme de l'Original signifie proprement une extension violente, et un déboitement des membres; comme quand on pend les criminels vivants, avec de gros poids aux pieds. D'autres veulent qu'on les ait pendus tout vivants à des potences faites à peu près comme les nôtres; ou qu'on les ait crucifiés, ou enfin attachés tout en vie à des poteaux. Juste Lipse, Charles Sigonius, et le Cardinal Baronius ont cru, que le supplice de la croix était ordinaire parmi les anciens Hébreux: mais les Docteurs Juifs soutiennent le contraire, et que ce n'a jamais été chez eux la coutume de mettre des clous aux pieds et aux mains de ceux qu'on pendait. Ils tirent de là une preuve contre la vérité du récit de la Passion de Jésus-Christ: comme si c'eussent été les Juifs, et non pas les Romains, qui le crucifièrent. On ne trouve en Hébreu aucun terme qui signifie crucifier, ou une croix de la manière où nous l'entendons. L'Ecriture dit seulement, pendre à un bois, ou, attacher à un bois. Les Hébeux soutiennent, qu'on ne pendait jamais personne vivant parmi eux, et leur sentiment se peut confirmer par plusieurs passages de l'Ecriture' (p.278). Pourtant voir le *Commentaire littéral ... Deutéronome*, 'Dissertation sur les supplices dont il est parlé dans l'Ecriture', p.xlii-xlvi, où Calmet prétend que la crucifixion des vivants fut bien pratiquée parmi les Juifs.

⁹⁹ L'hébreu est בעל, *Ba'al*, maître ou seigneur, nom d'un jeune dieu de l'orage et donc de la fertilité des terres, qui figure dans la mythologie ougaritique et qui est attesté dans toute la Syrie et les colonies phéniciennes à partir du troisième millénaire avant l'ère moderne. A en juger par les remontrances contre l'infidélité religieuse adressées par les prophètes aux Israélites, le *Ba'al* et les *Be'alim* (pluriel) n'étaient que trop connus dans la Palestine. Certaines des modalités du culte de Ba'al sont attestées, mais il n'y a pas dans l'Ancien Testament de vestige d'une mythologie de Ba'al sauf si le culte des morts attesté dans Deut. xiv.1; xxvi.14; Lévit. xix.27, 29; Ps. cvi.28; Jér. xvi.17 et Os. vi.2; x-ix.4, était en rapport avec ce dieu. La Vulgate, vs.3, écrit 'Beelphegor' pour בעל פעור *Ba'al Pe'or*, d'où, semble-t-il, le '*Bel*' de Voltaire ici. En fait, *Bel* est l'akkadien pour seigneur, comme *ba'al* l'est en l'hébreu. Voir Is. xlvi.1; Jér. l.2; li.44; Bar. vi.40.

¹⁰⁰ La mythologie comparative de Voltaire sur les religions des voisins d'Israël est un peu approximative. On sait actuellement que Kemosh, nom sémitique de l'ouest du dieu babylonien Nergal, est mentionné une fois dans la Bible, dans II Rois xvii.30, comme le dieu des ressortissants de 'Kut'. Dans des couches de récits plus anciennes les Moabites, dont Balac, selon Nom. xxi.29 et son doublet, Jér. xlviii.46 et Jér.

xlviii.7 et 13, ainsi que les Ammonites selon Juges xi.24 (cité avec approbation dans le *Traité sur la tolérance*, ch.12, *OCV*, t.56c, p.203) adoraient un dieu qui portait le nom de Kemosh et qui, d'après l'analyse par André Lemaire de la stèle de Mésha actuellement au musée du Louvre, 'Essai sur les religions ammonite, moabite et édomite (X^e-VIe s. av. n. è.)' *Revue de la Société Ernest Renan* 41 (1991-1992), p.41-67, était assez semblable au dieu d'Israël. 'Adonaï', nos maîtres, dont parle ici Voltaire, n'est que rarement un des épithètes de dieu parmi les Israélites, voir I Rois iii.15; II Rois xix.23; Is. iii.18, etc. Voir Genèse, n.128. Voltaire prend 'Adonaï' pour un théonyme dans d'autres ouvrages aussi, notamment dans le *Sermon des cinquante*, *OCV*, t.49A, p.82, où il le fait dériver du nom du dieu grec, Adonis, sans se rendre compte que ce nom vient de la racine sémitique qui a donné Adonaï. Voir les *Notebooks*, *OCV*, t.82, p.495, et *Dieu et les hommes*, ch.11, *OCV*, t.69, p.323, et ch.16, p.343, où Voltaire traduit Jos. xxiv.21, 24, en lisant 'Adonaï', comme le font les Juifs depuis au moins deux millénaires pour éviter de prononcer le sacrosaint tétragramme. Dans Ez. viii.1 et Ps. viii.2, 'Adonaï' semble une qualification du tétragramme, 'Yahweh, notre maître'. Dans Ex. xv.17 et ailleurs, ce terme semble être un synonyme de Yahweh. Adonaï est employé assez fréquemment quand on s'adresse à Dieu à la seconde personne ou, indirectement, à la troisième personne plus respectueuse. (Nous remercions M. le professeur Bernhard Lang pour des précisions sur cette question si épineuse.)

[101] Voltaire se répète. Voir ci-dessus, Genèse, n.(*eh*).

[102] *Antiquitates*, liv.4, ch.6, sections 10 et 11, cité par Calmet, p.279, avec la remarque, 'Joseph n'a pas entendu cette Histoire, ou l'a déguisée, contre la vérité.' Voltaire semble penser que les organes génitaux étaient réputés sacrés chez les Israélites, peut-être par extrapolation de la forme de serment qu'il avait remarquée ci-dessus, Genèse, n.(*cp*). Calmet ne le prétend pas.

[103] Voir Ex.ii.21; xviii.4.

[104] 'Après que le sang des criminels eut été répandu' est l'invention de Voltaire. Calmet, dans le corps du commentaire, traduit l'hébreu de ce verset, 'Le nombre de morts par la plaie (dont on a parlé) fut vingt-quatre mille.'

[105] Cette glose est aussi du fait de Voltaire. Pour la mort d'Aaron, voir Nom. xx.22-29.

[106] Nom. xxv.11-13.

[107] Voir Calmet, p.283, 'Mais, dit-on encore: comment vérifier cette promesse par l'histoire? On sait que le Sacerdoce ne demeura dans la famille de Phinée, qu'au tems du Gand-Prêtre Heli. Alors cette dignité passa dans la famille d'Itamar.' Voir aussi les *Examens de la Bible* I.143.

[108] Voici une application de l'argument du *Traité des trois imposteurs*, ch.3, §§12 et 21. Voir l'édition de Françoise Charles-Daubert, *Le 'Traité des trois imposteurs' et 'L'Esprit de Spinosa'. Philosophie clandestine entre 1678 et 1768* (Oxford, 1999), p.587-84 et 601-602.

[109] Voir Calmet, *ad* vs.13, 'Il a vengé l'honneur de son Dieu: sans attendre qu'on le lui permît, ou qu'on le lui commandât, il se porte de lui-même à punir un crime, qui

n'était que trop manifeste, et qui portait avec lui sa condamnation. Il crut que dans de semblables occasions, tout homme sage est Magistrat, et que dans une cause commune, et contre un mal public et connu, tout homme est soldat et peut s'armer contre les transgresseurs des Lois du Seigneur'

[110] Voltaire a bien remarqué que les résultats des recensements de Nom. ii.32, un an après l'Exode, et Nom. xxvi.51 quarante ans plus tard, sont identiques à 1820 hommes près, ce que Calmet avait remarqué, lui aussi, *ad* Nom. xxvi.51. Voir, ci-dessus, n.66.

[111] Voltaire compare son extrapolation du nombre d'hommes en âge de porter les armes à la population totale lors de l'exode au nombre non extrapolé de combattants quarante ans plus tard. Voir aussi *Il faut prendre un parti* XXII, *OCV*, t.74B, p.55.

[112] Nom. xxxi.1.

[113] Nom. xxxi.14. Les Midianites ne sont pas des descendants d'Abraham, du moins d'après les généalogies du Pentateuque. Par contre, Moïse prit une épouse parmi les Midianites, Ex. ii.21. Voir l'apologie de Calmet, *ad loc.*, 'dans la guerre on réservait ordinairement les femmes et les enfants parmi le butin, au profit des victorieux; mais dans cette occasion la conduite précédente des femmes Midianites, qui avaient été la cause du mal, aurait dû obliger les Hébreux de les traiter sans miséricorde, sans qu'il fût besoin qu'on le leur ordonnât.'

[114] Le recensement du butin paraît dans Nom. xxxi.32-35, et les trente-deux filles qui furent la part de Dieu figurent au vs.40. Déjà dans *Des Juifs*, *OCV*, t.45B, p.117, Voltaire supçonne des sacrifices humains. Calmet ne pose pas de questions sur le sort de ces filles, mais Voltaire en parle souvent depuis le *Sermon des cinquante*, *OCV*, t.49A, p.84, notamment dans le *Traité sur la tolérance*, ch.12, *OCV*, t.56C, p.200. Voir aussi *Les Questions de Zapata*, 25°, *OCV*, t.62, p.389, et *Un chrétien contrie six Juifs* XXVIII. Mme Du Châtelet en parle aussi, *Examens de la Bible* I.148.

[115] Nom. xxxv.1.

[116] Nom. xxxi.52. Les types de bijoux qui faisaient partie du butin sont spécifiés au vs.50. Voltaire suit la version de Calmet qui suit la Vulgate. Certains de ces mots, אצעדה, *eẓ'ada*, עגיל טבעת, *taba'at 'agil*, et כומז, *kumaẓ*, sont très rares, attestés deux fois chacun, et Calmet interprète 'jarretières' comme 'd'autres ornements de jambes'.

[117] Le texte que Voltaire attribue à Fréret et à Bolingbroke ne se trouve pas dans leurs œuvres. Voltaire applique le principe du *Traité des trois imposteurs*, voir, ci-dessus, n.108, pour attribuer ce chapitre à un Lévite intéressé. Voltaire omet de mentionner ici que les villes de refuge étaient réservées à ceux qui avaient assassiné par inadvertance. Le texte biblique ici et ailleurs distingue des crimes commis intentionnellement de ceux commis involontairement.

DEUTÉRONOME

[1] Deut. i.i. Voltaire suit ici de Sacy et Calmet qui suivent la Vulgate. L'hébreu n'a qu'une suite de toponymes dont le dernier est זהב די, *Di ẕahav*, où די, *di*, veut probablement dire 'où il y a beaucoup de ...', en l'occurrence, זהב, *ẕahav*, l'or. En fait, dès les débuts de la critique biblique, Ibn Ezra dans son commentaire sur le vs.2, s'attachait au vs.1 et faisait allusion aux autres versets qui étaient aussi, à son avis, post-mosaïques. Voir, ci-dessus, Genèse, n.267. Voltaire connaissait sans doute sa contribution qui fut mentionnée par Spinoza dans le *Tractatus theologico-politicus*, ch.8, ensuite par Richard Simon, *Histoire critique du Vieux Testament*, liv.1, ch.5 et 31, qui le cite élogieusement aussi quand il traite de l'histoire de la grammaire hébraïque et de l'orthographe biblique. Voltaire extrapole quand il écrit qu''Aben-Esra fut le premier qui crut prouver que le Pentateuque avait été rédigé du temps des rois', *Traité sur la tolérance*, ch.12, n.*g*, *OCV*, t.56C, p.195, et ci-dessous, n.(*i*) alors qu'Ibn Ezra n'affirmait pas une thèse si forte.

[2] Voltaire est plus proche de l'hébreu et de la Vulgate que de Calmet, mais il suppose que le sujet de 'frapper' est Dieu plutôt que Moïse comme le veut la syntaxe du verset.

[3] Mathurin Veyssière de La Croze (1661-1739), orientaliste et bibliothécaire du roi de Prusse, écrivit des études historiques sur le christianisme aux Indes (1724), en Éthiopie et en Arménie (1739), livres qui figurent dans la BV, nos. 3436-38, ainsi que des *Entretiens sur divers sujets d'histoire, de littérature, de religion et de critique* (Cologne, P. Marteau, 1711; BV3435), mais aucun de ces traités ne semble aborder la question de savoir si Moïse aurait pu être l'auteur du début de Deutéronome.

[4] Selon Deut. i.i, Moïse est à Paran, un désert à en juger d'après Gen. xxi.21; Nom. x.12; xii.16; xiii.3, 36; I Sam. xxv.1, quand il harangue pour la dernière fois les Israélites avant de mourir sur le mont Nebo, Deut. xxxiv.1. La bataille contre Sihon 'qui demeure à Heshbon' est racontée dans Nom. xxi.24-30.

[5] Voltaire est très confiant en sa géographie sinaïtique. On ignore la localisation de *Paran* mais la prétention que la mer Rouge est très loin du campement des Israélites au-delà du Jourdain, en face de Jéricho, est valable.

[6] Le lemme de Deutéronome mentionne *Haẕerot* mais n'indique pas sa position par rapport à *Di Zahav* qui n'est jamais mentionné ailleurs, mais qui au moins contient dans son nom le mot qui signifie 'or'.

[7] Calmet, *Commentaire littéral ... Deutéronome*, p.1-3.

[8] Calmet dit seulement 'Quelques-uns ont douté que cet écrit fût de Moyse; parce qu'on y lit la mort de ce législateur; et parce qu'il semble que celui qui l'écrivait, était au couchant du Jourdain, et qu'il parlait de ce qui était arrivé au camp des Israélites, comme d'événements qui s'étaient passés de l'autre côté de ce fleuve, *Transjordanem*. On a voulu attribuer cet Ouvrage à Josué, ou à Esdras' (p.iii), puis il essaie

d'harmoniser le בעבר הירדן, *be-'ever ha-Yarden*, 'de l'autre côté du Jourdain' (comme 'de l'autre côté de la mer', Deut. xxx.13) avec le récit qui prétend que Moïse n'a jamais traversé le Jourdain. D'autres traductions sont possibles, comme 'à travers la rivière', en l'occurrence, l'Euphrate (Jos. xxiv.2), et 'à travers le Jourdain', généralement avec l'ajout ימה, *yamah*, vers la mer, autrement dit, vers l'ouest, ou מזרחה, *mizrahah*, vers l'est, mais cf., Deut. iv.41. Voir les *Examens de la Bible* I.150-51 qui critiquent très sévèrement l'harmonisation proposée par Calmet. Il semble que Voltaire paraphrase ou cite de mémoire la 'Préface sur la Genèse' de Calmet: 'Mais il s'en faut bien que les raisons des nouveaux incrédules [pour soutenir que Moïse n'est pas l'auteur du Pentateuque] soient de cette nature; il y a, disent-ils, dans le Pentateuque des choses dont Moïse n'a pu être l'auteur; on en convient: Ceux qui ont retouché le Pentateuque y ont fait quelques additions et quelques retranchements; il semble qu'en quelques endroits on a voulu abréger la narration, et on a remarqué que la suite des matières et du discours est quelquefois interrompue; on avoue que cela paraît plutôt un dessein prémédité, qu'un effet du hazard, ou la faute des copistes. Il semble, par exemple, qu'on a ajouté depuis Moïse ces paroles au texte de la Genèse, chapitre xii.6, "Alors les Cananéens étai[en]t dans le pays". Il y a dans l'Exode quelques passages où l'Hébreu semble défectueux, par exemple, Exode xi.8, où l'on voit Moïse qui parle à Pharaon, sans qu'on remarque le commencement de son discours; le Samaritain ajoute au même endroit ce qui paraît manquer dans l'hébreu; on voit dans le même Samaritain des additions considérables au chap. xx.17 et 19 qui ne se lisent point dans l'hébreu; on remarque les mêmes diversités dans les livres suivants. Il y a de ces variétez qui ne paraissent d'aucune conséquence, mais d'autres qui sont plus considérables; mais souvent elles sont si bien liées dans le Samaritain, qu'il serait très difficile qu'elles y eussent été mises après coup' (*Commentaire littéral ... Genèse*, p.13).

[9] Selon son habitude, Voltaire oppose l'idée relativement souple de l'inspiration des Ecritures, que Calmet soutenait parfois, à une conception intégriste de la doctrine de l'inspiration des Ecritures que Calmet soutenait quand il cherchait dans la Bible la justification d'un élément de doctrine. Voir Paul Auvray, *Richard Simon 1638-1712. Etude bio-bibliographique* (Paris, 1974), p.43-44, 89-92, pour un exposé historique de la thèse humaniste selon laquelle les Ecritures sont inspirées malgré leur rédaction par des hommes, thèse qu'on peut trouver chez d'autres exégètes d'une orthodoxie impeccable pour leur époque.

[10] Deut. viii.4. Voir ci-dessus, Nombres, n.33.

[11] Deut. ix.1-2. La traduction, 'sublime', est anachronique et ne se trouve pas chez Calmet.

[12] Voltaire caractérise ailleurs les Juifs comme fripiers et vendeurs de culottes, voir D18687 du 15 déc. 1773 à de Lisle, ce qui n'était pas injuste car beaucoup de Juifs de son temps exerçaient le métier de colporteur et de vendeur de vêtements d'occasion. Nous n'avons pas trouvé cet argument dans les écrits de Collins dont Voltaire possédait, le *Discourse of the grounds and reasons of the Christian religion* en deux éditions, Londres, 1737 (BV818) et Londres [Paris], 1766 (BV816) et l'*Examen*

des prophéties qui servent de fondement à la religion chrétienne, trad. d'Holbach (Londres [Amsterdam], [Marc-Michel Rey], 1768; BV820).

[13] Calmet, p.75, n.*a*, cite, sans autre précision, le *Dialogo cum Tryphone*, où le passage se trouve au numéro 131 (fin), *P.G.*, t.6, col.782, et il dit en résumé que 'non seulement les habits des Israëlites ne s'usèrent pendant ce long voyage; mais encore, que ceux des enfants croissaient avec eux, et prenaient miraculeusement la forme de leurs corps, à mesure qu'ils avançaient en âge.' Meslier a parlé de ce miracle avant Mme Du Châtelet, *Extrait des sentiments de Jean Meslier*, dans ses *Œuvres*, t.3, p.453, et dans les *OCV*, t.56A, p.121. Le texte que Voltaire abrège ici ne se trouve pas dans les *Mémoires des pensées et sentiments*, du moins pas dans les pages consacrées aux miracles de l'Ancien Testament, Deuxième preuve, section 18, *Œuvres*, t.1, p.152-70.

[14] Calmet, p.75, 'S. Jerôme dit quelque chose encore de plus incroyable; il assure que ni leurs ongles ni leurs cheveux ne crûrent point', et, n.*b*, il renvoie à 'Jérôme, ép. 38, nouv. édit, p.325', c'est-à-dire, *Operum* (Paris, L. Roulland, 1683-1706), t.4², col.325, *Ad Pammachium adversus hæreses Johannis Jerosolymitani episcopi*, *P.L.*, t.23, col.385. Calmet fournit la citation de Jérôme que Voltaire traduit en enchérissant un peu, car Jérôme n'y parle pas de barbiers empêchés d'exercer leur art dans le désert faute de clients. En fait, la 'nouvelle édition' de Jérôme spécifiée par Calmet est celle de ses confrères, Jean Martianay et Antoine Pouget, de la Congrégation de St Maur, qui remplaçait les anciennes éditions. qui suivaient celle publiée par Erasme (1516-20). Pour les éditions des épîtres de St Jérôme que Voltaire possédait, voir, ci-dessus, Nombres, n.19. Voir les *Examens de la Bible* I.160-61 où Mme Du Châtelet aussi cite Jérôme d'après Calmet.

[15] Comparer Jos. v.10, où il paraît que les Israélites fêtèrent la Pâque peu de temps après avoir traversé le Jourdain, avec la date donnée par Deut. i.2 pour la harangue de Moïse, le premier du onzième mois, ou un mois et demi avant la Pâque célébrée du côté occidental du Jourdain.

[16] Deut. xiii.2.

[17] Deut. iii.11. Voir Calmet, p.30, 'Ces raisons ont fait juger à quelques Commentateurs, que cette circonstance du lit d'Og, avait été ajoutée ici; et qu'apparemment ce lit fut trouvé dans la ville de Rabat, du temps que David la prit sur les Ammonites.' Ce verset figure déjà dans la liste de versets post-mosaïques signalés par Ibn Ezra, *ad* Deut. i.2.

[18] Encore une fois, Voltaire cherche à identifier pour le chapitre qu'il traite un auteur intéressé. Voir, ci-dessus, Nombres, n.107 et 116.

[19] Les de Harlay étaient une grande famille de prélats et de magistrats. Celui dont il s'agit ici semble être Achille de Harlay (1536-1619), président à mortier puis conseiller d'Etat (1572), connu pour son intégrité, son courage et pour la fermeté avec laquelle il réprima la Journée des Barricades (1588). Il n'a pas laissé de monuments écrits et il semble donc que Voltaire a inventé ces propos.

Henri III fut assassiné par le dominicain, Jacques Clément, le 1ᵉʳ août 1589. Voltaire parle de lui encore une fois, ci-dessous, Juges, n.(*f*).

[20] Henri IV fut assassiné le 14 mai 1610 et ce fut Achille de Harlay, alors très âgé,

qui instruisit le procès de François Ravaillac, accusé d'avoir commis l'assassinat. Voir 'Ravaillac' des *Questions sur l'Encyclopédie*, M, t.20, p.338-40.

[21] Deut. xiii.3 considère précisément cette éventualité.

[22] Calmet considère les deux possibilités, que le miracle a été effectué par imposture, ou avec le concours du démon, *ad* vs.2, et, parce qu'il se croyait obligé de croire en le pouvoir du démon, il n'est pas sensible à l'alternative proposée par Voltaire.

[23] Deut. xvii.14. 'Cette multitude de femmes qui enchantent son esprit' est l'invention de Voltaire, introduite dans la traduction du vs.17.

[24] Les *Letters on the study of history* n'évoquent pas cette horreur. Voltaire s'abrite ici, comme ailleurs dans *La Bible enfin expliquée*, derrière le nom du grand homme politique et homme de lettres que fut Bolingbroke. Voir, ci-dessus, Genèse, n.317, pour des précisions sur l'apport de Bolingbroke à la critique biblique de Voltaire. De Harlay non plus, n'a rien écrit sur la cruauté des lois deutéronomiques qui protègent l'exclusivité du culte de Yahweh en Palestine.

[25] Selon Es. vi.1-6 et 11, Esdras était *kohen* et non pas Lévite.

[26] Voltaire, Mme Du Châtelet, Bolingbroke et de Harlay – en supposant que le témoignage de Voltaire au sujet des opinions de ces deux derniers est valable – n'étaient pas les seuls à reculer devant les lois sur la ville apostate, le faux prophète et la séduction religieuse par un proche. Les rabbins, dans Tosefta, Sanhedrin 14:1, avaient déjà prétendu qu'il n'y avait jamais eu et n'y aurait jamais de ville apostate, que ces lois n'étaient données qu'afin que les hommes eussent le mérite de les étudier, et ils entourèrent ces lois bibliques de tant de conditions supplémentaires (voir mishna, Sanhedrin 10, *halakhot* 4-6 et leurs élaborations dans T.B., Sanhedrin 71a, 111b-112a, et, pour la séduction idolâtre, *ibid*., 61a et 67a) qu'elles étaient rendues inapplicables. Calmet parle, *ad* Deut. xii.15, d'après le *De Synedriis et præfecturis juridicis veterum Ebræorum* (Londres, 1650-1655) du juriste hébraïsant, John Selden, des efforts faits par les rabbins pour 'trouver des adoucissements et des exceptions à cette Loi' que même lui a dû qualifier de 'matière odieuse', et il en donne un résumé détaillé, mais il ajoute que 'ces exceptions sont trop visiblement contraires, et aux termes, et à l'intention de la Loi'. Voltaire n'a pas lu cette page ou l'a oubliée quand il caractérisait la loi des Juifs par celles-ci. Quant aux lois contre la séduction idolâtre, Calmet ne partage pas la crainte de Voltaire que la sévérité de ces lois peut être abusée, mais voir son indignation, *ad* Deut. xiii.8, quand il rappelle qu'elles furent invoquées pour sanctionner le supplice de Jésus, et ceci bien que les quatre récits canoniques sur Jésus devant le sanhedrin ne parlent que de blasphème (Matthieu et Marc) ou d'incitation à la révolte contre les Romains (Luc et Jean). En fait, Mme Du Châtelet, *Examens de la Bible* I.164, avait déjà remarqué, prenant Calmet à la lettre, que ces lois auraient justifié l'exécution de Jésus.

Parler de lois de Deut. xiii comme conçues pour éloigner les Juifs des idolâtries babylonienne et persane, comme le fait ici Voltaire, repousse la date de la rédaction de cette strate du Deutéronome si tard qu'elle est incohérente avec sa spéculation dans Nombres, n.(7), que le chapitre 35 de ce livre, sur les villes des Lévites, fut rédigé quand les Israélites venaient de créer une civilisation urbaine. Traiter l'histoire des Juifs d''histoire de cannibales' comme il le fait ici rappelle son emploi de cette comparaison déjà dans le *Sermon des cinquante*, *OCV*, t.49A, p.82.

[27] Deut. xxi.10.

[28] Pour le nombre d'épouses et de concubines de Salomon, sept cents et trois cents, respectivement, voir I Rois xi.3. Pour les lois somptuaires qui doivent s'appliquer aux rois, voir Deut. xvii.14-20. Pour la découverte dans le temple par le grand prêtre Hilkiyahu, sous le roi Josias, de 'la loi de Moïse', voir II Rois xxii.8-xxiii.25. Voltaire en parle dès *Des Juifs*, *OCV*, t.45B, p.137. L'idée qu'Israël était une théocratie, *stricto sensu*, remonte à Flavius Josèphe, *Contra Apion.*, liv.2, section 17, qui semble avoir inventé le terme en grec, 'Mais nostre divin legislateur n'a établi aucune de ces sortes de gouvernement. Celui qu'il a choisi a été une république à qui l'on peut donner le nom de théocratie, puis qu'il l'a rendue entièrement dépendant de Dieu', *Histoire des Juifs*, trad. Arnauld d'Andilly (Paris, P. Le Petit, 1668), t.2, p.444, et voir I Sam. x.19 où cette notion est implicite. Le mot de théocratie fut admis dans le *Dictionnaire* de Furetière en 1702 et dans le *Dictionnaire* dit de Trévoux en 1704, mais avait déjà été employé, après Arnauld d'Andilly, dans une lettre d'H. Morin à Pierre-Daniel Huet en 1679. Voir Adolphe Hartzfeld et Arsène Darmesteter, *Dictionnaire général de la langue française* (Paris, Ch. Delagrave, s.d.), *s.v.*, et le *Trésor de la langue française*, *s.v.*

Calmet parle bien de Josias dans le contexte des obligations du roi, *Commentaire littéral ... Deutéronome*, p.179, mais dans un autre sens, il ne suggère pas que le Deutéronome fut rédigé de son temps, mais il souligne que l'habitude de lire ce texte est confirmée par le récit de II Rois xxii.8-xxiii.25 où l'on voit que les rois devaient copier leur exemplaire de la loi d'après celui que Moïse avait écrit lui-même, qui avait été perdu puis retrouvé par Hilkiyahu. Pas l'ombre d'une suggestion chez lui que le texte trouvé par Hilkiyahu fut une rédaction récente pour encourager la réforme religieuse entreprise par Josias. Cette conjecture est l'innovation de Voltaire.

[29] Deut. xxiii.10-15, où ni l'hébreu, ni la version de Calmet, n'a spécifié que le trou devait être rond et encore moins 'autour de vous'. De même, le texte de Deut. xxviii.12 n'emploie aucun substantif qui correspond au mot d'usure. C'est l'invention de Voltaire. De plus, l'hébreu biblique a deux mots pour intérêt, תרבית, *tarbit*, et נשך, *neshekh*, mais aucun ne distingue entre intérêt légitime et usure.

[30] En fait, bon nombre des guerres des Juifs sous les juges puis sous les rois, étaient contre leurs voisins, dont certains, comme les Philistins, Araméens et Assyriens, n'étaient pas inclus dans la défense d'épouser un membre soit des 'sept nations' de Canaan (voir Ex. xxxiv.11-16; Deut. vii.3), soit un ou une Moabite ou Ammonite (voir Deut. xxiii.4; Néh. xiii.1), donc la supposition historique et la généralisation de la prohibition détaillée ci-dessus à tout mariage hors des tribus juives sur laquelle Voltaire base sa datation du chapire sont fausses. C'est encore un essai d'extraire une date tardive pour le Deutéronome d'un chapitre qui suppose une vie autre que celle des quarante ans de pérégrinations dans le désert.

[31] Calmet, *ad* Deut. xxiii.10, prétend qu'il s'agit du campement des Israélites dans

637

le désert, et non d'un camp militaire. Voltaire suit le contexte du chapitre qui traite de la vie militaire.

[32] Collins ne semble pas parler de cette loi.

[33] Deut. xxviii.15-68.

[34] Le cannibalisme pratiqué par nécessité par une population assiégée est une des obsessions de Voltaire. Pour le siège de Samarie, voir II Rois vi.24-30.

JOSUÉ

[1] Jos. i.1.

[2] Jos. ii.1.

[3] Gen. xv.18; Deut. i.7; xi.24; Jos. i.4.

[4] Il y eut des régiments composés de Juifs dans la garnaison militaire d'Eléphantine, île du Nil située à quelques kilomètres au nord d'Assouan. Vers 593 avant l'ère moderne, ils y contruisirent un temple où ils adoraient, à la fois, le Dieu d'Israël et certaines déesses. Cette communauté disparut au début de l'ère chrétienne.

En 587 avant l'ère moderne, les Judéens furent exilés en Babylonie, certains près de l'Euphrate. La recherche moderne produit peu d'information sur ces exilés et n'offre aucun témoignage qu'ils aient été 'vendus comme esclaves'. Pour les encouragements que Dieu donne à Josué, voir Deut. xxxi.7-8, 23; Jos. i.5-6, 9.

[5] Cette question est implicite dans le *Commentaire* de Calmet, *ad* Jos. ii.1, où le bénédictin dit que l'ordre des événements fut différent de celui raconté ici, et que Josué avait envoyé ses espions avant l'entretien rassurant avec Dieu (Jos. i.1-9).

[6] Jos. vi.20-25 ne donne pas le nombre d'Israélites qui firent le siège de Jéricho. D'où vient le chiffre de quarante mille hommes cité par Voltaire n'est pas clair.

[7] Calmet, *Commentaire litéral ... Josué* (1711), *ad* Jos. ii.2, p.15-18, et *ad* Jos. vi.25, p.79, où il explique comment Rahab figure dans la généalogie de Jésus, ayant épousé Salmon, ancêtre de Boaz, arrière grand-père de David. Voir aussi les *Examens de la Bible* I.178. Voltaire parle de Rahav ailleurs: elle est 'Raab la paillarde' dans l'*Examen important*, ch.7, *OCV*, t.62, p.195, et 'la courtisane Rahab' dans *Les Questions de Zapata*, 29°, *OCV*, t.62, p.390. Calmet prétend que Rahab n'était qu'une cabaretière. Aucun mot pour aubergiste ou cabaretière n'est attesté dans le vocabulaire biblique, bien que le mot מלון, *malon*, auberge, soit employé plusieurs fois (Gen. xlii.27; xliii.21; Ex. iv.24, etc.). D'autre part, des mots de la racine זון, *zun*, nourrir, par exemple מזון, *mazon* (Gen. xlv.23; II Chr. xi.23), sont attestés dans la langue biblique et, plus fréquemment, dans la langue rabbinique, tandis que le mot זונה, *zona*, prostituée, est fréquent. Comme le ferait Calmet, David Kimhi avait déjà soutenu dans son commentaire, *ad* Jos. ii.1, et dans son ספר השרשים, *s.v.*, זון, d'après le *targum* qui avait traduit *zona* par פונדקיתא, *pundekita*, mot dérivé de *pundak*, auberge, que *mazon* et *zona* sont formés à partir de la même racine. Pourtant la lexicographie moderne identifie deux étymologies différentes, זון de l'akkadien, et זנה de l'ougaritique. Voir le *Lexicon* de Koehler-Baumgartner, *s.v.*, זנה.

Calmet et, avant lui, David Kimhi, *ad* Juges xi.1, par le même argument, essayèrent de sauver Jephté de la honte d'être fils d'une prostituée.

[8] Voir Calmet, *ad* Jos. ii.5, p.19-24. Le passage de Calmet que Voltaire cite se trouve à la p.23. Mme Du Châtelet cite le même passage, *Examens de la Bible* I.178.

⁹ Jos. iii.11-17. 'Aujourd'hui' est le synonyme employé par Voltaire pour le 'maintenant' de Calmet. 'Qui s'appelle aujourd'hui la mer Morte' est une glose introduite par Voltaire d'après Deut. iii.17 et Jos. iii.16 et xii.3. Le texte de Josué appelle ce lac 'la mer de l'Arava qui est la mer Salée'.

¹⁰ Jos. iii.15 assure que le Jourdain était rempli à ras bord à l'époque de la moisson, ce qui est faux sauf si moisson signifie la vendange et la récolte du raisin et des fruits en septembre et octobre, époque où commencent les pluies. Calmet essaie (p.40) d'harmoniser ce verset avec ce qu'on sait sur les pluies en Palestine. Sur la question de savoir si la largeur du Jourdain au printemps exigeait un passage miraculeux, voir les *Examens de la Bible* I.179-78. Quant à 'multiplier les miracles sans nécessité', c'est Calmet qui veut l'éviter en refusant le témoignage de 'quelques-uns [qui] ont cru que lorsque les Hébreux le passèrent [le Jourdain] avait mille coudées de largeur; mais il n'y a rien dans l'Ecriture qui oblige à recevoir ce sentiment; il ne faut pas multiplier les miracles sans nécessité.' Avant Calmet, Bayle avait soutenu le même principe. Voir son *Dictionnaire*, art. 'Sara', Rem. E, et 'Jonas', Rem. B, mais il s'agit là des interprétations midrashiques chez les exégètes rabbiniques, et aucunement des miracles décrits dans les textes bibliques. Nous n'avons pas encore trouvé dans son *Dictionnaire* de passages où il exprime des hésitations sur des miracles décrits explicitement dans la Bible.

¹¹ Jos. v.1.

¹² Juges xii.1-7.

¹³ Nom. xiii.33 et cf. Deut. ii.10-22.

¹⁴ Deut. iii.11.

¹⁵ Jos. v.3.

¹⁶ Jos. v.2-9. 'Vastes solitudes' est une addition poétique de Voltaire.

¹⁷ Jos. v.12.

¹⁸ Gen. xxxiv.15-26.

¹⁹ Henry de Boulainvilliers n'a rien légué à la postérité comme critique biblique, bien qu'il ait rédigé des notes sur les remarques critiques de Thomas Burnet sur le livre de la Genèse et que, dans son *Abrégé de l'histoire ancienne*, ouvrage encore inédit mais décrit en détail dans le chapitre 1 de la seconde partie du livre d'Ira O. Wade, *The Clandestine organization and diffusion of philosophic ideas in France from 1700 to 1750* (Princeton, 1938), il se soit efforcé d'harmoniser les sources anciennes, y compris le Pentateuque, pour établir une histoire cohérente. Voltaire n'était pas membre du cercle de libre-penseurs qui entouraient Boulainvilliers et n'a probablement pas connu ses travaux restés en manuscrit, mais il possédait les *Doutes sur la religion suivies de l'Analyse du Traité théologique-politique de Spinosa. Par le comte de Boulainvilliers* (Londres [Paris?], 1767; BV503), faux titre de l'*Examen de la religion*, traité clandestin rédigé vers 1705 et actuellement attribué à César Chesneau Du Marsais. Ce traité contient de la critique biblique, mais Voltaire savait bien qu'il n'était pas de la plume de Boulainvilliers, et de toute façon l'*Examen de la religion* ne parle nulle part de Josué, ni de Jéricho. Voltaire ne signale donc ici Boulainvilliers qu'en raison de sa réputation d'homme de lettres libre-penseur.

[20] Voir, ci-dessus, Genèse, n.(*br*) et n.122.

[21] Jos. v.13-15. Le texte hébreu ne dit pas que Josué fait une révérence à l'ange, mais Voltaire a hérité l'adoration de cet ange de la version de Calmet, 'Josué se jeta le visage contre terre; et en l'adorant il dit [...]' et de la Vulgate, 'Et adorans ait: [...]'. Calmet remarque la difficulté du texte de la Vulgate, 'Quoique le mot d'adorer dans la langue Latine marque presque toujours le culte de latrie, qui n'est dû qu'à Dieu, il signifie quelquefois une révérence, une marque de respect extérieur qu'on rend aux Anges, aux Saints.'

[22] Jos. vi.2-20. Meslier parle de ce miracle, *Mémoires des pensées et sentiments*, dans ses *Œuvres*, t.1, p.163.

[23] Souvenir de Nom. xi.21-23.

[24] Ici il se peut que 'les critiques' ne soient qu'un seul, Mme Du Châtelet, *Examens de la Bible* I.182.

[25] Il y a deux légendes très semblables, celle où Dieu commande à Moïse de se déchausser devant le buisson ardent (Ex. iii.5), et celle-ci (Jos. v.15), où 'le prince de l'armée du Seigneur' commande à Josué de se déchausser. Laquelle est la primitive, et laquelle en est un calque est une question qui semble sous-jacente ici.

[26] Jos. vi.25. Pour Calmet ici, elle est 'Rahab la courtisane' ce qui est un peu plus distingué que la traduction de Voltaire, mais aussi un peu anachronique car on n'imagine ni cour, ni courtisanes dans une bourgade de l'âge du bronze, de même que Voltaire ne peut imaginer, ci-dessous, de vrais rois dans ces bourgades.

[27] Calmet décrit 'les Chroniques des Samaritains' dans sa 'Préface sur le livre de Josué', p.v, comme ayant été rédigées par des auteurs qui vivaient 'depuis Constantin', mais il n'y donne pas l'extrait cité ici par Voltaire. Voir, ci-dessous, n.39.

[28] Pour les œuvres de Bolingbroke, voir ci-dessus, Genèse, n.165. Nous n'y avons pas trouvé le passage que Voltaire prétend en avoir extrait, qui d'ailleurs n'est pas dans le style de Bolingbroke.

[29] Jos. vi.26, dans la version de Calmet, 'Alors Josué fit cette imprécation, et il dit; [...].'

[30] Ch.vii.

[31] Il y avait plusieurs livres sur les cruautés des Espagnols dans le nouveau monde, dont la *Brevissima relación de la destruyción de las Indias* ... (Séville, 1552), de l'évêque Bartolomeo de Las Casas. L'ouvrage fut traduit par Jacques de Miggrode, *Histoire admirable des horribles insolences* ... (s.l., 1582; BV646), dans le but de montrer aux huguenots ses coreligionnaires les dangers d'un pouvoir politique soumis à l'Eglise de Rome. Voltaire parle de cette version par Miggrode dans 'Abbaye', esquisse parue dans le fonds de Kehl, et dans l'art. 'Abbé, abbaye' du *Dictionnaire philosophique*. Voir aussi l'*Examen critique des apologistes de la religion chrétienne*, attribué à Jean Levesque de Burigny (s.l., 1766; BV2546), ch.10, éd., Alain Niderst (Paris, 2001), p.226, n.34, qui cite Jurieu, *Histoire du papisme*.

[32] Voir Calmet, p.80, et voir les *Examens de la Bible* I.184-85.

[33] Louis Dominique Garthausen, dit Cartouche (1693-1721), célèbre chef de bandits à Paris.

Nicolas et Jean Oudot créèrent à Troyes, vers 1600, une maison d'édition qui fut ensuite gérée par plusieurs membres de la famille, notamment plusieurs veuves, éditant toujours de la littérature populaire, romans, histoires et almanachs. En particulier, une veuve de Jean III Oudot (1653-1705) puis une veuve de Nicolas III Oudot (1648?-172.?) étaient actives du vivant de Voltaire, cette dernière jusqu'aux années 1770. La mention par Voltaire de 'Mme Oudot' – il parle d'elle aussi dans le *Commentaire historique des ouvrages de l'auteur de la Henriade, M*, t.i, p.124 – n'est donc pas suffisamment précise pour qu'on puisse déterminer à laquelle de ces veuves il pensait. Des colporteurs diffusaient leur production, des romans comme *Robert le diable* et *Pierre de Provence et la belle Maguelonne* et des légendes historiques comme *Richard sans peur*, qui paraissaient avec des couvertures en papier bleu, d'où le qualificatif de 'Bibliothèque bleue'. Voltaire possédait les nos. 1 et 2 de la seconde édition de la *Bibliothèque bleue* et le no. 2 de la première, BV657-59. Voir Lise Andries, *La Bibliothèque bleue au dix-huitième siècle, SVEC* 270 (1989).

[34] Nicolas-Antoine Boulanger, qui avait des rudiments d'hébreu, rédigea l'article 'Hébraïque (Langue)' pour l'*Encyclopédie* mais n'écrivit rien en critique biblique. Voltaire possédait sa *Dissertation sur Elie et Enoch* (s.l., s.d.; BV509) et ses *Recherches sur l'origine du despotisme oriental* ([Genève], 1761; BV510).

[35] Jos. viii.28-29.

[36] Jos. vii.26.

[37] Actes i.26. Calmet montre, *Commentaire littéral ... Josué*, p.90-92, que la Bible contient plusieurs récits et descriptions de tirages au sort, et remarque que l'Eglise condamne nonobstant le tirage au sort dans toute élection ecclésiastique. Il ne parle pas ici d'Augustin, mais dans la 'Dissertation sur les élections par le sort' en tête du *Commentaire littéral ... Actes* (1715), p.xxx-xxxvi, il parle d'Augustin, de son *Epistola* LV.37, *P.L.*, t.33, col.222. Dans sa discussion des sorts employés par les apôtres pour remplacer Judas, dans le premier chapitre d'Actes, *Examens de la Bible* II.333-34, Mme Du Châtelet parle de ce Père, pensant à un passage des *Confessions*, liv.8, ch.12, *P.L.*, t.22, col.762. Mais Voltaire se réfère ici à un autre écrit d'Augustin, la *Civitate Dei*, mais trop vaguement pour que le passage soit identifiable.

[38] Andreas Masius ou Maes (1514-1573), *Josuæ imperatoris historia* (Anvers, Christophe Plantin, 1574), p.72, traite le v.9 du ch.4 sans tirer de conclusions sur la rédaction du verset, et cf. p.86-88 où il n'en tire pas non plus sur la rédaction de Juges v.9. Mais voir Spinoza, *Tractatus theologico-politicus*, ch.8, p.343, et Richard Simon, *Histoire critique du Vieux Testament*, ch.8, p.53, qui en parlent. Pourtant l'anachronisme de ce verset par rapport à une rédaction du vivant de Josué ou peu après échappe à Jean Leclerc, *Sentimens de quelques théologiens de Hollande*, p.139-42, qui donne d'autres arguments pour dater la rédaction de Josué assez tardivement. Newton, dans ses *Observations upon the prophecies of Daniel and the Apocalypse of St. John*, ch.1, p.5, ne mentionne pas ce verset, lui non plus, tout lecteur de Simon qu'il fût, mais il déduit d'autres versets que le livre de Josué avait été rédigé par Samuel. Aucun des exégètes juifs médiévaux qui figurent dans les מקראות גדולות הכתר, *Mikra'ot gedolot ha-keter*, n'avait signalé ce problème.

[39] Richard Simon connaît l'existence de la chronique dont parle Voltaire, mais n'en extrait pas de récits, se contentant d'écrire, 'les Samaritains ont de plus dans une Chronique faite à leur manière, l'Histoire des autres Livres de la Bible: mais ces Histoires sont purement humaines, et n'ont rien de l'inspiration', *Histoire critique du Vieux Testament*, p.522, n.r. Puis, dans son *Dictionnaire de la Bible, s.v.*, Josué, Calmet en parle en plus grand détail, 'Les Samaritains ont un livre de Josué, qu'ils conservent avec respect [...] Ce livre contient quarante sept chapitres remplis d'une infinité de fables et de puérilités [...] Joseph Scaliger, à qui il appartenait, le légua à la Bibliothèque de Leyde.' En fait, Scaliger acquit ce manuscrit arabe en 1584. La première partie, ch.1-46, fut copiée en 1362 et la seconde partie, ch.47, en 1513. Scaliger décrit son manuscrit dans *Opus de emendatione temporum* (Genève, Pierre de la Rovière, 1624), p.669, selon Johann Albert Fabricius, *Codex pseudepigraphus Veteris Testamenti*, p.876-88, et Fabricius le traduisit en latin, y compris l'épisode dont parle ici Voltaire, 'Josuæ cæterisque Israelitis, artibus magicis, ita fuerunt præstricti oculi, ut muris ferreis circumsepti sibi viderentur: Ideo autem, permissione divina, Israelitis hoc obtigit, ut Regis Nebichi gloriæ et eternæ fama consuleatur. Tandem ad sonitum tubæ Eleazaris sacerdotis, muri isti corruerunt, hostesque in fugam dati sunt' (paragraphe no.33, p.884-85).

[40] Voir Calmet, 'Dissertation sur la pluie de pierres qui tomba sur les Cananéens. Josué x.11', *Commentaire littéral ... Josué*, p.xxi-xxix. Calmet permet à ses lecteurs soit de croire que ces pierres ne sont que des grêlons de taille exceptionnelle, explication qu'il préfère, soit de suivre 'de très habiles écrivains', comme Masius, Grotius, Jacques Bonfrerius et Gérard Vossius, qui voulaient y voir de vraies pierres miraculeuses. Calmet, qui ne veut pas, ici non plus, 'multiplier les miracles sans nécessité' (voir p.40, et voir, ci-dessus, n.10), affirme, 'Les pluies de pierres ne sont point des effets impossibles, ni même surnaturels', et il en donne des exemples dans l'histoire de la France avant d'examiner le corpus légendaire (p.xxii-xxiv).

[41] Voir Calmet, 'Dissertation sur le commandement que Josué fit au Soleil et à la Lune de s'arrêter', en tête du *Commentaire littéral ... Josué*, p.vii-xxi. Pour les exégètes et critiques qui voulaient éviter que ce fût un miracle, voir Calmet, p.viii, qui cite, n.i, Grotius, *Annotata in Vetus Testamentum* (Paris, S. Cramoisy, 1644), *ad loc.*, p.183-84, et p.ix, où il renvoie, n.a, au *Tractatus theologico-politicus*, ch.2, section 13, p.128, puis à Jean Leclerc, *Veteris Testamenti libri Historici, Josua, Judices* (Amsterdam, H. Schelte, 1708), *ad loc.*, p.23-25, qui soutient, en bon copernicien, que c'est la terre qui tourne autour du soleil et que la lune n'émet pas de lumière mais en reflète. Voir aussi ses *Sentimens de quelques théologiens de Hollande*, p.136-37, non cités par Calmet. Meslier aussi parle de ce miracle, *Mémoires des pensées et sentiments, Œuvres*, t.1, p.163.

[42] C'est Voltaire qui évoque ces deux légendes. Les frères maudits, Atrée et Thyeste, se disputaient le trône de Mycène, et Atrée, sur le conseil de Zeus, déclara à son frère que si le soleil renversait sa course, c'est lui-même qui régnerait, et qu'autrement Thyeste garderait le trône. Thyeste accepta la gageure et aussitôt le soleil se coucha à l'est.

[43] Jos. x.14-26.

[44] C'est encore Voltaire qui propose, comme raison pour le recul du soleil (voir Sénèque, *Thyeste*, vers 682 et 813-83), le dégoût des dieux suscité par le repas servi par Atrée à Thyeste, ses propres enfants (Eschyle, *Agamemnon*, vers 1583-1602, Sénèque, *Thyeste*, vers 720-75 et 1035), bien que, selon la légende, ce recul se fît par l'intervention de Zeus. Calmet prétendait (p.xvii) que les légendes sur l'interruption du cours du soleil chez les poètes païens, dont Varron et Lucain, n'étaient que des déformations d'un souvenir du miracle de Josué.

[45] Calmet, 'Dissertation sur le commandement que Josué fit au Soleil et à la Lune de s'arrêter', *Commentaire littéral ... Josué*, p.xx. Voltaire discute la physique de ce miracle dans les *Notebooks*, *OCV*, t.82, p.494.

[46] Voir les *Examens de la Bible* I.192-94. Voir aussi Voltaire, *Collection des lettres / Questions sur les miracles* (1765/1767), Lettre II, *M*, t.25, p.372, pour une discussion plus détaillée des conséquences que peut avoir l'arrêt des corps célestes dans leur mouvement. Même Calmet reconnaît qu'il y a ici quelques difficultés, et il préfère avoir recours à l'astronomie ptoléméenne, qu'il croyait plus facile à harmoniser avec les textes bibliques, en particulier celui-ci (p.xviii-xix), qu'à l'astronomie cartésienne où le soleil entraîne la terre dans son tourbillon. Calmet imaginait, p.xix, que le plus grand danger d'un arrêt du soleil au milieu de son parcours serait une trop grande chaleur qui ajouterait à la fatigue des troupes de Josué.

Voltaire parle de Galilée et de son martyre plusieurs fois, notamment dans l'*Essai sur les mœurs*, ch.121, dans les *Eléments de la philosophie de Newton*, partie III, ch.3, *OCV*, t.15, p.413-17, et surtout dans *Les Singularités de la nature* (1768 ou 1769), ch.26, *M*, t.27, p.169-70, où il s'agit du récit biblique que Voltaire traite ici, 'Les cardinaux lui remontrèrent, d'après tous leurs théologiens, que Josué avait arrêté le soleil sur le chemin de Gabaon. Galilée n'avait qu'à leur répondre que c'était aussi depuis ce temps-là que le soleil était immobile', comme il l'est dans la mécanique céleste galiléenne. Remarquons qu'en 1768 ou 1769, la langue de Voltaire un peu plus soutenue, rendant le 'ne marche plus' plus élégamment par 'immobile', ce qui suggère que cette note de *La Bible enfin expliquée* aurait pu être le texte primitif du paragraphe sur Galilée des *Singularités de la nature*.

[47] Plutôt II Sam. i.18. Le texte de II Chr. ne mentionne nulle part ספר הישר, *Sefer ha-yashar*, 'livre des justes' ou 'livre de ce qui est juste', ou 'livre du cantique' si l'on suppose, comme le faisait André Caquot, qu'une métathèse du *yod* et du *shin* arriva par une faute de transmission, transformant השיר, *ha-shir*, en הישר *ha-yashar*. Bolingbroke ne parle pas de cette question. Voir les *Sentimens de quelques théologiens de Hollande*, p.135-41, où Jean Leclerc parle bien du *Sefer ha-yashar*, p.136, comme confirmant sa thèse selon laquelle le livre de Josué fut rédigé aussi tard que le règne d'Ezéchias, car ce *Sefer ha-yashar* semble être une des sources littéraires auxquelles l'auteur puisait, et certaines de ces sources, comme celle-ci, auraient pu être contemporaines des faits racontés dans le livre de Josué. Voir les *Examens de la Bible* I.194 et Calmet, p.140, 'Ce Livre des Justes se trouve encore cité dans le second [livre] des Rois [*i.e.*, II Sam.], chap.1, vs.18, ce qui fait voir évidemment qu'il n'a été

achevé que longtemps après Josué.' Voltaire a mal compris la citation qui renvoyait à la Vulgate qui traite les livres de Samuel comme I et II Rois, d'où ses 'Chroniques des rois'.

[48] Jos. xi.10-11.

[49] Jos. xi.10-11.

[50] Jos. xi.21-22.

[51] Jos. xii.24, résumé qui est le fait de Voltaire.

[52] Pour l'élimination des géants, voir Jos. xi.21-22. Pour le fait qu'il en restait, voir Jos. xiv.12.

[53] Jos. xii.9-24. Le texte ne mentionne pas que ces trente et un rois furent pendus. Voltaire suppose qu'ils subirent le même sort que les cinq rois de Jos. x.26. Voir Calmet, *ad* Jos. x.24, 'Si l'on n'était persuadé que Josué n'agissait que par les ordres et l'inspiration de Dieu, on ne pourrait excuser la manière dont il traite ces misérables Rois vaincus; mais il n'était que l'exécuteur de la justice de Dieu envers ces Princes impies.'

[54] Jos. xiv.15. Calmet et ensuite Voltaire suivent la Vulgate. Le texte hébraïque lacunaire ne prétend pas qu'Adam soit enterré à Kiryat-Arba mais remarque que האדם, *ha-adam*, 'l'homme, le plus grand des géants', y fut enterré, ce qui interrompt le récit sur les territoires octroyés à Caleb. Il n'y aurait pas eu d'article défini devant son nom s'il s'agissait d'Adam, le premier homme, car l'hébreu ne met pas d'article devant les noms propres. (Voir 'Adam' dans l'*Encyclopédie*, p.126, où il est remarqué que la Genèse ne dit rien sur la taille d'Adam, ni sur son sépulcre.) Calmet ne croit pas que l'identification que fit Jérôme de '*ha-adam*' avec Adam, père de tous les hommes, soit 'une tradition [donnée] comme infaillible'.

[55] Voir l'*Encyclopédie*, 'Pic d'Adam', dont la source est un certain Ribera, peut-être le P. Francisco Ribera, auteur d'un commentaire sur les Douze Petits Prophètes (1600), qui manque à la BV.

[56] Calmet parle de Kiryat-Sefer ('Cariat-Sepher'), *ad* Jos. x.38, p.149, et xiv.13, p.201. Jos. xv.15 identifie Kiryat-Sefer, 'Ville du livre', comme l'ancien nom de Devir, qui était dans le partage de Caleb, donc dans le sud de la Palestine, loin de la côte et des terres des Phéniciens, contrairement à ce que prétend Voltaire.

Voir Hérodote, *Historiēs*, liv.5, sections 58-59, pour la tradition des Grecs selon laquelle l'alphabet leur venait de Phénicie. Voir Martin Bernal, *Cadmean letters. The transmission of the alphabet to the Aegean and further West before 1400 B.C.* (Winona Lake, 1990). De là à supposer que Kiryat-Sefer était tributaire de la Phénicie ou même faisait partie de la Phénicie à l'époque de la conquête de Canaan est un saut plus difficile à justifier que Voltaire l'imaginait, car cela suppose qu'il n'y avait qu'une seule forme d'alphabet paléo-sémitique, et que l'écriture dont la pratique est attestée implicitement par le nom de Kiryat-Sefer n'aurait pu parvenir aux habitants de Devir que directement de Phénicie.

[57] Voltaire ne développe pas ici l'histoire d'Axa, mais Mme Du Châtelet y avait remarqué, *Examens de la Bible* I.200-201, ce qu'elle prétendait être un inceste, car Axa épouse un de ses proches parents. Elle remarque aussi dans les *Examens*

I.207, que le même passage, à quelques variantes près, se trouve intégré dans Juges i.12-15.

⁵⁸ Comme indiqué ci-dessus, Genèse, n.4, la source principale des connaissances de Voltaire sur Sanchoniaton était Richard Cumberland, *Sanchoniato's Phœnician history*.

⁵⁹ Jos. xv.63.

⁶⁰ Le premier est évidemment Moïse, et Voltaire parle du récit de Nom. xxv.1-9, ci-dessus, Nombres, n.(*u*), et le deuxième est Josué qui parle des trente et un rois qu'il a vaincus. Voir ci-dessus, n.54.

⁶¹ La discussion de cette harangue chez Mme Du Châtelet, *Examens de la Bible* I.204-205, est plus étendue et plus nuancée.

⁶² Voir la 'Dissertation sur le pays où se sauverent les Cananéens chassez par Josué', *Commentaire littéral ... Josué*, p.xxix-xxxix. 'L'opinion qui a le plus d'apparence et de partisans, est celle qui place les Cananéens dans l'Afrique' (p.xxxi).

⁶³ Procope de Césarée, *De bello Vandalico*, liv.2, ch.10, §22.

JUGES

[1] Juges i.1.

[2] Juges i.19.

[3] Voir Calmet, *Commentaire littéral ... Juges* (1711), *ad* Juges i.2, 'Quelques-uns ont cru que Judas marquait ici un homme, qui devait succéder à Josué, comme Josué avait succédé à Moyse: Mais toute la suite de l'Histoire montre visiblement que Judas est mis pour toute la tribu de ce nom'.

[4] Juges ii.11-13, mais le texte ne parle pas des mariages contractés avec des filles nées parmi les six nations voisines que Voltaire mentionne ici, ni ne prétend que l'oppression d'Israël par *Kushan Rish'atayim* en était la punition.

[5] I Sam. ix.3-5.

[6] Voir Calmet, *ad* Juges ii.19, 'Les chariots des Philistins étaient-ils plus redoutables dans la plaine, que la valeur et la résistance des Géants fils d'Enac, dans les forteresses et dans les villes des montagnes?' Mais Calmet n'associe pas ces chariots avec les envahisseurs du nord, comme le ferait ici Voltaire.

[7] Souvenir de I Rois xx.23.

[8] Juges iii.7-8. Calmet emploie l'orthographe de la Vulgate, 'Chusan Rasathaîm', pour כושן רשעתים, *Kushan Rish'atayim*, 'Kushan le Doublement-Méchant'. L'origine de la transcription déformée que Voltaire emploie n'est pas claire.

[9] Voir Jos. xv.63 et Juges i.21. Comme il est remarqué ci-dessus, Genèse, n.240, Nicolas Fréret n'a pas laissé de remarques sur les incohérences dans la Bible, ni publiées, ni diffusées clandestinement, mais cela n'a pas empêché Voltaire de lui en attribuer ici et dans le second entretien du *Dîner du comte de Boulainvilliers*.

L'abbé Tilladet est quasiment une invention de Voltaire. Un Jean-Marie de La Marque, abbé de Tilladet, a édité deux recueils, *Dissertations sur diverses matières de religion et de philosophie contenues en plusieurs lettres écrites par des personnes savantes de ce tems* (Paris, 1712) et *Dissertations sur différens sujets composées par M. Huet ... et par quelques autres savans* (La Haye, 1720), mais leur auteur ne ressemble ni à l'abbé hétérodoxe à qui Voltaire attribuerait deux de ses écrits déistes, le *Dialogue du douteur et de l'adorateur* (1766) et *Tout en Dieu. Commentaire sur Malebranche* (1769), ni à celui qui figure dans *La Défense de mon oncle*, 4e diatribe, *OCV*, t.64, p.259-61. José-Michel Moureaux arrive à la même conclusion que nous, *ibid.*, p.428-29, n.35. De même, il y eut un Louis Du Four, abbé de Longuerue, auteur de plusieurs traités sur la géographie, sur l'histoire de France, y compris une *Description historique et géographique de la France ancienne et moderne* (s.l., J. Le Grand, 1722; BV2163), et sur Justinien, ainsi que d'une œuvre de jeunesse, *Dissertatio Tatianum*, parue dans l'édition par Wilhelmus Worth de l'*Oratio ad Græcos* de Tatian (Oxford, 1700), et il y eut aussi deux recueils posthumes, *Longueruana ou Recueil de pensées, de discours et de conversations de feu M. Louis Du Four de Longuerue* (Berlin, 1754; BV2164) et *Recueil de pièces intéressantes pour servir à l'histoire de France, et autres morceaux de littérature trouvés dans les papiers de l'abbé de Longuerue* (Genève, 1769). Ni l'un ni l'autre de ces abbés n'a trouvé place dans la *Bibliographie de la littérature française du dix-huitième siècle* d'Alexandre Cioranescu (Paris, 1969).

[10] Contrairement aux abbés Tilladet et Longuerue, qui n'étaient pas critiques de la Bible, Jean Astruc, pour qui voir, ci-dessus, Genèse, n.248 et 269, avait légué à la postérité une méthode qui comprenait la décomposition de certains textes bibliques en des constituants provenant de sources documentaires hypothétiques, et Voltaire semble ici demander l'application de cette méthode aux textes historiques de la Bible, ce que personne n'avait encore tenté. Mais Voltaire représente assez mal la méthode critique d'Astruc, qui ne s'intéressait pas à la transmission des textes.

Quant aux nombreuses redites, comme Jos. xxiv.28-30, identique à Juges ii.6, 8-9 (à une métathèse près), et incohérences entre la fin du livre de Josué et les premiers chapitres du livre des Juges, que Voltaire évoque ici sans les démontrer, Calmet avait déjà posé le problème à sa façon, 'L'auteur de ce livre ne nous est pas bien connu. Les uns l'attribuent aux Juges eux-mêmes, on veut qu'ils aient écrit chacun l'histoire, de ce qui est arrivé sous leur gouvernement. D'autres en font auteurs Phinées, ou Samuël ou Ezéchias, ou Esdras; mais il nous paroît incontestable que c'est l'ouvrage d'un seul auteur, qui vivait après le temps des Juges. Une preuve sensible de ce sentiment, c'est qu'au Chapitre second, dans le verset dixième, et dans les suivants, l'Historien fait un précis de tout le Livre', 'Dissertation sur le livre des Juges', p.vi. Quant aux répétitions par rapport au livre de Josué, Calmet les signale et les discute, chacune à sa place, p.2 et 8: 'Nous croyons que cette dernière guerre contre Hebron est mise ici par récapitulation, [...] On peut voir ce qui a été dit sur le chapitre xv.17 [et] 18 de Josué, touchant cette histoire de Caleb, d'Othoniel et d'Axa. On trouve ici tous les mêmes termes et mêmes difficultés.'

[11] Thomas Woolston n'a rien écrit sur le texte de l'Ancien Testament, comme on vient de le remarquer, ci-dessus, Exode, n.25.

Selon les étymologies proposées par Calmet, p.34, le roi Cusan naquit au pays de Kush (normalement, l'Ethiopie ou le Soudan) qu'il identifie avec la terre des Scythes [*sic*], et il imagine que ce Cusan régnait soit en Arménie, soit, d'après une autre étymologie, dans la ville de Risin ou Rasene ou Rhasine en Mésopotamie, l'un et l'autre suffisamment loin de la Palestine pour susciter les doutes que Voltaire exprime ici sur son passage en Palestine. Calmet n'a pas compris que l'hébreu, *Rish'atayim*, n'avait pas de rapport avec les toponymes qu'il proposait, d'où l'erreur de Voltaire.

[12] Le texte ne parle pas, dans le contexte de l'oppression des Israélites par Cusan puis de sa défaite, de mariages des Israélites avec les filles et fils des peuples indigènes.

[13] Juges iii.9-14.

[14] Voir les *Examens de la Bible* I.208. Voltaire suit la version de Calmet pour sa traduction de l'*hapax*, פרשדנה, *parshdona* (Juges iii.22), 'les excréments qui étaient dans le ventre s'écoulérent par les conduits naturels'. C'est ainsi que l'interprètent RaShI et Joseph Kara; mais, comme le remarque Calmet, p.43, le grec considère un

mot apparenté qui signifie péristyle, et selon cette traduction, Aod se serait évadé par un couloir ou vestibule. Or cette traduction est douteuse car elle est plus décente que celle qui parle d'"excréments'. Voltaire parle du régicide d'Aod depuis le *Sermon des cinquante*, premier point, *OCV*, t.49A, p.87; *Les Honnêtetés littéraires* XXII, 5°, *OCV*, t.63B, p.121; *l'Examen important*, ch.8, *OCV*, t.62, p.197; *Les Questions de Zapata*, 37°, *OCV*, t.62, p.392-93; *Discours de l'Empereur Julien*, *OCV*, t.71B, p.304, n.34.

[15] Parler des fautes de copiste qui rendent un texte incompréhensible est parler la langue de Richard Simon, et Calmet a bien recours aux erreurs de copistes *in extremis*, mais dans ce chapitre il n'a pas évoqué cette thèse et c'est Voltaire qui a recours à la thèse de transmission fautive de son texte.

[16] Jacques Clément, dominicain et partisan fanatique, assassina Henri III de France le 1er août 1589. Son acte fut défendu, notamment par le pape Sixte Quint. Henri IV fut assassiné par François Ravaillac le 14 mai 1610. Voltaire venait de parler des ces régicides, ci-dessus, Deut., n.(*f*), et voir Deutéronome, n.19 et 20, et Mme Du Châtelet avait fait la même association incontournable de ce régicide biblique avec les deux régicides français, *Examens de la Bible* I.208.

[17] Voltaire se trompait un peu sur ces attentats: Gaius Mucius Scævola ne réussit pas à assassiner Lars Porsenna, roi de Clusium, qui assiégeait Rome. Celui-ci était allié avec Lucius Tarquin le superbe, roi de Rome de 534 à 510, qui menaçait les libertés de la ville et fut assassiné par les fils d'Ancus Marcius, son prédécesseur. Voir Tite-Live, liv.1, ch.xl-xli. Pour Mucius Scævola, voir Tite-Live, liv.2, ch.xii-xiii, et voir Rousseau, *Confessions*, liv.1, ch.4, où il raconte combien il était ému par son courage.

[18] Harmodios et Aristogiton voulurent assassiner les tyrans, Hippias et Hipparque, fils de Pisistrate. Le complot échoua et seul Hipparque fut tué. Harmodios fut immédiatement tué par les gardes d'Hippias, et Aristogiton fut torturé avant d'être exécuté (514 avant l'ère moderne). Voir Hérodote, *Histories*, liv.5, sections 56-58, et Thucydide, liv.1, section 20, et liv.6, sections 54-59. Après qu'Hipparchus fut renversé (511-10 avant l'ère moderne) on honora les deux conspirateurs, qui furent admirés à Athènes comme champions de la liberté, avec des statues placées sur l'Agora. Ces statues furent déposées et enlevées par les Perses sous Xerxès en 480 et installées à Suse. Alexandre le Grand les reprit à Suse et les rendit à la Grèce après avoir conquis cette ville en 480. Voir Arrian, *Anabasis*, liv.7, section 19, sous-section 2.

[19] Henri II (1333-1379), dit le Magnifique, comte de Trastamare, en révolte contre son frère, Pierre le Cruel, roi de Castille et de Léon, remporta la bataille de Montiel contre lui (1369), puis le tua de sa propre main et monta sur son trône. Voir *Essai sur les mœurs*, ch.77, éd., Pomeau, t.1, p.734.

[20] Juges iii.30-31. Calmet écrit Samgar, suivant la Vulgate et l'hébreu. La différentiation de la graphie *ש* en *s* et *sh* qui est reconnue actuellement dans la plupart des dialectes en hébreu, n'est pas attestée dans la Vulgate, et les transcriptions de l'hébreu par les hébraïsants chrétiens des seizième et dix-septième siècles, inspirées de celles de Jérôme, ignoraient les traditions phonétiques de leurs voisins juifs qui faisaient une telle distinction.

²¹ Guillaume Iᵉʳ d'Orange fut assassiné à Delft le 10 juillet 1584 par un catholique fanatique, Balthazar Gérard. Voir *Essai sur les mœurs*, ch.164, éd., Pomeau, t.2, p.447.

²² John Milton, *Pro populo anglicano defensio* (Londres, 1651), ch.4, qui parle notamment d'Eglon et de Jéhu. Voir *The Prose works of John Milton*, éd. Don M. Wolfe (New Haven, 1966), t.4¹, p.401-21. Voltaire possédait *A Defence of the people of England ... in answer to Salmasius's Defence of the king* ([Amsterdam], 1692; BV2461) et *Defensio secunda pro populo anglicano* (La Haye, 1654; BV2462). Voir Pierre Bayle, *Dictionnaire historique et critique*, art. 'Milton', Rem. F.

²³ Thomas Gordon, *Discours historiques et politiques sur Salluste*, trad. [P. Daudé] ([Genève], [Cramer], 1759; BV1494), t.1, p.240-41, 'après une infinité de crimes, de périls et d'inquiétudes, [César] fut exterminé comme traître et tyran'. Voir aussi ses *Discours historiques, critiques et politiques sur Tacite*, trad. M. D. S. L. (Amsterdam, François Changuion, 1742) qui est encore plus explicite, 'Quels que fussent les desseins de César après son usurpation, il fut prévenu par la mort, et cet homme sanguinaire vit verser son propre sang; il fut tué légitimement quoique contre la forme de la loi. Son pouvoir illégitime rendait impraticable tout autre moyen de se défaire de lui. Il est vrai que ceux qui le tuèrent furent tués eux-mêmes: la justice de la cause n'est pas toujours suivie d'un heureux succès: le contraire arrive fort souvent: Dieu seul en sait la raison. Ce qu'il y a de vrai, c'est que ceux qui sont tués en combattant pour la défense des lois sont tués illégitimement: voilà la différence essentielle entre la mort de César et celle des conspirateurs. Ceux-ci furent vaincus et périrent dans une grande guerre civile, lorsque le vrai courage, la vertu, et l'amour pour la Patrie étaient devenus des crimes capitaux, sujet à la proscription' (p.126-27).

²⁴ La Bible n'a pas trace d'une bataille contre Moab pendant les années où Josué menait la conquête de Canaan. Il y a bien le récit d'une bataille du vivant de Moïse contre les Midianites ou Moabites (Nom. xxv.16; xxxi.1-54) – le récit parle des uns puis des autres comme si deux récits distincts y étaient incomplètement fusionnés –, mais Josué n'y figure pas. La bataille menée par Aod contre Eglon, roi de Moab, eut lieu à une date indéterminée mais après la mort de Josué (Juges iii.15-30), puis il n'y eut rien jusqu'au règne de Saül. Voltaire, pense-t-il à la bataille contre les Amalécites (Ex. xvii.8-13) où Josué mena les troupes israélites? Voir les *Examens de la Bible* I.208, 'Il est à remarquer que Dieu avait défendu de faire la guerre aux Moabites, mais apparamment qu'il n'avait pas défendu de les assassiner.'

Contrairement à ce que prétend ici Voltaire, le royaume de Moab se situait à l'est de la mer Morte, assez loin au sud de la Syrie.

²⁵ Juges iv.1. Voir Calmet, p.45-47, qui avait essayé de faire l'apologie d'Aod en distinguant de ses autres régicides, qu'il ne nomme pas, l'assassinat de Kushan comme celui d'un roi tyrannique.

²⁶ Juges iv.3.

²⁷ Juges iv.4.

²⁸ Mauvaise transcription de שמגר, *Shamgar*. Voir la Vulgate et Calmet, *ad* Juges iii.31. Voir, ci-dessus, n.20. La comparaison avec Samson est basée sur Juges xv.15-16.

²⁹ Calmet fait des efforts pour trouver la place chronologique de Shamgar parmi les autres juges, et il suppose qu'il n'était pas un juge officiel, seulement 'un particulier, qui s'est fait distinguer par l'action de valeur rapportée ici, de même que Jahel en avait fait une autre en tuant Sisara' (*ad* Juges iii.31).

³⁰ Juges iv.3, 13.

³¹ Diodore de Sicile, *Bibliothēkē historikē*, liv.1, section 54, signe 4.

³² Voir Ex. xv.20 et Nom. xii.6.

³³ Juges iv.17.

³⁴ Juges iv.19. Voltaire invente ici. Dans le vs.19 Jérôme traduit l'hébreu נוד, *nod*, par 'utrum', ce que Calmet traduit par 'outre', sans spécifier de quelle matière celle-ci a été fabriquée.

³⁵ Juges iv.21. Voltaire invente encore une fois. Le texte de dit rien sur la taille du piquet de la tente que Jaël a employé pour tuer Sissera. Calmet: 'Sisara ayant été tué de cette sorte, passa du sommeil naturel à celui de la mort.'

³⁶ Mt xvii et voir *Examens de la Bible* II.96-101.

³⁷ Juges iv.21. 'Cinéen' est la transcription de Calmet de קיני, *Kéni*, descendant soit de Kénan, soit de Caïn. Jérôme pouvait écrire 'Cinei' car, de son temps, la lettre *c* se prononçait comme la lettre *k* en latin archaïque et comme la lettre ק en hébreu. Voltaire parle de Jaël ailleurs, notamment dans le *Discours de l'Empereur Julien*, *OCV*, t.71B, p.304, n.34.

³⁸ Juges vi.1.

³⁹ Juges v.24-27. Voir les *Examens de la Bible* I.211 où il est clair que Mme Du Châtelet en voulait à Jaël pour avoir trahi les devoirs de l'hospitalité et de l'alliance qu'avait son mari avec Jabin, souverain de Sissera.

⁴⁰ Marie Mathieu, née vers 1674, était 'une insigne prédicante qui suivait les troupes de Cavalier pour prêcher et fanatiser'. Elle fut arrêtée le 29 janvier 1704 à Saint Chapte et pendue à Nîmes le 6 mars de la même année. Voir Pierre Rolland, *Dictionnaire des camisards* (Montpellier, Les Presses du Languedoc, 1995), *s.v.* Voltaire possédait l'*Histoire du fanatisme de notre tems* de David-Augustin de Brueys (La Haye, Scheurleer, 1755; BV522) qui raconte, 'La plus renommée de leurs prophétesses, appellée La Grande Marie, qui suivait ordinairement la troupe de Cavalier, et prononçait les arrêts de mort [sur des catholiques], fut surprise en ce temps-là. Le fameux Jonquet, qui commandait son avant-garde, et qui, par ses cruautés avoit été élevé à ce poste, eut le même sort, avec une infinité d'autres de moindre importance, et dont les supplices suivaient de près leur capture' (p.248-49, dans l'éd. d'Utrecht, 1737).

⁴¹ Sur la lecture de la Bible, voir l'art. 'Livres' du fonds de Kehl, *M*, t.19, p.598-600, largement inspiré et alimenté par l'*Examen critique des apologistes de la religion chrétienne*, attribué à Jean Levesque de Burigny, ch.11, éd. Niderst, p.268s.

⁴² Johann Forster (1495-1556) était un luthérien orthodoxe et lexicographe hébraïsant, auteur d'un *Dictionarium hebraicum novum* (Bâle, 1552). Voltaire ne possédait aucun de ses ouvrages, et Calmet ne le cite pas à propos des récits sur Gédéon.

⁴³ Quant à gouverner Israël directement, sans intermédiaire, ce qui est le sens de 'théocracie' (voir, ci-dessus, Deutéronome, n.28), l'observation de Voltaire n'est pas juste. Parfois la Bible représente Dieu agissant seul, comme il le remarque par exemple au sujet d'Ex. xi.4 et xii.29, mais le plus souvent Dieu mène les Israélites ou les punit par un intérmédiaire angélique, comme dans Ex.xxiii.20-23; xxxiii.2-3; II Sam. xxiv.16-17.

⁴⁴ Encore une fois, Voltaire attribue à Meslier des propos qui ne figurent pas dans ses *Mémoires des pensées et sentiments*.

⁴⁵ Calmet le dit plusieurs fois, et Voltaire vient de citer le *Commentaire littéral* ... *Josué*, p.xxi-xxiv. Voir, ci-dessus, Jos. n.(*k*) et n.40.

⁴⁶ Le *Littré* et le *Grand Robert* citent ce passage pour illustrer leur définition d'une lanterne sourde.

⁴⁷ Cette fois 'les critiques' dont Voltaire prétend qu'ils soutiennent son observation ne sont pas Mme Du Châtelet.

⁴⁸ Juges vii.19-22; viii.10.

⁴⁹ Juges viii.5-7.

⁵⁰ Voir I Sam. xxv.13, 22, où David donne l'ordre à ses hommes de détruire tout ce qui appartient à Naval – Nabal dans l'orthographe de la Vulgate, de Calmet et de Voltaire – pour avoir refusé de leur fournir des vivres.

⁵¹ Expression entrée dans la langue au début du dix-septième siècle dans l'œuvre de Mathurin Régnier. Voir *Littré*, *s.v.*, raison, 12°.

⁵² Juges ix.6.

⁵³ 'Les deux enfants de Clodomir furent massacrés dans Paris, en 533 par un Childebert et un Clotaire, ses oncles, qu'on appelle rois de France', *Essai sur les mœurs*, ch.17, *OCV*, t.22, p.288.

⁵⁴ Richard de Gloucester se proclama régent d'Angleterre à la mort de son frère, Edouard IV (1483), et fit ensuite assassiner son neveu, Edouard V, et son frère pour prendre le trône. Voir, *Essai sur les mœurs*, ch.117, éd. Pomeau, t.2, p.129.

⁵⁵ Jean sans Terre, dernier fils d'Henri II d'Angleterre et régent en l'absence de son frère, Richard Cœur de Lion, emprisonna son neveu, Arthur, duc de Bretagne, et le fit noyer en 1202. Voir, *Essai sur les mœurs*, ch.50, éd., Pomeau, t.1, p.530.

⁵⁶ Abimelekh tua soixante-dix de ses frères, Juges ix.5.

⁵⁷ Le texte de Juges ne fait pas ce reproche aux Israélites. Gaza appartenait aux Philistins (mais, n.(*h*), *ci-dessus*, Voltaire identifie Philistins et Phéniciens), et le récit de la mort de Samson la situe bien dans un temple, celui de Dagon à Gaza, Juges xvi.23-30. Pour les temples phéniciens de Baal-Berith et de Sidon, voir Juges viii.33; ix.4, et Juges x.6, respectivement. Mais quant à Tyr, le texte biblique ne parle nulle part de son temple. Voir Calmet, 'Dissertation sur l'origine, et sur les divinités des Philistins', *Commentaire littéral* ... *Les Trois premiers livres des rois* (1711), p.viii-xxii, qui parle de Dagon et de son temple à Gaza, p.xii-xvi, et de Baal-Berith et de son temple à 'Sichem', actuellement Naplouse pour les Palestiniens, Shekhem pour les Israéliens, p.xxii.

⁵⁸ Juges x.7-8.

⁵⁹ Juges xi.1. Un Gilad était fils de Makhir de la tribu de Manasseh (Nom. xxvi.29), et il y avait une famille de Gilad (Nom. xxvi.30), mais l'autre Gilad, qui fut le père de Jephté, n'est pas autrement connu.

⁶⁰ Meslier ne parle jamais ni d'Abimélec, ni de cette fable. Voir, ci-dessus, Exode, n.25.

⁶¹ Dans Thomas Woolston, il est question des miracles attribués à Jésus dans les évangiles, mais non pas du polythéisme des Israélites à l'époque du premier temple. Voir, ci-dessus, n.11.

Les dieux Rempham et Kiyyun ne figurent pas dans le répertoire de Mme Du Châtelet, mais Voltaire les mentionne souvent à partir du *Traité sur la tolérance*, ch.12, *OCV*, t.56c, p.194, puis dans *La Philosophie de l'histoire* (1765), ch.5 et 34, *OCV*, t.59, p.102 et 205, où il s'appuie sur Jér. xlix.1 pour démontrer que les Juifs adoraient les dieux de leurs voisins, notamment Melkom et Kemosh, ce que tous les prophètes leur reprochèrent. Voir l'*Examen important*, ch.5, *OCV*, t.62, p.191, *Les Questions de Zapata*, 22°, *OCV*, t.62, p.388; *La Défense de mon oncle* (1767), IVᵉ diatribe, 7°, *OCV*, t.64, p.261; *Dieu et les hommes* (1769), ch.16, *OCV*, t.69, p.345-47, et *Un chrétien contre six Juifs* XXVII, *M*, t.29, p.526. Chaque fois Voltaire fait la même fusion d'Amos v.26 avec Actes vii.43, prédication d'Etienne qui fait écho au verset d'Amos. Celui-ci mentionne סכות et כיון, *sikkut* et *kiyun* ou, si les massorètes avaient mal vocalisé les deux mots, *sukkot* et *kéyon* ou *kévon*. (Dans leur *Lexicon*, Koehler et Baumgartner soutiennent que *kiyon*, dont ils ont trouvé une étymologie akkadienne, était un dieu analogue au Saturne des Grecs.) Dans Actes, le *kiyun* d'Amos devient le *hapax*, Rempham, et son *sikkut* devient Moloch car, dans Amos, le verset se lit, סכות מלככם, *sikkut malkekhem*, 'sikkut votre roi'. Le mot מלככם, *malkekhem*, a la même racine que Moloch (*MLK*) à qui les prophètes reprochaient aux Israélites d'avoir sacrifié leurs enfants (Lévit. xviii.21; xx.2-5, Is. lvii.5, 9 avec émendations d'un texte à peine compréhensible, Jér. xxxii.35, et cf., Jér. vii.31-34). Voir, ci-dessous, n.71 et 73.

⁶² Voir ci-dessus, Josué, n.29.

⁶³ Comme il n'est point évident à quels livres juifs Voltaire puisse penser ici, il se peut qu'il les ait inventés.

⁶⁴ Pour Marsham, voir, ci-dessus, Genèse, n.325. Pour Bolingbroke, voir, ci-dessus, Genèse, n.165.

⁶⁵ Juges xi.2.

⁶⁶ Voir Calmet, *ad* Juges xi.2, p.174-75. Voltaire déduit de ce récit l'absence de loi chez les anciens Israélites privant les enfants nés d'une concubine ou d'une prostituée des biens de leur père. Puis il en tire une conclusion générale, qu'il n'y avait pas encore de droit civil pour gouverner les Israélites, comme si toute nation bien constituée devait avoir une telle loi. De cette faille supposée dans le code civil des Israélites, Voltaire déduit soit que les lois du Pentateuque étaient encore inconnues ou peu appliquées à l'époque des juges, soit qu'il y eut un renversement de la chronologie traditionnelle de la rédaction des livres bibliques dans lequel le Pentateuque n'avait pas encore été rédigé, car en fait il contient, comme Richard

Simon l'avait déjà remarqué très justement dans son *Histoire critique du Vieux Testament*, liv.i, ch.6, plusieurs codes de lois avec notamment des lois sur les héritages (Nom. xxxvi.5-9 et Deut. xxi.15-17).

[67] Voir Calmet, *ad* Juges xi.3, p.176.

[68] Juges xi.4-6. 'Se réfugier' est une mauvaise traduction. Calmet suit la Vulgate et l'hébreu, 'les anciens de Galaad allèrent trouver Jephté au pays de Tob'.

[69] Vs.26. Voltaire ajoute la description, 'pays *conquis*'.

[70] Voltaire se livre à une analyse dans le style du *Traité des trois imposteurs*, cherchant l'intérêt politique ou économique des acteurs du récit, en l'occurrence la possession d'une terre saisie dans une guerre avec Moab. Il ajoute l'hypothèse que le récit a été écrit par un Lévite, sans montrer comment la tribu de Lévi aurait eu un intérêt direct à l'intégration d'un territoire moabite dans le royaume.

[71] Voir, ci-dessus, Nombres, n(*u*), n.100.

[72] Pour le temple construit par Salomon pour l'adoration de Kemosh, voir I Rois xi.7 et II Rois xxiii.13.

[73] Pour l'identification des dieux mentionnés ici par Voltaire, voir Calmet, 'Dissertation sur Beel-Phégor, Chamos, et autres dieux moabites', *Commentaire littéral ... Nombres* (1709), p.xx-xxx, où il découvre des analogies entre ceux-ci et des dieux des panthéons grec et romain. Selon Calmet, il 'est fort croyable d'ailleurs, que sous ces noms divers on n'entendait que la même Déité, c'est-à-dire le soleil, Adonis ou Osiris' (p.xx). Quand Voltaire soutient des équivalences entre les dieux païens et le dieu d'Israël sous l'un ou l'autre de ses épithètes, il suit donc à la fois l'analyse de Calmet et l'idéologie de ses maîtres du collège Louis-le-Grand qui prétendaient qu'un monothéisme universel s'était différentié au cours du temps en plusieurs polythéismes plus ou moins équivalents. Voir, ci-dessus, Genèse, n.204.

Dans l'énumération de Voltaire, certains noms sont ceux de dieux qui ont été adorés par les Israélites, à en croire les reproches qui leur furent adressés par les prophètes, tandis que d'autres sont attestés, soit comme dieux de leurs voisins, soit comme toponymes théophoriques dont l'adoration ne doit pas être imputée aux Israélites, et d'autres encore ne figurent dans ce texte de Voltaire que parce que Calmet les a trouvés mentionnés dans les écrits des Pères.

Pour 'Kium', voir, ci-dessus, n.61.

'Phégor' n'est attesté ni dans le Pentateuque ni ailleurs dans la Bible comme un dieu, mais Ba'al-Pe'or, *i.e.*, le Ba'al adoré à Pe'or, est le dieu à qui les Israélites ont offert des sacrifices quand ils ont été séduits par les femmes moabites ou midianites, selon le récit de Nom. xxv.2-3, et voir Deut. iv.3; Osée ix.10; Ps. cvi.28, ainsi que Calmet, 'Dissertation sur Beel-Phégor', p.xxii-xxv. (Pourtant Deut. iv.46 parle d'un toponyme, בית פאור, *Beit-pe'or*, la résidence ou le temple de Pe'or, comme si Pe'or était un dieu, mais Koehler-Baumgartner traite cette expression comme une contraction de *Beit-Ba'al-Pe'or*, la résidence ou le temple du maître de Pé'or. Dans Osée, Pe'or semble un toponyme associé avec des idoles, שקוצים, *shikuẓim*, comparées à un objet d'amour, כאהבם, *ke-ohovam*, ce qui a donné l'occasion à certains lexicographes de traiter Pe'or de 'dieu du trou' et donc de dieu de la fornication.)

Pour Belréem, voir Calmet, p.xxiii, qui l'appelle Ba'al-ra'am, maître du ou des tonnerres. Sous cet aspect Ba'al est le dieu de l'orage et de la pluie. (Voir André Caquot, Maurice Sznycer et Andrée Herdner, *Textes ougaritiques*, Paris, 1974, t.1, p.73-85.) Belréem n'est jamais mentionné dans l'Ancien Testament mais il se peut que ce soit une appellation satirique, dieu du pet.

Belzebuth est une forme de grimoire de Ba'al-Zevuv, maître des mouches, attesté dans II Rois i.2, 3, 6, 16. Ba'al-Zevuv est devenu Ba'al-Zebub en latin parce que le grec et Jérôme ne distinguaient pas les deux prononciations actuelles du ב, *v* ou *b*, d'où la déformation en 'Belzebub'. Il semble que Ba'al-Zevuv ait été une forme satirique de Ba'al-Zevul, maître ou Ba'al du temple. Quoi qu'il en soit, Belzebub est traité dans Mt xii.24, Luc xi.15 et Marc iii.22 de prince des démons (voir Calmet, 'Dissertation sur l'origine, et sur les divinités des Philistins', dans *Commentaire littéral ... I-III Rois* (1711), p.xvii-xxi).

Adonis, dont le nom est bien sémitique, venant de אדן, *adon*, maître, ne figure pas dans l'Ancien Testament, sauf indirectement si Is.xvii.10 parle des jardins d'Adonis (voir Theodore H. Gaster, *Myth, legend and custom in the Old Testament*, New York et Evanston, 1969, p.573). Calmet cite diverses identifications d'Adonis avec les autres dieux païens, notamment avec 'Phégor', voir 'Dissertation sur Beel-Phégor', p.xxv-xxvii. Pourtant Adonis était connu dans la mythologie grecque comme un dieu qui mourait en automne, et James George Frazer supposait que lui aussi, comme certains autres dieux dont une mort saisonnière figure dans le culte, ressuscitait annuellement. Voir son *Adonis Attis Osiris*, 1914, Réimpression: New York, 1990, t.1, p.6-12. Cependant aucun texte mythologique ne lui attribuait une ressuscitation au printemps. Voir aussi les corrections à la thèse de Frazer dans Pierre Lambrechts, 'La "résurrection" d'Adonis', *Mélanges Isidore Lévy, Annuaire de l'Institut de philologie et d'histoire orientales et slaves*, Bruxelles, 1955, t.13, p.207-40.)

Thammuz, forme akkadienne du Dummuzi sumérien, est attesté une seule fois dans la Bible, dans Ez. viii.14, où 'les femmes s'assoient [et] pleurent le Thammuz' à l'entrée du temple, passage déjà remarqué par Calmet, p.xxix, qui n'a évidemment pas reconnu l'origine sumérienne de ce nom. Voir O. R. Gurney, 'Tammuz reconsidered: some recent developments', *Journal of Semitic studies*, vol.7, no.2 (1962), p.147-60, et Edwin M. Yamauchi, 'Tammus and the Bible', *Journal of biblical literature*, vol.84, Pt.III (1965), p.283-90.

Moloc ou *Molekh* figure souvent dans l'Ancien Testament (voir ci-dessus, n.61). Melchom, ou plutôt *Milkom*, est un dieu des Ammonites attesté dans I Rois xi.5, 7 (probablement) et 33; II Rois xxiii.13; I Chr. xx.2; Jér. xlix.1 et Soph. i.5. Baalméon, ou Ba'al-Me'on, maître de la résidence ou du séjour du ou des dieux (Deut. xxxiii.27), est un toponyme attesté dans Nom. xxxii.38; Ez. xxv.9 et I Chr. v.8. Adad, ou plutôt Hadad, était encore un dieu des orages d'après des recherches modernes akkadiennes et ougaritiques, mais ce nom propre n'est attesté dans l'Ancien Testament que comme celui d'un roi d'Iduménie (Gen. xxxvi.35 et son doublet I Chr. i.46, 50 et I Rois xi.14, 19, 21). Amalec est un peuple ennemi d'Israël dont le dieu n'est jamais identifié. Malachel, plutôt *Malakh-El*, l'ange ou le messager ou la main-d'œuvre du dieu El, n'est jamais identifié comme un dieu et, en fait, ne paraît jamais dans l'Ancien Testament bien que les expressions *malakh Yahweh* et *malakh Elohim* soient relativement fréquentes. Adramalec, ou Hadramelekh, est le dieu adoré par la population venant de Séfarvaïm installée dans le royaume du nord après l'exil des dix tribus. Cette population sacrifiait ses enfants à Hadramelekh (II Rois xvii.31). Astaroth en hébreu, ou Astarte en grec, était une déesse des Sidoniens, attestée dans I Rois xi.5, 33, II Rois xxiii.13, et au pluriel, comme si elle était un type de déesse, dans Juges ii.13 et I Sam. xxxi.10, si la vocalisation n'est pas erronée (voir Calmet, 'Dissertation sur l'origine, et sur les divinités des Philistins', p.xvi-xvii). Dagon, d'une racine ougaritique, dieu des Philistins, est mentionné dans Juges xvi.23, I Sam. v.2-7, I Chr. x.10, et Calmet parle de lui dans la 'Dissertation sur l'origine, et sur les divinités des Philistins', p.xii-xvi. Dercéto est un autre nom d'Atargati selon Calmet qui donne l'étymologie, *dag adir*, poisson magnifique, pour ce dernier ('Dissertation sur l'origine, et sur les divinités des Philistins', p.xiv). Il n'est jamais mentionné dans l'Ancien Testament, mais Lucien l'identifie dans *De Dea Syria* 14 comme une déesse de la Syrie, moitié femme, moitié poisson, et l'équivalence de Dercéto ou Atargati avec Junon est soutenue par Calmet sur la foi de Pline, *Historia naturalis*, liv.5, section 19. (Dans ses annotations sur *Lucian*, Cambridge, MA., Harvard University Press, 1925, t.4, p. 356-57, A. M. Harmon remarque qu'Atargatis est la forme grecque d'Atar-'ata, et que Dercéto est la forme grecque du nom abrégé, Tar-'ata.) Marnas n'est mentionné que chez les Pères comme dieu des Philistins de Gaza (voir 'Dissertation sur l'origine, et sur les divinités des Philistins', p.xxi). Mais Turo ne figure ni dans l'Ancien Testament, ni dans aucune des deux dissertations de Calmet sur les dieux des voisins d'Israël. Il se peut que Voltaire ou son compositeur ait mal transcrit le dieu Nabo, mentionné dans Is. xlvi.2. Voir 'Dissertation sur Beel-Phégor', p.xxx.

[74] Voir Calmet, *Commentaire littéral ... Juges*, ad Juges xi.24, 'il [Jephté] ne croyait point en ce Dieu; mais par une figure de discours, qu'on appelle concession; il veut bien supposer ce que ses ennemis prétendaient.' Ce verset figure dans le *Traité sur la tolérance*, ch.12, *OCV*, t.56c, p.203, comme démonstration que les anciens Hébreux étaient tolérants. Voir aussi *La Philosophie de l'histoire*, ch.5, *OCV*, t.59, p.13, *Un chrétien contre six Juifs* §XXIV, *M*, t.29, p.524, mais le plaidoyer de Jephté n'avait pas fait une grande impression sur Mme Du Châtelet, *Examens de la Bible* I.216.

[75] Une faute de transmission est toujours le dernier recours pour Calmet, comme ad I Sam. xiii.1, mais ici il ne se croit pas obligé d'en supposer une.

[76] Voir Calmet, ad Juges xi.36, et sa 'Dissertation sur le vœu de Jephté', p.xxvii, qui invoque la possibilité du rachat du vœu selon les dispositions de Lévit. xxvii.

[77] Lévit. xxvii.28.

[78] Gen. xxii.11-12. Voltaire parle très souvent du sacrifice de la fille de Jephté depuis ses premiers opuscules sur la Bible, le *Sermon des cinquante*, *OCV*, t.49A, p.82, sur l'histoire juive, *Des Juifs* (avant 1749), *OCV*, t.45B, p.117, et, en particulier, dans le *Traité sur la tolérance*, ch.12, n.n. Voir aussi *Un chrétien contre six Juifs* §XXIV, *M*, t.29, p.524. Que le sacrifice des enfants était pratiqué, et aussi tardivement que la fin

de l'époque du premier temple, est soutenu par Schwarz, 'אסור העברת הזרע למלך'. Ce que Voltaire omet de mentionner ici et ailleurs est que le sacrifice des enfants était interdit dans les termes les plus vigoureux dans Lévit. xviii.21; xx.2-7 et Deut. xii.31, et condamné par les prophètes, Is. lvi.9 et Jér. vii.30-34, et voir aussi II Rois xvii.31.

[79] Voir Calmet, *ad* vs.37, p.191, 'La stérilité était une honte et un opprobre parmi ce peuple. La virginité et le célibat, bien loin d'y être en honneur, étaient regardez comme un malheur, et une espéce de malédiction.'

[80] Juges xii.1.

[81] Juges xi.39, 'et sa fille demeura vierge'. Dans le commentaire sur ce verset Calmet introduit une redondance qui n'est pas dans l'hébreu, 'et cette fille était encore vierge, et n'avait point été mariée'. Ce que Voltaire cite, approximativement, est la 'Dissertation sur le vœu de Jephté', *Commentaire littéral ... Juges*, p.xxiv-xxx, où Calmet écrit 'qu'elle ne connoissait point d'homme' (p.xxv). Voltaire fusionne cette citation avec l'inférence du vs.38 qu'elle est demeurée vierge, ce qui crée la redondance.

[82] Voir la 'Dissertation sur le vœu de Jephté', p.xxv, où Calmet offre deux traductions: 'Ceux qui veulent prendre le vœu de Jephté dans le premier sens qu'on a proposé, sont obligés de dire que Jephté immola sa fille au Seigneur, ce qu'on ne peut avancer sans accuser en même temps ce Juge d'Israël d'une ignorance grossière, d'une horrible inhumanité, et d'une extrême impiété. Pouvait-il ignorer que Dieu eût en horreur les victimes humaines? [...] L'Ecriture dit simplement que cette jeune fille ayant demandé à son père deux mois pour pleurer sa virginité, revint au bout de ce terme, *que son père exécuta envers elle ce qu'il avait promis, et qu'elle ne connoissait point d'homme*' (p.xxv). Pourtant, dans la traduction et le commentaire, Calmet écrit, *ad* vs.36, p.190, 'Plusieurs nouveaux [commentateurs] prétendent que les filles ainsi dévouées, étaient attachées pour toujours au service du Seigneur, vivaient dans le célibat, demeuraient enfermées dans le Tabernacle ou le Temple. [...] Mais tout cela n'est nullement fondé dans l'Ecriture', et *ad* vs.39, 'il l'immola au Seigneur'.

[83] Nous ne trouvons pas chez Calmet la comparaison avec Iphigénie que son père, Agamemnon dut sacrifier à Artémis pour que les vents permettent à sa flotte d'arriver devant Troie. Selon une tradition, elle fut sauvée quand Artémis lui substitua une biche et l'amena en Tauride. Selon d'autres traditions, elle fut sauvée par l'arrivée opportune d'un animal apte à être sacrifié, ou par sa métamorphose en taureau ou en génisse ou en ours ou en vieille femme. Il y avait une école de mythologie comparatiste au dix-huitième siècle, avec l'abbé Antoine Banier et le professeur royal d'arabe, Etienne Fourmont, dont les prédécesseurs étaient l'évêque Pierre-Daniel Huet, et, au dix-septième siècle, les grands savants, Gérard Vossius et Hugo Grotius, qui voulaient tous voir dans les légendes païennes des échos des récits bibliques.

[84] Nicolas Lenglet Du Fresnoy, *Tablettes chronologiques de l'histoire universelle, sacrée et prophane, ecclésiastique et civile* (La Haye, F.-H. Scheurleer, 1745; BV2042), 'un vœu indiscret l'oblige de sacrifier sa fille, et de l'engager à garder une virginité perpétuelle', édn. de Paris, De Bure, Ganeau, 1744, t.1, p.22.

⁸⁵ Voltaire possédait le *Rationarium temporum* (Cologne, Sumptibus Societatis [Jesu], 1720; BV2706) du chronologue Denis Pétau. Le passage dont parle Voltaire se trouve dans le t.1, p.15-16, et la citation 'unicam filiam mactavit' se trouve à la p.16. Pétau date l'activité de Jephté entre 3526 et 3532 ans juliens depuis la création. Calmet ne cite pas Pétau dans le contexte du vs.34 qui parle de la fille de Jephté comme de son seul enfant.

⁸⁶ Flavius Josèphe, *Antiquitates*, liv.5, ch.8, section 10.

⁸⁷ Juges xii.13.

⁸⁸ Juges xiii.1.

⁸⁹ Voir, ci-dessus, Calmet, *Commentaire littéral ... Josué, ad* iii.15, et ci-dessus, Josué, n.10.

⁹⁰ Juges xii.6. Voir *Conspirations contre les peuples ou des proscriptions*, éd. Ulla Kölving, *Cahiers Voltaire* 1 (2002), p.132.

⁹¹ Voir, ci-dessus, n.20.

⁹² Juges xiii.2.

⁹³ Juges xiii.1. Nous ne trouvons pas d'autres exemples de la domination d'Israël par l'un ou l'autre de ses voisins pendant une période de quarante ans (voir Calmet, p.203) comme Voltaire le dit. Le nombre de quarante est, comme il le dit aussi, un nombre qui paraît souvent: Moïse reçoit l'alliance avec Dieu sur le Sinaï sans manger ni boire pendant quarante jours (Ex. xxiv.18), puis il monte encore une fois quarante jours pour recevoir les secondes tables de la loi (Ex. xxxiv.28). Les espions de Moïse font le tour de Canaan en quarante jours, et les Israélites errent quarante ans dans les déserts du Sinaï (Nom. xxxiii.33). Après l'intervention du juge Othoniel la terre est tranquille pendant quarante ans (Juges iii.11). Absalon commence sa révolte contre David quarante ans après s'être réconcilié avec lui (II Sam. xv.7). Elie jeûne quarante jours (I Rois xix.8), et finalement Jésus jeûne dans le désert quarante jours (Mt iv.2).

⁹⁴ מורה, *mora*, Juges xiii.5. Dans les lois sur les nazaréens de Nom. vi.5, il est dit qu'un תער, *ta'ar*, genre de rasoir, ne doit pas passer sur la tête. Cf. Lévit. xix.27 pour l'interdiction de certaines tonsures et la défense de se raser certaines parties de la barbe, qui semblent conduire Voltaire à penser que les Juifs ne se rasaient pas.

⁹⁵ Calmet remarque la distinction entre Samson, nazaréen pour la durée de sa vie, et les autres nazaréens dont les lois figurent dans Nom. vi.1-21 qui ne l'étaient que pour des périodes limitées (*ad* Juges xiii.5, p.205). Puis il remarque que Samson ne pouvait pas observer ses obligations de *nazir* strictement à cause de ses actions militaires qui le rendaient impur en raison de ses contacts inévitables avec des cadavres. Voir les *Examens de la Bible* I.221. Ces questions avaient déjà été évoquées dans la Mishna, Nazir, ch.1, et dans le T.B., Nazir 2a et b.

⁹⁶ Voir Calmet, p.259-60, où Calmet parle de Samson comme d'une préfiguration de Jésus: 'On remarque dans la personne et la vie de Samson, tant de traits qui nous figurent Jésus-Christ, qu'il est presque impossible de n'en être pas frappé à la simple lecture', mais il remarque aussi que 'la vie de Samson ayant été aussi remplie de merveilles qu'elle l'a été, il ne doit pas paraître surprenant, que l'antiquité payenne ait emprunté quelques-unes de ses plus brillantes actions, pour en orner un de ses plus

fameux héros. Une partie de ce qu'on nous conte d'Hercules n'est vrai que dans la vie de Samson, et on peut dire en quelque sorte, qu'Hercules n'est que Samson travesti' (p.260). Encore une fois, Voltaire inverse la direction de la comparaison entre l'Ecriture et les légendes païennes. Nisus, fils de Pandion et roi de Mégare avait une mèche rousse ou pourpre dont sa vie et la sécurité de sa ville dépendaient. Sa fille, Scylla, la coupa. Voir Ovide, *Metamorphoseon*, liv.8, vers 1-151. 'Corneto' est une erreur pour Comætho qui arracha le cheveu d'or de la tête de son père Ptérélaos. Voir Apollodore, *Bibliothēkē*, liv.2, section 4.7.

⁹⁷ Calmet traite la chronologie du récit sur Samson, *ad* Juges xiii.1, sans mentionner ni Hercule, ni Pétau, qui discute les dates d'Hercule (3468 ans juliens depuis la création du monde), *Rationarium temporum*, p.31.

⁹⁸ Que les légendes bibliques furent prises aux païens et notamment aux Indiens est un thème fréquent chez Voltaire. Voir par exemple *La Philosophie de l'histoire*, ch.147; l'*Examen important*, ch.5, *OCV*, t.62, p.190-92, et surtout *Dieu et les hommes*, ch.5, *OCV*, t.69, p.291-95.

⁹⁹ Voltaire a soustrait 25 de 1135 pour arriver à 1110, mais il devait ajouter -25 à -1135 pour arriver à -1160.

¹⁰⁰ Voir Calmet sur Juges xiii.1, cité, ci-dessus, Juges, n.89. Hercule fut trahi par son épouse, Déjanire, qui lui donna un vêtement trempé dans le sang du centaure, Nessos. Voir, entre autre sources, Diodore de Sicile, *Bibliothēkē historikē*, liv.4, section 38, et Ovide, *Metamorphoseon*, liv.9, vers 131-238.

¹⁰¹ Voir ci-dessus, Deutéronome, n.30. Mme Du Châtelet imagine, elle aussi, que cette union était interdite, *Examens de la Bible* I.224.

¹⁰² Juges xv.4. Le 'cela' représente les raisons de cette vengeance sur les Philistins (Juges xv.4): les Philistins avaient menacé de brûler vive avec toute sa famille la femme de Timnat – 'Thamnatha' est une forme locative de Timnat, voir Juges xiv.1 – que Samson avait épousée (Juges xv.15), si elle ne convainquait pas Samson de révéler la réponse à l'énigme qu'il leur avait posée, et son père l'avait ensuite donnée en mariage à un Philistin. Omettre ces raisons rend le récit à la fois brutal et illogique.

¹⁰³ Juges xv.4. Voir Calmet, *ad loc.*, 'Cette circonstance pourra paraître extraordinaire à ceux qui ne sauront pas que les renards sont extraordinairement communs dans la Palestine. Quelques voyageurs assurent que ce pays en fourmille'. En fait plusieurs passages bibliques (Néh. iii.35; Ez. xiii.4; Cant. ii.15; Lam. v.18) mentionnent des renards. Mais Calmet ne cite pas ici Samuel Bochart dont l'*Hierozoicon* faisait référence pour la zoologie de l'Ecriture. (Aucune des œuvres de Bochart ne figure dans la BV.) Voltaire parle de Samson et de ses renards ailleurs, notament dans le *Discours de l'Empereur Julien*, *OCV*, t.71B, p.304, n.34.

¹⁰⁴ Meslier ne parle de Samson que dans un passage qui traite de l'annonciation de sa naissance, *Mémoires des pensées et sentiments*, *Œuvres*, t.1, p.164, et jamais de ses renards.

¹⁰⁵ Il semble que Voltaire parle du 'Samson' des *Questions sur l'Encyclopédie* (t.9, 1772), *M*, t.20, p.396-99) où il s'agit des représentations littéraires et théâtrales de

récits bibliques, mais aucunement des *Mémoires* de Jean Meslier. Voltaire néglige d'ajouter cette réfutation dans cet ouvrage.

[106] Juges xvi.3.

[107] Voltaire saute l'histoire archiconnue de la séduction de Samson par Dalila et de la vengeance de Samson, récits abrégés aussi dans les *Examens de la Bible* I.227-28, et continue en commentant Juges xvii.

[108] Jacques de Voragine (vers 1228-1298), *Aurea legenda*, dont il y eut des éditions très nombreuses à partir de 1471 (traduction allemande) et 1477 (version française); Philippe d'Outreman, S.J., *Le Vray pédagogue chrétien* (Lyon, Chez J. Certe, 1686; BV2627). Né en 1585, d'Outreman publia le premier tome de son *Vray pédagogue chrétien* à Luxembourg en 1629, et les deuxième et troisième tomes à Mons en 1645 et 1650. Les rééditions sont, elles aussi, très nombreuses. Il n'est pas évident lequel des recueils alphabétiques devait contenir cette note et éventuellement les notes à partir de n.(*x*), mais il est clair que Voltaire récupère ici du texte sur Samson qu'il avait écrit soit il y avait cinq ans pour les *Questions sur l'Encyclopédie*, soit même avant cette date.

[109] En fait la distance entre Hebron et Gaza est à peu près soixante kilomètres à vol d'oiseau. Voir Calmet, *ad* Juges xvi.3, 'Samson par un effet surprenant d'une force surnaturelle, charge tout cela sur ses épaules, et va les porter sur la montagne qui regarde Hebron. La ville d'Hebron était à plus de douze lieues de Gaza; quand on mettrait la montagne dont l'Ecriture parle ici, à deux lieues en deçà d'Hebron, ce ferait encore dix lieues, qui est un espace prodigieux pour porter une telle charge.' Quant à la raison de cette mésaventure, Calmet l'explique, *ad* vs.4, 'Mais le sentiment le plus ordinaire est, qu'elle [Dalila] était une courtisane, et que Samson ne tomba dans les malheurs qu'on va décrire, que pour s'être abandonné à un amour impur pour une étrangère, et une malheureuse. Toute la suite de ce récit ne justifie que trop ce sentiment. Les artifices et la trahison de cette femme, son amour pour l'argent, son indifférence pour son amant, les gens qu'elle tient cachés dans sa maison, à l'insu de Samson; tout cela découvre le caractère d'une débauchée.' Dans ses *Lettres*, no.24, à Maupertuis, du 23 oct. 1734, Mme Du Châtelet parle du *Samson* de Rameau et de Voltaire qui 'a raccommodé l'opéra et fait de Dalila une très honnête personne malgré ce que nous en conte la très sainte [Ecriture].'

[110] Voltaire et, avant lui, les *Examens de la Bible*, ne commentent pas le roman assez explicite de la séduction de Samson par Dalila (voir Juges xvi et surtout vs. 15 et 16), ce qui étonne chez ces deux philosophes à la recherche de pages scabreuses dans la Bible. Mais Mme Du Châtelet a trouvé dans Calmet (p.253) une page scabreuse dans la guemara (T.B., Sota 10*r*) sur la captivité de Samson, *Examens de la Bible* I.228, que Voltaire ne signale pas.

[111] Cette glose, 'c'est-à-dire, le vêtement sacerdotal', qui manque dans le texte massorétique, se trouvait déjà dans la Vulgate, Juges xvii.5, et ensuite dans les versions de de Sacy et de Calmet.

[112] Voir Calmet, *ad* Juges xvii.1, 'Les trois histoires qu'on lit depuis ce Chapitre jusqu'à la fin de ce Livre, sont rapportées hors d'œuvres, et hors de leur place

naturelle. L'Auteur sacré nous dit simplement qu'elles sont arrivées dans un temps où la République des Hébreux était sans Roi.' Calmet ne propose aucune date pour la rédaction de ces récits, mais dans sa 'Préface sur le livre des Juges', p.vii, il essaie de démontrer que la rédaction n'est pas tardive malgré Juges xviii.30-31. Voltaire avait déjà parlé des massacres de la tribu de Benjamin effectués par les autres onze tribus dans *Des Juifs*, *OCV*, t.45B, p.119, et dans le *Sermon des cinquante*, *OCV*, t.49A, p.86.

[113] Voici l'inverse de la thèse du *Traité des trois imposteurs*, évoquée pour exclure l'attribution du texte à un auteur dont l'intérêt serait lésé.

[114] Il n'est pas évident, comme le prétend ici Voltaire, que les récits de la Genèse ou de l'Exode rappellent ce récit au point d'en être des copies. Mais même mal soutenu, ce renversement, par rapport à l'attribution traditionnelle, de l'ordre des rédactions du Pentateuque et des livres des Juges ainsi que de Samuel et des Rois, semble une thèse originale qui serait adoptée par certains critiques au dix-neuvième et au vingtième siècles.

[115] Gen. xxxi.19-35.

[116] Juges xvii.7.

[117] C'est Calmet, *ad* Juges xviii.7, qui prétend que Laïs était une ville sidonienne, 'Ces paroles, *A la manière des Sidoniens*, marquent que ceux de Laïs, qui étaient apparemment une colonie des Sidoniens, vivaient comme eux dans la paix, dans la sécurité, et dans l'abondance, ou bien qu'ils suivaient les loix, les coutumes et la Religion des Sidoniens.'

[118] Voir Plutarque, *Vies des hommes illustres*, 'Vie de Crassus' VIII-XI.7, pour l'histoire de Spartacus qui s'évada d'une école de gladiateurs pour mener une révolte à Capoue (73 avant l'ère moderne) qui dévasta le sud de l'Italie, monta jusqu'en Gaule Cisalpine et redescendit en Italie où il fut tué en 71.

[119] Voir l'*Essai sur les mœurs*, ch.132, pour l'histoire de la révolte des anabaptistes à Münster en 1534-35, mais l'*Essai sur les mœurs* ne dit rien quant à la révolte des paysans que Luther n'avait pas soutenue.

[120] Il n'y a pas, dans les œuvres de Fréret, de telle reconstruction de l'histoire d'Israël voire d'une conquête de Canaan par étapes par une population indigène et indigente. C'est l'extrapolation révisionniste de Voltaire d'après les récits du livre des Juges sur la vie économique très modeste des Israélites, sur leur soumission aux rois voisins suivie de leurs révoltes.

[121] Juges xviii.27.

[122] Gen. xxxi.30.

[123] Enée prend les pénates avec lui quand il s'échappe de Troie, Virgile, *Enéide*, chant 3, vers 12.

[124] L'hébreu n'est pas ambigu, עד גלות הארץ, *ad glot ha-arez*, 'jusqu'à ce que la terre [métonymie pour les habitants de cette terre] fut exilée' (Juges xviii.30), que Calmet traduit, 'jusqu'au jour qu'ils furent emmenés captifs'. Il n'est donc pas clair à quoi se rapporte le 'elle' de Voltaire, soit à la terre des Danites d'après l'hébreu, soit à la captivité des Danites dont parle Calmet dans son commentaire pour ne pas admettre

que le verset soit postérieur à l'exil des dix tribus en 722 avant l'ère moderne, ce que Voltaire suggère ici. Voltaire a déjà parlé de l'autel de Michas dans le *Traité sur la tolérance*, ch.12, *OCV*, t.56c, p.203-204.

[125] Ici Voltaire écrit dans l'idiome de Mme Du Châtelet qui insiste sur la brutalité avec laquelle les Israélites traitaient les ennemis vaincus, *Examens de la Bible* I.195, 197, 199, 206, etc.

[126] Jos. vi.17, 21.

[127] Parler de ce récit comme d'un 'livre' implique que Voltaire a accepté l'analyse documentaire d'Astruc et, dans son esprit, a isolé cet épisode du reste du livre des Juges. Voir, ci-dessus, Genèse, n.257, et Juges, n.10.

[128] Persée, roi de Macédoine de 179 avant l'ère moderne jusqu'à sa défaite par le général Lucius Emilius Paulus à Pydna en 168. Son fils, Alexandre, après avoir été captif de guerre à Rome, devint greffier. Voir Plutarque, *Vies des hommes illustres*, Vie de Paul Emile XXXVII.

[129] L'arche et le tabernacle construits par Moïse au début des pérégrinations dans le désert furent établis à Shilo par Josué et les anciens d'Israël (Jos. xviii.1). Shilo était centralement situé, près de Shekhem, en fait dans le territoire de la tribu d'Ephraïm (voir Jos. xx.7 et xxi.21 et voir aussi, ci-dessus, n.57).

[130] Juges xix.1.

[131] En fait, selon Calmet (p.viii), suivant la chronologie établie par James Ussher, Josué mourut en 2570 depuis la création. Quant à l'exil des dix tribus, encore suivant Ussher, Calmet le situe dans l'année 3283 (*Commentaire littéral ... IV Rois* (1712), p.iv), comme le fait ici Voltaire.

[132] Voltaire fait l'observation astucieuse que le culte des Israélites jusqu'aux réformes d'Esdras, c'est-à-dire pendant les périodes des juges et de la monarchie, ne fut ni fixe ni conforme aux normes du Pentateuque, mais l'histoire de l'idole de Michas est un peu trop limitée pour la justifier. Il y a d'autres textes sur les réformes des pratiques religieuses sous les rois de Juda qui durent expulser des idoles du temple et interdire des cultes étrangers, et sur le culte officiel de Ba'al sous plusieurs de ces rois du royaume du nord qui soutiennent cette thèse amplement, mais Voltaire ne les connaissait pas ou refusait de les citer.

[133] Juges xix.22. La version de Calmet est plus pudique, 'je vous prie seulement de ne pas commettre à l'égard d'un homme ce crime *détestable* contre la nature.' Voir les *Examens de la Bible* I.231.

[134] Voir Calmet, *ad* Juges xix.1, p.284, 'On n'est pas d'accord sur le temps auquel est arrivée cette histoire. On convient qu'alors il n'y avait ni Roi, ni juge dans Israël; tout ce faisait dans les assemblées par la voix de la multitude.'

[135] Gen. xix.14. Que les anges de ce récit furent 'dans la fleur de l'âge' est l'invention de Voltaire. Calmet avait remarqué le parallèle entre ces récits, *ad* Juges xx.48, p.309.

[136] Mme Du Châtelet était d'accord, *Examens de la Bible* I.231. Ci-après, Voltaire répète la plaisanterie de Mme Du Châtelet qui suppose que si les Sodomites ne voulurent point des filles de Loth, qu'il prétendait être vierges, c'est parce qu'ils les

avaient déjà connues (*Examens de la Bible* I.28). Mme Du Châtelet était étonnée, elle aussi, qu'une femme pût mourir d'avoir subi des viols répétés (I.231).

[137] Il n'y avait pas, contrairement à ce que Voltaire avait remarqué ici et ci-dessus, n.(*x*) et voir n.93, plus qu'une période de quarante ans de servitude.

[138] I Sam. xiii.19. Voltaire cite ce verset, dans les mêmes termes, dans l'*Examen important*, ch.9, *OCV*, t.62, p.200, et, ci-dessus, Samuel ligne 273 et n.(*u*) et (*ab*).

[139] Calmet aussi est étonné, *ad* Juges xx.21, 'On aurait sans doute sujet d'être surpris de la perte de cette bataille, dans une guerre aussi juste, et entreprise avec tant de zèle, pour venger l'honneur de Dieu, et pour punir un crime abominable, si l'on ne savait pas que les jugements de l'Eternel sont bien au-dessus de ceux des hommes'.

[140] Voltaire projette ici, anachroniquement, sur le livre des Juges la notion néo-testamentaire d'un jugement dernier où les douze tribus seront réunies (Apoc. vii.4-8). Dans les derniers prophètes il y a bien des prophéties d'un retour des exilés après la destruction d'Israël par Sanherib, mais rarement (par exemple, Is. xi.14) en rapport avec le thème de la domination sur les autres nations que Voltaire avait déjà identifié dans *La Philosophie de l'histoire*, ch.44, comme un thème principal des prières et des aspirations des Juifs bibliques.

[141] Calmet, aussi, était scandalisé par la vengeance exercée sur les femmes et les enfants de la tribu de Benjamin, *ad* vs.xxi.1, 3 et 21. Les difficultés que confronte Calmet tournent autour des réjouissances, de la musique et des danses à Shilo, qu'il justifie comme méthode pour attirer les gens à la religion, et non pas autour de la stratégie que les Israélites avaient adoptée pour ne pas contrevenir à leur vœu de ne pas donner de filles d'Israël aux Benjaminites.

RUTH

¹ Traduction bizarre de Ruth i.1. Calmet, 'Dans le temps qu'Israël était gouverné par des Juges'. Ici et dans la suite Voltaire écrit 'Hélimélec' là où la Vulgate et Calmet transcrivent plus raisonnablement, '*Elimélech*', 'mon dieu est roi'. Plus loin, Calmet traduira 'alla demeurer comme étranger', ce que Voltaire rend par, 'voyagea chez les Moabites'.

² Voltaire parle ailleurs 'de la grande servitude de quarante ans', Juges, n.(*al*), (*am*), et voir Juges, n.93.

³ Ruth ii.1.

⁴ Pour Genseric, voir Genèse, n.247. Pour Attila, voir l'*Essai sur les mœurs*, ch.11, *OCV*, t.22, p.215-16.

⁵ Calmet traduit l'hébreu, נערתי, *na'arotai*, suivant la Vulgate par 'mes filles', dans le sens de 'mes servantes' et non pas 'mes moissonneuses'.

⁶ La traduction de Calmet, 'Ruth lui fit une profonde révérence, et se prosternant le visage contre terre', ne comporte pas l'allusion à une adoration que Voltaire introduit ici.

⁷ *Nahal Cedron*, ou mieux *Kidron*, figure dans I Rois ii.37, et voir, ci-dessous, Samuel, n.(*cm*).

⁸ La façon dont Voltaire imagine la nourriture des moissonneurs, et donc de Ruth, est différente de celle de Calmet, *ad* vs.14.

⁹ Voltaire suit Calmet sur Ruth iii.3, 'prenez vos plus beaux habits', alors que l'hébreu ne spécifie pas la qualité des vêtements.

¹⁰ Voltaire introduit une équivoque en omettant le complément du verbe qui est dans l'hébreu. Voir Calmet, 'étendez votre couverture sur votre servante', vs.8.

¹¹ Les auteurs qui critiquent le manque de pudeur de la conduite de Ruth sont Calmet, *ad* vs.4, 'A n'envisager l'action de Ruth et le conseil que Noëmi lui donne, que par des yeux charnels, et selon les idées de la concupiscence, on ne peut s'empêcher d'en avoir quelque honte et quelque horreur, comme le remarque S. Ambroise', et Mme Du Châtelet, *Examens de la Bible* I.234, 'Le livre de Ruth, qui suit celui des Juges, contient l'histoire d'une catin moabite qui va se fourrer sous la couverture d'un Israélite nommé Booz, pendant qu'il dort afin de l'épouser parce qu'il est riche.'

¹² Voir n.(*f*).

¹³ Voltaire fait un résumé qui trahit le texte. D'après Deut. xxv.5-9, c'est la veuve qui enlève la chaussure du plus proche parent mâle de feu son mari, et lui crache à la figure pour l'embarrasser pour avoir refusé de l'épouser. Voltaire n'a pas saisi que le texte de Ruth ne représente pas la même tradition que le Deutéronome au sujet du lévirat, ni que les modalités de vente ou de transfert de terrains, accomplies ici par le transfert d'une chaussure, ne correspondent pas à celles attestées dans Jér. xxxii.11 et

14, où il s'agit de deux certificats de vente rédigés devant témoins, ce qui veut dire que l'auteur du livre de Ruth ne les connaissait pas et qu'il vivait donc longtemps avant ou longtemps après que les pratiques témoignées dans le Lévitique et dans Jérémie fussent la norme dans la société israélite.

[14] Dans la loi rabbinique, l'obligation d'épouser une veuve sans enfants incombe au plus proche parent mâle (voir Mishna, Yevamot, ch.2, *halakha* 8), et une fois que la cérémonie dite 'haliza' est accomplie, aucun autre parent de son mari décédé n'a l'obligation d'épouser la veuve qui est libre d'épouser l'homme de son choix. L'obligation de racheter un terrain aliéné, au contraire, incombe aussi aux parents autres que le plus proche d'entre eux (Lévit. xxv.47-49). Le livre de Ruth et Voltaire confondent les deux obligations.

[15] Clément VII (Jules de Médicis, pape de 1523 à 1534) refusa en 1533 d'annuler le mariage d'Henri VIII d'Angleterre avec Catherine d'Aragon, veuve de son frère aîné, Arthur, après que son prédécesseur, Jules II, avait en 1527 émis une 'dispense de l'empêchement d'affinité' pour permettre ce mariage. Voir le *Dictionnaire de théologie catholique*, éd. Vacant et Mangenot, t.3¹, col.73-74, et t.6², col.2184-85. Voir aussi l'*Essai sur les mœurs*, ch.135.

[16] Alexandre VII (pape de 1655 à 1667). Voir *Le Siècle de Louis XIV*, ch.10, où Voltaire associe avec Clément IX (pape de 1667 à 1669), successeur d'Alexandre VII, l'annulation du mariage de Marie de Savoie avec Alphonse VI (1667).

SAMUEL

¹ I Sam. ii.12-16. Voltaire traduit בני בליעל, *bnei beli'al*, comme si 'Beli'al' était une personne. L'expression est fréquente dans l'Ancien Testament et semble vouloir dire, des vauriens, et par extension, des méchants.

² Newton, presque toujours dans cet ouvrage, 'le grand Newton', est moins sûr de l'attribution du livre de Samuel que Voltaire le prétend ici. Voir son ch.1, 'Introduction concerning the compilers of the Old Testament', *Observations upon the prophecies of Daniel and the Apocalypse of St. John*, p.8, 'Samuel is also reputed the author of the first book of Samuel, till the time of his death. The two books of Samuel cite no author, and therefore seem to be originals. They begin with his genealogy, birth and education, and might be written partly in his life-time by himself, or his disciples, the Prophets at Naioth in Ramah, I Sam. xix.18, 19, 20, and partly after his death by the same disciples.' En pratique Newton acceptait ce que les Grecs avaient rapporté sur la chronologie, tout en l''amendant' par des calculs astronomiques qui identifiaient les temps où l'axe de la terre était orienté de sorte que les signes du zodiaque ou les autres constellations fussent visibles dans des positions qui correspondaient aux témoignages des anciens. Etant donnée l'imprécision de l'identification des constellations, même si les calculs de Newton étaient justes, leur valeur pour déterminer la chronologie doit être décrite comme 'conjecturale'.

³ Voltaire suppose que ce livre de la Bible fut rédigé par un Lévite intéressé, ce qu'il suppose ailleurs de certains autres livres bibliques, d'où la formule du 'Lévite faussaire' que Voltaire introduit ici et répète dans la suite alors que les Lévites ne figurent guère dans les récits sur Eli, Samuel, Saül et David qui sont la matière des livres de Samuel – I Sam. vi.15 est une exception – et des Rois. Puis Voltaire change d'avis et identifie l'auteur des récits sur Saül et David comme un prêtre, bien que ces récits concernent les péchés de membres de sa caste, ce qu'un rédacteur intéressé aurait caché autant que possible.

La tradition biblique identifie les Philistins comme résidant dans la région de Gaza, le long de la côte, dans le sud de la Palestine, depuis l'âge des patriarches. D'après les archéologues modernes, ils n'y seraient arrivés que vers 1200 ans avant l'ère moderne, bien après l'ère où les récits de la Genèse situent les patriarches. Cette nation maritime, 'peuples de la mer' selon un texte égyptien, serait venue non de Phénicie, comme le prétend ici Voltaire, mais de Chypre (*Caphtor*, voir Gen. x.14, Deut. ii.23, Jér. xlvii.4 et Amos ix.7), de Crète ou d'autres 'îles de la mer' (cf. Ez. xxv.16 et Zeph. ii.5), ce qui est soutenu par le fait que le mot de סרן, *seren*, qui qualifie leurs chefs (Juges xvi.23 et I Sam. vi.4, etc.) est en fait une forme archaïque du grec, τύραννος, *tyrannos*. Il semble que Voltaire cherchait à contredire Calmet qui, dans sa 'Dissertation sur l'origine, et sur les divinités des Philistins', *Commentaire littéral ... Les Trois premiers livres des rois* (1711), p.viii-xii, les avait fait venir soit de Crète ou de Chypre, soit de la Cappadoce.

4 Pour Fréret, voir, ci-dessus, Genèse, n.240, et Juges, n.9.

5 I Sam. ii.22. Mme Du Châtelet est moins directe, les 'enfants d'Elie manquaient un peu de respect aux femmes qui venaient se purifier au temple', *Examens de la Bible* I.235.

6 I Sam. iii.1-8.

7 I Sam. iii.7. Cf., *Examens de la Bible* I.236, '*Car il ne connaissait pas encore la voix du Seigneur*, dit le verset 7, chapitre 3. Apparement qu'il a une voix particulière à laquelle ceux qui sont au fait ne se méprennent pas.'

8 Jacques de Voragine, *Aurea legenda*. Voir ci-dessus, Juges, n.108.

9 Les *Fioretti di san Francesco*, entre 1370 et 1390, épisodes de la vie de François d'Assise et de ses premiers disciples, ouvrage qui eut un grand succès et fut transmis en d'innombrables manuscrits.

10 I Sam. iii.12. דבר, *davar*, chose ou phrase, d'où le 'verbe' si johannique de Voltaire.

11 I Sam. iv.1-9.

12 Comme on l'a suggéré dans Genèse, n.165 et 240; Exode, n.25; Josué, n.34 et Juges, n.9, Voltaire cache ses opinions derrière l'autorité de Woolston, de Du Marsais, de Fréret, de Boulanger et de l'abbé Longuerue, 'pseudo-auteurs' qui n'ont rien écrit ni sur ce passage de I Sam., ni sur la théologie des Juifs du temps de Samuel.

13 I Sam. iv.18.

14 En fait, I Sam. iv.2 parle d'environ 4000 morts, et le vs.10 parle d'encore 30 000 soldats d'infanterie tués, versets où la Vulgate suit l'hébreu fidèlement. Voltaire a fait l'addition des deux chiffres. Calmet ne remarque rien d'extraordinaire dans ces chiffres, et n'a donc recours, ni à l''exagération', ni à une prétendue faute de copiste pour excuser le texte. Il ne remarque pas non plus que le texte ne spécifie pas le lieu du combat qui, selon le vs.1, devait être situé entre le camp des Israélites à Even Ha-'ezer et celui des Philistins dans l'Ofek. Calmet n'a pas remarqué non plus qu'une telle précision géographique n'est pas pertinente à la finalité de ces chapitres de l'Ecriture, fût-elle la biographie et l'éloge de Samuel ou une autre. C'est Voltaire qui distingue une finalité littéraire (ou religieuse) dans ce récit.

15 Bolingbroke, dans la seconde de ses *Letters on the study and use of history* (voir, ci-dessus, Genèse, n.317), essaie de montrer que le texte biblique n'est pas une chronique fiable, mais il n'y propose pas cet exemple.

16 I. Sam. v.1-5.

17 I Sam. v.9-12. Pour 'les Azotiens', les habitants de עזה, *'Aʒa*, Gaza – le latin n'ayant pas de consonne qui correspondait à la prononciation de l'ע que Jérôme entendait, il écrivait soit rien, comme ici, soit un *g*, comme dans sa transcription de עמורה, *'amora*, 'Gomorrhe' – là où le texte massorétique parle de résidents d'Ashdod, Voltaire suit Calmet qui suit la Vulgate qui, vs.1, 3, 6 etc., traduit 'Azotum' et 'Azotii'. Quant aux rats, Calmet admet, *ad* vs.6, *incipit*, 'Et ebullierunt villæ et agri', qu'il n'y en a pas dans le récit massorétique, ni dans le grec, le syriaque ou l'arabe, mais que Jérôme ajoute un bout de verset qui en parle, 'nati sunt mures', éventuellement pour harmoniser le récit avec celui qui suit sur les rats d'or offerts

par les Philistins avec le retour de l'arche, I Sam. vi.5 et 11. Calmet, dans le vs.6, suit Jérôme, 'Et on vit fourmiller des champs et des villages une multitude de rats.'

[18] Ces paroles ne se trouvent ni dans la troisième, ni dans la quatrième de ses *Letters on the study and use of history* (voir, ci-dessus, Genèse, n.165).

[19] Voltaire répète assez souvent qu'Hérode n'était pas juif, par exemple, ci-dessous, 'D'Hérode', et qu'il a construit un temple plus magnifique que celui de Salomon. Voir, ci-dessus, Genèse, n.(*dl*).

[20] I Sam. vi.1.

[21] Voltaire renvoie à Gen. xx, qui ne parle pas d'hémorroïdes mais d'empêchements d'accoucher; Calmet ne remarque pas la similitude entre les punitions d'Abimelekh et de son peuple dans Gen. xx et la punition des Philistins, ses descendants, dans I Sam. v et vi. C'est Voltaire qui l'a saisie.

[22] Il y a dans l'*Encyclopédie*, un article 'Hémorrhoïdes' assez détaillé, qui ne contient pas la distinction entre une chute du boyau du rectum et une chute du fondement que fait ici Voltaire, et qui ne parle pas de la maladie dont souffraient les Philistins selon ces chapitres. Il ne semble pas que Voltaire y ait puisé.

[23] Sam. vi.9. Voltaire suit la version de Calmet qui traduit le latin, 'sed casu accidit', par le mot 'hazard' qui avait acquis un sens technique inconnu des rédacteurs des livres bibliques. Jean Meslier avait déjà évoqué l'histoire de ces vaches, *Mémoires des pensées et sentiments*, *Œuvres*, t.1, p.164.

[24] Sur Jannès et Mambrès, voir, ci-dessus, Exode, n.(*h*). et n.12. Là aussi ils sont associés avec Balaam qui figure avec eux dans un récit midrashique sur les magiciens de Pharaon dans lequel de vrais pouvoirs magiques et prophétiques leur sont attribués. Voltaire vient de parler de Balaam, ci-dessus, Nombres, n.(*p*), où il penchait pour un Balaam qui adore le même dieu que les Israélites. Pourtant l'idée qu'un idolâtre puisse être un vrai prophète avait dérangé les anciens exégètes. Pour ne prendre qu'un exemple, RaShI, *ad* Nom. xii.5, se sentait obligé d'expliquer que, suivant des avis beaucoup plus anciens, comme T.B., Bava batra 15*v*, qui contient une liste de prophètes des nations non juives, il fallait que les païens aussi aient reçu la parole de Dieu afin de les tenir responsables de leurs contraventions à la loi morale et religieuse la plus fondamentale, et que Dieu avait donc dû inspirer Balaam ainsi que plusieurs autres prophètes non juifs.

[25] I Sam. vi.4 et 18. L'expression, 'fait au tour' est employée par Diderot dans *Jacques le fataliste* (1771-1778). Calmet avait déjà discuté la forme que ces anus devaient avoir, *ad* I Sam. vi.4, p.70, 'quelques interprètes, ont prétendu que les cinq villes [philistines] firent faire chacune une figure qui les représentait, soit qui les représentassent suivant leur forme naturelle, ou sous quelque autre figure ou emblême. D'autres ont avancé qu'on avait fait des figures d'hommes dans une posture qui marquait l'incommodité dont parle l'Ecriture.'

[26] I Sam. vii.2. 'La maison d'Israël se reposa [ויּנחו, *va-yinahu*] après le Seigneur' est une traduction originale de Voltaire. Calmet avait traduit, 'lorsque toute la maison d'Israël s'attacha constamment au Seigneur', ce qui n'est pas plus clair.

[27] I Sam. viii.1.

[28] Voltaire venait de parler de ce verset difficile dans *La Défense de mon oncle* (*OCV*, t.64, p.196), dans une énumération des défauts de la Providence, mais n'y traitait pas encore ce verset, comme il le fait ici, de texte défectueux. Dans ses *Remarques critiques sur I. Samuel, ch. VI, ver. 19* (Londres, J. Lister, 1768; BV1781), dédiées à Robert Lowth, évêque d'Oxford, qui n'avait pourtant rien écrit sur l'authenticité de I Sam. vi.19, brochure qui parut aussi en anglais la même année, Benjamin Kennicott essaie de démontrer que des auteurs juifs (RaShI et le *targum* dit de Jérusalem) et chrétiens (notamment Samuel Bochart dans son *Hieroʒoicon*, Jean Leclerc dans son édition des prophètes antérieurs avec commentaire, 1708, et Calmet, *ad loc.*, p.80-81) ses prédécesseurs, avaient déjà reconnu que le chiffre de 50 070 était exagéré, et que cette exagération était probablement due à une faute de transmission. Il y critique Voltaire personnellement ainsi que sa *Défense de mon oncle*, 'Par un traité qui vient de paraître, intitulé *La Défense de mon oncle*, on peut juger de l'air triomphant dont les incrédules de nos jours se saisissent du texte précédent, comme il est aujourd'hui corrompu; et du haut rang qu'il tient dans le catalogue de leurs objections contre la Révélation. L'intention de cette petite brochure, aussi bien que de quelques autres du même auteur célèbre, est de tourner en ridicule ces Livres Sacrés, qui pour tout chrétien sont plus chers que la vie; et dans son premier chapitre, un des premiers brocards qu'il lance contre la Bible, est la destruction de 50 070 hommes de Beth-Shemesh pour avoir (comme il s'exprime) regardé l'Arche. [...] cependant les incrédules, qui voudraient passer pour savants, devraient être honteux de mettre au jour des objections contre un livre, quand ils n'entendent pas la langue dans laquelle ce livre a été écrit. Et si cet auteur avait su que le mot hébreu [ושאלו, *ve-sha'alu*, Ex. iii.22] qui a été souvent mais improprement rendu par celui d'emprunter (dans le cas des Israélites) signifie *demander* et *prier pour*, sans doute, par égard pour sa propre réputation, il ne les aurait point accusés d'avoir *volé les Egyptiens*: accusation, qui orne aujourd'hui d'une manière si splendide la conclusion de ce nouveau panégyrique de l'Infidélité' (postface de la version française de la brochure de Kennicott, p.35-36). Contrairement à ce que prétend Kennicott dans sa brochure, il y a des versets comme Ex. xxii.13 et II Rois vi.5, où le verbe *ShAL* ne peut vouloir rien dire d'autre, en raison du contexte, qu'emprunter, et qui autorisent la traduction qu'en fait Voltaire dans ses discussions du comportement des Juifs lors de l'exode d'Egypte. L'article 'Bethsamès ou Bethshemesh' des *Questions sur l'Encyclopédie* (1771, *OCV* t.39, p.356-59) laisse croire que Voltaire avait déjà lu la brochure de Kennicott, et dans *Un chrétien contre six Juifs* §XXVI, *M*, t.29, p.325, il en avait parlé explicitement, et dans les même termes qu'il adopte ici.

Voltaire n'a guère pu connaître l'édition critique du texte hébraïque de l'Ancien Testament préparée par Kennicott, *Vetus Testamentum Hebraicum cum variis lectionibus* (Oxford, Clarendon Press, 1776-1780), car la parution du premier tome, le Pentateuque, coïncida avec celle de *La Bible enfin expliquée*. De toute façon, c'est une édition destinée aux hébraïsants experts que Voltaire n'aurait pas su exploiter. Quant à ce que Voltaire cite de la dédicace des *Remarques critiques*, que Kennicott et Lowth 'sont bien revenus de leurs préjugés en faveur du texte', il s'agit, dans le texte de Kennicott, de leurs préjugés en faveur du texte massorétique tel qu'il était imprimé par les Juifs – Kennicott croyait qu'il pouvait l'améliorer à partir de variantes tirées des manuscrits –, mais non pas, comme Voltaire le laisse entendre ici et dans 'Bethsamès ou Bethshemesh', p.357-59, qu'ils niaient la fiabilité de la Bible hébraïque comme témoin de l'histoire. Il n'est pas clair si Voltaire a mal représenté ce que disait Kennicott intentionnellement ou s'il ne comprenait pas la distinction technique entre un texte fiable et un texte dont le contenu est fiable.

Lowth fut nommé au siège épiscopal d'Oxford en 1766, puis élevé au siège de Londres en 1777. Voltaire avait fort apprécié son *De sacra poesi Hebræorum prælectiones academicæ* (Oxford, 1753 et 1763) dans son article de *La Gazette littéraire* du 30 septembre 1764, *M*, t.25, p.201-208, sans qu'aucune des deux éditions du *De sacra poesi* de Lowth, ni sa traduction d'Isaïe avec commentaire ne figure dans la BV.

[29] Cette observation stylistique se trouve déjà dans Spinoza, *Tractatus theologico-politicus*, ch.1, sections 23-24, dont seule la version française, sous un des trois titres de l'édition originale, *Réflexions curieuses d'un esprit désintéressé sur les matières les plus importantes au salut* (Cologne [Amsterdam], C. Emmanuel, 1678) figure dans la BV, no.3202.

[30] I Sam. vi.19. Meslier avait évoqué cet épisode de la mort des Israélites qui avaient regardé l'arche du Seigneur, *Mémoires des pensées et sentiments*, *Œuvres*, t.1, p.164. Calmet, *ad loc.*, 'Parce qu'ils l'avaient considérée avec trop de curiosité, avec trop peu de respect et de précaution; car de l'avoir vue venir, d'être allés au devant, de lui avoir rendu des respects, ce ne pouvait être un crime punissable.'

[31] Voltaire s'éloigne ici de la version de Calmet, 'Etablissez donc sur nous un Roi, comme en ont toutes les nations' (I Sam. viii.4), apparemment pour démontrer sa grande érudition – il sait que le mot hébraïque pour roi est מלך, *melekh* – et pour insister sur la petite échelle de la royauté juive de l'époque, il traduit *melekh* par 'roitelet'.

[32] Encore une fois, il n'y pas le moindre prétexte dans l'hébreu pour l'emploi du diminutif que Voltaire choisit alors que Calmet traduit 'roi'.

[33] Eli est puni pour les fautes de ses fils dans I Sam. ii.31-34, tandis que les enfants de Samuel disparaissent de l'histoire sans qu'on sache leurs fautes ni leur sort.

[34] Sir John Arbuthnot (1667-1735), médecin, mathématicien, statisticien et satiriste écossais, 'scriblerian' avec ses amis Jonathan Swift et Alexander Pope, n'a jamais publié de critique biblique. Parce que Voltaire le connaissait personnellement (voir André-Michel Rousseau, *L'Angleterre et Voltaire*, *SVEC* 145-47 (1976), t.1, p.79, et n.13), on ne peut exclure que ce soit un souvenir d'opinions tranchées sur la Bible exprimées lors d'une conversation privée.

[35] Evêque d'Avranches de 1692 à 1699 et homme de lettres renommé, Pierre-Daniel Huet était aussi un grand érudit hébraïsant et apologiste. Le neveu londonien dont il s'agit ici, ainsi que le petit-neveu dont Voltaire avait parlé dans l''Avis' de sa pièce *Saül*, *OCV* t.56A, p.461, semblent être de son invention car ils sont autrement inconnus. Huet/Hut/Hutte – l'orthographe de son nom, comme l'identification de sa personne, varient d'ouvrage en ouvrage – semble une déformation du nom d'un

déiste et polémiste anglais, Peter Annet (1693-1769), à qui un traité anonyme, *The Man after God's own heart* (Londres, R. Freeman, 1761; BV624), est attribué dans le *Dictionary of National Biography* en raison d'un autre pamphlet, *A view of the life of King David* ([1747]), qui lui est attribué avec plus de certitude. (Les éditeurs de la BV attribuent *The Man after God's own heart* à un Archibald Campbell, tandis que les rédacteurs du *Catalogue* de la British Library l'attribuent à un John Noorthouck, mais Voltaire n'associe jamais ce livre avec aucun d'eux. Ces mêmes rédacteurs attribuent *A view of the life of King David* à un W. Stilton, et le datent de 1765.) Dans l'"Avis" de *Saül*, Voltaire date *The Man after God's own heart* de 1728, ce qui est impossible. Les éditeurs du *CN*, t.2, p.366, n'indiquent pour *The Man after God's own heart* qu'un signet, p.92/93, bien que Voltaire ait cité plusieurs autres passages de cet ouvrage qu'il connaissait bien. Mais Voltaire ne cite jamais la version française rédigée par le baron d'Holbach, *David, ou l'histoire de l'homme selon le cœur de Dieu* (Londres [Amsterdam], 1768) qui manque à la BV.

Norman Torrey, dans son 'Voltaire and Peter Annet's *Life of David*', *PMLA* 43 (1928), p.836-43, prétend que Voltaire connaissait *The Man after God's own heart* déjà en octobre 1761, c'est-à-dire immédiatement après sa publication, à en juger d'après sa lettre à Alexis Jean Le Bret du 18 de ce mois, D10078, qui parle d'un livre critique du roi David, sans mentionner de titre: '[l'art. 'David' de Bayle] est infiniment modéré en comparaison de ce qu'on vient d'écrire en Angleterre. Un ministre a prétendu prouver qu'il n'y a pas une seule action de David qui ne soit d'un scélérat digne du dernier supplice, qu'il n'a point fait les psaumes, et que d'ailleurs ces odes hébraïques qui ne respirent que le sang et le carnage, ne devraient faire naître que des sentiments d'horreur dans ceux qui croient y trouver de l'édification.' Mais Torrey (p.837, n.5) est disposé à penser que Voltaire ne connaissait pas encore en 1761 l'identité de l'auteur car son identification est fausse: Peter Annet n'était pas ministre de l'Eglise anglicane. Les auteurs de l'introduction à *Saül*, *OCV*, t.56A, p.395-401, ne sont pas convaincus par les arguments de Torrey et minimisent l'influence d'Annet sur Voltaire. A notre avis, il est bien possible que Voltaire ne connaissait pas d'attribution pour le pamphlet contre David qu'il avait lu ou dont il avait entendu parler quand il écrivait à Le Bret, mais qu'il croyait en connaître une lorsqu'il préparait pour le *Dictionnaire philosophique* de 1767 l'art. 'David'. Si dans celui-ci Voltaire ne mentionne aucune source, dans l'art. 'David' des *Questions sur l'Encyclopédie* (1771, *OCV*, t.40, p.349), qui en est peut-être une ébauche, il attribue en effet *The Man after God's own heart* à un 'M. Hutte', membre du Parlement, ce que Peter Annet ne fut jamais non plus.

Le fait que Voltaire ne cite jamais M. Huet ou Hut ou Hutte qu'au sujet de la monarchie davidique renforce son identification exclusive avec l'auteur de *The Man after God's own heart* et donc avec Annet qui n'est connu pour aucun traité critiquant d'autres récits bibliques. Il se peut qu'il y ait une explication pour cette identification: si Voltaire avait appris le peu qu'il savait sur l'auteur de ce traité dans une communication manuscrite (encore non identifiée), il aurait pu prendre l'*a* majuscule manuscrit d'Annet pour un *h* majuscule, et les deux *n* pour un *u* ou un *ue* ou un *ut*, d'où 'Hut' ou 'Huet' ou 'Hutte', car ces lettres se ressemblent dans certaines mains peu soigneuses. Autrement, si Voltaire connaissait le nom d'Annet et s'il était au courant de son décès en 1769, il n'aurait plus eu raison de déguiser son identité dans les *Questions sur l'Encyclopédie* puis dans *La Bible enfin expliquée*.

[36] Il semble que Voltaire se trompe ici. Arbuthnot n'a écrit qu'un ouvrage en latin, un *Oratio anniversaria*, et il ne contient rien qui s'approche de la citation que Voltaire lui attribue. Il se peut que Voltaire rapporte un dicton qu'Arbuthnot avait ou était réputé avoir prononcé mais n'a jamais publié. Aucun de ses écrits ne figure dans la BV, et Rousseau (voir, ci-dessus, n.34) ne mentionne pas la citation latine que Voltaire lui attribue ici. En fait, selon M. Bernhard Lang, que nous remercions pour ces informations, 'evincere conatur' (cherchait à démontrer) appartient au latin des savants du dix-huitième siècle, tandis que 'jure diabolico' appartient à la rhétorique politique au moins depuis que cette expression fut appliquée à l'empereur Joseph Ier en septembre 1705 ('emperor *jure diabolico*'), dans une polémique politique que John Tutchin publia dans son *Observator*. Voir John Philipps Kenyon, *Revolution principles: Politics of party, 1689-1720* (Cambridge, 1990), p.109.

[37] Voltaire généralise ici à partir de l'histoire de Joseph: il est vendu à Potiphar, 'eunuque de Pharaon' (Gen. xxxix.1), puis emprisonné avec l'échanson de pharaon et avec son panetier, qui sont tous deux identifiés comme eunuques (Gen. xl.2). Calmet signale bien à leur propos l'emploi du mot סריס, *saris*, mais prétend, *ad* vs.15, sans le démontrer, que ce mot 'ne signifie pas toujours un eunuque réel; il marque ordinairement un officier de la Cour d'un Roi'. L'article 'Eunuque' de l'*Encyclopédie*, signé 'd', *i.e.*, Arnulphe d'Aumont, parle des eunuques d'après Buffon, surtout du point de vue médical, et ne prétend pas que la pratique de châtrer les hommes avait une origine babylonienne.

[38] I Sam. ix. Calmet traduit le vs.2 plus explicitement, 'Il était plus haut de toute la tête que le reste du peuple.'

[39] Calmet traduit נכבד מאוד, *nikhbad me'od*, très respecté, ou peut-être, d'après Gen. xiii.2, très riche, par 'célèbre'.

[40] Voir l'*OED, s.v.*, qui indique que Smithfield était une localité de Londres où il y avait un marché de bestiaux, d'où un 'Smithfield bargain' ainsi qu'un 'Smithfield marriage', mariage contracté pour des motifs financiers. Sur Saül à la recherche des ânesses de son père, voir *Saül*, Acte I, Scène 1, *OCV*, t.56A, p.468.

[41] Calmet, *ad* vs.7, 'Saül et son serviteur pouvaient-ils ignorer le désintéressement de Samuël, qui était si connu de tout Israël? Croyaient-ils que ce prophète vendit, comme les devins ordinaires, ses prédictions pour l'argent? Non, sans doute. Mais on voit par toute l'Ecriture, que l'on n'allait point voir les prophètes qu'on ne leur portât quelques présents, pour leur marquer son respect et reconnaissance.' Nous n'avons pas trouvé chez Bolingbroke de qualification des prophètes des Juifs comme charlatans, mais Annet parle de leurs honoraires coutumiers, p.3-4.

[42] Calmet avait tiré des conséquences plus précises que Voltaire de ce vs.9, 'Il est visible que celui qui a écrit ce passage, ne vivait pas du temps auquel ceci se passa; car comment aurait-il pu deviner qu'une manière de parler commune de son temps,

changerait, et qu'une autre prendrait sa place dans l'usage commun des Juifs? Ainsi la plupart des interprètes veulent que ces paroles aient été ajoûtées ici longtemps après Samuël, par Esdras, ou par quelqu'autre Prophète, qui a remanié ses écrits.' Voir aussi les *Examens de la Bible* I.241.

[43] Saül, David et Agag, roi d'Amalek, respectivement. Voltaire parle très souvent de la cruauté de Samuel, qui, selon la Vulgate, 'Et in frusta concîdit eum Samuel coram Domino in Galgalis' (I Sam. xv.33), et Calmet, 'Samuel le coupa en morceaux devant le Seigneur à Galgal'. Voir *Saül*, Acte I, Scènes 2-3, *OCV*, t.56A, p.471-80, où Samuel coupe Agag en morceaux sur scène. La traduction du *hapax*, ויּשׁסף, *va-yeshasef* (vs.33), de la racine שׁסף, *ShSP*, par Jérôme, Calmet et Voltaire est confirmée dans l'hébreu post-biblique. Voir Marcus Jastrow, *A Dictionary of the targumim, the Talmud Babli and Yerushalmi, and the midrashic literature* (Réimpression: Philadelphie, Jewish Publication Society, 1903), *s.v.*, qui traduit, diviser ou partager.

[44] Calmet, *ad* I Sam. x.1.

[45] Pour l'onction d'Aaron, voir Ex. xxix.21; Lévit. viii.2, 12 et cf. Ps.cxxxiii.2, non cités par Calmet, *ad loc*. Quant aux péchés d'Aaron, dans Nom. xii.1-9 il est tenu coupable de médisance mais non de 'prévarication', et dans Ex. xxxii.1-6, 21-25 Aaron fabrique le veau d'or et invite les Israélites à faire la fête le lendemain en l'honneur du dieu qui vient de les faire sortir de l'Egypte, ce qui peut être considéré, à la rigueur, comme une 'apostasie', bien que le mot soit anachronique. Cette faute n'est pas imputée à Aaron ailleurs.

[46] Dans I Sam. x.17-27, où Samuel présente Saül au peuple, il ne l'oint pas, mais Voltaire suit *The Man after God's own heart*, p.3, 5, qui le suppose.

[47] Certains des détails apportés ici par Voltaire sur l'onction des rois dans les royaumes de Juda et de Samarie puis en France viennent de Calmet, *ad* I Sam. x.1, p.120-22. Pour 'la sainte ampoule' avec laquelle les rois de France étaient oints, voir l'*Histoire du parlement de Paris*, ch.34, *OCV*, t.68, p.338, et l'*Essai sur les mœurs*, ch.13, *OCV*, t.22, p.235.

[48] Voir I Sam. x.11-13.

[49] Voir Annet, p.3. Implicitement, Voltaire remarque ici l'incohérence entre les trois récits sur l'accession de Saül à la royauté: un premier où il fut oint par Samuel en privé (I Sam. x.1), un deuxième où son élection de Saül est confirmée par des sorts (I Sam. x.20-23, et voir *Saül*, Acte I, Scène 1, *OCV*, t.56A, p.470), et un troisième où Saül devient roi après sa victoire retentissante sur Ammon (I. Sam. xi.14-xii.5), sans suggérer que ces récits viennent de sources différentes.

[50] I Sam. xi.1. Voltaire ne suit pas la version de Calmet très fidèlement, 'Recevez-nous à composition, et nous vous serons assujettis.'

[51] I Sam. x.25, 'Samuel prononça ensuite devant le peuple la loi du Royaume, qu'il écrivit dans un livre, et le mit en dépôt devant le Seigneur' (version de Calmet). Calmet commente, 'On sait assez peu quelle est cette Loi du Royaume', et il propose Deut. xvii.16 comme la loi dont il s'agit. Il continue de citer d'autres possibilités pour cette loi, mais aucune d'entre elles ne vient du Lévitique. De plus le Lévitique en fait

parle de נשיא, *nasi*, chef de tribu, ou, d'après le contexte, chef de tout le peuple (Lévit. iv.22), comme dans Ezéchiel (Ez. xliii.3 et xlv.4, 8-18), et non de rois ou de royaume. Voir, ci-dessus, Deutéronome, n.(*h*) et n.28.

[52] Trois cent mille soldats, I Sam. xi.8; que les Israélites n'avaient ni armes ni instruments de labour en fer vient d'un autre récit, I Sam. xiii.19-22, et voir Calmet *ad loc.* où il essaie d'harmoniser ce manque d'outils de fer avec la paix qui régnait entre Israël et les Philistins (p.164-65). Voltaire parle souvent de cet état des choses, toujours en citant le vs.19. Voir *Des Juifs*, *OCV*, t.45B, p.119; *Dieu et les hommes*, ch.18, *OCV*, t.69, p.357; l'*Examen important*, ch.8 et 9, *OCV*, t.62, p.198 et 200, *Saül*, Acte III, Scène 1, *OCV*, t.56A, p.502-503, et, ci-dessus, Juges, n.(*am*).

[53] Il s'agit, évidemment, de Jonathan Swift, *Gulliver's travels* (1726 et rééditions; manque à la BV). Cette comparaison ne se trouve pas dans les *Letters on the study of history* II de Bolingbroke, mais la comparaison avec Gulliver avait déjà paru, presque mot pour mot, dans l'*Examen important*, ch.8, *OCV*, t.62, p.200, comme anecdote sur le lieutenant-général Henry Withers qui va figurer ci-dessous (n.(*ca*) et n.201), et voir aussi *Dieu et les hommes*, ch.18, *OCV*, t.69, p.357.

[54] Voltaire cite Calmet, *ad* I Sam. xiii.19, p.165, en omettant un mot, 'Il est donc fort croyable'. Voir Calmet, *ad* I Sam. xiii.5, p.154-55, 'Ce nombre de chariots de guerre parait incroyable à bien des gens; on n'en a jamais tant vu à la fois. [...] c'est sans doute un nombre un peu fort. De plus, ce nombre de chariots ne paraît pas assez proportionné à celui des cavaliers qui n'étaient que six mille. Le syriaque et l'arabe ne lisent que trois mille chariots, au lieu de trente mille; et de très habiles critiques [Samuel Bochart, Hugo Grotius et Louis Cappel] croient qu'il faut s'en tenir à ce nombre, le texte original ayant apparemment été alteré par l'addition de deux lettres' (שלשים, *sheloshim*, trente, pour שלש, *shalosh*, trois).

[55] I Sam. xiii.1. Calmet, *ad loc.*, en reconnaît les difficultés et propose des émendations, 'Saül était *comme* un enfant d'un an lorsqu'il commença de regner', et voir les *Examens de la Bible* I.243, où Mme Du Châtelet avait déjà signalé, d'après Calmet, la difficulté de ce verset.

[56] I Sam. xiii.5.

[57] 'At this, however, Samuel is greatly displeased: not that his sons had tyrannized over the people, for of this he takes no manner of notice, neither exculpating them, nor promising the people redress: his chagrin was owing to the violent resumption of the supreme magistracy out of the hands of his family; a circumstance for which he expresses bittersweet resentment' (Annet, p.2).

[58] Pour Calmet, voir, ci-dessus, n.55. Il dit aussi que Saül régna quarante ans (p.151) ce qu'il soutient par un renvoi aux Actes xiii.21. Flavius Josèphe, *Antiquitates*, liv.6, ch.14, section 9, lui donne dix-huit ans de règne du vivant de Samuel et dix-huit après sa mort, ce qui risque d'être une harmonisation, faite par des copistes grecs, de I Sam. xiii.1 avec Actes. Calmet ne soutient pas explicitement que I Sam. xiii.1 a été corrompu en transmission, comme le prétend ici Voltaire, mais il remarque des variantes textuelles de ce verset qui sont connues, 'Ce passage ne se lit point dans l'édition grecque de Rome, ni dans celle d'Alde [*i.e.*, d'Erasme, 1519], ni dans le

manuscrit d'Alexandrie, mais on le trouve dans le texte hébreu, et dans toutes les autres versions et éditions' (p.150).

[59] David Mallet, éditeur de *The Philosophical works of the late right honorable Henry St John, lord viscount Bolingbroke* en 1754.

[60] Thomas Stackhouse, vicaire de Beenham, *New history of the holy Bible* (Londres, John Hinton, 1737, seconde éd., 1742), ne figure pas dans la BV, mais Annet le mentionne, p.xv, 'Mr. Stackhouse, in his *History of the Bible* [éd. 1742, v.1, p.630, note], has urged arguments against particular passages, under the title of *Objections*; so cogent, that his answers to them, could not be satisfactory even to himself.' En effet, comme Calmet dans ses 'Dissertations', Stackhouse, dans ses 'Dissertations' et 'Objections', analyse afin de les réfuter les arguments qu'on peut citer contre la valeur morale ou l'authenticité des textes bibliques, ce que les libre-penseurs comme Voltaire qualifierait de 'difficultés', expression que Robert Challe avait déjà employée. En l'occurrence, Stackhouse écrit, 'so we must either say, the Transcribers made a mistake in the Hebrew copy [of I Sam. xiii.5] or (with some other commentators), that these thirty thousand chariots, were not chariots of war, but most of them carriages only for the conveyance of the baggage belonging to a vast multitude of men or for the deportation of plunder' (p.630, n.‡).

[61] Voir Calmet, p.154-55. Beaucoup plus intéressante est une remarque de Calmet que ni Mme Du Châtelet, ni Voltaire ne répète, '*Bethaven* [בית און, *Bet-Aven*, I Sam.xiii.5 et xiv.23], est la même que Bethel [בית אל, *Bet-El*]; on lui a donné le nom de *Bethaven*, ou maison d'iniquité, depuis que Jéroboam y eut placé un des veaux d'or, qu'il proposa à ses sujets comme l'objet de leur culte [I Rois xii.29, 32-33]. Cela ne prouve pas que le premier auteur de ce livre ait vécu après le schisme des dix tribus; ceux qui l'ont retouché après lui ont pu changer le nom de Bethel, [...] en celui de *Bethaven*' (p.157).

[62] Calmet, p.155, ne cite aucun critique qui met en doute le nombre de chariots (neuf cents) qu'avait Yavin, roi de Hazor (Juges iv.3).

[63] Voltaire invente ici. L'Ecriture parle souvent en effet d'ânes comme bêtes de trait et de transport (Gen. xxii.3; xlii.26; Nom. xxii.21 et II Rois iv.22) et d'autre part de chevaux de bataille, et les associe fréquemment avec l'Egypte (Ex. xiv.9, 23; xv.1, 19; Deut. xvii.16; Cant. i.9 et Job xxxix.18-25). Pourtant l'Ecriture dit que Salomon en particulier avait beaucoup de chariots, malgré la topographie de son royaume.

[64] William Hessels van Est (1542-1613) fut un théologien et exégète catholique néerlandais que Calmet ne cite pas dans ce contexte. Il est curieux que Voltaire l'ait signalé, entre tous les autres exégètes catholiques, comme 'pseudo-auteur'. Il se peut qu'il ait pensé à lui car van Est avait fait l'éloge, comme modèle de piété, de Balthasar Gérard qui fut l'assassin de Guillaume Ier de Hollande (1584), comme le pieux Samuel avait assassiné le roi amalécite, Agag. Voltaire parle de Bathazar Gérard ci-dessus, Juges, n.(ƒ), et dans l'*Essai sur les mœurs* ch.164, p.447-48 dans l'éd. de Pomeau, mais sans faire jamais mention de l'apologie pour Gérard faite par van Est.

[65] Voir Calmet, *ad* I Sam. xiii.12, *incipit*, '*Necessitate*', 'Les termes du Texte le marquent assez clairement. Samuel a sacrifié en plus d'une occasion, quoiqu'il n'eut

plus de caractère pour cela que Saül. [...] David en offre [*i.e.*, des sacrifices] dans la cérémonie du transport de l'Arche' (p.160).

[66] I Sam. xiii.15.

[67] I Sam. xiii.1 et 15.

[68] Juges xv.15-17.

[69] Calmet traduit, 'ou si elle [l'iniquité] est dans vôtre peuple, sanctifiez-le' qui est plus clair, surtout étant donné le vs.34 qui prévoyait une réparation pour un péché grave.

[70] La folie de Saül est mentionnée pour la première fois dans I Sam. xviii.10. La citation de Boulanger ici est évidemment une fausse piste.

[71] Voltaire contredit Calmet, *ad* I Sam. xiv.25, qui cite Ex. ii.8; xiii.5; xxxiii.5; Lévit. xx.14 et *passim*, ainsi qu'un voyageur presque contemporain, Henry Maundrel[l] (1650-1710), *A Journey from Aleppo to Jerusalem at Easter A.D. 1697* (Oxford, at the Theater, 1703), qui prétendait qu'on sentait partout l'odeur de miel et de cire.

[72] Gen. xviii.1, sauf que dans ce texte il s'agit de plus qu'un chêne. Que ce chêne existât encore du temps de Constantin est mis en doute par Calmet, *Commentaire littéral ... Genèse, ad* Gen. xviii.1, sur la foi de l'historien ecclésiastique, Sozomen, 'On montrait encore dans le quatrième siècle de l'Eglise, un chêne qu'on prétendait être celui de Mambré, sous lequel on disait qu'Abraham avoit donné à manger aux Anges. Mais il est impossible qu'un arbre ait duré si long-temps, quoique peut-être la chênaye ait subsisté jusqu'alors et même plusieurs siècles après.'

[73] I Sam. xv.1.

[74] Voir Juges xi.30-31, 34-40, et, ci-dessus, Juges, n.(*u*) et (*v*). Voir *Saül*, Acte II, Scènes 5-6, *OCV*, t.56A, p.492.

[75] Ceci est un thème fréquent dans les écrits de Voltaire sur la Bible. Voir le *Sermon des cinquante*, premier point, *OCV*, t.49A, p.82; *La Philosophie de l'histoire*, ch.36, *OCV*, t.59, p.214; *Traité sur la tolérance*, ch.12, n.(*n*), *OCV*, t.56C, p.201. Voir, ci-dessus, Juges, n.78. Pourtant l'exécution d'Agag et la presque exécution de Jonathan sont présentées comme punitions juridiques et non comme sacrifices, comme l'était la mort de la fille de Jephté.

[76] I Sam. xiv.32, malgré la prohibition réitérée dans le Pentateuque de manger du sang, Gen. ix.4; Lévit. xvii.14; Deut. xii.16. Calmet, *ad loc.*, signale cette dérogation de la 'coutume' des Juifs de 'bien épurer le sang' des bêtes avant d'en manger. Voir sa glose au vs.32.

[77] Voltaire confond l'attaque d'Amalec, dont le récit figure immédiatement après la sortie d'Egypte (Ex. xvii.8-16, ci-dessus, Exode, l.198-209), avec les récits sur les deux peuples, Edom et Moab, qui ont refusé passage aux Hébreux (Nom. xx.14-21; Deut. ii.4-8, 9). Voir Bolingbroke, *A letter occasioned by one of Archbishop Tillotson's sermons*, dans *The Philosophical works*, t.3, p.305. La critique de ce récit attribuée à Bolingbroke par Voltaire n'est ni suffisamment spécifique ni suffisamment proche du passage dans *A letter occasioned by one of Archbishop Tillotson's sermons* pour assurer que Voltaire le connaissait.

[78] Calmet traduit לפי חרב, *le-fi herev*, 'au fil de l'épée'. Le mot חרב, *herev*, signifie épée. La forme לפי, *le-fi*, est dérivée de פה, *peh*, bouche, en forme dite construite, פי, *pi* ..., la bouche de ...; elle sert également de préposition, 'selon le ou la ...' (voir Lévit. xxv.16, לפי רב השנים, *le-fi rov ha-shanim*, 'selon le nombre d'années'), ou ici, 'au moyen de'. Il semble que Voltaire ait trouvé sa version si littérale dans la Vulgate, 'omnes autem vulgus interfecit in ore gladii'.

[79] Meslier ne parle pas de cet épisode dans ses *Mémoires des pensées et sentiments*. Voir l'index de ses *Œuvres*, où ni Amalec, ni Agag, ni Saül, ni Samuel ne figurent. D'après John Marsham, *Chronicus canon Ægypticus* ... (manque à la BV, voir, ci-dessus, Genèse, n.325), Calmet (p.835) identifie le pharaon Shishak, contemporain de Salomon (voir I Rois xi.40), avec le Sésostris dont parlent Hérodote, *Historiēs*, liv.2, sections 102-103, et Diodore de Sicile, *Bibliothēkē historikē*, liv.1, section 2, signes 53-58. Voltaire parle de Sésostris dans 'De Diodore de Sicile, et d'Hérodote' des *Questions sur l'Encyclopédie*, *OCV*, t.40, p.471-72; *La Défense de mon oncle*, ch.9, *OCV*, t.64, p.214, et n.17; et le *Fragment d'histoire générale*, Lettre II, *M*, t.29, p.229. La recherche moderne l'identifie avec Sheshonk I (vers 945-924 avant l'ère moderne). Voir James B. Pritchard, *Ancient Near Eastern texts relating to the Old Testament* (Princeton, 1955), p.263.

[80] Comme il est remarqué dans l'annotation précédente, Meslier ne parle nulle part de Saül, ni du nombre de ses troupes.

[81] Encore une fois, Voltaire se livre à une traduction excessivement littérale de I Sam. xv.10, rendant une expression fréquente dans les livres prophétiques en les termes de Jean i.1, 'Au commencement était le Verbe, et le Verbe était auprès de Dieu, et le Verbe était Dieu.' Calmet se contente de 'Le Seigneur adressa alors sa parole à Samuël'.

[82] Voir, ci-dessus, n.52.

[83] Evidemment, celles-ci ne sont pas les paroles de Bolingbroke mais celles de Voltaire, adoptant le ton si dru qu'il associe avec les Anglais (voir Jeffrey Barnouw, 'The contribution of English language and culture to Voltaire's enlightenment', dans *Voltaire et ses combats*, t.1, p.77-88), notamment dans l'*Examen important de milord Bolingbroke*. Voltaire parle déjà de l'exécution d'Agag comme d'un sacrifice humain dans *Des Juifs*, *OCV*, t.45B, p.117; puis dans le *Sermon des cinquante*, premier point, *OCV*, t.49A, p.89; le *Traité sur la tolérance*, ch.12, *OCV*, t.56C, p.201; *Les Questions de Zapata* 40° et 41°, *OCV*, t.62, p.394-95; *Les Honnêtetés littéraires* XXII, 5°, *OCV*, t.63B, p.121; l'*Examen important*, ch.9, *OCV*, t.62, p.200; *Dieu et les hommes*, ch.18, *OCV*, t.69, p.357. Calmet, *ad* I Sam. xv.33, n'était embarrassé ni par ce prophète sanguinaire, ni par des prêtres également sanguinaires, 'On présume qu'il [Samuel] ne suivit en cela que l'impression de l'Esprit Saint, et qu'il ne fit qu'imiter le zèle les Lévites, dans la vengeance qu'ils tirèrent des adorateurs du veau d'or; et celui de Phinées dans le meurtre de Zambri.'

Quant aux Anglais à qui aucun prêtre n'oserait adresser de telles paroles, Guillaume III régna de 1689 à 1702, et John Churchill, Ier duc de Marlborough, fut le vainqueur des batailles de Hochstadt (1704), de Romillies (1706) et de Malplaquet (1709).

Noter la comparaison du dieu de l'Ancien Testament avec le diable, ici et ci-dessus, Samuel, n.(*m*). En raison de sa réitération, il faut peut-être prendre ce trope du parler anglais de l'époque au sérieux comme expression de l'attitude de Voltaire envers certains éléments des récits bibliques, sinon envers l'Ancien Testament tout entier.

⁸⁴ Ceci est une question inventée par Voltaire, paraphrase de I Sam. xv.19, 'Pourquoi donc n'avez-vous point écouté la voix du Seigneur? Pourquoi l'amour du butin vous a-t'il fait faire le mal en présence du Seigneur?' (trad. Calmet).

⁸⁵ Il y a ici certainement une faute dans la version de Voltaire. Dans I Sam. xv.27-28, il paraît que c'est Samuel qui saisit le manteau de Saül qui se déchire car c'est lui qui dit 'Le Seigneur a déchiré aujourd'hui d'entre vos mains le Royaume d'Israël' (trad., Calmet), mais Voltaire traduit comme si Saül avait déchiré le manteau de Samuel.

⁸⁶ Voltaire fait ici une paraphrase de I Sam xv.23, כי חטאת קסם מרי ואון ותרפים הפצר, *ki hatat kesem meri, ve-aven u-terafim hafẓar*, verset très difficile que Calmet traduit très librement, 'Car c'est une espèce de magie de ne pas se soumettre, et lui résister, c'est comme le crime d'idolâtrie'.

⁸⁷ Lévit. xxi.1 et 6, mais il s'agit dans ces versets de *kohanim*, caste sacerdotale, à laquelle Samuel n'appartenait pas. Voir, ci-dessus, n.(ẓ).

⁸⁸ Samuel est qualifié de vieillard dans le récit précédent sur l'installation de Saül comme roi en Israël, I Sam. viii.1 et 5.

⁸⁹ Voir, ci-dessus, n.43. Voir aussi Calmet, *ad* ch.15, vs.33, citation imprécise.

⁹⁰ I Sam. xvi.4.

⁹¹ David conquit Jérusalem la septième année de son règne selon II Sam v.6-9. Le récit du sacre de David par Samuel a attiré l'attention et l'ironie de Voltaire dès l'article 'David' du *Dictionnaire philosophique* (1767), *OCV*, t.36, p.1-2, dont voir la n.1 pour l'inventaire des écrits de Voltaire touchant David.

⁹² I Sam xvi.12, Calmet cite Cant. v.10, 'son bien-aimé était blanc et rubicond, ou blanc et roux, comme ici David'. L'hébreu est דודי צח ואדם, *dodi ẓah ve-adom*, 'mon amour est radieux et haut en couleur', mais le texte ne comporte pas de comparaison avec David. Voltaire donne la citation exacte de la Vulgate, sans doute à partir de Calmet, n.*e*. Littré signale le mot rousseau dans le sens de roux déjà chez Fénelon et Scarron.

⁹³ I Sam. xvi.15.

⁹⁴ Calmet avait déjà évoqué, en parlant des assistants, les 'précautions nécessaires pour les obliger au secret', *ad* vs.13.

⁹⁵ Mme Du Châtelet, *Examens de la Bible* I.251, parle du même récit, mais ne cite pas les preuves avancées par Calmet, *ad* I Sam. xvi.17, p.205-206, pour l'efficacité de la musique, notamment les succès du compositeur Terpandre pour apaiser une guerre civile à Lacédémone attestés dans Plutarque, *De Musica* 1146.42. Voir *Saül*, Acte II, Scène 6, *OCV*, t.56A, p.494.

⁹⁶ Calmet parle des Pères et de Flavius Josèphe (*Antiquitates*, liv.6, ch.11, section 3) comme associant la maladie de Saül avec une possession démoniaque, sans

remarquer que la théorie de possession comme cause de maladie est néotestamentaire et n'est jamais explicite dans l'Ancien Testament. Puis Calmet continue et propose une étiologie naturelle pour éviter le recours à une théorie de maladie attribuable à Dieu: la mélancolie est une bile noire. Voltaire contredit Calmet, ne voulant apparemment pas admettre une étiologie qui exonérerait le dieu des Israélites de la responsabilité du mal de Saül. (Voir à ce sujet Marmontel dans l'*Encyclopédie*, *s.v.*, 'Démon'.) Que l'idée de la possession par les démons soit persane ou chaldéenne figure déjà dans la *Cyclopedia or Universal dictionary of arts and sciences* d'Ephraïm Chambers (Dublin, 1742), première source citée dans l'*Encyclopédie*, art. cité: 'La première idée des *démons* est venue de Chaldée, de là elle s'est répandue chez les Perses, chez les Egyptiens, et chez les Grecs. [...] Il n'y a rien de plus commun dans la théologie païenne, que ces bons et ces mauvais génies. Cette opinion superstitieuse passa chez les Israélites par le commerce qu'ils eurent avec les Chaldéens; mais par *démons* ils n'entendaient point le diable ou un esprit malin. Ce mot n'a été employé dans ce dernier sens que par les évangélistes et par quelques Juifs modernes.' Il faut donc supposer que Voltaire répète un lieu commun de la communauté des érudits de son temps.

⁹⁷ I Sam. xvii.1.

⁹⁸ 'Bâtard' est la traduction de Calmet du 'vir spurius' de la Vulgate. En fait, le mot généralement traduit par bâtard, ממזר, *mamẓer* (voir Deut. xxiii.3), ne figure pas dans ce verset. Dans le commentaire sur le vs.4 Calmet donne plusieurs autres traductions proposées par des Juifs et par des interprètes chrétiens de la description de Goliath comme איש הבנים, *ish ha-bénayim*, homme entre les deux [camps?], mais Voltaire a préféré la première traduction de Calmet. Quant à la taille de Goliath, Voltaire insère ici l'équivalence établie par Calmet, p.212.

⁹⁹ Calmet, 'bataillons', Vulgate, 'phalangas'.

¹⁰⁰ Ici Voltaire s'éloigne de Calmet, *ad vs.*17, qui essaie d'expliquer la guérison de la maladie de Saül par des causes naturelles sans recours au miraculeux, ce qu'il soutient par différentes anecdotes et renvois aux médecins grecs. Calmet ne dit pas que David avait un don spécial, et encore moins que ce don dépendait de son onction royale.

¹⁰¹ I Sam. xvii.11. Encore une fois, Voltaire introduit 'le Verbe' là où l'expression biblique est plus banale. Calmet traduit, 'Saül et tous les Israélites entendant ce Philistin parler de la sorte'.

¹⁰² Voir Calmet, *ad* I Sam. xvii.15. Voir Annet, p.9.

¹⁰³ Calmet, *ad* I Sam. xvii.34, ne remarque pas d'incongruité à trouver des lions et des ours dans le même pays.

¹⁰⁴ Calmet pose la même question, *ad* vs.49, la résout d'après des récits d'Homère, mais ne signale pas d'autre exégète qui avait posé la même question.

¹⁰⁵ Calmet remarque cette difficulté, *ad* I Sam. xvi.18. Avant lui, Jean Leclerc avait trouvé la chronologie des récits de l'introduction de David à la cour de Saül 'confuse' (*Sentimens de quelques théologiens de Hollande*, p.167). Les contradictions entre ces deux récits étaient donc connues, mais Voltaire n'en déduit pas que les récits venaient de sources autonomes. Curieusement, Annet, suivant Bayle, avait supposé que les

deux récits relatant comment David avait épargné la vie de Saül étaient 'two relations of the same adventure', p.32-34.

[106] C'est la question et la réponse de Calmet, *ad* I Sam. xvii.54.

[107] I Sam. xviii.7.

[108] Voltaire est plus proche de l'hébreu ici que Calmet, qui avait traduit le vs.20 pudiquement, 'avait de l'affection pour David'. Quant aux prépuces de Philistins que David donne à Saül en échange de sa fille, voir *Saül*, Acte II, Scène 1, *OCV*, t.56A, p.481. Voir aussi Annet, p.15, qui déduit, du fait que David avait tué deux fois le nombre de Philistins que Saül avait demandé, que David était excessivement cruel.

[109] I Sam. xix.1.

[110] La traduction de Calmet ici, vs.8, 'Cette parole mit Saül dans une grande colère', réfléchit bien l'hébreu. Voltaire projette sur ce verset la folie décrite dans I Sam. xvi.14.

[111] Charles VI, roi de France (1368-1422), connu comme 'l'insensé' ou 'le fou', donna en mariage sa fille Isabelle, née le 9 novembre 1389, à Richard II d'Angleterre en 1396. Voir l'*Essai sur les mœurs*, ch.70 et 79, qui parlent de la folie de Charles VI, mais non du mariage de sa fille.

[112] I Sam. xix.10.

[113] Calmet explique, *ad* I Sam. xix.13, p.237-38, que l'hébreu est *teraphims* [*sic* pour תרפים, *terafim*, forme du pluriel dont aucun singulier n'est attesté], qu'il traduit par 'une statue'. Voltaire a choisi de se rapprocher de la forme hébraïque qu'il avait rencontrée dans Gen. xxxi.19 et 34-35 (voir, ci-dessus, Genèse, n.(d𝑧), où il avait écrit correctement 'théraphim', sans *s*, et voir, ci-dessus, Genèse, n.242). Calmet, réputé savoir au moins les rudiments de l'hébreu, y ajoute un *s* pour en faire un pluriel, et introduit le mot par un article indéfini au pluriel, tandis que Voltaire fait de ce pluriel un singulier, 'un teraphim', ce qui convient mieux au récit.

[114] I Sam. xix.13.

[115] I Sam. xix.24. Calmet, *ad loc.*, traduit: que Saül 'demeura nud par terre tout le jour et toute la nuit'. Dans le commentaire il assure que Saül 'se mit en chemise, ou en tunique' et, p.249, il rédige une petite anthologie de nudité biblique. Voltaire a choisi de rendre le verset selon la traduction proposée par Calmet, 'il y en a qui soutiennent que Saül quitta réellement tous ses habits, et se coucha par terre tout nu. C'est le premier sens que les paroles du texte présentent à l'esprit. L'indécence que nous trouvons dans cela, ne doit pas s'estimer sur le pied de nos mœurs. Dans les pays chauds il n'est pas rare encore aujourd'hui de voir des prétendus prophètes, ou imposteurs, qui se donnent pour inspirés, aller tout nus.' Pour la nudité de Saül, voir aussi Annet, p.16-17. Voltaire parle de la possession de Saül ailleurs, notamment dans l'*Histoire de l'établissement du christianisme*, ch.5, *M*, t.31, p.55.

[116] I Sam. xxii.1. La description des troupes de David suit dans le vs.2.

[117] I Sam. xxv.2.

[118] I Sam. xxv.12. Voltaire fait du roman ici. Calmet avait traduit plus simplement, 'En même temps Abigaïl prit en grande hâte deux cents pains'.

[119] I Sam. xviii.7.

[120] Voir Annet, p.21-22.

[121] Calmet, vs.23, 'descendit aussi-tôt de dessus son âne, et lui fit une profonde révérence, en se prosternant le visage contre terre'. Le commentaire ne justifie pas la traduction 'l'adora' introduite encore une fois par Voltaire.

[122] Voltaire traduit ici plus littéralement que Calmet, vs.34, 'aucun homme dans la maison de Nabal'. En effet, l'expression בקיר משתין, *mashtin be-kir*, que Voltaire traduit littéralement, avait déjà paru au vs.22, où Calmet avait commenté en détail étonnant les pratiques d'uriner chez les Grecs et les Hébreux entre autres nations de l'antiquité. L'histoire de Nabal – en fait, *Naval*, homme méprisable – figure dans 'David' du *Dictionnaire philosophique*, *OCV*, t.36, p.3, et dans les *Examens de la Bible* I.258.

[123] I Sam. xxvii.2. Voir l'art. 'David' du *Dictionnaire philosophique*, *OCV*, t.36, p.4-5. Voltaire introduit ici une glose, 'sur les alliés d'Akis' et transforme les noms de peuples ou de peuplades en toponymes, Jesuri et Jérzi.

[124] Voir les *Examens de la Bible* I.258, où Mme Du Châtelet soupçonne qu'Abigaïl accepta aussi les avances de David. 'Abigaïl raconta à Nabal ce qu'elle avait fait, dont il fut si piqué qu'il en mourut; (*parce que* dit l'Ecriture (vs.38) *le Seigneur le frappa*). Cependant il s'était conduit comme un honnête homme et un bon sujet. Il y a apparence qu'il mourut de chagrin et c'est le sentiment de Joseph [*Antiquitates*, liv.6, ch.13, section 8, où cette allusion ne se trouve pas]. Il aimait sa femme; elle était belle, et il se douta bien, qu'elle n'avait pas vu David en vain. La suite vérifiera ses soupçons.' Annet aussi soupçonne l'adultère, voir p.31. Voir *Saül*, Acte II, Scène 2, *OCV*, t.56A, p.486-89.

[125] Annet, *passim*. Voir le *Dictionnaire philosophique*, art. 'David', sans renvoi, ni au texte biblique, ni à Bayle ou Annet, et les *Questions sur l'Encyclopédie*, article 'David', *OCV*, t.40, p.348-53, aussi sans renvoi à cette expression biblique sauf dans la citation du titre du livre d'Annet. L'expression 'selon le cœur de Dieu' paraît dans I Sam. xiii.14 et Actes xiii.22, et Mme Du Châtelet la mentionne cinq fois dans ses *Examens de la Bible* I.160, 260, 267, 279, 286. Voltaire emploie l'expression déjà dans le *Sermon des cinquante*, *OCV*, t.49A, p.91, dont voir n.36. Bayle avait déjà remarqué qu'il était ironique d'appliquer une telle qualification à un homme aussi cruel que David (*Dictionnaire historique et critique*, art. 'David', Rem. G, introduit par une autre phrase ironique qui préfigure celles de Mme Du Châtelet, d'Annet et de Voltaire, 'C'est un soleil de sainteté dans l'Eglise: il y répand par ses ouvrages une merveilleuse lumière de consolation et de pitié; mais il a eu ses taches').

Même Calmet, dont les apologies pour David sont bien citées dans la n.18 de 'David' du *Dictionnaire philosophique*, *OCV*, t.36, p.7, a du mal à excuser David: 'C'est donner à David des sentiments indignes d'un homme d'honneur; et lui faire tenir une conduite, qui ternirait la gloire de toutes ses belles actions. La générosité et la confiance d'Achis méritaient-elles d'être si mal récompensées? Enfin, dire que David était résolu de combattre pour les Philistins contre son peuple, et qu'il ne faisait rien en cela contre la justice, puisqu'il combattait pour son allié, dans une juste guerre, et qu'il faisait valoir ses droits sur le Royaume d'Israël, contre Saül son injuste persécuteur; c'est faire violer à David les lois les plus naturelles, pour satisfaire sa vengeance; en lui conservant l'honneur d'être fidèle à son allié, vouloir qu'il ait foulé aux pieds tout ce qu'il devait à sa patrie, à ses frères, à son Roi, et à sa propre conscience. Il semble donc qu'on ne peut excuser David dans cette circonstance, et qu'on doit avouer qu'il s'engagea avec trop de précipitation, à servir Achis dans cette guerre' (ad I Sam. xxviii.2, p.322). Voir aussi Saül, Acte II, Scène 1, OCV, t.56A, p.483.

[126] Les psaumes pénitentiels sont les vi, xxxii, xxxviii, li cii, cxxx et cxliii dans la numérotation massorétique.

[127] I Sam. xxviii.4.

[128] Annet, p.21; I Sam. xxvii.5-12; voir les Examens de la Bible I.259-61. Voir aussi Annet, p.84-85, où il cite les Ps. lxviii.22-24; lxix.24-22 et cxxxvii.8-9 comme exemples de la brutalité de David.

[129] I Sam. xxviii.2.

[130] Voltaire explique ici autant qu'il traduit, et fait une fusion de trois traductions que propose Calmet dont 'Cherchez-moi une femme qui ait un esprit de Python'. Voir le Traité sur la tolérance, ch.13, OCV, t.56C, p.211, n.c, où Voltaire ne se rend pas compte que 'python' et 'pythonisse' viennent du grec alors que l'hébreu parle de אוב ou אב, ov, et en particulier d'une בעלת אוב, ba'alat ov, femme qui détient un ov, et voir aussi D11453, à d'Argence, du 11 octobre 1763, où il mentionne encore une fois la pythonisse. Voir aussi le Prix de la justice et de l'humanité IX, OCV, t.80B, p.108.

Annet ne parle pas de cet épisode, mais Mme Du Châtelet traite ce récit en grand détail dans ses Examens de la Bible I.263-64.

Selon le Lexicon de Koehler et Baumgartner, אוב (orthographié avec un vav pour représenter la voyelle bien que l'orthographe biblique soit 'défective'), ov, veut dire l''esprit d'un mort'.

[131] Deut. xiii.2-6.

[132] Le mot 'ventriloque' semble avoir été introduit en français par Rabelais dans le Quart livre (1552), mais il avait déjà figuré en latin dans une traduction de Justin martyr. Dans l'Encyclopédie, il y a des articles, 'Ventri-loque (médecine)', non signé, et 'Ventri-loque (art divinat.)', signé m, i.e., le Dr. Ménuret de Chambaud pour qui voir Jacques Roger, Les Sciences de la vie dans la pensée française du XVIIIe siècle, p.631, n.243 et 244, et John Lough, Essays on the Encyclopédie of Diderot and D'Alembert (Londres, 1968), p.465, qui ne parlent pas de prophètes ou de prophétesses des Cévennes. Mais les articles 'Python (Théolog.)', 'Python (Mythotog.)' et 'Pythonisse', ce dernier signé 'D.J.' (le chevalier de Jaucourt), décrivent en des termes presque identiques à ceux de Voltaire ici, comment la prêtresse de Delphes obtenait ses oracles, et comment, dans les légendes rapportées par Plutarque dans De Iside et Osiride 27, et seq., Apollon vainquit Typhon. De plus, 'Pythonisse' mentionne Saül et la pythonisse d'Endor, t.13, p.632b. De l'aveu de Jaucourt, ces articles sont rédigés largement d'après Calmet. 'L'esprit de Python, dans le style des Auteurs Grecs, signifie l'esprit d'Apollon, qui fut surnommé Pythias, à cause du

serpent qu'il avait tué. [...] L'hébreu porte à la lettre: *Cherchez moi une femme qui ait un ob*, [...] comme si on voulait marquer que les devineresses s'enflaient en parlant, comme si elles eussent eu quelques chose dans le ventre. Les Septante: *Cherchez-moi une femme qui parle du ventre*, ou du creux de l'estomac. Les magiciens affectaient de parler de cette sorte. [...] Quelques auteurs modernes racontent qu'ils ont vu des femmes possédées, qui avaient un démon qui parlait du fond de leur ventre, de qui proféraient des sons articulés, mais très faibles, et très perçants. [...] D'autres assurent avoir vu des hommes, qui naturellement, et sans magie, parlaient du creux de l'estomac, d'une façon si surprenante, que ceux qui étaient proches, croyaient entendre une voix, laquelle venait de bien loin' (Calmet, *ad* I Sam. xxviii.7, p.324).

Calmet ne cite Samuel Bochart dans ce contexte ni dans le commentaire, ni dans la 'Dissertation, sur l'apparition de Samuël à Saül. 2 [*sic*] Reg. Chap.xxviii. vs. 11. 12', qui est exclusivement théologique. On ne trouve pas d'association des prophétesses des Cévennes de 1704 avec le ventriloquisme dans l'*Histoire du fanatisme de notre tems* de David-Augustin de Brueys à laquelle Voltaire avait puisé, ci-dessus, Juges, n.39, étant donné que cette polémique antiprotestante date de 1692. Voltaire parle en grand détail des prophètes du désert dans *Le Siècle de Louis XIV*, fin du ch.36, mais n'y fait pas d'association avec le ventriloquisme. Voir *Saül*, Acte II, Scène 7-8, *OCV*, t.56A, p.495-500. Voir aussi les *Examens de la Bible* I.261-64.

[133] Calmet, 'La femme ayant vu *paraître* Samuël'.

[134] Michel de Nostre Dame (1505-1566), médecin dont les prophéties, les *Centuries* (1555 et 1558), ne figurent pas dans la BV. Mais Voltaire les connaissait, au moins de réputation, et il en parle dix-huit fois, notamment dans *Dieu et les hommes*, ch.36, *OCV*, t.69, p.444, et dans l'*Examen important*, ch.10, *OCV*, t.62, p.205.

[135] Cette croyance est en rapport avec le coq monté sur les flèches des églises comme oiseau guetteur. Voltaire connaissait la description dans *Hamlet* de l'apparition du spectre du roi, père de Hamlet, devant les soldats de garde au château d'Elseneur, et de sa disparition, 'The morning cock crew loud, / And at the sound it [the ghost] shrunk in haste away, / And vanished from our sight' (*Hamlet* i.2), ayant traduit un des monologues de Hamlet dans les *Lettres philosophiques* XVIII. Il parle de ce spectre et de sa disparition dans *La Pucelle*, chant X, vers 385, n.6, *OCV*, t.7, p.430, deux fois, 'Le spectre s'en retourne à pas lents; les sentinelles se proposent de lui donner un coup de hallebarde pour l'arrêter; mais il s'enfuit, et ces soldats concluent que c'est l'usage que les esprits s'enfuient au chant du coq', dans l'*Appel à toutes les nations de l'Europe* (1761), *M*, t.24, p.193, dans l'art. 'Chaîne des êtres créés' du *Dictionnaire philosophique* (1764), 'les apparitions s'enfuyaient le matin au chant du coq', *OCV*, t.35, p.514, dans *Dieu et les hommes* (1669), 'les diables s'enfuient au chant du coq', ch.37, *OCV*, t.69, p.451, et dans un ouvrage contemporain de *La Bible enfin expliquée*, 'un esprit apparaît d'abord à deux sentinelles et à un officier, sans leur rien dire; après quoi il [le spectre] s'enfuit au chant du coq', *Lettre de Voltaire à l'Académie française* (1777), *M*, t.30, p.355. Voir, ci-dessus, Genèse, n.252, pour d'autres mentions de *Hamlet*.

[136] Cité par Calmet, 'Dissertation, sur l'apparition de Samuël à Saül', 'Origène est

le plus connu, et le plus célébre, quoiqu'il ne soit pas le premier qui ait soutenu ce sentiment: car avant lui S. Justin le Martyr [*Dialogus cum Tryphone judæo*, signe 200, *P.G.*, t.6, col.722] avait écrit que toutes les âmes des Justes, et des Prophètes étaient sous la puissance du Démon' (p.xxiii).

[137] Calmet, *ad* I Sam. xxviii.14, 'et lui fit une profonde révérence en se baissant jusqu'en terre'. Voltaire suit plutôt la Vulgate pour traduire, 'et inclinavit se super faciem suam in terra, et adoravit' dans le sens le plus fort possible.

[138] Voir Calmet, p.xxiv, 'dans l'endroit où Origène traite cette question, il dit simplement: *Si donc un si grand homme était sous terre et si la magicienne l'en a tiré, il faut dire que le Démon exerce son pouvoir sur l'âme d'un prophête* (in I Reg., cap.28)'.

[139] Voir Calmet, p.xxiii, 'Une troisième opinion sur ce sujet, est que ce fut le Démon qui apparut, et qui trompa et la magicienne et Saül.'

[140] Calmet parle de ce ventriloque anglais et cite divers témoignages, p.524-25, mais aucun d'Angleterre.

[141] *Traité sur les apparitions des esprits, et sur les vampires ou les revenans de Hongrie, de Moravie, etc.* (Paris, Debure l'aîné, 1751; BV618).

[142] I Sam. xxxi.2.

[143] Calmet, 'les archers', I Sam. xxxi.3. Voltaire préfère une forme latine, plus proche de la Vulgate, 'viri sagitarii'.

[144] Aucun de ces controversistes ne figure dans le *Commentaire* de Calmet, ni dans sa 'Dissertation'. Voltaire n'avait aucun de leurs écrits dans sa bibliothèque, pourtant il les connaissait bien, au moins de réputation. Pasquier Quesnel (1634-1719) était un oratorien et janséniste convaincu qui n'a rien écrit en exégèse vétéro-testamentaire, mais qui devait soutenir la thèse de la prédétermination que Voltaire lui attribue ici, même s'il en reconnaissait certaines limites. Louis Doucin (1652-1726) était un jésuite qui avait pris une part très active aux conflits avec les jansénistes. Lui non plus n'a rien écrit en exégèse vétéro-testamentaire, mais comme adversaire des jansénistes, il devait soutenir la thèse que Voltaire lui attribue sur la liberté qu'avait Saül de refuser de faire la guerre aux Philistins. Voltaire parle de Doucin plusieurs fois au sujet de la rédaction et de la promulgation de la bulle Unigenitus: *La Pucelle*, chant 3, vers 114 et n.13, *OCV*, t.7, p.303, l.137; *Epître sur la calomnie, à Mme la marquise Du Châtelet*, *OCV*, t.9, p.303.

[145] Cette question est implicite dans Calmet, *ad* vs.19, 'On forme deux difficultés sur ce passage. [...] La seconde, si Saül fut damné, et conduit en enfer avec le Démon, qu'on suppose, lui avait parlé. [...] Si ce Prince se donna la mort, comme l'Ecriture le dit au chap.xxxi, vs.4, on ne peut révoquer sa damnation'.

[146] II Sam. ii.10. Voir *Saül*, Acte III, Scène 1, *OCV*, t.56A, p.501-502.

[147] II Sam. iii.7-8. La version de Voltaire est plus explicite que celle de Calmet, 'Pourquoi êtes-vous approché de la concubine de mon père?' L'hébreu ici emploie l'expression normale pour les rapports sexuels, licites ou illicites, מדוע באתה אל פילגש אבי, *Madu'a bata el pilegesh avi*? Pourquoi as-tu eu congrès sexuel avec la concubine de mon père?

[148] Calmet, 'comme un chien', II Sam. iii.8.

[149] Dans I Sam. xxxi.4 Saül tombe sur sa propre épée, tandis que le récit sur l'Amalécite qui le tua à sa demande figure dans II Sam. i.3-10.

[150] II Sam. i.18, où il s'agit du cantique de deuil sur la mort de Saül et Jonathan, vs.18-27.

[151] Jos. x.13 et voir, ci-dessus, Josué, avant n.(o).

[152] Ceci n'est pas parmi les hypothèses que signale Calmet, ad Jos. x.13, p.140-41, pour expliquer ce qu'est le ספר הישר, sefer ha-yashar. Il penche plutôt pour une chronique écrite tout au long de l'époque biblique, le renvoi à cette chronique dans Jos. x.13 étant une addition postérieure. Voir, ci-dessus, Josué, n.53.

[153] Calmet, 'il le frappa dans l'aîne'; Vulgate, 'percussit illum ibi in inguine.'

[154] II Sam. iv.1. Calmet avait posé la même question que Voltaire, mais il n'y répond pas en supposant que le texte est défectif; c'est l'invention de Voltaire.

[155] II Sam. iv.2. Voir Saül, Acte III, Scène 1, OCV, t.56A, p.505.

[156] II Sam. vi.1. Voir Saül, Acte III, Scène 1, OCV, t.56A, p.503-505.

[157] II Sam. v.9.

[158] Pour la géographie de Jérusalem ainsi qu'elle était connue du temps de Voltaire, voir Calmet, Dictionnaire de la Bible, s.v., 'La ville de Jérusalem était bâtie sur une ou deux collines, et elle était toute environnée de montagnes', p.389, avec un plan de Jérusalem (après la p.388) qui indique le mont Sion et le mont d'Acra, forteresse dans l'enceinte de la ville surplombant le temple, construite par Antiochus Epiphane en 168 avant l'ère moderne qui servit à protéger les hellénisants pendant la révolte maccabéenne. Cette forteresse fut finalement conquise et en partie détruite sans trace visible par Siméon Maccabée en 142. Calmet et Voltaire devaient connaître l'existence de cette forteresse par Flavius Josèphe, De bello Jud., liv.1, ch.2, signe 2, et Antiquitates, liv.13, ch.6, signe 7, mais cet historien n'emploie pas le toponyme d'Acra. Voir Encyclopædia judaica, t.2, s.v.

[159] II Sam. vi.1.

[160] Les dimensions de l'arche données dans Ex. xxv.10 sont $2,5 \times 1,5 \times 1,5$ coudées. Ce qui est intéressant est l'attribution de ce chapitre à un prêtre, car cela implique que Voltaire commence ici à traiter les récits sur la monarchie de David comme une mosaïque dont certains chapitres ou épisodes ont été écrits par des prêtres et d'autres par des Lévites, sans les attribuer tous à un personnage historique unique.

[161] II Sam. viii.1.

[162] עזא, 'Uza', mais Calmet a transcrit ce nom par 'Oza'. Il n'est pas évident d'où Voltaire tire le h qu'il ajoute pour produire 'Hoza'. Calmet cherche la faute d'Uza, ad II Sam. vi.7, et il n'y invoque pas les libre-penseurs comme le fait ici Voltaire, mais, après avoir examiné certaines propositions, conclut qu'Uza est mort pour 'inspirer [par ce terrible exemple] une profonde vénération pour ses mystères [ceux de Dieu].'

[163] Nous ne trouvons pas cette thèse chez Bolingbroke qui évite la critique du texte. Ici encore Voltaire associe la rédaction des textes bibliques avec les castes qui pouvaient en profiter, en l'occurrence les prêtres. En effet, ce récit renforce leur

NOTES

prétention d'avoir le droit exclusif d'offrir les sacrifices et de manipuler le mobilier du temple.

[164] Bolingbroke parle du manque de fiabilité des récits historiques de la Bible, voir ses *Letters on the study of history* II, mais il n'y donne pas cet exemple.

[165] Voir Calmet, *ad* II Sam. viii.1, où il pose la même question, 'Quel était ce tribut? Quand et par qui avait-il été imposé? C'est ce qu'on ignore.'

[166] La cruauté de Busiris, roi d'Egypte est attestée par Diodore de Sicile, *Bibliothēkē historikē*, liv.4, section 18, signe 1, et liv.4, section 27, signe 3 et Apollodore, *Bibliothēkē*, liv.2, ch.5, section 11, entre autres sources classiques, mais quant à couper ou tirer les membres des passants afin qu'ils aient la taille d'un certain lit, cela est attribué à Procuste par Diodore de Sicile, *Bibliothēkē historikē*, liv.4, section 59, signe 5.

[167] Contrairement à ce que dit ici Voltaire, Calmet ne semble pas perturbé par les cruautés de David.

[168] I Sam. xxx.1-2. A la ligne 545 Voltaire avait écrit 'Sichelag'. L'hébreu est צקלג׃, *Ziklag*.

[169] II Sam. xi.2. Voir *Saül*, Acte III, Scène 2 – Acte IV, Scène 5, *OCV*, t.56A, p.507-22.

[170] Cette fois Voltaire supprime le *het* dans un nom propre, écrivant 'Ethéen' où Calmet avait 'Héthéen' pour חטי, *Hiti*. Il écrit 'Elie' pour 'Eliam'.

[171] Ceci est une glose introduite par Voltaire.

[172] Calmet, *ad* II Sam. xi.4, appréciait la loi de Lévitique xv.16 un peu mieux que Voltaire: 'suivant la Loi, qui voulait qu'une femme qui s'était approchée d'un homme se lavât, et demeurât souillée et séparée de l'usage des choses saintes, jusqu'au soir'.

[173] II Sam. xii.1.

[174] Dans la version de Calmet, vs.11, 'il dormira avec elles aux yeux du soleil'.

[175] Traduction inepte héritée de Calmet et de la Vulgate. 'Suspendre' aurait été meilleur, comme dans Micah vii.18 et Est. viii.3.

[176] Voir Calmet, *ad* II Sam. xi.27, qui détaille les 'crimes dans l'action de David', citant les lois canoniques qui 'déclarent nuls ces sortes de mariages [...] et quoique la Loi de Moyse ne les défendit pas, on n'en peut pas conclure qu'ils fussent permis parmi les Juifs'. En fait la question ne devait pas se poser parce que la femme et son partenaire dans l'adultère étaient sujets à la peine capitale selon Lévit. xx.10. Puis Calmet analyse et déplore les justifications proposées par des apologistes juifs pour la conduite de David. Il ne semble pas savoir que le droit rabbinique avait déjà interdit le mariage d'une femme avec son partenaire en adultère, כשם שאסורה לבעל, כך אסורה לבועל, 'comme elle est devenue interdite à son mari, elle est également interdite à son partenaire en adultère', même après la mort du mari ou après un divorce. Voir Mishna, Sota, ch. 5, *halakha* 1, et T.B., Sota 27v.

[177] II Sam. xvii.22.

[178] II Sam. xii.24. 'il entra vers elle' est plus explicite que le texte de Calmet, 'il dormit avec elle', tandis que l'hébreu est, à la lettre, 'il coucha avec elle'. Pour le nom

de l'enfant, le texte hébraïque donne 'Salomon', comme l'écrit ici Voltaire, suivant le commentaire de Calmet, *ad loc.*, et non sa traduction où il lui donne le nom d''Aimable à Dieu', pour harmoniser avec le vs.25.

[179] II Sam. xii.29.

[180] II Sam. xii.31. La ville conquise par l'armée de David s'appelait Rabbat. Voltaire a perdu un t. Voir les *Examens de la Bible* I.272-73, 'Ainsi quand on épargnait un de ceux que le Dieu des Juifs avait devoué à l'anathème, on était réprouvé. Mais si on exerçait des cruautés inouïes contre des peuples qu'il avait pris sous sa protection, il n'en faisait pas seulement des reproches' et le *Dictionnaire* de Calmet, *s.v.*, 'Supplices des Hébreux', avec dix-huit illustrations. Il semble s'agir ici plutôt de travaux forcés, mais le vs.31 et son verset parallèle, I Chr. xx.3, sont très difficiles. Dans son *Dictionnaire de la Bible, s.v.*, 'David', Calmet ne peut s'empêcher de condamner la conduite de David, 'Nous ne prétendons pas approuver cette conduite de David. Il est très croyable qu'il tomba dans cet excès de cruauté, avant qu'il eût reconnu le crime avec Bethsabée.'

[181] II Sam. xii.24-25, sans aucune suggestion que l'enfant de Bethsabée avait expié par sa mort l'adultère de ses parents, comme Jésus, par sa mort, expierait les péchés des hommes et des femmes de son Eglise.

[182] Voir Calmet *ad* vs.30, 'Le talent chez les Hébreux, était du poid de quatre-vingt-six livres, quatorze onces, et cinq gros de notre poid de marc. [...] Ainsi il est malaisé de croire que le roi des Ammonites ait pu porter une couronne d'une si grande pesanteur.' Calmet ne parle pas ici d''exagération', mais il suppose que le roi ne portait pas cette couronne mais la suspendait au-dessus de sa tête.

[183] Calmet avait supposé, sans preuves, que les Ammonites se comportaient semblablement avec leurs prisonniers, et avait donné des exemples de cruautés remarquables exercées par d'autres nations, p.466-67. Voltaire avait déjà parlé de ces supplices dans *Saül*, Acte II, Scène 1, *OCV*, t.56A, p.484. Voir aussi *Examens de la Bible* I.271.

[184] Annet, p.57, 'How shall a person subject to the sensations of humanity, [...] how shall a man not steeled to a very Jew, find expression suited to the occasion', et Annet cite Virgile, *Enéide*, liv.6, vers 86, '*Bella, horrida bella*'. Annet parle des supplices infligés par David aux Ammonites vaincus, p.57-58. Il est clair d'après ce passage que Voltaire travaillait à partir du texte anglais, car d'Holbach, dans sa version française, p.47-48, n'a pas rapporté le vers de Virgile qu'Annet puis Voltaire ont cité.

[185] II Sam. xiii.3. Voltaire simplifie ici. Selon l'hébreu et la version de Calmet, 'Jonandab, fils de Semmaa frère de David'.

[186] II Sam. xiii.12-13. La version de Voltaire est assez proche de celle de Calmet, mais il écrit 'sottises' où Calmet avait 'folie', et 'fou' pour 'insensé'. Aucune de ces qualifications ne rend bien l'hébreu, נבלה, *nevala*, action indigne. Voltaire avait déjà mentionné le viol de Thamar dans l'*Essai sur les mœurs*, ch.135, et dans le même sens qu'ici: que son plaidoyer auprès d'Amnon, où elle prétend que David la lui donnera pour épouse s'il la lui demande, démontre que Lévit. xviii.9 et xx.17, qui traitent une

telle union comme incestueuse et interdite, n'étaient pas encore normatifs. Voir aussi *La Défense de mon oncle*, ch.6, *OCV*, t.64, p.206, et 'Loi naturelle' des *Questions sur l'Encyclopédie*, *M*, t.19, p.604.

[187] Calmet traduit plus pudiquement, 'étant plus fort qu'elle, il lui fit violence et abusa d'elle', mais Voltaire est plus proche de la Vulgate, 'prevalens viribus oppressit eam, et cubavit cum eam'. L'hébreu n'a rien qui correspond à 'il la renversa' de la traduction de Voltaire, qui vient de la langue des satires. Voltaire n'a pas bien saisi la force du mot ויענה, *vaye'aneha*, il abusa d'elle, de la racine qui s'emploie pour les sévices sexuels et même la torture, par exemple dans Lévit. xvi.29 et 30, Is. lviii.5 et Ps. cxviii.21.

[188] Voltaire traduit ici plus vigoureusement que Calmet, 'Mettez-la hors d'ici'. Voir *Saül*, Acte IV, Scène 2, *OCV*, t.56A, p.516, qui rend cet épisode en burlesque. Pour sa part, Mme Du Châtelet semble avoir considéré un viol, même celui d'une princesse comme l'était Thamar, comme peu de chose, et elle n'a pas remarqué les implications du plaidoyer de Thamar pour l'histoire de la rédaction des livres du Pentateuque.

[189] Annet, p.58-59, 'Instances succeed so quick, that the relation of one is scarcely concluded, but fresh ones obtrude upon notice.'

[190] Les pratiques des Perses concernant les unions consanguines semblent de l'invention de Voltaire mais il y avait une tradition parmi les Grecs selon laquelle les pharaons épousaient leurs sœurs. Cette coutume n'est en fait attestée que pour la dynastie des Ptolémées: Ptolémée II Philadelphe ('qui aime sa sœur') épousa sa sœur, Arsinoë II; Ptolémée VI Philometer ('qui aime sa mère') épousa sa sœur, Cléopâtre II; Ptolémée VIII épousa la femme de son frère qui était sa sœur, Cléopâtre II, puis prit la fille de celle-ci, donc sa nièce, Cléopâtre III, pour seconde épouse; Ptolémée IX (Soter) épousa deux de ses sœurs, Cléopâtre IV et Cléopâtre V, etc. Voir aussi Lévit. xviii.3 qui interdit aux Israélites les pratiques sexuelles des Egyptiens et des Cananéens. Calmet ne parle pas dans ce contexte des unions consanguines permises par les lois des nations voisines.

[191] Gen. xii.12-20 et xx.2-18.

[192] Lévit. xviii.11 est assez clair. Dans ce chapitre, l'expression לא תגלה ערותה, *lo tegale 'ervatah*, que Voltaire traduit à la lettre d'après le latin que Calmet cite dans sa n.*c*, *ad* II Sam. xiii.13, sert d'euphémisme pour l'union sexuelle incestueuse. (Dans Lévit. xx.18, voir la nudité d'une personne avec qui il est interdit de coucher est déploré et interdit.) Voir Lévit. xx.17 qui est encore plus explicite quant à l'interdiction d'une union sexuelle entre frère et sœur. Voltaire suppose que ce récit atteste du fait que, au début de la monarchie judéenne, avant que le grand prêtre Hilkiyah, sous le roi (*melk* dans l'hébreu fantaisiste de Voltaire) Josias, ait découvert un rouleau de la loi (II Rois xxii.8-20, et voir, ci-dessous, lignes 1690-97 et n.(*fp*)), les Israélites ne connaissaient pas encore le Lévitique et sa loi, thèse astucieuse qui ne figure pas chez Calmet.

[193] II Sam.xiv.25.

[194] II Sam. xiv.26. Voir les *Examens de la Bible* I.273-74.

[195] L'hébreu est פרדו, *pirdo*, possessif de פרד, *pered*. Voir Calmet, *ad* II Sam. xiii.29, qui cite Aristote, *Historia animalium*, liv.6, ch.24, sans le traduire.

[196] Voir l'*Encyclopédie*, *s.v.*, 'Mulet (*Gram. et Maréchall.*)', 'Animal monstrueux engendré d'un âne et d'une jument'.

[197] II Sam. xv.1.

[198] II Sam. xv.7. Mme Du Châtelet avait déjà remarqué la difficulté d'un intervalle de quarante ans dans le contexte de la révolte d'Absalon contre son père, *Examens de la Bible* I.274.

[199] II Sam. xv.14. Calmet, 'au fil de l'épée', mais Voltaire traduit le latin, 'in ore gladii', encore une fois à la lettre. Voir, ci-dessus, n.78.

[200] II Sam. xiv.29-33. Annet ne parle pas de cette insolence d'Absalom.

[201] Major-General Henry Withers (1650 ou 1651-1729) était un militaire courageux qui participa à la bataille de Blenheim, du 7 au 13 août 1704. Selon le *Dictionary of national biography* (2004), t.59, p.86, il avait toujours eu de bons rapports avec Henry St John, futur vicomte Bolingbroke, qui était ministre de la guerre pendant son service dans l'armée et à qui Voltaire attribue cette anecdote. Bolingbroke, *i.e.*, Voltaire, a parlé de Withers aussi dans l'*Examen important*, ch.10, dans le contexte des gestes symboliques d'Ezéchiel, 'Notre ami [c'est Bolingbroke qui parle] le général Withers à qui on lisait un jour ces prophéties, demanda dans quel bordel on avait fait l'Ecriture Sainte' (*OCV*, t.62, p.208). Malgré la respectabilité de son auteur prétendu, aumônier d''un grand prince', ce passage est dans une langue encore moins soutenue que celle de l'anecdote sur Withers dans l'*Examen important* qui pourtant imite la langue drue des Anglais. Voir, ci-dessus, Josué, n.50, pour une déduction possible.

[202] II Sam. xvi.5-10.

[203] II Sam. xii.31. Voir, ci-dessus, n.180.

[204] Mme Du Châtelet avait traité David de poltron et de mauvais stratégiste pour avoir quitté Jérusalem. Voir les *Examens de la Bible* I.275.

[205] Autant qu'on sache, l'abbé Tilladet historique (voir, ci-dessus, Juges, n.9) n'a rien écrit sur l'intégrité du texte des livres de Samuel, et Jean Astruc n'a pas étendu sa décomposition de la Bible au-delà de la Genèse et des deux premiers chapitres de l'Exode. Pourtant Jean Leclerc avait proposé plusieurs thèses sur la rédaction des livres de la Bible, en l'occurrence, des livres historiques, mais étant donné que ses *Sentimens de quelques théologiens de Hollande* manquent à la BV, on ne peut déterminer si Voltaire connaissait ce livre et ses thèses, ou s'il ne mentionne ici Leclerc qu'en raison de sa réputation de critique biblique radical.

[206] II Sam. xvi.1-4. Mme Du Châtelet parle bien, elle aussi, de l'injustice faite à Mippiboshéth, *Examens de la Bible* I.276, mais Nicolas Fréret n'a jamais rien écrit sur l'histoire de David.

[207] II Sam. xvi.21-22. Encore une fois, Voltaire rend sa version plus explicite que celle de Calmet, 'Abusez des concubines de votre père', et que le texte hébreu, ... בא אל פלגשי אביך, *bo el pilagshei avikha* ..., couchez avec les concubines de votre père. Voir les *Examens de la Bible* I.279.

²⁰⁸ II Sam. xxi.1.

²⁰⁹ Hercule logea chez Thespios et coucha avec chacune de ses cinquante filles, une par nuit selon une tradition, s'unit avec toutes les filles en sept nuits selon une autre tradition, et, selon une troisième, il les eut toutes au cours d'une nuit. Voir Apollodore, *Bibliothēkē*, liv.2, ch.4, section 10, et Diodore de Sicile, *Bibliothēkē historikē*, liv.4, section 29. Voltaire parle de cet exploit dans *L'Ingénu*, chap.4, *OCV*, t.63C, p.223, dont l'éditeur propose comme source l'art. 'Hercule' du *Dictionnaire* de Bayle, Rem. B.

²¹⁰ Seulement dix incestes car David ne laissa que dix concubines dans son palais quand il se précipita pour quitter Jérusalem, II Sam. xv.16. Mme Du Châtelet est moins scandalisée que Voltaire prétend l'être par les incestes d'Absalom, mais elle signale la prophétie de Nathan selon laquelle 'ainsi ce n'est point Absalom, c'est Dieu lui-même qui par son ministre a violé les femmes de David, pour le punir. Il est triste de ne punir un crime qu'en faisant en commettre un autre' (*Examens de la Bible* I.271).

²¹¹ Calmet admet, *ad* II Sam. xxi.1, qu''on ignore le tems auquel Saül fit cette action'. Mme Du Châtelet a traité ce même récit, *Examens de la Bible* I.278-81, sans oublier l'héroïque Reshpa qui, comme une Antigone biblique, protégea les cadavres de ses deux fils et des cinq fils de Michal des bêtes sauvages et des oiseaux charognards.

²¹² Gen. xii.10.

²¹³ II Sam. xxi.1. Voltaire a omis de traduire le récit de la défaite et de la mort d'Absalon ainsi que celui du rétablissement de David sur son trône.

²¹⁴ La version de Calmet, vs.11, n'emploie pas le mot 'devin'.

²¹⁵ Annet, p.76-77. Nous ne trouvons rien sur ce recensement chez Bolingbroke ni chez Fréret, mais voir les *Examens de la Bible* I.279 et *Saül*, Acte V, Scènes 1-2, *OCV*, t.56A, p.527-31.

²¹⁶ La citation de Calmet qui figure dans la note de Voltaire est introuvable dans le *Commentaire littéral*, ainsi que dans le *Dictionnaire de la Bible, s.v.* 'David', mais ses citations d'Estius, Grotius et Flavius Josèphe se trouvent dans la n.*c* du *Commentaire*, au vs.10 de ce chapitre. En fait Calmet n'y exonère pas David, 'On doit donc reconnaître que le crime de David était tout intérieur, c'était l'orgueil, l'ambition, l'enflure de cœur, la folle curiosité de savoir le nombre de ses sujets, la grandeur de ses forces, l'étendue de son Empire', p.591.

²¹⁷ Voir Calmet, *ad* II Sam. xxiv.1, 'La colère du Seigneur s'alluma encore contre Israël, et Dieu permit que David pour son malheur, donna ordre que l'on comptât tout *ce qu'il y avait d'hommes dans* Israël *et dans* Juda', et, *Commentaire*, 'Le texte Hébreu et la Vulgate sont plus forts: [...] et incita David contre son peuple'.

²¹⁸ Voir Calmet, *ad* vs.10, où il cite le recensement d'Ex. xxx.12, mais ne cite ni celui de Nom. i.20-47, ni celui des Lévites, Nom. iii.14-39, ni Nom. xxvi.1-51 qui décrit un deuxième recensement général.

²¹⁹ Voir le vs.9: 800 000 hommes plus 500 000 de la tribu de Juda. Calmet ne remarque pas l'extravagance du chiffre, étant occupé par l'incohérence de celui-ci avec I Chr. xxi.5: 111 000 hommes plus 70 400 de la tribu de Juda.

[220] Voir Calmet, *ad* vs.9, 'La disproportion entre ces divers nombres est si considérable, qu'il semble qu'il vaudrait mieux en abandonner l'un ou l'autre, que de vouloir les concilier par des solutions violentes, qui sont souvent plus propres à augmenter les doutes qu'à les lever'.

[221] Meslier, *Mémoires des pensées et sentiments*, *Œuvres*, t.1, p.164. Boulanger n'a rien écrit sur II Sam. xxiv.1-17. Les 'autres' peuvent être Mme Du Châtelet, *Examens de la Bible* I.282-83.

[222] *Iliade*, chant 1, vers 9.

[223] I Rois i.1.

[224] 'Qu'elle le caresse' n'est pas dans l'hébreu. Calmet traduit plus pudiquement, 'qu'elle l'échauffe, et que dormant auprès de lui, elle remedie à ce grand froid du Roi [...] et le Roi la laissa toujours vierge', mais dans le *Commentaire*, sur le vs.2, il admet que certains traduisent l'hébreu par, 'Qu'elle soit sa femme, ou sa concubine'. En fait le mot qui qualifie Avishag, סכנת, *sokhenet*, est presqu'un *hapax*, ne paraissant dans la Bible qu'ici, aux vs. 2 et 4, et dans le même contexte. Koehler et Baumgartner traduisent *ad sensum*, 'infirmière ou servante'. Voir *Saül*, Acte V, Scène 3, *OCV*, t.56A, p.533-36.

[225] Calmet, *ad* vs.2, p.655, 'Les plus habiles médecins ont conseillé un remède pareil à celui dont il est parlé ici, dans de semblables épuisements' et il cite, n.*a*, Galien qui recommande les services d'un garçon, mais Calmet ne parle ni de Frédéric Ier Barberousse (1121-1190), vingt-troisième empereur d'Allemagne, ni du conseil que celui-ci reçut d'un médecin juif. En fait, on ne connaît de médecins juifs en Allemagne qu'à partir de 1250 environ. Voir John M. Efron, *Medicine and the German Jews. A history* (New Haven et Londres, 2001), ch.1 et 2. Voltaire ne parle de ce remède qui frôle le scandaleux ni dans l'*Essai sur les mœurs*, ch.48, où 'Frédéric Barberousse [...] mourut, pour s'être baigné dans le Cydnus, de la maladie dont Alexandre le Grand avait échappé autrefois si difficilement pour s'être jeté tout en sueur dans ce fleuve. Cette maladie était probablement une pleurésie' (éd. Pomeau, t.1, p.516; *OCV*, t.23, p.183), ni dans les *Annales de l'empire* (1753), *M*, t.13, p.315-32. La source de la plupart des informations de Voltaire sur l'histoire allemande est le P. Joseph Barré, *Histoire générale de l'Allemagne* (Paris, Delespine et Hérissant, 1748; BV270), t.5, p.1-424, mais celui-ci ne parle ni de la santé de cet empereur, ni de ses médecins. Selon lui Frédéric mourut en se baignant dans le fleuve Cydnos (actuellement le Çayi), en Asie Mineure, en route vers Jérusalem (p.414).

Ce qui est curieux ici est l'association d'idées, la médecine juive avec des conseils thérapeutiques contraires aux bienséances que seul un Juif, quelque peu démoniaque aux yeux de ses voisins, aurait pu fournir. En raison, d'une part, des lois juives du traité de la Mishna, Avoda zara, qui cherchaient à éloigner les Juifs de leurs voisins païens, et dont l'élaboration au cours du Moyen-Age avait la finalité des les éloigner de leurs voisins chrétiens, et, d'autre part, des canons de plusieurs conciles de l'Eglise, surtout ceux des conciles espagnols, qui avaient la finalité symétrique, protéger les chrétiens des influences juives, au point de leur interdire les services de médecins juifs, les Juifs, y compris ceux d'entre eux qui étaient médecins, vivaient en marge de la société respectable. Dans l'*Histoire du Parlement de Paris*, ch.43, *OCV*, t.68, p.403, Voltaire décrit comment Montalto, médecin juif qui était réputé être aussi magicien, fut appelé d'Italie au secours de la maréchale d'Ancre qui avait été elle-même soupçonnée de sorcellerie. Voltaire n'accuse Montalto ni d'aucune offense contre les mœurs, ni de sorcellerie, mais l'association implicite entre les médecins juifs et les arts occultes y reste incontournable. Cette association avec la sorcellerie – Voltaire venait de parler du sabbat des sorcières (Exode, n.(*f*) – comportait une dimension d'indécence sexuelle qu'il évoque ici parlant du vieux David couchant avec la jeune et belle Avishag, et de Frédéric Barberousse à qui son médecin juif propose un contact homosexuel. Cette idée aurait dû être dépassée chez Voltaire car il considérait les meilleurs médecins de son temps comme des hommes de science et des puits de sagesse, mais apparemment elle ne l'était pas entièrement.

[226] I Rois i.32-34, Sadoc est identifié comme un prêtre et non pas comme un prophète. La traduction est négligente: on sonne de la trompette mais on ne 'chante' pas 'avec elle'.

[227] Annet, p.80-81. La traduction de Voltaire est inexacte en ce qu'il ajoute dans I Rois i.26 le nom de Sémaï, ennemi juré de David.

[228] Annet n'applique pas d''épithètes' à Bethsabée dans ce récit, mais voici ce qu'il dit de Salomon, '[David's] latest breath was employed in dictating two posthumous murders to his son Solomon! and, as if one crime more was wanting to compleat the black catalogue, he clothed all his infamous actions with the most consummate hypocrisy, professing all along, the greatest regard for every appearence of virtue and holiness' (p.92-93). Voir aussi *Saül*, Acte V, Scène 4, *OCV*, t.56A, p.536-40. Pour la prudence de Salomon qui l'amène à faire mourir un frère, rival potentiel pour le trône, voir le *Discours de l'Empereur Julien*, *OCV*, t.71B, p.304, n.34.

[229] I Rois ii.12. Les points de suspension ne sont pas justifiés ici car l'entretien d'Adoniayahu avec Bethsabée suit immédiatement dans le texte.

[230] Calmet, *ad* I Rois ii.6, p.654.

[231] La version de Voltaire s'écarte de Calmet et elle est un peu maladroite en occultant la finalité de la mission de Banaïas: 'Et le Roi Salomon ayant envoyé Banaïas fils de Joïada, pour exécuter cet ordre, il perça Adonias, et le tua.'

[232] Que Joab 'implore la miséricorde de Dieu' est l'invention de Voltaire. I Rois ii.28 n'en sait rien. Il s'agit là de l'autel comme lieu de refuge, ce qu'une tradition biblique n'admet pas. Voir Ex. xxix.14.

[233] I Rois iii.5.

[234] Voir I Sam. vi.19, et ci-dessus, lignes 109-11.

[235] I Rois xi.1-10. Pourtant il n'y est pas dit explicitement que Salomon a 'offert de l'encens aux dieux de ses femmes et de ses maîtresses'.

[236] Exceptionnellement, ceci est une phrase qui figure, presque mot pour mot, dans les *Examens de la Bible*, 'l'histoire de Joseph est toute fondée sur des songes' (I.113).

[237] Voir l'idée semblable dans Mme Du Châtelet, *Examens de la Bible* I.48, 'L'histoire de Joseph est une des plus touchantes de l'Ecriture et c'est une des plus raisonnables si on en excepte les songes.'

[238] Voir, ci-dessus, Genèse, n.97.

[239] Voltaire invente ici. Même aujourd'hui on ne connaît pas suffisamment bien l'archéologie et l'histoire de la Palestine du dixième siècle avant l'ère moderne pour soutenir ou infirmer ce qu'il prétend.

[240] I Rois v.6.

[241] TM: I Rois v.9-11; Vulgate iv.29-3. L'hébreu est האזרחי, *ha-ezrahi* (TM, v.11, Vulgate et donc Calmet, iv.31), celui qui réside à ..., de אזרח, *ezrah*, voir Lévit.xvi.29; xviii.26; etc. Voltaire a voulu, semble-t-il, améliorer ici la transcription de Calmet, 'Ezrahite', qui est en fait plus proche de l'hébreu que la sienne car Voltaire omet l'article défini, comme si 'Israhite' était un nom propre et non une qualification.

[242] Voir l'art.'Yvetot' du fonds de Kehl, *M*, t.20, p.605-608, 'C'est le nom d'un bourg de France, à six lieues de Rouen en Normandie, qu'on a qualifié de royaume pendant longtemps.'

[243] Rabelais, *Gargantua*, ch.8. Calmet parle des contradictions entre II Chr. ix.25 et I Rois v.6 au sujet de la nourriture des chevaux des écuries de Salomon, mais non par rapport à la quantité de nourriture des hommes de la maison du roi, *Commentaire littéral ... I – III Rois, ad* vs.7. Mme Du Châtelet avait déjà remarqué l'extravagance des descriptions de la richesse de la maison de Salomon, à en juger d'après la consommation de nourriture par son entourage et par le nombre de chevaux et de chariots qu'il possédait, *Examens de la Bible* I.290. Voltaire remarque les contradictions entre Samuel et Rois d'une part, et entre ces livres et les Chroniques de l'autre, dans 'Histoire des rois juifs, et Paralipomènes' du *Dictionnaire philosophique*, *OCV*, t.36, p.196-200.

[244] I Rois vi.1. Flavius Josèphe, *Antiquitates*, liv.8, ch.3, signe 1, donne le chiffre de 592 ans depuis l'exode.

[245] I Rois v.15.

[246] II Sam. vii.4-17 et I Rois v.17. Voltaire s'écarte de la version de Calmet, 'le Seigneur son Dieu', *i.e.*, celui de David, vs.17, et 'le Seigneur mon Dieu', vs.19, avec raison, car l'hébreu a 'Yahweh mon Dieu'. Voltaire transcrit ici le nom de Dieu, non pas selon la pratique protestante, 'Jehova', comme l'écrivait Olivétan en général, mais 'Adonaï', comme les Juifs prononcent le tétragramme.

[247] I Rois vi.1.

[248] Selon Flavius Josèphe, Salomon et Hiram échangeaient des lettres où ils se posaient des énigmes. Voir *Contra Apion.*, liv.1, ch.17. Voir Calmet, *ad* vs.7 (texte massorétique), sans renvoi précis à cet historien qui en est la seule source.

[249] Voir, par exemple, l'annotation de Whiston à sa traduction de Flavius Josèphe, *Antiquitates*, liv.8, ch.3 et 4, où il cite les incohérences entre les dimensions des éléments du temple dans I Rois vi.1-vii.50, dans II Chroniques iii.3-iv.18, et dans la version grecque de ces chapitres. Dans Ez. x.5-xliii.17 il y a une vision du temple tel qu'il devait être reconstruit.

[250] Les 'échafauds' ne figurent pas dans la version de Calmet, 'Et il fit au temple des fenestres obliques' pour ויעש לבית חלוני שקפים אטומים, *va-ya'as la-bayit halonei shekufim atumim* (I Rois vi.4), et Calmet traduit le substantif, יציע, *yezi'a*, ou selon le

693

qri, ‏יצוע‎, *yeẓu'a* (vs.5), par le mot 'étage'. (Le *qri* est une variante de lecture assez ancienne préservée dans la *massora*.)

251 I Rois vi.19. Voltaire hérita la traduction 'oracle' pour ‏דביר‎, *dvir*, de Calmet, qui l'avait héritée de Jérôme, qui interpréta ce mot d'après sa racine, ‏דבר‎, *DBR*, parler, donc celui qui parle. Calmet traduit ‏ארון ברית ה׳‎, *aron brit Yahweh*, l''Arche de l'Alliance du Seigneur', mais Voltaire le rend plus prosaïquement, ici et ailleurs, 'le coffre du pacte'. Voir, ci-dessus, Nombres, ligne 126 et n.54.

252 I Rois ix.10. Voir Calmet, *ad* I Rois vi.1, où il signale les incohérences des anciennes versions et la difficulté d'harmoniser les chiffres de I Rois vi avec le discours d'Etienne dans le temple rapporté dans Actes xiii.20. La version grecque, qui n'est pas la Septante, car celle-ci n'est la version que du Pentateuque, donne 440 ans pour l'interval entre l'exode et l'inauguration du temple; voir *ci-dessus*, n.249.

253 Voir Calmet, *ad* I Rois vi.4, 'On forme bien des conjectures sur ces fenestres obliques, dont il est parlé ici, et dans Ezéchiel.' Dans son *Dictionnaire de la Bible, s.v.*, 'Salomon' et 'Temple', Calmet a, après p.436, 618, 629, 630 et 634, six grandes planches illustrant la construction du temple de Salomon, tel qu'il l'imaginait, et Newton, *The Chronology of ancient kingdoms amended*, a une planche, après la p.346, qui montre le plan du temple de Salomon. Voltaire aurait pu s'inspirer de l'un ou de l'autre.

254 Pour les cherubim, voir vs.23-28, et pour les bœufs qui soutenaient le grand bassin, voir I Rois vii.25. Voir Calmet, *ad loc.*, 'Josèphe et les Hébreux soutiennent que Salomon commit une faute contre la Loi, en faisant mettre ces taureaux sous la mer d'airain; [...] Mais l'Ecriture ne reproche jamais rien à Salomon à l'égard de ces figures de bœufs.' Voltaire a déjà mentionné ces sculptures dans l'Exode, n.(*g*).

255 I Rois ix.12-13. Voir les *Examens de la Bible* I.293.

256 I Rois x.22.

257 I Chr. xxii.14-16. Mme Du Châtelet avait aussi calculé la valeur de l'or et de l'argent de Salomon en unités de son temps et remarqué l'exagération, *Examens de la Bible* I.294.

258 I Rois x.1. De Sacy et Calmet traduisent qu'elle 'vint pour en faire expériences par des énigmes'. Le verbe 'tenter' de la version de Voltaire, dans le sens d'éprouver', est signalé par Littré, *s.v.*, 4°, avec des exemples tirés de de Sacy, de Molière et de Voltaire (*Oreste*, Acte 1, scène 5).

259 I Rois x.16. Mme Du Châtelet remarque, *Examens de la Bible* I.294, que le grand poids des boucliers les rendait inutilisables.

260 I Rois x.29.

261 I Rois xi.1.

262 C'est St Jean et non pas St Justin, voir Apoc. i.1-2, qui eut la vision de la ville céleste, Apoc. xxi.15-21. Voir Mme Du Châtelet, *Examens de la Bible* II.518. Voltaire venait d'employer le mot méprisant de roitelet plusieurs fois, voir Samuel, lignes 126, 128 et 1745, et Nombres, n.(*o*), Samuel, notes (*cȥ*), (*dj*), (*dm*), (*ds*), (*dt*), (*fb*), (*fg*), (*fl*) et (*fo*), et l'emploiera aussi dans l'*Histoire de l'établissement du christianisme*, où il

soutient que l''histoire des roitelets juifs probablement fut composée après la transmigration de Babylonie', *M*, t.31, p.55.

263 Voir Calmet, *ad* I Rois x.10, pour l'équivalence des monnaies.

264 Il n'y a pas d'indication que Salomon a donné aux prêtres une dîme de ce cadeau qu'il venait de recevoir en espèces. La dîme dont parle le Pentateuque devait être prélevée sur les produits agricoles des paysans, et donc ne s'appliquait pas ici. Pour la position géographique de Saba, voir Calmet, *ad* I Rois x.1, p.794-97, 'On fait voir ailleurs qu'il y avoit quatre *Saba*, qui ont pu donner chacun leur nom au pays qu'ils ont habité. Les interprètes sont partagés sur le pays de la reine dont il s'agit ici. Les uns la font venir de l'Arabie heureuse; et les autres de l'Ethiopie, ou de l'Egypte.' Le mot d''utopie' employé par Voltaire fut inventé par Sir Thomas More en 1516 et, selon Littré, fut introduit dans la langue française par Rabelais dans *Pantagruel* en 1532.

265 I Rois x.27. Voir *Candide*, ch.17. Les visions de paradis contiennent souvent des métaux brillants et des pierres précieuses réfléchissantes ou translucides comme dans Gen. ii.11, 12, dans l'éloge de la sagesse de Job xxviii.12-19, et surtout dans la vision de la ville céleste, voir, ci-dessus, n.262.

266 Voir Calmet, *ad* I Rois x.28, sur tout ce que racontaient les anciens sur les chevaux d'Egypte et sur le commerce des chevaux, surtout p.815, mais Calmet ne dit rien sur la cécité des chevaux d'Egypte. Voir, ci-dessus, n.63.

267 Adverbe introduit ici sans la moindre justification dans le texte. Le *Littré* et *Le Grand Robert* connaissent l'adjectif véhément (attesté vers 1170) et l'adverbe véhémentement (attesté à partir de 1363), mais ils n'en signalent pas la forme superlative évidemment basée sur le latin employée ici par Voltaire et peut-être introduite en français par lui. De plus, 'Salomon eut donc copulation avec ces femmes' est plus physiologique que le texte hébreu, בהן דבק שלמה לאהבה, *bahen davak Shlomo le-ahavah* (I Rois xi.2).

268 Juges xi.24, cité souvent par Voltaire, notamment dans le *Traité sur la tolérance*, ch.12, *OCV*, t.56c, p.201.

269 I Rois v.

270 I Rois xii.1.

271 I Rois xii.19.

272 I Rois xii.21, avec une faute dans le résumé: Roboam, fils de Salomon et roi de Juda, veut faire la guerre contre Jeroboam, roi d'Israël, pays constitué par les dix tribus du nord, fils de Nabath et non pas 'fils de Salomon'. L'erreur est peut-être typographique, le 'Jé' de Jéroboam ayant été omis, le nom se lisait 'Roboam' qui est bien le fils de Salomon. Dans sa version, Calmet simplifie, 'pour combattre contre la maison d'Israël, et pour réduire le Royaume à son obéissance'.

273 I Rois xii.25.

274 Ni Calmet, ni Mme Du Châtelet, n'a remarqué cette 'exagération'.

275 Les transcriptions de Voltaire sont bizarres car il transcrit des singuliers là où la grammaire française exige des pluriels: 'ces nabi', *navi* (נביא), orateur, devrait être au pluriel, *nevi'im* (נביאים), et 'ces rhoë', *ro'e* (רואה), voyant, devrait aussi être au pluriel, *ro'im* (רואים).

[276] Que les divers prophètes actifs pendant les deux monarchies juives concurrentes avaient rédigé les parties des livres des Rois dont ils étaient témoins était une thèse des plus orthodoxes. Voir T.B., Bava batra 15a, où une opinion soutient que Gad et Nathan continuèrent le récit de l'histoire de la république des Juifs après la mort de Samuel, et une autre opinion, également anonyme, soutient qu'Ezéchias et ses compagnons rédigèrent les livres des Rois et des Lamentations. Spinoza, *Tractatus theologico-politicus*, ch.8 et 9, soutient qu'Esdras rédigea l'histoire de son peuple depuis la mort de Moïse jusqu'à la destruction du temple. Richard Simon, *Histoire critique du Vieux Testament*, liv.1, ch.2, p.16, et ch.8, p.54, suivant Bava batra sans l'avouer expressément, suppose que les rédacteurs de la forme primitive des livres des Rois étaient les prophètes Gad et Nathan. Jean Leclerc, *Sentimens de quelques théologiens de Hollande*, p.86, résume et critique des thèses de Simon et, dans la Lettre 7, révoque ses thèses en doute, 'Nos amis ne firent pas beaucoup de remarques particulières, sur les Livres des Rois. Tout ce qu'ils disent, se réduit à ces trois choses: la première c'est que ces Livres ont été écrits, après la Captivité: la seconde, que l'on y trouve des restes des mémoires anciens, sur lesquels ils furent recueillis: et la troisième, qu'on ne peut pas savoir l'auteur de ce recueil', p.150-51. Newton, *Observations upon the prophecies of Daniel and the Apocalypse of St. John*, ch.1, 'Introduction concerning the compilers of the Old Testament', remarque que 'The books of *Kings* cite other authors, as the book of the Acts of *Solomon*, the book of the *Chronicles* of the Kings of *Israel*, and the book of the *Chronicles* of the Kings of *Judah*. The books of the *Chronicles* cite the book of *Samuel* the Seer, the book of *Nathan* the Prophet, and the book of *Gad* the Seer, for the Acts of *David*; the book of *Nathan* the Prophet, the Prophecy of *Abijah* the *Shilonite*, and the visions of *Iddo* the Seer for the Acts of *Solomon*; the book of *Shemajah* the Prophet, and the book of *Iddo* the Seer concerning genealogies' (p.8). L'association, d'ailleurs assez imprécise ici, des rédacteurs de livres bibliques avec les intérêts de la monarchie de Juda ou de la caste sacerdotale est encore une fois une application de la thèse du *Traité des trois imposteurs*, à savoir que la rédaction des livres religieux fut accomplie pour promouvoir l'intérêt politique des auteurs ou de l'entourage auquel ils appartenaient. Quant à Shemayah ou Shemayahu (Séméias), Voltaire contredit Calmet, *ad* I Rois xii.22, p.849, qui avait pourtant raison. Shemayah n'est pas aussi méconnu que le prétend Voltaire. Il semble avoir joué un rôle important parmi les sources qu'exploitaient les rédacteurs des Chroniques: à part la prophétie dont Shemayah parle ici et qui se trouve dans un texte parallèle dans II Chr. xi.1-4, les Chroniques lui attribuent aussi la prophétie que la Judée sera sauvée de l'emprise de Shéshak, roi d'Egypte (II Chr. xii.2-9) et la rédaction d'une chronique du règne de Roboam (II Chr. xii.15). Le texte grec de I Rois xi.28-31 lui attribue aussi une prophétie sur le partage de la monarchie de Roboam que le texte massorétique attribue au contraire à Ahiyah le Shiloni.

[277] Le prophète de I Rois xiii.1 est anonyme. Son identification comme 'Addo' est basée sur II Chr. ix.29 où un prophète qui rédigea les chroniques de Salomon et prophétisa au sujet de Jéroboam, fils de Nabat, s'appelle יעדי החחה, *Ye'ddi ha-hoze*,

Yeddi ou, selon le *qri*, יעדו, Yeddo, le voyant. II Chr. xiii.22 parle d'un prophète Iddo (עדו) qui aurait rédigé les chroniques non de Salomon mais d'Abiah, successeur de Roboam comme roi de Juda, dans un מדרש, *midrash*, et non pas dans un *sefer*, 'livre'. (Livre évidemment dans le sens littéraire et non dans le sens d'un codex qui serait inventé par les Grecs.) Cette identification avait déjà été faite par Flavius Josèphe, dans les *Antiquitates*, liv.8, ch.8, section 5, où il écrit 'Jadon' (le *n* venant de la déclinaison grecque) bien que II Chr. ne raconte pas que Yeddi ou Yeddo ou Iddo fut finalement mangé par un lion. Voir Calmet, *ad loc*.

278 Ex. xxxii.28, 'à peu près trois mille hommes' selon le texte hébraïque. Voir ci-dessus, Exode, n.95.

279 Pour les épithètes de Dieu, voir, ci-dessus*:* Exode, n.*(m)* (pour 'Jhao'), et Samuel, n.*(dc)* et *(ea)* (pour 'Sabbahoth'). Le mot צבאות, *ȥeva'ot*, désigne soit des légions ou armées, soit des étoiles et des planètes, soit des membres de la cour céleste de Dieu, et il qualifie souvent un des épithètes de Dieu, mais ne sert jamais seul comme nom autonome de Dieu. Pour 'Sadaï', voir, ci-dessus, Genèse, n.120.

280 Pour le récit du partage du royaume de Salomon annoncé soit par Ahiyah, soit par Shemaya, voir I. Rois xi.29-37, et voir, ci-dessus, n.272.

281 Plutôt que suivre Calmet, 'Offrez vos prières au Seigneur votre Dieu, et priez le pour moi, afin qu'il me rende l'usage de ma main' (I Rois xiii.6), Voltaire traduit à la lettre la Vulgate, 'Deprecare faciem Domini Dei tui, et ora pro me, [...] Oravitque vir Dei faciem Domini' qui suit l'hébreu, חל נא את פני ה׳ אלהיך ... ויחל איש האלהים את פני ה׳, où on présente une requête à 'la face' de Dieu, cf. Ex. xxxii.11, ou d'une personne, cf. Gen. xxxi.2 et xl.3, 5, etc., ce qui est peu idiomatique en français, voire risible.

282 Voir, ci-dessus, n.277.

283 Mme Du Châtelet raconte, elle aussi, cette histoire, *Examens de la Bible* I.298-300, avec une longue citation de Calmet, *ad* vs.24, passage auquel Voltaire ne fait aucune référence, peut-être parce que, comme elle dit dans ce paragraphe, Calmet se montre 'bien sensé'.

284 C'est la cinquième fois, voir lignes 328, 1093 et 1105, 1129 et 1133, que Voltaire introduit l'expression si johannique, 'le verbe du Seigneur' ou 'le verbe de Dieu', là où Calmet et la Vulgate ont employé des tournures moins chrétiennes, 'comme le Seigneur a coûtume de parler'. Ce 'verbe' de Dieu figurera encore six fois, lignes 1137, 1138, 1201, 1206, 1234 et 1728. Voir Samuel, n.101.

285 I Rois xiv.1. Mme Du Châtelet a aussi raconté cette histoire, *Examens de la Bible* I.300-301. En abrégeant le texte biblique de ce récit, Voltaire omet la raison des catastrophes que le prophète aveugle énumère, l'idolâtrie de Jéroboam et de ses sujets, retenant exclusivement le miracle si cruel, la mort d'un enfant innocent. Le prophète qui figure dans ce récit s'appelle אחיה ou אחיהו, *Ahiyah* ou *Ahiyahu*. Voltaire écrit 'Hahias' alors que la Vulgate et Calmet écrivent Ahias. La transcription 'Hahias' est étrange parce que ce nom ne commence ni avec un *het* ni avec un *hé* qu'on serait tenté de représenter par un *h*.

286 I Rois xiv.22.

287 Encore une fois, vs.24, la version de Voltaire est plus explicite que celle de

Calmet qui ne parle que 'des efféminés', comme le fait la Vulgate, 'Sed et effeminati fuerunt in terra'. Pourtant la version de Voltaire correspond à l'hébreu, גם קדש היה בארץ , *gam kadesh haya ba-arez*, 'il y eut même des prostitués sacrés dans le pays' (trad., Dhorme, dans la Pléiade), mais ces *kdéshim*, pluriel de *kadesh*, ne sont pas associés au récit sur l'inhospitalité des hommes de Sodome qui voulaient abuser des hôtes (angéliques) de Loth.

[288] Voltaire regarde l'histoire des deux royaumes juifs concurrents avec l'œil d'un élève nourri par les catéchismes, prêt à identifier des hérésies là où les prophètes n'identifiaient que l'infidélité à Yahweh, par exemple, II Chroniques xiii.9-12. En fait, il n'y a rien dans la diatribe d'Ahiyah contre la maison de Jéroboam qui suggère de l'indulgence pour les cultes idolâtres que celui-ci avait introduits.

[289] Pierre Jurieu (1637-1713), *L'Accomplissement des prophéties* (Rotterdam, Abraham Acher, 1686), et voir Elisabeth Labrousse, *Pierre Bayle* (La Haye, 1963), t.1, p.206-208.

[290] Louis Basile Carré de Montgeron (1686-1754), conseiller au Parlement de Paris, après une vie 'd'incrédulité et de dissipation' (*Dictionnaire de biographie française*, t.7, p.1234), fut converti au jansénisme le 7 septembre 1731, au cimetière de St-Médard, à Paris, puis recueillit les récits des miracles de l'abbé François de Pâris et les publia dans *La Vérité des miracles de M. de Paris démontrée* (Utrecht, 1737). Voir Michèle Bokobza-Kahan, 'Ethos in testimony: the case of Carré de Montgeron, a Jansenist and a convulsionary in the century of Enlightenment', *Eighteenth-century studies* 43 (2010), p.419-33. Voltaire parle de lui encore une fois dans *Il faut prendre un parti*, ch.22, *OCV*, t.74B, p.57, n.c. Mme Du Châtelet dit de lui, 'on ne peut, par exemple, avoir des miracles mieux avérez que ceux de M. Paris, dont M. de Montgeron présenta il y a 5 ou 6 ans un recueil au roy, et ce M. de Montgeron auroit volontiers souffert le martyre pour en prouver la vérité' (*Examens de la Bible* II.57).

[291] Gen. xlix.9-11, 'Juda est un jeune lion [...] le sceptre ne sera point ôté de Juda et le prince [ne sortira point] de sa race jusqu'à ce que celui qui doit être envoyé soit venu; et c'est lui qui sera l'attente des Nations' (trad. Calmet). Le *shilo* du texte hébraïque n'est pas traduit comme un nom propre mais par une paraphrase, 'celui qui doit être envoyé'.

[292] Voir Calmet, *ad* III Rois xi.40, p.833, 'Plusieurs interprètes croient que *Sesac*, est le même que *Sesostris*, Roi d'Egypte [...] Marsham veut que *Sethosis* de Manethon, soit le même que Sesac, ou Sesostris. Mais Usserius [James Ussher] place *Sesostris* long-temps auparavant, savoir aussitôt après la sortie des Israélites de l'Egypte', c'est-à-dire, vers cinq cents ou six cents ans avant Salomon. Le savant dont parle Voltaire peut être Newton qui, dans *The Chronology of ancient kingdoms amended*, identifie Bacchus, Osiris et Sesostris (p.193) et soutient que '[they] must be one and the same King of Egypt, and this King can be no other than [the] Sesac' qui a spolié le temple de Salomon vers l'an 974 avant l'ère moderne (p.20). Voir l'article 'De Diodore et d'Hérodote' des *Questions sur l'Encyclopédie*, *OCV*, t.40, p.471-72, qui parle de Sesostris dans les mêmes termes qu'ici, d'après Hérodote. Voir aussi *La Défense de mon oncle*, ch.9, *OCV*, t.64, p.214.

293 Hérodote, *Historiēs*, liv.2, sections 102-103. Voir, ci-dessus, Samuel, n.79.

294 I Rois xv.12-13. Voltaire traduit justement *kdéshim*, comme il venait de traduire le singulier. Quant au priape que la reine mère avait fabriqué, l'hébreu le décrit comme מפלצת לאשרה, *mifleẓet la-ashera*, une horreur pour [la déesse] Ashera, ce qui n'est pas très explicite car les rédacteurs de la Bible évitaient souvent de décrire les éléments matériels des cultes idolâtres. Jérôme et donc Calmet traduisent cette *mifleẓet*, mot dont le genre est du féminin, par le très masculin 'priape'.

295 I Rois xv.7. Calmet suppose que ce fut plutôt Asa qui se battit contre Jéroboam, et il renvoie à II Chr. xiii.3 pour les détails de cette guerre, détails que Voltaire introduit dans sa version ou plutôt son résumé de I Rois xv. Ceci démontre que Voltaire vérifiait parfois ce qu'il lisait chez Calmet.

296 I Rois xv.2 et 10. L'Abias ou Abiam dont il s'agit ici n'est qu'un homophone de l'Abdias du II Rois xiv.1. Il s'appelle Abiam dans I Rois et Abiah ou, en français, Abias, dans II Chroniques, nom que Voltaire emploie ici. Voir, ci-dessus, n.277. Voir Calmet, *ad* vs.9, 'Asa était fils de *Maacha, fille d'Absalom*, différente sans doute de la mère d'Abiam; mais apparemment une autre petite-fille d'Absalom.' Pour les priapes de Maacha, voir Calmet, *ad* vs.13, où il met en doute la traduction de Jérôme. Que Maacha était 'grande prêtresse' des priapes est l'invention de Voltaire.

297 L'Ancien Testament parle de *kdéshim* trois fois, Deut. xxiii.18, I Rois xiv.24 (voir, ci-dessus, n.287 et 294) et I Rois xxii.47. On ne sait ni à quel culte autre que celui de Yahweh ces *kedéshim* se consacraient, ni quels étaient leurs fonctions dans ce culte, car elles ne sont jamais spécifiées. Voltaire les identifie avec des sodomites sans raison évidente autre que le genre masculin du mot.

298 Pour la virilité extraordinaire d'Abdias, voir II Chr. xiii.21. Pour les millions de soldats du roi de Kush, voir II Chr. xiv.7.

299 Voltaire interrompt ici son résumé de I Rois xv.1-8 pour introduire un détail puisé à II Chr. xiii.21 qui n'est pas mentionné dans le commentaire de Calmet sur ce chapitre.

300 Voltaire retourne au texte de I Rois xv.9.

301 II Chr. xiv.8-12. Le texte biblique ne connaît pas de mot pour million et emploie 'mille milliers', ici et ci-dessus, I Chr. xxii.14 et II Chr. xiv.7. C'est Voltaire qui transforme la prière d'Asa, II Chr. xiv.10, en une raison pour la défaite des Kushites (Ethiopiens) alors qu'ils n'y sont pas mentionnés.

302 I Rois xvi.23. Jérôme transcrivit *Amri*, et son orthographe fut suivie par Calmet et donc par Voltaire. Il semble qu'à Tibériade, trois siècles après le témoignage de Jérôme sur la prononciation de l'hébreu, on prononçait *Omri*, car on vocalisa ce nom propre par la voyelle qui désignait un *o* ouvert, c'est-à-dire un *kamaẓ*. Actuellement, dans la prononciation séfarade, cette voyelle se prononce *a* dans certains cas, mais elle se prononce *o* dans une syllabe fermée non tonique, ce qui est le cas d'*Omri*. Ce nom propre ne se prononce donc plus comme Jérôme, Calmet et Voltaire l'écrivaient en caractères latins. Quant à l'achat du futur Shomron (Samarie), la vocalisation du nom du vendeur est *Shemer* et non *Somer* comme l'écrit Voltaire. Voir Calmet, *ad loc*.

³⁰³ I Rois xvi.34. Le texte biblique n'est pas explicite ici mais renvoie clairement à la malédiction prononcée par Josué contre quiconque reconstruirait Jéricho, Jos. vi.26.

³⁰⁴ Jos. vi.24-26.

³⁰⁵ II Rois ii.11, sans précision sur le nombre de chevaux. Les quatre chevaux dont précise Voltaire peuvent être un transfert à l'histoire d'Elie soit de Zach. vi.1-3, où il s'agit de quatre groupes de chevaux, soit des quatre cavaliers de l'Apocalypse, Apoc. vi.1-8.

³⁰⁶ Voir Calmet, *ad* I Rois xvii.1, qui croit savoir où se trouve Thesbes, mais signale tout ce qu'on ne sait pas sur Elie, 'sa mission était bornée; car on ne voit pas qu'il ait beaucoup paru dans le Royaume de Juda. [...] On ignore profondément les qualités de ses parents, et la manière de son éducation et de sa vocation à la prophétie. On ne sait pas même au vrai de quelle tribu il était.' Voltaire ne semble pas aller plus loin que Calmet cette fois, et ne déduit pas du cycle de récits sur Elie et Elisée qu'ils semblent venir d'une source appartenant au royaume d'Israël.

Quand Voltaire qualifie les habitants du royaume du nord ou les Samaritains d'hérétiques, ici et ailleurs, comme ci-dessous, n.(*dw*) et dans 'Christianisme' des *Questions sur l'Encyclopédie*, *OCV*, t.40, p.77, il les range dans une catégorie courante dans l'histoire ecclésiastique chrétienne pour laquelle il n'y avait même pas de mot dans l'hébreu biblique. (Voir, ci-dessus, n.288.) Dans l'hébreu rabbinique on a finalement adopté le mot grec, אפיקורוס, *apikoros*, dérivé, pense-t-on, du nom d'Epicure, pour 'hérétique', et le mot מין, *min*, pour les premiers judéo-chrétiens. Comme le démontre ici Voltaire, les sujets des rois de l'Etat du nord n'étaient que pécheurs, et à peine plus que les Judéens, à en juger d'après le culte de dieux autres que celui d'Israël que les prophètes reprochent à ceux-ci.

³⁰⁷ Voir Calmet, *ad* I Rois xvii.3, qui traduit, 'cachez vous sur le bord du torrent de Carith', mais qui admet, 'A la lettre: *Dans le torrent*, ou dans la vallée *de Carith*'.

³⁰⁸ Ceci ajoute à ce que raconte Calmet, *ad* I Rois xvii.5, p.908, 'Les Histoires sont pleines d'exemples d'animaux, qui ont nourri des hommes et des enfants. S. Jérôme [*en note*: *in Vita Pauli primi eremitæ, P.L.*, t.23, col.25] assure qu'un corbeau apportait tous les jours un demi pain à S. Paul, le premier Hermite, et que S. Antoine étant venu voir ce saint solitaire, le corbeau apporta un pain entier pour ces deux soldats de J. C.'.

³⁰⁹ I Rois xvii.1.

³¹⁰ Mme Du Châtelet, *Examens de la Bible* I.304-305, raconte cette histoire, mais en mettant l'accent sur le charlatanisme d'Elie.

³¹¹ Les 'quelques commentateurs' semblent être Mme Du Châtelet qui écrit: 'Elizée logeait souvent chez cette femme connue sous le nom de la Sunamite. Un jour il lui envoya dire de venir dans sa chambre, et quand elle y fut il lui demanda ce qu'elle voulait qu'il fît en sa faveur. Le serviteur d'Elisée, qui apparamment était au fait, dit à son maître, verset 14, *Il n'est pas difficile de deviner ce qu'elle désire: elle n'a point d'enfants et son mari est vieux*. Elisée entendit ce que cela voulait dire et prédit à cette femme qu'elle aurait un fils dans son sein dans ce même moment [...] Apparament qu'il accomplit la prédiction. Car effectivement elle se trouva grosse

et accoucha. Mais ensuite son fils vint à mourir, elle s'en alla trouver Elisée, vraisemblablement pour en avoir un autre. Mais il aima mieux ressusciter celui-là. [...] Elisée s'enferma dans la chambre avec lui (précaution peu nécessaire et très suspecte) et il tacha de le réchauffer en mettant ses yeux sur ses yeux, sa bouche sur sa bouche, et tout son corps sur son corps, comme avait fait Elie dans une occasion semblable [I Rois xvii.17-24]. Il repeta cette simagrée 7 fois et l'enfant baílla. Alors Elisée fit encore venir la Sunamite dans sa chambre pour lui rendre son fils et il y a apparence qu'elle le paya de ses peines' (*Examens de la Bible* I.313-15).

³¹² Maxime de logique citée déjà, ci-dessus, Exode, n.(*s*), et voir Exode, n.31.

³¹³ Pour la famine du temps d'Elisée, voir II Rois viii.1; pour celle du temps d'Abraham, voir Gen. xii.10; pour celles du temps de Joseph, voir Gen. xli.54-xlii.2.

³¹⁴ Le récit sur le mont Carmel se trouve dans I Rois xviii.20-45. Calmet ne parle ni ici, ni dans ses remarques introductrices sur Elie de sa fondation de l'ordre des Carmes, mais Voltaire rappellera en passant, ci-dessous, 'Thérapeutes', n.5, la prétention de cet ordre d'avoir été fondé par Elie. Voir Moréri, *s.v.*, 'Carmes', 'Aimeric, légat du saint siége en Orient sous Alexandre III, et patriarche d'Antioche, fut le premier qui les [les pèlerins vivant dans des conditions très peu sûres en Syrie] réunit, et les mit sur le mont Carmel, autrefois la retraite des prophétes Elie et Elisée, dont ils se disaient les successeurs' (t.3, p.257a).

³¹⁵ Voltaire confond divers récits. Au moins officiellement il n'y avait pas d'idolâtrie dans le temple de Jérusalem, mais plusieurs versets parlent d'idolâtrie en Judée: des chevaux consacrés au soleil dans le temple (II Rois xxiii.11), des בתים, *batim*, maisons ou peut-être housses confectionnées elles aussi dans le temple pour l'Ashera' (II Rois xxiii.7), la fabrication ou culture (car le roi Asa l'a fait 'couper', verbe employé d'habitude pour une plante) d'une *mifleẓet* pour l'Ashera (I Rois xv.13 et voir, ci-dessus, n.287 et 297), l'adoration du serpent de bronze fabriqué par Moïse (II Rois xviii.4), les femmes qui lamentent la mort du Tammuz (Ez. viii.14), et diverses pratiques apparemment sexuelles (Ez. viii.6-18). Mais aucun verset ne parle de l'adoration des bœufs qui soutenaient le bassin où les prêtres se purifiaient. I Rois xii.28-33 prétend explicitement que le culte des deux veaux d'or que Jéroboam avait installés à Beth-El et à Dan avait pour objectif d'empêcher les habitants d'adorer Dieu dans le temple de Jérusalem de peur qu'ils rétablissent leurs liens avec la dynastie davidique qui y régnait.

Quant aux épithètes pour Dieu, אדני, *Adonaï*, veut dire, 'mon maître', mais les autres ont d'autres étymologies. (Voir ci-dessus, Genèse, n.120 et Samuel, n.246 et n.279.) בעל, *Ba'al*, veut dire possesseur ou maître, et le dieu *Ba'al* est celui du panthéon ougaritique et canaanéen qui est responsable des pluies et des orages. Voir André Caquot, *et al.*, *Textes ougaritiques*, t.1, p.73-85.

³¹⁶ Paraphrase d'Ez. xviii.32 et xxxiii.11.

³¹⁷ I Rois xviii.46.

³¹⁸ Pour la nourriture de Hagar et d'Ismaël dans le désert, voir Gen. xxi.19. Pour les actes de François Xavier aux Indes, voir l'annotation de l'article, 'Xavier', du fonds de Kehl, à paraître dans les *OCV* (t.34), qui identifiera des emprunts

importants à l'*Histoire critique de Manichée et du manichéisme* d'Isaac de Beausobre (Amsterdam, Jean-Frédéric Bernard, 1734-39; BV310).

[319] I Rois xix.19.

[320] Voir Calmet, *ad* I Rois xix.11, p.933, 'D'autres [Grotius] croient que Dieu lui découvrait la différence de la Loi, et de l'Evangile. La Loi ne parle que de ménaces, que d'émotion, que de feu; l'Evangile est une Loi de douceur, de paix et de clémence.'

[321] Nous n'avons pas trouvé ce bon mot dans les *Works* de Bolingbroke.

[322] Il s'agit de *The Philosophical works of the late right honorable Henry St John, lord viscount Bolingbroke*. L'Ecossais, David Mallet, fut en quelque façon l'héritier littéraire de Bolingbroke. 'Un roi qui se dit catholique, comme Josaphat' semble un *lapsus calami*, car évidemment il n'y avait pas encore de rois chrétiens, voire 'catholiques', du temps de Josaphat.

[323] I Rois xxii.6, 11.

[324] I Rois xxii.19.

[325] I Rois xxii.21.

[326] Que les Israélites n'avaient pas de diable est bien vu, mais que le 'vent' du vs.21 doit être identifié avec 'le diable' semble venir de Calmet, 'Mais l'esprit *malin* s'avança', là où la Vulgate n'avait que '*autem spiritus*'. Calmet écrit: 'On sait aussi que les mauvais anges ne se trouvent pas devant le Seigneur, et à gauche de son trône dans le Ciel. L'Ecriture de l'ancien, et du nouveau Testament nous apprend qu'ils sont précipités au fond des enfers, où ils sont détenus par des chaînes de feu', *ad* I Rois xxii.12, p.970. Ce que Voltaire croit savoir sur le diable et son rôle dans la pensée juive vient de Thomas Hyde, *Veterum Persarum et Parthorum et Medorum religionis historia*, ch.9, p.160-62.

[327] *Iliade*, chant 2, vers 6.

[328] I Rois xxii.35-38.

[329] II Rois i.2. Voltaire emploie ici la forme Belzébuth qui se trouve dans des grimoires (voir *La Défense de mon oncle*, ch.7, *OCV*, t.64, p.210 et p.305, n.26 et 27, *Lettres à Son Altesse Monseigneur le prince de **** X, *OCV*, t.63B, p.484, *Questions sur l'Encyclopédie*, art. 'Béker', *OCV*, t.39, p.349-50, et art. 'Pères, mères et enfants', *M*, t.20, p.193, *Saül*, Acte I, Scène 1, *OCV*, t.56A, p.467, *Fragments sur l'Inde et sur le général Lalli*, Partie 2, art.3, *OCV*, t.75B, p.206, ainsi que les *Lettres chinoises, indiennes et tartares*, IX et XII, *M*, t.29, p.482 et 497. Belzébut est écrit sans *h* dans la version de de Sacy (Mons, 1684), et voir, ci-dessus, Juges, n.73. Ce dieu des Philistins d''Ekron ne paraît dans le texte hébraïque que dans ce chapitre de II Rois, où il est appelé בעל זבוב, *Ba'al ẓevuv* (maître des mouches), d'où Béelzebub. Voir le *Dictionnaire philosophique*, 'Christianisme', *OCV*, t.35, p.571, et 'Religion', *OCV*, t.36, p.479, *Questions sur l'Encyclopédie*, 'Eglise, Du pouvoir de chasser les diables donné à l'Eglise', *OCV*, t.41, p.11, ainsi que *La Philosophie de l'histoire*, *OCV*, ch.48, t.59, p.259, entre autres passages. Voir aussi les *Examens de la Bible* II.70. Voir le *CN*, t.1, p.226, l'annotation marginale dans Jacques Basnage, *Antiquités judaïques* (Amsterdam, 1713; BV281), t.2, p.664-68, à côté du titre de la section VIII, 'De Baalzebud [*sic*] le Dieu des Armées', où Voltaire traduit, '[B]elsebuth sabahoth'.

330 I Rois xxii.39. Calmet signale, *ad loc.*, cette maison 'lambrissée d'ivoire, ou dans laquelle il avait fait faire beaucoup d'ornements avec l'ivoire', sans réfléchir, comme le fait ici Voltaire, sur la provenance de cette matière si rare.

Voltaire omet de raconter un épisode dramatique du règne d'Achab, lorsqu'il saisit la vigne de Naboth et l'assassine à la demande de Jézabel, ce que Mme Du Châtelet avait qualifié d''action fort noire et fort injuste' (*Examens de la Bible* I.308). Il ne cite pas non plus les remontrances que fait Elie à Achab, une des pages de la Bible qui montre une vision éthique qu'il aurait pu admirer.

331 II Rois ii.1-14.

332 Vers la fin de sa carrière Voltaire écrivit souvent contre les condamnations pour sorcellerie. Voir *La Défense de mon oncle*, ch.7, *OCV*, t.64, p.209-10, les *Questions sur l'Encyclopédie* (1771), art. 'Arrêts notables' et 'Béker', *OCV*, t.39, p.40 et 347, et, sur Maria Renata Singer von Mossau, prétendue sorcière, brûlée à Wurtzbourg en 1749, voir le *Commentaire sur le livre Des délits et des peines* IX, *M*, t.25, p.553-54, et voir le *Prix de la justice et de l'humanité* IX, *OCV*, t.80B, p.108, où Voltaire parle de Saül et de la pythonisse d'Endor, p.553. Voir, ci-dessus, n.(*bf*)-(*bh*), Lévitique, n.26, et Samuel, n.130 et 132.

333 'Qu'un dieu n'intervienne pas, à moins qu'il ne se présente un nœud digne d'un pareil libérateur', Horace, *De arte poetica*, vers 192, trad. François Villeneuve (Paris, 1955), p.212. Voltaire possédait les *Œuvres d'Horace en latin et en françois*, éd. André Dacier (Amsterdam, Wetstein, 1727; BV1678). Le *CN*, t.4, n'a remarqué aucun trait ni note marginale sur ces vers, mais c'est un texte qu'il avait dû étudier au collège.

334 'Contra, quem duplici panno patientia velat', 'celui, au contraire, que l'endurance couvre d'un lambeau plié en deux, [m'étonnerait fort s'il s'adaptait à un changement dans la route de sa vie]', Horace, *Epistulæ*, liv.1, no.17, vers 25, trad., François Villeneuve. Pour le 'double esprit' que réclame Elisée d'Elie, voir *La Philosophie de l'histoire*, ch.43, *OCV*, t.59, p.124, et Mme Du Châtelet, *Examens de la Bible* I.311-12.

335 Calmet propose plusieurs explications, *ad* II Rois ii.9, p.11, mais aucune n'est attribuée à 'Torniel'. Il n'y a de Torniel, ni dans la BV, ni dans le catalogue des imprimés de la BnF. Pourtant il y avait un barnabite, Agostino Tornielli (1543-1622), dont les *Annales sacri et profani ab orbe condito ad eundem Christi passione redemptum* (Milan, 1610) contiennent un commentaire sur les livres historiques de la Bible. Voir les *Examens de la Bible* I.311.

Du peu de critique vétéro-testamentaire qu'il a pu identifier dans les écrits de Toland, publiés ou inédits, Justin Champion ne cite rien qui touche soit à l'histoire d'Israël sous les deux monarchies, soit à l'histoire de ses prophètes et, en l'occurrence, rien sur ce verset.

336 Voir *La Philosophie de l'histoire*, ch.43, *OCV*, t.59, p.237, qui fait la comparaison avec Apollon.

337 II Rois iii.4.

338 Il n'est pas évident de quel Anglais parle Voltaire, ni si aucun des déistes avait remarqué l'absence d'ours en Palestine, mais Mme Du Châtelet était bien scandalisée

par ce verset. Voir ses *Examens de la Bible* I.312, 'On lit au verset 23 que de petits enfants, *pueri parvi*, ayant appelé Elisée *chauve*, Dieu à sa prière envoya des ours pour les dévorer. Action aussurément bien barbare.' Voir aussi *La Philosophie de l'histoire*, ch.43, *OCV*, t.59, p.124.

339 Un tel proverbe ne figure pas dans les dictionnaires de proverbes et de locutions françaises.

340 II Rois iv.8.

341 Le dominicain Tomás de Torquemada (1420-1498), inquisiteur général pour l'Espagne à partir de 1483.

342 Telle est l'orthographe dans toutes les éditions de la *Bible enfin expliquée* car il semble que les premiers compositeurs n'avaient pas le caractère *w*, qui est rare en français, pour composer 'swive' et employèrent un *u* à sa place, et les éditions subséquentes copièrent leur texte. Le mot anglais de 'swive' est attesté depuis Chaucer (1356), 'The Miller's Tale', vers 664, et, du vivant de Voltaire, Alexander Pennecuik l'a employé dans son *A collection of Scots poems on several occasions* (Edimbourg, 1756), p.100, 'And why was all this mighty pother / But to swive some jade or other?', mais il est actuellement obsolète et apparemment était grossier déjà du temps de Voltaire qui l'emploie dans une version anglaise très grossière d'Horace, *Notebooks*, *OCV*, t.81, p.320. Voir aussi le poème satirique qu'il cite sur David et Bethsabée où ce mot paraît avec un substantif dérivé de 'fumble', 'Then to it they went with might and main. / He swived her once, and once again / And then could do it no longer. / Phsaw, quoth buxom Barthsh. / By the Lord the King's a fumbler. / Had ever a woman so bad luck?', *OCV*, t.80, p.75. 'Swive' s'employait encore au dix-neuvième siècle. Voir *Oxford English Dictionary*, *s.v.*

343 Mme Du Châtelet avait cité ce récit, *Examens de la Bible* I.312-13, dont Voltaire n'a jamais parlé avant la rédaction de *La Bible enfin expliquée*. Pour les sacrifices humains à Carthage, voir Diodore de Sicile, *Bibliothēkē historikē*, liv.13, section 86, signe 3, et liv.20, section 14, signes 4-7, et pour ceux pratiqués par les Gaulois, voir Jules César, *Bellum Gallicum*, liv.6, section 16.

344 'Joram' est une glose de Voltaire.

345 Calmet, 'si Dieu vous conserve en vie, vous aurez un fils dans vos entrailles'.

346 II Rois iii.14.

347 '*Siquid inexpertum scænæ committis et audes / personam formare nouam, seruetur ad imum / qualis ab incepto processerit et sibi constet.*' 'Si vous risquez sur la scène un sujet vierge et osez modeler un personnage nouveau, qu'il demeure jusqu'au bout tel qu'il s'est montré dès le début et reste d'accord avec lui-même', Horace, *De arte poetica*, vers 127, trad. François Villeneuve, p.209.

348 Mme Du Châtelet l'avait déjà suggéré. Voir, ci-dessus, Samuel, n.311.

349 Voir Calmet, *ad* II Rois iv.29, 'Dans les comédies des anciens, on nous représente les esclaves qui courent où on les envoie, sans vouloir saluer ni répondre, ni s'arrêter. Le Sauveur du Monde envoyant ses Apôtres prêcher le Royaume de Dieu, leur defend de saluer personne en chemin, ... [*en note*: Luc x.4]'.

350 Mme Du Châtelet parle, elle aussi, de 'simagrées'. Voir ci-dessus, n.311.

351 Voir Calmet, *ad* vs.31, p.43, 'Le bâton d'Elisée mis sur le corps de l'enfant, marquait la Loi de Moyse, qui ne pouvait par elle-même donner ni la vie, ni la justice à personne; il fallait qu'Elisée lui-même, figure de J. C. et maître de tous ceux qui avaient été envoyés sous la Loi, vînt et se raccourcît dans son incarnation, pour se proportionner au corps de l'enfant; c'est-à-dire, de tout le genre humain, qui était sans vie, sans force, sans lumière.'

352 Nom. xiii.23. Beuchot suggère avec raison que 'par l'expression de *bonnes gens* qui *chantent* la fertilité de la Judée, Voltaire désigne l'abbé [Antoine] Guénée, auteur des *Lettres de quelques Juifs [portugais et allemands à M. de Voltaire* (Paris, 1769; BV1566)], auxquelles il répondit dans *Un chrétien contre six Juifs* [1776, duquel voir §I, 'Lettre de saint Jérôme', *M*, t.29, p.502-503], et qui a donné depuis, en quatre Mémoires, des *Recherches sur la Judée* [(*Mémoires de littérature, tirés des registres de l'Académie des inscriptions...*, t.50 (1784-93), p.142-246)].' Voltaire possédait un deuxième exemplaire de ces *Lettres* dans une édition postérieure, Paris, chez Moutard, 1776, BV1567. Pourtant nous ne trouvons nulle part dans ces *Lettres* l'éloge de la terre de Madian comme capable de nourrir les troupeaux nombreux que, selon Nom. xxxi.32-33, les Israélites victorieux avaient pris comme butin (seconde partie, lettre I, §III), et aucune de ces *Lettres* ne réfute les assertions fréquentes de Voltaire sur l'aridité de la terre qu'habitaient les Israélites.

353 II Rois v. Voir 'Tolérance II' du *Dictionnaire philosophique*, *OCV*, t.36, p.556, et les *Examens de la Bible* I.315.

354 Voltaire semble penser aux récits sur la fourniture miraculeuse par Jésus de nourriture aux disciples, Mt xvi.13-21 et xvi.32-39. 'Afin que l'Ancien Testament fût en tout une figure du Nouveau' rappelle ce qu'avait remarqué plus explicitement Mme Du Châtelet comme une des caractéristiques de l'évangile selon Matthieu, 'Car Jésus dirige toutes ses actions, et les evangélistes tous leurs récits dans cette idée de l'application des prophéties, et cette envie de faire quadrer de gré ou de force ce que Jésus fait avec quelque passage des prophètes suffirait, selon moi, pour rendre toute l'histoire des miracles de Jésus suspecte', *Examens de la Bible* II.69 et voir aussi II.66.

355 Ceci est exactement ce que dit Naaman, vs.12.

356 II Rois vi.24.

357 Gen. xxxv.2 implique que jusqu'à ce moment Jacob tolérait l'adoration des 'dieux d'un pays étranger', et, dans Gen. xxxi.53, Jacob et Laban prêtent serment, chacun par son propre dieu; dans Juges xviii.30, le Lévite qui servait de prêtre d'un culte idolâtre à Dan est identifié comme 'Yehonatan fils de Gershom, fils de Menasheh', ce dernier ayant été identifié comme Moïse lui-même (voir T.B., Bava batra 109*v*, répété par RaShI et Joseph Kara, *ad loc.*, et par David Kimhi, *ad* Juges xvii.7) parce que le *nun* qui transforme *Moshe* en *Menasheh* est écrit en exposant. Voltaire parle de ce Yehonatan dans *Un chrétien contre six Juifs* §XXV, *M*, t.29, p.524. D'après I Rois xi.4-8, Salomon épousa des femmes étrangères et adorait leurs dieux. Ce que Voltaire omet de dire est que, dans les deux derniers cas, le texte biblique désapprouve fortement.

358 II Rois viii.1.

³⁵⁹ Voltaire attribuait l'*Examen de la religion* à César Chesneau Du Marsais (voir D10239 de 1761 ou plus probablement de 1763). Voir B. E. Schwarzbach et A. W. Fairbairn, 'The *Examen de la religion*: a bibliographical note', *SVEC* 249 (1987), p.125, et Gianluca Mori, éd., *Examen de la religion* (Oxford, 1998), p.24-81, qui soutient cette attribution. En fait cet ouvrage discute un grand nombre des 'difficultés' de la Bible, mais aucune tirée de II Rois, comme celle-ci.

³⁶⁰ Voltaire semble penser à l'explication de Calmet, *ad* II Rois vii.2, p.73, '*Quand le Seigneur ouvrirait les cataractes du Ciel, &c.* Quand le froment tomberait du ciel avec autant de rapidité et d'abondance, que les eaux tombent des cataractes du Nil et des autres fleuves.'

³⁶¹ Voir Calmet, *ad* II Rois viii.10, où il essaie de sauver l'honneur du prophète, supposant que celui-ci prévoyait une mort violente pour le roi. Voir *La Philosophie de l'histoire*, ch.43, *OCV*, t.59, p.237.

³⁶² Voir Calmet, *ad* II Rois viii.7. Voir aussi 'Histoire des rois juifs et Paralipomènes' du *Dictionnaire philosophique*, *OCV*, t.36, p.195-200.

³⁶³ II Rois ix.1. La n.(*fb*) paraphrase le texte biblique traduit ici.

³⁶⁴ La citation de Meslier ne peut être identifiée dans les *Mémoires des pensées et sentiments*.

³⁶⁵ II Rois xi.1. Calmet aussi est scandalisé par la conduite d'Athalie. Voir *ad* II Rois xi.1, où il suggère qu'elle a fait tuer tous les descendants de David pour régner elle-même, puis, 'Ce qu'on nous raconte de l'ambition et de la cruauté d'Agrippine mère de Néron, ne représente que fort imparfaitement le crime de la dénaturée Athalie.'

³⁶⁶ II Rois xi.15.

³⁶⁷ On entend ici un écho des *Examens de la Bible* II.397, 'Mais je crois que les Juifs auraient mieux aimé que Dieu leur fit ni tort ni grâce. Il est plaisant de donner aux hommes des pierres d'achoppement, afin d'avoir le plaisir de faire fouetter son fils unique pour les racheter, lequel cepend[an]t ne les rachête point, surtout les juifs, dont il est ici [Rom. v.13] question.'

³⁶⁸ Voltaire invente un peu ici. Le texte et Calmet ne mentionnent que deux flèches tirées. Calmet, *ad* II Rois xiii.16, distingue un peu différemment que Voltaire les types de prévoyance prophétique. Il reconnaît des 'prédictions de fait' et des 'prédictions de discours'.

³⁶⁹ Aucun commentateur du répertoire que connaît Dom Calmet ne semble avoir posé cette question, mais Calmet remarque, d'après Alphonsus Tostatus, 'que les Rabbins ajoûtent à cette merveille un conte de leur façon; celui qui a été ressuscité, mourut aussitôt, parce que c'était un méchant'. Autrement dit, certains rabbins, anticipant la question de Voltaire, ne voyaient pas pourquoi un inconnu fut ressuscité plutôt que le prophète. Mais 'les critiques' semblent, une fois de plus, n'être que Mme Du Châtelet, *Examens de la Bible* I.326, 'On ne sait pas pourquoi, ayant le pouvoir de ressusciter quelqu'un, il ne se donna pas la préférence, apparemment qu'ayant vécu 125 ans fort misérable, il se trouvait fort bien d'être mort.'

³⁷⁰ II Rois xvii.1.

[371] Cette fois, les 'critiques' ne sont pas Mme Du Châtelet qui, bien que tenant les Israélites des deux monarchies en peu d'estime, ne les caractérise jamais si brutalement.

[372] Probablement une négligence d'un compositeur ici, 'Bersim' inconnu au lieu de 'Be'er Sheva' (dans une graphie ou une autre) archiconnu qui figure dans le mérisme fréquent, 'de Dan à Be'er Sheva', I Sam. iii.20; II Sam. iii.10, xvii.11, xxiv.2, 15; I Chr. xxi.2; II Chr. xxx.5. Pour les nations que le roi d'Assyrie introduisit dans l'ancien royaume du nord pour remplacer ceux des habitants qu'il avait exilés, voir II Rois xvii.24.

[373] Calmet, *ad* II Rois xvii.3, avait essayé d'identifier Salmanasar et Théglath-phalassar, ce dernier comme le 'Ninus le jeune', connu d'après des sources grecques. Il ne mentionne ni Ctésias de Cnide, historien de la Perse qui vivait au quatrième siècle avant l'ère moderne, ni Hérodote (vers 480-vers 425 avant l'ère moderne), historien des guerres des Grecs avec les Perses, ni Eusèbe (265-340, évêque de Césarée et auteur d'un *Chronicon* en grec), ni Georges le Syncelle (mort peu après 810, et auteur, lui aussi, d'un *Chronicon*). Théglathphalassar III, roi d'Assyrie, régna de 745 à 727 avant l'ère moderne. Salmanasar lui succéda et régna de 727 à 722. Flavius Josèphe parle de sa conquête du royaume d'Israël, *i.e.*, du nord, dans les *Antiquitates*, liv.9, ch.14. Moréri, *s.v.*, qualifie Sardanapale de 'roi fabuleux des Assyriens' qui est identifié avec Thonos Cancoleros et écrit que Nabuchodonosor, connu aussi comme Chiniladan qui est 'un de ces rois dont on a peine à déterminer le temps, parce qu'il n'est nommé ainsi que dans le livre de Judith et que les historiens profanes ne parlent d'aucun roi d'Assyrie de ce nom.' Voir aussi une dissertation de Jean Bouhier, *Recherches et dissertations sur Hérodote* (Dijon, De Saint, 1746; manque à la BV), ch.21, 'De Sardanapale, dernier roi des Assyriens, et sur la fin de cet empire', p.213-48, qui traite des mœurs de ce roi d'après Diodore de Sicile mais sans beaucoup de confiance dans sa source, p.220-21.

[374] Ixion osa devenir amoureux d'Héra et essaya de lui faire violence. Zeus (ou même Héra) façonna une nuée ressemblant à la déesse. Ixion s'unit à ce fantôme et engendra avec lui un fils. Voir Pindare, *Pythiques*, liv.2, vers 22-44, Apollodore, *Epitomē*, liv.1, vers 20, Diodore de Sicile, *Bibliothēkē historikē*, liv.4, section 69, etc.

[375] L'existence de Juifs en Chine est attestée dans des sources arabes depuis la dynastie Tang (618-907 de l'ère moderne), et elle est aussi mentionnée par Marco Polo (1275). Voir Donald Daniel Leslie, *Jews and Judaism in traditional China. A comprehensive bibliography* (Sankt Augustin–Nettetal, 1998), p.15-16. La communauté de Kaifeng dont il s'agit ici ne fut établie qu'au début de la dynastie Song (960-1126), mais Voltaire n'aurait pas pu le savoir et devait généraliser ici, dans l'*Essai sur les mœurs*, ch.2, et dans les *Lettres chinoises, indiennes et tartares*, Lettre VIII, *M*, t.29, p.477-78, d'après Du Halde, qui n'était jamais allé en Chine, mais qui avait publié une *Description géographique, historique, chronologique, politique de l'empire de la Chine et de la Tartarie chinoise*, t.1, p.194, *CN*, t.3, p.64, col.2. Les sources de ses informations sur les Juifs étaient les lettres de son confrère, Antoine Gaubil, qui avait

vu la communauté juive de Kaifeng mais qui n'a pas parlé des qualités d'hébraïsants de ses membres. Une autre source possible et en fait plus détaillée est la *Lettre du Père J. P. Goẓani au Père Joseph Suareẓ, traduite du Portugais. A Cai-fum-fou, ... le 5 novembre 1704*, parue dans les *Lettres édifiantes*, 7ᵉ recueil (1707; BV2104), p.1-28. Gozani, p.5-15, parle des Toroth, rouleaux du Pentateuque, appartenant à la 'synagogue' des Juifs de Kaifeng, ainsi que d'autres livres en leur possession, ce qui laisse penser que certains d'entre eux savaient encore lire l'hébreu et même l'hébreu non vocalisé de ces rouleaux. (Ceci est confirmé par des dessins de Juifs lisant un rouleau du Pentateque à peu près comme on le fait en Occident encore aujourd'hui, sauf qu'ils étaient nu-pieds, en conformité avec la coutume orientale. Ces dessins ont été exécutés par le jésuite Jean Domenge (1666-1735) qui a visité la synagogue de Kaifeng entre 1721 et 1723, mais ils sont restés inédits dans les archives jésuites jusqu'à 1980. Voir Joseph Dehergne, S. J. et Donald Daniel Leslie, *Juifs de Chine à travers la correspondance inédite des jésuites du dix-huitième siècle* (Rome, Institutum Historicum S. I., Paris, 1980), Pl.XI, 'Juif de Caifum lisant la Bible à la chaire de Moyse, avec deux souffleurs.') Pourtant les Juifs de Kaifeng n'avaient pas le talmud, en effet deux recueils de jurisprudence des générations qui suivaient la rédaction de la Mishna qu'on étudie encore de nos jours, ce qui justifie jusqu'à un certain point l'opinion de Voltaire qu''ils n'ont conservé qu'une tradition vague, incertaine, affaiblie par le temps.'

[376] II Rois xvii.6. Voir Calmet, *ad loc.*, où il prétend que les dix tribus furent emmenées aux 'villes des Médes', et promet une dissertation sur le sujet, ce qu'il fournit après la clôture du *Commentaire littéral*, 'Dissertation sur le pays où les dix tribus d'Israël furent transportées, et sur celui où elles sont aujourd'hui' dans ses *Dissertations critiques*, t.2, p.229-52. Un autre texte que Voltaire aurait pu consulter est Basnage, *Histoire des Juifs*, liv.7, ch.6, sections 1-7.

[377] Humphrey Prideaux, dans sa *Vie de Mahomet, où l'on découvre amplement la vérité de l'imposture* (Amsterdam, George Gallet, 1698), parle des contacts que Mahomet eut avec des Juifs habitant l'Arabie, en particulier à La Mecque, et d'une guerre contre les Juifs, p.74, 93 et 105.

[378] En fait, Benjamin prétend avoir trouvé des Juifs des tribus de Reouven, de Gad et de la demi tribu de Manassé, *Voyages de rabbi Benjamin*, t.1, ch.14, et de Dan, Zabulon, Asher et Naphtali, ch.18, p.170 et 191. (Ce tome manque à la BV.) Le t.2, qui est attesté dans la BV, contient neuf dissertations du traducteur, Jean-Philippe Baratier, et non quatre comme le dit ici Voltaire, dont la VIIIᵉ, 'Sur les lieux où les X Tribus ont été transportées, où il est aussi parlé des transmigrations de quelques autres anciens peuples', p.319-77, est pertinente. Baratier y parle aussi des Juifs de Kaifeng, §XI, p.339, mais à partir des sources connues de Voltaire. Pour les lectures de Voltaire dans Benjamin de Tudèle, voir, ci-dessus, Genèse, n.31.

[379] Bien que Benjamin ait signalé surtout les métiers de teinturier (p.103, 105, 125), de brigand (p.169), d'agriculteur et d'éleveur de bétail (p.170, 192) et de commerçant (p.173), il mentionne aussi un Juif qui était astronome (p.131). Il ne parle pas de prêteurs sur gages ni de banquiers parmi les Juifs du Moyen-Orient ou de l'Asie.

Voltaire projette donc ici sur les Juifs de l'ancien empire babylonien puis perse devenu finalement musulman les traits prêtés aux Juifs dans le monde occidental chrétien par les légendes populaires. De même, dans *Des Juifs*, *OCV*, t.45B, p.124, Voltaire attribuait déjà aux Juifs exilés en Perse puis en Alexandrie le métier de prêteur à gages que pratiquaient les Juifs au moyen âge dans l'Europe chrétienne comme gagne-pain. Voir Schwarzbach, 'Voltaire et les Juifs: bilan et plaidoyer', *SVEC* 358 (1998), p.70. C'est dans l'esprit de ce qu'il avait déjà remarqué dans l'*Essai sur les mœurs*, ch.103, que les Etats chrétiens leur avaient interdit presque toutes les professions et métiers autres que la banque et le prêt sur gages. (Voir aussi Basnage, *Histoire des Juifs*, liv.9, ch.15, section 12, t.13, p.437-40, chez qui cette thèse est plus explicite, et l'*Histoire du Parlement de Paris*, ch.48, *OCV*, t.68, p.463.) Quant au mot d'usure, que Voltaire qualifie ici et ailleurs d''objet de [la] vie' des Juifs, avant la loi du 3 septembre 1807, on ne distinguait pas entre un intérêt modique et autorisé – les lettres patentes des Juifs de Metz et des autres villes de Lorraine fixaient toujours un taux d'intérêt licite pour eux sinon pour les non juifs habitant ces villes –, et un intérêt excessif, les deux étant qualifiés d'usure.

Voltaire a trouvé ses estimations de la population juive de l'Orient dans le tableau rédigé d'après le récit de Benjamin par Baratier, t.1, après p.247.

380 Jean-Philippe Baratier est né en 1721 à Schwabach, et est mort en 1740 à 19 ans. Il a envoyé un mémoire de mathématiques à l'Académie de Berlin à l'âge de treize ans, et un autre à l'Académie de Paris peu après. Voir Haag et Haag, *La France protestante* (Paris, 1846), *s.v.*, Baratier (Jean-Philippe), t.1, p.227-28.

Il n'existe pas d'édition française des *Voyages* publiée à Leyde à la date spécifiée par Voltaire. Il y a une version française par Pierre Bergeron, *Voyage du célèbre Benjamin au tour du monde commencé l'an 1173*, dans *Voyages faits principalement en Asie dans les XII, XIII, XIV et XV siècles, par Benjamin de Tudèle* (La Haye, J. Néaulme, 1735; BV357), faite d'après la version latine dans l'édition bilingue préparée par Constantijn L'Empereur, מסעות של רבי בנימין. *Itinerarium D. Benjaminis*, publiée à Leyde en 1633. Voltaire devait penser à celle-ci.

381 Samuel Bochart (1599-1667), pasteur à Caen, auteur de traités savants mais peu critiques, *Geographia sacra* (Caen, 1646), sur l'ethnographie du monde biblique, et *Hierozoicon* (Londres, 1663), sur toutes les bêtes mentionnées dans la Bible.

382 *Voyages*, t.1, p.168-70, avec des omissions et des améliorations stylistiques. Voltaire ne donne pas d'exemples de la crédulité de Benjamin mais on peut citer ce qu'il dit du démon Asmodée, p.124, et de l'arche de Noé, p.130. Plus généralement, il croyait avoir vu, suivant les traditions des communautés juives qu'il visitait, les tombeaux de plusieurs prophètes bibliques et de plusieurs rabbins de la Mishna et de la guemara.

383 Il est assez clair que Benjamin a vu Baghdad et Bassora car les descriptions en sont détaillées, ch.12. Dans le ch.19, p.208, Benjamin parle des 'Isles de Ciurag' que Bochart avait corrigé en 'Cingar' puis avait identifié avec Ceylan (voir n.9 de Baratier). Benjamin ne dit rien sur la situation de cette île, au-dessus ou en-dessous 'de la ligne', voulant probablement dire l'équateur.

³⁸⁴ Au ch.9, p.208-13, Benjamin parle des 'Dogbiims [qui] adorent le feu' et qui se font brûler vifs, et font brûler aussi leurs enfants. Il n'est pas clair si Benjamin déforme les mœurs des Parsis qui adorent bien le feu, ou s'il les confond avec celles des Hindous dont les veuves s'immolent sur le bûcher funéraire de leur mari.

La pérennité paradoxale du peuple juif est un des thèmes principaux d'un texte 'clandestin', l'*Opinion des anciens sur les Juifs* (Benítez³, no.134), sur lequel voir Schwarzbach, 'Remarques sur la date, la bibliographie et la réception des *Opinions des anciens sur les juifs*', *La Lettre clandestine* 6 (1997), p.51-63, et surtout p.59. Ici on entend encore un écho de la métaphore de Montesquieu, *Lettres persanes* LX, ou du même texte clandestin. Voir, ci-dessus, Lévitique, n.22. La comparaison entre la survie des Juifs et celle des Parsis a pour finalité de relativiser celle-là, bien qu'elle soit, ou parce qu'elle est, un élément de l'apologétique chrétienne, un témoignage quoique indirect du statut messianique de Jésus (voir Augustin, *De Civitate Dei*, liv.18, ch.46, *P.L.*, t.41, col.608-609). Cette comparaison paraît ailleurs dans les œuvres de Voltaire. Voir, par exemple *Des Juifs*, *OCV*, t.45B, p.135-36, qui admet que la comparaison n'est pas entièrement valable car les Juifs sont dispersés partout tandis que les Parsis, Guèbres et Banians ne survivent plus que dans certains pays. Voir dans *La Philosophie de l'histoire*, ch.11, *OCV*, t.59, p.34, les réflexions sur les articles de foi des Parsis qui croyaient en 'un dieu, un diable, une résurrection, un paradis, un enfer', et p.122, 'Les deux autres nations qui sont errantes comme la juive dans l'Orient, et qui comme elle, ne s'allient avec aucun autre peuple, sont les Banians et les Parsis nommés Guèbres'. Voir aussi l'*Essai sur les mœurs*, ch.102, 143 et 157.

³⁸⁵ Voltaire parle des 'calculs chimériques' de Denis Pétau dans son *De doctrina temporum* (Paris, 1627), liv.9, ch.14, 'De generis humani propagatione, & Assyrij regni progressu', t.2, p.35, 'qui font des enfants à coups de plume', dans *La Philosophie de l'histoire*, ch.24, *OCV*, t.59, p.172-73, et dans le *Dictionnaire philosophique*, art. 'De la Chine', *OCV*, t.35, p.537, où il parle aussi du théologien, mathématicien et astronome, William Whiston, 'Les Cumberland et les Whiston ont fait des calculs aussi comiques; ces bonnes gens n'avaient que consulter les registres de nos colonies en Amérique, ils auraient été bien étonnés, ils auraient appris combien peu le genre humain se multiplie, et qu'il diminue très-souvent au lieu d'augmenter.' Voir aussi les *Remarques pour servir de supplément à l'Essai sur les mœurs* XIX, éd., Pomeau, t.2, p.941-45.

³⁸⁶ Selon II Rois xviii.1, Ezéchias avait vingt-cinq ans quand il monta sur le trône de Juda, mais, selon II Rois xvii.2, son père Ahaz était monté sur le trône à l'âge de vingt ans et régna seize ans. Ahaz avait donc onze ans à la naissance d'Ezéchias et onze ans moins neuf mois quand il l'avait engendré, ce que Calmet ne peut nier, *ad* II Rois xvi.1, 'il faut donc qu'Ahaz l'ait [Ezéchias] eu à l'âge d'onze ans; c'est ce qui paraît incroyable.' D'après les renvois de Calmet, ceci est une difficulté qui avait déjà été remarquée par Jérôme. Voir les *Examens de la Bible* I.327. Quant à 'passer son fils dans le feu', voir II Rois xvi.3. Pour l'autre interprétation que Voltaire signale ici, voir Calmet, *ad loc.*, 'Quelques Interprétes [*en note*: Théodoret, John Spencer et

Giovanni Stefano Menochio] ont voulu diminuer l'horreur de ce crime, en disant qu'il n'avait point fait mourir son fils par le feu; mais simplement qu'il l'avait fait passer par-dessus les flammes, afin de le purifier, suivant une ancienne superstition des payens, dont nous parlent les poètes', ce que Calmet soutient en citant Ovide, *Fasti*, liv.4, vers 553-57, sur le feu purificateur qui devait anéantir l'élément humain et conférer l'immortalité, 'et sur le foyer elle [Cérès] enfouit sur la braise ardente le corps de l'enfant [malade], pour que le feu le purifiât du fardeau de son humanité', trad. Henri le Bonniec (Paris, 1990). Calmet continue, 'Quoiqu'il soit indubitable que dans plusieurs occasions on se contentait de faire sauter par-dessus les flammes, ou de faire passer entre deux feux, ceux qui voulaient user de cette sorte de purification, on ne peut disconvenir qu'en cet endroit on accuse Ahaz d'avoir veritablement immolé quelques-uns de ses fils aux faux Dieux, et de les avoir fait mourir par le feu. L'Ecriture le prouve d'une manière assez claire lorsqu'elle dit: *Qu'il fit passer son fils par le feu, suivant les abominations des nations, que le Seigneur avait chassées devant les enfants d'Israël.'*

387 Voltaire parle du dominicain Girolamo Savonarola (1452-1498), soit en raison d'une association d'idées, parce qu'en réponse à sa prédication les Florentins avaient fait des 'bûchers de vanités', soit en raison d'une épreuve par le feu manquée où 'un dominicain s'offrit à passer à travers un bûcher pour prouver la sainteté de Savonarole. Un cordelier proposa aussitôt la même épreuve pour prouver que c'était un scélérat' (voir *Essai sur les mœurs*, ch.108, p.84-85). Lui-même a fini pendu (selon Voltaire, étranglé) puis brûlé.

388 II Chr. xxviii.6.

389 II Rois xvi.5-7.

390 Cette note sert de traitement du livre entier d'Isaïe qui ne sera pas discuté dans *La Bible enfin expliquée* comme livre autonome.

Dans plusieurs de ses écrits sur la Bible Voltaire nie que des oracles d'Isaïe vii, viii et ix soient des prophéties de la naissance et mission de Jésus, comme le soutenait l'apologétique chrétienne depuis Mt i.23 et Luc i.30-35: l'*Examen important* xvi, *OCV* t.62, p.243-44, *La Philosophie de l'histoire*, ch.43, *OCV*, t.59, p.239, 'Prophéties II' des *Questions sur l'Encyclopédie*, *M*, t.20, p.283, etc. Que Jésus n'a jamais porté ni le nom, *Maher shalal, Hash baz*! (Is. viii.1, 'Dépêchez-vous [de prendre] les dépouilles, [saisissez] vite le butin', ce que Mme Du Châtelet traduit d'après le latin, 'Hatez-vous de prendre ces dépouilles'), ni le nom d'Emmanuel (Is. vii.14), comme le remarque ici Voltaire, et que ces versets ne sont donc pas des prophéties qui s'appliquent à Jésus est un argument classique dans les polémiques juives repris, peut-être sans le savoir, par Mme Du Châtelet, *Examens de la Bible* I.487-90. Voir aussi no. 25 du traité clandestin, *Notes* (Benítez³, no.160), associé avec l'*Analyse de la religion chrétienne*, Troyes, MS 2378 et autres copies, qui peut réfléchir une connaissance du texte de Mme Du Châtelet.

François Bessire, dans ses annotations aux *Lettres à Son Altesse Monseigneur le prince de **** IX, *OCV*, t.63B, p.475, n.23, et surtout p.469, n.1, prétend que la source principale de Voltaire pour sa critique de l'interprétation apologétique de ces oracles est le traité du caraïte, Isaac de Troki, ספר חזוק אמונה, *Hiẓẓuk emuna*, traduit et réfuté par Johann Christoph Wagenseil sous le nom de *Munimen fidei*, dans son *Tela ignea satanæ* (Altdorf, 1681; BV3820), t.2. En effet, Bessire fait trop de crédit au R. Isaac qui n'était qu'une des sources, par rapport à l'*alma* d'Isaïe vii.14. Dans la Partie I, ch.21, R. Isaac propose des arguments contre l'application à Jésus des prophéties d'Isaïe et des autres prophètes. Tous les polémistes juifs qui figurent dans le *Tela ignea satanæ*, ainsi que tous les commentateurs juifs classiques avaient nié, explicitement ou implicitement, que la עלמה, *'alma*, d'Isaïe vii.14 fût une vierge. Calmet et d'autres apologistes chrétiens comme Gilbert Génébrard dans son *R. Iosephi Albonis, R. Davidis Kimhi, et alius cuiusdam hebræi anonymi argumenta, quibus nonnullos fidei christianæ articulos oppugnant* (Paris, Martin Juvenem, 1566) durent publier des résumés des arguments des polémistes et exégètes juifs afin de les réfuter. Sans avoir jamais vu le *Hiẓẓuk emuna*, ce que nous déduisons du fait qu'elle ne le cite ni ne le mentionne jamais, Mme Du Châtelet s'alignait, comme le fait ici Voltaire, sur les arguments des rabbins. Le mérite d'Isaac de Troki était surtout d'avoir fait un résumé efficace et accessible de leurs arguments.

La racine de עלמה, *'alma*, est attestée en ougaritique selon le *Lexicon* de Köhler-Baumgartner, *s.v.* Le mot figure dans Gen. xxiv.43 au sujet de la jeune Rébecca, où il semble vouloir désigner une femme qui n'est pas nécessairement, comme l'était en plus Rébecca, בתולה, *betula*, vierge, qualité supplémentaire à en juger d'après le passage parallèle, Gen. xxiv.16, où le mot de *betula* est défini sans ambiguïté comme femme qu'aucun homme n'a connue. Ex. ii.8 se contente de décrire la jeune Myriam, sœur aînée de l'enfant Moïse, comme *'alma*, mais, dans Prov. xxx.19, Agur ben Yake prétend que, tout subtil qu'il soit, il n'arrive pas à identifier 'le chemin que suit l'homme [גבר, *gever*] dans la jeune femme [*'alma*]' (trad. Dhorme dans la Pléiade, mais mieux, 'la trace que laisse l'homme dans une femme'), tandis que le verset suivant continue le discours cynique sur la *'alma*, remarquant qu'une femme adultère comme elle 's'essuie les lèvres et prétend qu'elle n'a rien fait d'inique'. Contrairement à ce que dit Voltaire, Ruth n'est jamais qualifiée d'*'alma*, mais, dans Cant. i.2, des *'alamot* (pluriel) aiment l'homme de qui la femme chante les louanges, et, dans Cant. vi.8, le mot *'alamot* semble désigner des femmes qui appartiennent au roi mais qui sont moins que concubines officielles. Nulle part ce mot n'est appliqué à des prostituées. (Dans deux versets, Ps. lxviii.26, qui est très obscur, 'Les chanteurs précèdent, les musiciens sont derrière, au milieu, les adolescentes [*'alamot*] tambourinant' (Pléiade) et dans Ps. xlvi.1, *'alamot* semble désigner un instrument de musique ou un style musical. Contrairement à ce que dit ici Voltaire, la racine עלם, *'ALM*, ne figure jamais dans le livre de Joël.

[391] II Rois xvii.24.

[392] Isaïe vii.10-viii.4. La citation d'Isaïe est un peu approximative et la transcription faite par Voltaire omet quelques consonnes. Pourtant 'ce pays que tu détestes' est une mauvaise traduction: il s'agit de la terre des deux rois qu'Ahaz craint ou déteste. Pour 'Phacé', voir 'Histoire des rois juifs et Paralipomènes' du *Dictionnaire philosophique*, *OCV*, t.36, p.199.

393 Dans l'exégèse chrétienne de l'époque, il y avait un nombre limité de 'figures' de Jésus dans l'Ancien Testament, notamment Joseph persécuté par son maître en raison d'une calomnie, et Judas Maccabée qui donna sa vie pour son peuple. On appelait figuristes certains abbés comme Jacques-Joseph Duguet, qui, contrairement à cette exégèse, voyait des figures de Jésus partout dans l'Ancien Testament et soutenait qu'il devrait y avoir un Etat juif florissant en Palestine après la conversion des Juifs pour que la fin des temps arrivât. Il y avait des figuristes qui allaient encore plus loin, des interprètes de la civilisation chinoise comme Joachim Bouvet (1673-1730), Joseph-Henri de Prémare (1666-1736) et Jean-François Foucquet (1663-1740) qui, aux dires de Leslie, *Jews and Judaism in traditional China*, p.46-47, renvoyant à Claudia von Collani, *Die Figuristen in der Chinamission* (Francfort sur le Main, 1985) et son *P. Joachim Bouvet, S. J., Sein Leben und sein Werk*, Monumenta Serica Monograph Series XVII (Sankt Augustin-Nettetal, 1985), cherchaient des figures de Jésus jusque dans les textes chinois.

394 II Rois xviii.13. La légende des dix tribus est évoquée une fois par Mme Du Châtelet. Voir, *Examens de la Bible* II.41.

395 Voir *La Philosophie de l'histoire*, ch.5, *OCV*, t.59, p.103-105, pour le déluge de barbares qui se succèdent et inondent l'Europe.

396 II Rois xvii.24-31.

397 II Rois xviii.13.

398 Voir Jacques Basnage de Beauval, *Antiquités judaïques*, t.1, p.226-34. En fait, c'est un exposé et une réfutation de la thèse avancée par Jean Leclerc, à savoir que le Pentateuque fut rédigé par le prêtre envoyé de Babylonie pour enseigner le culte d'Adonai aux Samaritains, car la Genèse contient des informations historiques et géographiques sur les pays situés au nord et à l'est de Canaan (par exemple, Gen. ii.11-12; x.8-12 et xi.1-9) que Moïse, né et élevé en Egypte, n'aurait pu connaître (*Sentimens de quelques théologiens de Hollande*, p.122-30). Mais Basnage et après lui Voltaire supposaient au contraire que de telles informations devaient avoir été connues des Juifs ayant vécu en Babylonie, *i.e.*, ceux de la capitivité, et que le Pentateuque aurait pu être rédigé par un ou plusieurs d'entre eux. Il y a assez de phrases citées mot pour mot du texte de Basnage pour démontrer que Voltaire avait lu ces quelques pages et soit qu'il s'en est souvenu avec une précision remarquable, soit qu'il en a copié des phrases lors de la rédaction de cette note. Ceci est confirmé dans le *CN*, t.1, p.225, qui cite 'prêtre/juif a/samarie' de la marge de la p.226: Ces emprunts de Basnage n'ont pourtant pas empêché Voltaire de conserver ailleurs la thèse de Leclerc qu'il réfute ici.

Le seul 'critique' que Basnage mentionne au sujet de la thèse de Leclerc est Antonius van Dale.

399 Hérodote, *Historiës*, liv.2, section 141.

400 II Rois xix.6-7. Pour le 'certain souffle' après lequel Sennachérib retournerait avec son armée en Assyrie, voir II Rois xix.7. Pour la mort soudaine de 180 000 soldats et le retour de Sennachérib dans son pays, voir II Rois xix.32-36. Cet épisode a attiré l'attention de Mme Du Châtelet aussi, *Examens de la Bible* I.329. Calmet, *ad*

II Rois xix.32, essaie de concilier les deux récits selon ce que raconte Flavius Josèphe, *Antiquitates*, liv.10, ch.1, que Sennachérib avait deux armées, 'On veut que Sennachérib ayant appris la nouvelle de la perte de la première [armée qui combattait en Egypte] s'en soit retourné en Assyrie avec l'autre. Mais tout cela se dit sans preuves' (p.232).

[401] Ceci répète ce que Voltaire venait de dire dans sa n.(*fl*).

[402] II Rois xx.1.

[403] Voir Gen. xlix.10. Meslier, *Mémoire des pensées et sentiments*, *Œuvres*, t.1, p.164, avait déjà évoqué cet épisode.

[404] Boulanger n'a pas discuté la vraisemblance des récits des livres historiques de l'Ancien Testament, et Bolingbroke n'a pas discuté cet épisode. Il se peut que 'les critiques' soient Mme Du Châtelet qui fait des objections à la guérison miraculeuse d'Ezéchias et à la notion qu'il avait une horloge. Voir ses *Examens de la Bible* I.331-32.

[405] II Rois xxi.1.

[406] Pour la 'marmalade de figues', voir les *Examens de la Bible* I.332. Pour l'arrêt du soleil et de la lune à la demande de Josué, voir Jos. x.12.

[407] Is. xxxviii.7-8. Voltaire s'est trompé de renvoi biblique, mais ceci est un texte identique à celui de II Rois xx.1-11, qui n'ajoute donc rien à son argument. Il se peut qu'Isaïe soit introduit ici parce que ce passage viendrait d'une ébauche inédite sur ce prophète. L'ombre avance ou recule sur les מעלות, *ma'alot*, degrés en hébreu moderne mais marches d'un escalier en hébreu biblique (voir, par exemple, Ex. xx.26). Mme Du Châtelet traite ce miracle avec plus de précision scientifique, *Examens de la Bible* I.332-35, texte duquel le traitement par Voltaire semble indépendant.

[408] Voir les *Examens de la Bible* I.335 pour l'absence d'horloges chez les Israélites de l'époque. Voir Calmet, *Commentaire littéral ... Isaïe*, p.xi et xx, où il admet que les Israélites de l'époque n'avaient pas d'horloges – il n'y a pas de mot dans le texte hébraïque qui en désigne –, et que ce fut Jérôme, suivant Symmaque (version grecque du deuxième siècle), qui introduisit le mot d'horloge dans sa traduction.

[409] 'Dissertation, sur la rétrogradation du soleil, à l'horloge d'Achaz', *Commentaire littéral ... IV Rois*, p.xi-xxii. Il s'agit, évidemment, de l'horloge d'Ezéchias.

[410] II Rois xxi.6. La traduction de Voltaire, 'il prédit l'avenir', et son '[il] fit des pythons et des aruspices' sont plus proches de l'hébreu que le 'il aima les divinations' et '[il] multiplia les enchanteresses' de Calmet.

[411] II Rois xxii.1.

[412] II Rois xxii.8, mais 'en faisant fondre de l'argent' est l'invention de Voltaire. Voltaire parle aussi du rouleau découvert dans le temple dans 'Bacchus' des *Questions sur l'Encyclopédie*, *OCV*, t.39, p.275-76.

[413] Apparemment les Israélites qui pratiquaient leur culte sur des autels hors de Jérusalem ou dans les 'hauts lieux' avaient la même notion de pureté que l'auteur du Lévitique, car mettre des ossements en contact avec ces autels les rendait impurs. Mais Voltaire ajoute 'des excréments et de l'urine' dont le texte ne parle pas.

414 Selon II Rois xxiii.10, on sacrifiait des enfants dans l'endroit qui s'appelait 'Tophet' (voir Calmet, *ad loc.*), mais ni aucun verset, ni Calmet, ne parle d'une pratique d'y jeter les cadavres des hommes 'suppliciés'.

415 Voir Calmet, *ad* II Rois xxiii.11, p.269-71, 'Il est certain que tout l'Orient adorait le Soleil, et que le cheval était consacré à cet astre, apparemment à cause de sa promptitude, et de son agilité. Les Perses nourrissaient et sacrifiaient les chevaux au Soleil', citant Ovide, *Fasti* I.385-86, 'Placat equo Persis radiis Hyperiona cinctum, / ne detur celeri victima tarda Deo', 'C'est par le sacrifice d'un cheval que la Perse se concilie Hypérion couronné de rayons: on ne saurait offrir une victime au pas lent à ce dieu rapide' (trad. Henri Le Bonniec). Calmet ne trouve pourtant aucun autre témoignage scripturaire au sacrifice de chevaux mais il en trouve dans certains cultes du soleil d'après Xénophon qui décrit un rite pratiqué par les Grecs, et dans plusieurs autres sources concernant les Massagètes, Scythes non soumis aux Perses aux dires d'Hérodote. Cependant Voltaire veut associer le culte du soleil exclusivement avec les Perses.

416 Ceci est assez maladroitement exprimé par Voltaire qui semble vouloir dire que le texte ici ne tient pas compte de la conversion (partielle) des Samaritains au judaïsme tel que Josias le connaissait, ce qui dut produire une population de Juifs ou de quasi-Juifs au nord de la frontière du royaume de Juda. En effet aucun texte après II Rois xvii sur le royaume de Juda ne parle de la présence de Samaritains. Ils figureront pourtant dans les récits des livres d'Esdras et de Néhémie.

417 Voir Thomas Hyde, *Veterum Persarum et Parthorum et Medorum religionis historia*, ch.10, p.173-75, la source principale sinon exclusive des connaissances de Voltaire sur la religion des Perses, mais ici Hyde veut voir l'influence persane déjà dans la littérature israélite pré-exilique.

418 II Rois xxiii.29.

419 II Rois xxiii.25-26 et xxiv.3-4.

420 II Rois xxiv.1-2. Le texte hébraïque ne parle que de brigades de Chaldéens, d'Araméens, de Moabites et d'Ammonites. Il se peut que 'brigands' a été substitué soit pour 'voleurs' (Calmet: 'des troupes de voleurs de Chaldée, de Syrie, de Moab'), soit pour 'brigade' (גדוד, *gedud*) par une faute de compositeur que Voltaire ou le lecteur d'épreuves n'a pas corrigée dans la première édition et qui fut incorporée dans toutes les suivantes.

421 Voltaire change la 'parole' de la version de Calmet en le très johannique 'verbe' de dieu.

422 Calmet écrit 'Joakim' pour יהויקים, et 'Joachim' pour יהויכין, son fils et successeur. Voltaire ou son premier éditeur a été négligent quant à l'orthographe du premier, ou les compositeurs n'avaient pas de *k* dans leur police de caractères. Le résultat est que le père et le fils portent le même nom.

423 II Chr.xxxv.21, 22, cité par Calmet, *ad* II Rois xxiii.29, p.277.

424 *Antiquitates*, liv.10, ch.8. Que Flavius Josèphe n'avait pas d'autres sources documentaires que II Rois et II Chroniques pour la chute du royaume de Judée est une observation astucieuse, mais que les archives de Babylone et d'Egypte étaient perdues

est faux. Evidemment Voltaire ne pouvait pas connaître l'existence des tablettes cunéiformes qui, en fait, donnent des informations précieuses sur cet épisode.

[425] La comparaison des Juifs et des Parsis, minorités religieuses infimes aux seins de communautés religieuses majoritaires dans de grands empires, est assez fréquente chez Voltaire. Voir, ci-dessus, n.384.

[426] Encore une fois Voltaire change la 'parole' du Seigneur de la version de Calmet en le 'verbe' de Dieu.

[427] Quant aux prophètes qui favorisent les Perses, Voltaire semble penser à l'oracle introduit dans Isaïe xliv.28-xlv.8 en faveur de Cyrus. Il en parle dans 'Cirus' des *Questions sur l'Encyclopédie*, *OCV*, t.40, p.115. Pour les prophètes aux gages des Babyloniens, il s'agit de Jérémie selon la suite de cette note.

[428] Jér. xxvii.9-18. Il n'y a pas de trace de cette histoire politique dans les *Examens de la Bible*. La discussion du livre de Jérémie sert d'excuse pour ne pas le traiter ci-dessous comme sujet autonome. Voir aussi *Un chrétien contre six Juifs* XXVIII, *M*, t.29, p.528.

[429] Jér. xxvii.5-8.

[430] Dan. iv.22, et voir *Le Taureau blanc* (1773), *OCV*, t.74A, et les *Examens de la Bible* I.461-65.

[431] Voir Calmet, 'Préface sur Jérémie', *Commentaire littéral ... Jérémie*, p.viii. Il raconte que le 'Prophète avait reçu ordre de Dieu au commencement du regne de Sédécias, de faire des liens, et des jougs [...] pour faire connaître plus vivement au peuple sa captivité prochaine', Jér. xxviii.10, 12-14, puis, p.ix, il donne ce résumé de Jér. xxix.24-29, 'Un nommé Séméias, fils de Néhélam, qui était alors à Babylone, écrivit au grand Prêtre Sophonias, et lui fit des reproches de ce qu'il avait permis à Jérémie d'écrire ces choses, et de ce qu'il ne l'avait pas mis en prison pour cela'. Voltaire fait la fusion des deux récits et improvise ce que Séméias (Shemaya) aurait dû dire.

[432] Que Jérémie fut entraîné en Egypte de force par ses compatriotes est une tradition biblique, Jér. xliii.6, mais qu'il fut lapidé par ses compatriotes est une légende chrétienne qui vient de Tertullien, *Adversus gnosticos Scorpicace* I.8, *P.L.*, t.2, col.137, Hippolyte, *De Christo et Antichristo* 31, *P.G.*, t.10, col.752, et Jérôme, *Adversus Jovinianum* II.37, *P.L.* t.23, col.335.

[433] Voltaire venait de parler des cruautés de Josué, des juges et de David envers des adversaires vaincus. Voir, ci-dessus, Josué, n.9 et 18, Juges, n.2, et Samuel, n.68, 70 et 75.

[434] L'*Analyse de la religion* ou *La Religion chrétienne analysée* est un des traités dits clandestins. L'attribution à Du Marsais faite ici par Voltaire, qui l'avait bien connu, est mise en question par Gianluca Mori, 'Du Marsais philosophe clandestin: textes et attributions', dans *La Philosophie clandestine à l'âge classique*, textes recueillis et publiés par Antony McKenna et Alain Mothu (Paris, Oxford, 1997), p.169-92. Voltaire devait connaître l'*Analyse* depuis octobre 1765 (voir D12938, D12984, D12989 et D13026, toutes à Damilaville, et D13345 à D'Alembert). Il a publié ce traité dans son *Recueil nécessaire* ([Genève], 1765) et une deuxième fois dans

L'Evangile de la raison (1768), mais, malgré un répertoire de 'difficultés' dans les textes de l'Ancien et du Nouveau Testament qui correspond de très près à celui de Voltaire, on n'y trouve pas de passage qui traite de la destruction du premier temple en 587 avant l'ère moderne.

[435] II Rois xxv.1. Curieusement, Mme Du Châtelet, contrairement à Voltaire ici, n'est pas arrivée à exprimer la moindre sympathie pour les Israélites dépourvus de leur Etat, leur roi, leur temple et amenés en exil. Voir *Examens de la Bible* I.336.

[436] Jér. lii.24-26.

[437] II Rois xxv.21.

TOBIE

[1] Dans son rôle d'aumônier d'un prince protestant, Voltaire signale que le livre de Tobie n'est pas considéré par les protestants comme canonique. Que les catholiques le considèrent comme canonique bien que ni Flavius Josèphe, ni Philon n'en aient jamais parlé relève d'une décision du concile de Trente, information que Voltaire aurait pu trouver dans Calmet, *Commentaire littéral ... Les deux livres d'Esdras, Tobie, Judith et Esther* (1712), p.197. Quant à une rédaction 'neuf cents ans après la dispersion' des tribus du nord (722 avant l'ère moderne), cela daterait Tobie après la révolte de Simon Bar Kochba, 132-35 de l'ère moderne, ce qui est absurdement tard par rapport à l'histoire que raconte ce livre, qui est censée être arrivée peu après la destruction de Jérusalem en 587, et même par rapport à la période où des Juifs écrivaient en grec sous l'influence des romans hellénistiques. Voir le premier paragraphe de *Dieu et les hommes* (1769), ch.29, *OCV*, t.69, p.402, pour des remarques sur Tobie qui résument les arguments avancés par Voltaire dans ces quelques pages.

[2] Voir Calmet, 'Préface', p.201. Mme Du Châtelet était d'accord avec lui, 'L'histoire de Tobie est une des histoires de la Bible où les mœurs sont les plus honnêtes et où l'histoire est la plus ridicule', *Examens de la Bible* I.400.

[3] Tobie i.1.

[4] Salmanasar est toujours identifié dans la Bible comme roi d'Assyrie, et non pas comme roi de Ninive, qui était en Babylonie.

[5] Calmet est un peu plus pudique, 'de la fiente chaude'.

[6] Tobie iii.7.

[7] Calmet, 'aussi-tôt qu'ils s'étaient approchés d'elle'.

[8] Calmet, *ad* Tobie i.17, calcule 'quarante-huit mille six cents soixante et onze livres, dix-sept sols, six deniers de notre monnoie'.

[9] Les 'naturalistes' de Voltaire contredisent ceux de Calmet, *ad* Tobie ii.10, 'il est aisé de comprendre que la fiente de hirondelle a pu lui faire perdre la vue; car cet animal, suivant les naturalistes, a la fiente extrêmement caustique, acre et brûlante [...]. Nous lisons ici dans le grec, et l'hébreu, que Tobie avait inutilement employé toute l'industrie de la médecine, pour se faire guérir.'

Calmet croyait qu'un ancien texte hébraïque de Tobie existait encore, et citait aussi une rétroversion rédigée par l'hébraïsant, géographe et mathématicien bâlois, Sébastien Münster (1489-1552), comme ayant quelque valeur comme témoignage de l'état original du livre.

[10] Plutôt Anne, voir Tobie ii.19. Basnage, *Antiquités judaïques*, t.1, p.179. Calmet en est d'accord, *ad loc*.

[11] Il semble y avoir ici une comparaison implicite entre la Bible des Juifs, où Voltaire prétend ne pas trouver de démons, et le Nouveau Testament où ils sont

légion. Voir les *Questions sur l'Encyclopédie*, art. 'Béker', 'On est obligé d'avouer que les Juifs n'ont jamais parlé de la chute des anges dans l'Ancien Testament; mais il en est question dans le Nouveau', *OCV*, t.39, p.351, et *La Philosophie de l'histoire*, 'Quoique la chute des Anges transformés en diables, en démons, soit le fondement de la religion juive [*sic*] et de la chrétienne, il n'en est pourtant rien dit dans la Genèse, ni dans la loi, ni dans aucun livre canonique', ch.48, *OCV*, t.59, p.254-55. Voir aussi les *Homélies prononcées à Londres* III, 'Sur le Nouveau Testament', *OCV*, t.62, p.643-44. Pourtant Voltaire n'est pas un démonologue expert et il fait ici un peu trop crédit à l'Ancien Testament où Ps. lxxxii.6 s'adresse à des anges non identifiés et prédit leur chute, où figurent Lilith, qui est soit une démone, soit une espèce de chouette (Is. xxxiv.14), et Lucifer, la traduction latine de הילל בן שחר, *Hélel ben Shahar* (Hélel, fils de l'aube), qui semble être soit un ange déchu, soit une personnification de l'étoile du matin (Is. xiv.12). Ailleurs, notamment dans *La Philosophie de l'histoire*, ch.48, p.256, et 'Béker', p.352-53, Voltaire parle d'autres démons mentionnés dans les Ecritures des Juifs: le 'satan' de Job i et ii, de Zach. iii.2, et de I Chr. xxi.1 dont il parle dans le *Traité sur la tolérance*, *OCV*, t.56c, p.214, n.g, et 'Miracles II' des *Questions sur l'Encyclopédie*, *M*, t.20, p.85, semble être un ange tentateur plutôt qu'un vrai démon, et certainement pas 'le démon', comme le qualifie Calmet. D'autres êtres puissants et apparemment autonomes figurent dans l'Ancien Testament. Voltaire connaît bien les שעירים, *se'irim* de Lévit. xvii.7 (voir, ci-dessus, Lévitique, n.25, et *La Défense de mon oncle*, *OCV*, t.64, p. 302) et II Chr. xi.15, qu'il associe avec la religion des sorciers et sorcières telle qu'elle fut imaginée et décrite par les démonologues (voir, ci-dessus, Lévitique, n.24, et ci-dessous, n.14). Il ne sait rien, semble-t-il, sur les שדים, *shédim* (Deut. xxxii.17 et Ps. cvi.37), sur les רשפים, *reshafim* (Deut. xxxiii.29, Hab. iii.5, Ps. lxxviii.48 et peut-être Job xxxviii.13, 14) ni sur les רפאים, *refa'im* (Gen. xiv.5, où ils n'ont rien de démoniaque; Is. xxvi.19; Ps. lxxxviii.11; Prov. ii.18; ix.18 et xxi.16) qui semblent être les spectres des morts.

Voltaire parle de Tobie et Raphaël dans 'Asmodée', et de Raphaël seul dans 'Béker', des *Questions sur l'Encyclopédie*, *OCV*, t.39, p.115 et 351, et dans le *Traité sur la tolérance*, voir ci-dessus. Il parle d'Asmodée ailleurs, notamment dans *Des Juifs*, *OCV*, t.45B, p.133, dans les *Homélies prononcées à Londres* III, *OCV*, t.62, p.465, et dans le *Prix de la justice et de l'humanité* IX, *OCV*, t.80B, p.108. Le nom d'Asmodée, qui vient soit de la racine, שמד *ShMD* (détruire) avec un א prosthétique (voir 'Asmodée' des *Questions sur l'Encyclopédie*, p.113), soit du persan *aesma daeva* ou *aesmadiv*, un esprit de colère, figure bien dans la littérature rabbinique comme roi des démons (voir Jastrow, *s.v.*, qui cite Targum Kohelet i.12; T.B., Pesahim 110r et Gitin 68r-v) ainsi que dans plusieurs contes satiriques encore plus tardifs. La forme 'Shamadaï' est citée ici par Voltaire, d'après Calmet, 'Entre les diverses étymologies du nom *Asmodée*, on peut se déterminer hardiment à celle qui se dérive du verbe *Schamed*, qui signifie détruire, exterminer, perdre, désoler ...', 'Dissertation sur le démon Asmodée', p.205. Pour la prétendue influence de la Perse sur la démonologie juive et sur sa source chez Hyde, voir ci-dessus, Samuel, n.417, et voir art. 'Béker' des *Questions sur l'Encyclopédie*, *OCV*, t.39, p.351, n.31.

¹² Que les Juifs ont emprunté presque tous les éléments de leur religion est une affirmation fréquente chez Voltaire. Voir, par exemple, l'*Examen important*, ch.5, *OCV*, t.62, p.190-92.

¹³ Gen. vi.1-4. Voir, ci-dessus, Genèse, lignes 165-69. Calmet ne pouvait s'empêcher de prétendre, *ad* Tobie vi.15, p.272, que 'Tobie, parlant selon l'idée et le préjugé du peuple, disait à Raphaël, que le Démon Asmodée avait de l'amour pour Sara; voulant marquer que ce mauvais Ange était jaloux de sa beauté, et ne pouvait souffrir que personne s'en approchât', ce qui aurait pu suggérer le développement que fournit Voltaire, mais Calmet ne signale pas ces comparaisons.

¹⁴ Voir Calmet, *ad* Tobie vi.16, p.273, parlant de Gen. vi.1-4, 'On a cru qu'il y avait des démons, qu'on appelle *Incubes*, et *Succubes*, qui entretenaient des commerces honteux, et abominables avec des hommes et des femmes. Il y a une infinité d'histoires sur cela dans des auteurs fort graves, et fort certains.' Il renvoie à Augustin, Jérôme, Thomas d'Aquin, Martin Del Rio et Nicolas Serarius (note *b*). En fait Voltaire ne parle pas ailleurs dans ce commentaire d'incubes, ni de succubes, mais il en parle assez souvent dans d'autres ouvrages: *La Pucelle*, chant IV, *OCV*, t.7, p.329, *Dictionnaire philosophique*, art. 'Genèse', *OCV*, t.36, p.170, *Questions sur l'Encyclopédie*, articles 'Béker', *OCV*, t.39, p.343; 'Genèse', *OCV*, t.42A, p.45, 'Incubes', *M*, t.19, p.453-55, et 'Miracles', *M*, t.20, p.83; l'*Examen important*, ch.22, *OCV*, t.62, p.263, 'Généalogie' du fonds de Kehl, *M*, t.19, p.222, et surtout dans le *Prix de la justice et de l'humanité* IX, *OCV*, t.80B, p.107, 109. Ceci suggère que cette n.(*e*) venait d'un commentaire qui parlait des 'démons incubes et succubes, sur les hommes miraculeux nés de ces copulations chimériques', éventuellement un des ouvrages de Voltaire auxquels on vient de renvoyer.

¹⁵ Tobie v.1.

¹⁶ Calmet, *Dictionnaire ... de la Bible*, *s.v.*, 'Ange', t.1, p.151, ne mentionne pas les sept anges dont Voltaire spécifie les noms et donne les étymologies, mais il en connaît d'autres mentionnés dans le talmud. Voir aussi Basnage, *Histoire des Juifs*, liv.2, ch.20, section 16, t.4, p.537-39. Voltaire parle des noms des anges ailleurs, notamment dans *Des Juifs*, *OCV*, t.45B, p.133 et voir n.62, et dans *La Philosophie de l'histoire*, ch.48, *OCV*, t.59, p.253-59.

¹⁷ Voir Hyde, ch.12, p.178-79.

¹⁸ Voir la 'Dissertation' de Calmet, p.208, où il essaie de rendre cet exorcisme tout ce qu'il y a de plus raisonnable, mais la difficulté qui le confronte est que les anges et les démons ne sont pas des êtres matériels, et ne peuvent donc pas être tentés par la beauté des femmes, ni être incommodés par les odeurs. 'Si l'on fait consister l'efficacité de la fumée dont il s'agit, dans les sentiments qu'elle cause dans la personne qui est frappée; ce qui produisant dans ses humeurs, et dans son sang quelqu'agitation, et quelqu'altération, peut agir indirectement sur le Démon en lui ôtant les moyens dont il se servait pour tourmenter, et pour incommoder celui qu'il obsédait, ou qu'il possédait; ce sentiment n'a rien qui ne puisse être admis par les théologiens les plus scrupuleux, et par les philosophes les plus délicats, et les plus exacts.'

¹⁹ Tobie vii.1.

[20] Tobie viii.2.

[21] La thérapie décrite par Voltaire ne correspond pas à celle, exclusivement chirurgicale, décrite dans l'*Encyclopédie*, *s.v.*, 'Cataracte', t.2, p.770-71.

[22] Voir la 'Dissertation' de Calmet, p.215, qui cite Paul Lucas, *Voyage du sieur Paul Lucas au Levant* (Paris, N. Simart, 1714; BV2218), t.1, ch.9 et 14, mais sans trop de confiance, 'On nous raconte des choses si prodigieuses d'un serpent qui se trouve dans une grotte de la haute Egypte, qu'il est malaisé de se persuader qu'il n'y ait rien de surnaturel. [...] Quelques personnes ont cru que ce pouvait être le Démon Asmodée, enchaîné dans la haute Egypte. Il serait à souhaiter qu'on sût depuis quand il se fait remarquer en ces quartiers-là; car les Anciens ne nous en ont rien appris; ou si tout ce qu'on en dit n'est pas un conte fait à plaisir, pour embellir un voyage, et pour amuser les lecteurs crédules.' Voir les *Examens de la Bible* I.404, qui parlent aussi, d'après Paul Lucas et Calmet, d'Asmodée enchaîné en Haute Egypte.

[23] Calmet, *ad loc.*, ne remarque pas cette anomalie. Dans Genèse, ligne 112, Voltaire écrit 'Héva', ligne 123 Heve, dans n.(ζ), l.3, et dans n.(*ac*), l.4, 'Eve', ce qui soutient l'hypothèse selon laquelle *La Bible enfin expliquée* est un assemblage de fragments rédigés en différents moments de la carrière de Voltaire, si ce ne sont pas les faits de deux ou trois compositeurs, chacun composant selon ses notions orthographiques, vétustes ou latines.

[24] Il y a en effet quelques passages du Pentateuque qui se trouvent dans plusieurs autres livres bibliques et constituent des 'doublets': II Rois xiv.6 et II Chr. xxv.4 citent Deut xxiv.16; II Chr. xxxvi.21 cite Lévit. xxvi.34 sous le nom de Jérémie; Ps. lxviii.2 semble un texte plus primitif de Nom. x.35; Ps. cxxxvi.6-8 emploie le vocabulaire de Gen. i.14-18. Le livre de Néhémie emploie des 'citations sélectives': Néh. i.9-10 des phrases de Deut. xxx.4 et ix.29, Néh. ix.18 des phrases d'Ex. xxxii.4, Néh. ix.21 des phrases de Deut. viii.4, Néh. ix.25 des phrases de Deut. vi.11, Néh. ix.29 des phrases de Lévit. xviii.5 et d'Ez. xx.11, et Néh. xiii.1-2 des phrases de Deut. xxiii.4-6. Enfin, Jér. xlviii.45 semble citer le cantique de Nom. xxi.28, ou ces deux passages ont une source commune. Mais Voltaire a raison quand il dit qu'aucune loi annoncé dans le Pentateuque n'est citée dans les prophètes.

[25] Voir Calmet, p.329, 'Et dans le jeune Tobie, nous trouvons un symbole de la nouvelle alliance, et une figure de l'Eglise de Jésus-Christ. La vie pure et innocente de Tobie le fils; la tempérance dans l'usage des plaisirs; le Démon Asmodée qu'il chasse; la vûe qu'il rend à son père; tout cela représente fort naturellement la lumière de l'Evangile communiquée à la Synagogue, et le Démon chassé de son fort, c'est-à-dire, de tout le monde, par la conversion de la Gentilité à Jésus-Christ.'

JUDITH

[1] Calmet, dans sa 'Préface sur le livre de Judith', *Commentaire littéral ... Les deux livres d'Esdras, Tobie, Judith et Esther*, expose les difficultés chronologiques, p.332-37, puis géographiques, p.337-38, du livre. Voir le traitement de ce livre dans Mme Du Châtelet, *Examens de la Bible* I.412-25, et voir les articles 'Baiser', pour le baiser que Judith donna à Holopherne avant de lui couper la tête, et 'Asmodée' des *Questions sur l'Encyclopédie*, *OCV*, t.39, p.290, et p.113-18.

[2] Judith xvi.28.

[3] Voir Calmet, *ad* Judith xvi.28, p.491.

[4] Voir Calmet, *ad* Judith xvi.30, où il détermine que l'histoire de Judith est arrivée soit sous le roi Josias, soit entre sa mort et celle de son successeur, Manassé, mais 'Il faut pourtant avouer que cela ne nous conduit pas à la mort de Judith, ni à plus forte raison, bien loin après sa mort, comme porte le texte.'

[5] Voir Judith xvi.31, Calmet, *ad loc.*, p.492-95, et les *Examens de la Bible* I.425, n.29, pour l'histoire de cette prétendue 'fête'.

[6] Virgile, *Enéide*, chant 2, vers 11-268.

[7] Tite-Live, liv.i, sections 3-4; Plutarque, *Vies des hommes illustres*, 'Vie de Romulus' III, signe 3.

[8] Les 'Sept Dormants' figurent dans une légende sur sept jeunes hommes nobles, Constantin, Dionysius, Jean, Maximien, Malchus, Martinien et Sérapion, qui se sauvèrent des persécutions de Decius dans une grotte du mont Célion. Après trois cent vingt ans ils se réveillèrent mais moururent peu après et leurs corps furent amenés à Marseille dans un grand sarcophage en pierre. Parmi les sources il y a Grégoire de Tours, *Septem libri miraculorum*, liv.i, 'De gloria martyrum', ch.9, *P.L.*, t.71, col.713, et la *Légende dorée*, ch.97, éd. Pléiade (Paris, 2004), p.543-47. Pour la princesse bretonne devenue Ste Ursule, voir Moréri, *Dictionnaire, s.v.*, qui se montre assez sceptique quant au nombre de vierges qui l'ont accompagnée, 'Il y a des auteurs qui ont passé à une autre extrémité, et ont dit qu'il n'y avait jamais eu de sainte Ursule; cependant l'autorité de l'Eglise qui en fait la fête, en doit convaincre tout esprit raisonnable' (réimpression: éd. 1759, t.10, p.735). Voltaire possédait l'édition. de 1740, BV2523. Jean Meslier avait parlé des sept frères dormants, *Extrait des sentiments de Jean Meslier, Œuvres*, t.3, p.457, et *OCV*, t.56A, p.126. Le texte que Voltaire prétend abréger ici ne se trouve pas dans les *Mémoires des pensées et sentiments* de Meslier.

[9] Mt ii. Voir la discussion de cette étoile dans les *Examens de la Bible* II.14-15.

[10] Pour une biographie d'Annius de Viterbe (vers 1432-1502), voir Moréri, *s.v.*, qui ne parle pourtant pas de l'invention de la fête de Judith. Mme Du Châtelet en parle, *Examens de la Bible* I.424, et y voir n.29 pour des attestations dans la pratique juive.

[11] Recueil de contes populaires orientaux traduits par Antoine Galland.

ESDRAS

¹ La guemara, T.B., Sanhedrin 21ν, prétend qu'Esdras rapporta de Babylonie (vers 538 avant l'ère moderne) les noms des mois et des anges ainsi que l'écriture 'assyrienne' (כתב אשורי, *ktav ashuri*, en fait l'écriture araméenne appelée par Calmet, 'lettres caldéennes'), qui remplaça l'écriture 'hébraïque' (כתב עברי, *ktav 'ivri*, connue actuellement comme 'paléo-hébraïque', pour Calmet, 'lettres phéniciennes'). Pourtant l'écriture paléo-hébraïque se trouve dans certains des manuscrits de Qumrân, entre quatre cents et cinq cents ans après qu'Esdras fût arrivé à Jérusalem. En fait Voltaire raisonne ici très plausiblement pour arriver à des conclusions fausses. Les caractères dont il s'agit ressemblent beaucoup aux caractères carrés qu'on emploie actuellement, et ils ne ressemblent aucunement aux caractères cunéiformes des Babyloniens qui, contrairement aux hiéroglyphes égyptiens, n'étaient pas encore connus en Europe du vivant de Voltaire. Voltaire a pris toutes les informations étalées ici chez Calmet, 'Dissertation, où l'on examine, si Esdras a changé les anciens caractères hébreux, pour leur substituer les lettres caldéennes', dans son *Commentaire littéral ... Esdras*, p.xxxiv-xlii, où il identifie l'écriture égyptienne, constituée d'idéogrammes, avec la phénicienne qui était alphabétique, ou chez Richard Simon, *Histoire critique du Vieux Testament*, liv.i, ch.13. La 'Dissertation' de Calmet contient une table de caractères, p.xliii, gravée spécialement pour cette 'Dissertation', d'après Nicolas Toinard (1629-1706), s'inspirant apparemment des spécimens de caractères paléo-hébraïques qui avaient survécu dans les manuscrits samaritains et sur des pièces de monnaie. (On ignore où Toinard avait publié son alphabet paléo-hébraïque, s'il l'a jamais publié.) Voltaire avait déjà parlé, dans *Des Juifs, OCV*, t.45B, p.123, de l'alphabet introduit par Esdras.

Voltaire contredit Calmet (p.xxxvi) qui soutenait, d'après la logique plutôt que d'après la tradition rabbinique – il venait de citer des traditions rabbiniques contraires –, que les Juifs n'apprirent à écrire les lettres 'caldéennes' que pendant l'exil de Babylonie, mais il n'est pas sûr qu'elles soient celles que les Juifs employaient encore de son temps. Voir le *CN*, t.2, p.330. En fait, il y a des inscriptions de la période du premier temple, comme le 'calendrier de Guezer', et un échantillon beaucoup plus long, gravé sur la pierre où les deux moitiés du tunnel de Siloam se rencontrent, qui célèbre ce haut fait de génie civil, toutes inconnues du temps de Voltaire, qui démontrent que des Juifs de l'époque du premier temple savaient lire et écrire. Il y a dans la Bible aussi vingt-neuf mentions de 'scribes', tous d'avant l'exil, et l'emploi fréquent du verbe כתב, *KTB*, écrire. Tout ceci, sauf les inscriptions que Voltaire n'aurait pu connaître, démontre que des Juifs de l'époque de la monarchie savaient déjà lire et écrire.

² Comme au début de son commentaire sur la Genèse, où il avait supposé que l'hébreu ne fût que du 'phénicien, syriaque', en raison de ce que Calmet avait qualifié

723

de 'raisons de convenance' (*Commentaire littéral ... Genèse*, p.xxxv, et voir, ci-dessus, Genèse, n.1), ici Voltaire le suppose du 'phénicien corrompu', pour des raisons du même genre.

³ Voir Calmet, 'Dissertation où l'on examine, si Esdras est l'auteur, ou le restaurateur des Saintes Ecritures', p.xx-xxiv. Voltaire puise ici au résumé de IV Esdras dans Calmet, p.xx, qui, tout en admettant que plusieurs des premiers Pères grecs l'ont admiré, ne dit pas que IV Esdras est reconnu par l'Eglise grecque comme canonique. Voltaire ne tient pas compte non plus de ce que Calmet avait démontré, que IV Esdras est un texte chrétien du deuxième siècle, et qu'il ne peut donc pas contenir de témoignages fiables sur l'époque d'Esdras et sur son activité.

⁴ Voir IV Es. xiv.37-46, et les *Examens de la Bible* I.354-55.

⁵ Es. ii.9-70 donne le chiffre de 42 360 pour le dénombrement des Juifs qui revinrent avec Esdras en Palestine, sans compter les 7 370 esclaves et servantes qu'ils avaient emmenés avec eux, et ce texte identifie leurs familles. Spinoza, *Tractatus theologico-politicus*, ch.10, §I, p.399-403, avait déjà trouvé une faute dans l'addition qui donne 29 818 au lieu du 42 360. Il suppose des fautes dans l'énumération des familles, et il signale les incohérences entre les chiffres totaux dans Esdras et dans Néhémie, ainsi qu'entre les énumérations faites par eux. Ceci suggère fortement que, lors de la rédaction de ces remarques sur Esdras, Voltaire ne connaissait pas bien le *Tractatus*, ou qu'il avait oublié le traitement précis de Spinoza. Apparemment sans connaître le *Tractatus*, Mme Du Châtelet avait remarqué d'autres incohérences dans les recensements d'Esdras, Zorobabel et Néhémie, *Examens de la Bible* I.359.

⁶ Ex. xii.37 donne un chiffre d''à peu près 600 000 hommes à pied, sans compter les enfants', et Nom. i.46 donne '603 500 hommes ayant plus de vingt ans et aptes à servir dans l'armée', ce qui doit exclure les vieillards et les enfants, puis Nom. iii.39 ajoute 22 000 lévites (mâles) au-dessus de l'âge d'un mois. Voltaire suppose d'après ses notions démographiques (voir par exemple, *Des Juifs*, *OCV*, t.45B, p.115-16) qu'une telle population mâle implique la présence d'un nombre important de femmes et d'enfants, d'où son chiffre de trois million d'âmes.

⁷ Néh. vii.6-67 calcule en tout 40 360 plus 7 337 esclaves et servantes.

⁸ Cette fois 'les critiques' ne sont pas Mme Du Châtelet ou du moins elle ne pose pas cette question dans ses *Examens de la Bible* I.359, mais cette question est implicite dans Calmet, *ad* I Es. i.2, où il se sent obligé de supposer que Cyrus connaissait la prophétie d'Isaïe en sa faveur, et que cela et 'la force de la vérité de l'unité d'un Dieu [...] tirérent de lui cet aveu et l'engagérent à publier cette ordonnance'.

⁹ Es. i.3, 'Yahweh, dieu d'Israël, qui est le dieu de Jérusalem' ou comme Calmet le traduit en ajoutant un mot, car il semble avoir prévu la difficulté que Voltaire soulève ici, 'qu'il rebâtisse la Maison du Seigneur le Dieu d'Israël, ce Dieu qui est *adoré* à Jérusalem'.

¹⁰ Es. i.4.

¹¹ Es. vi.2-12. Calmet essaie d'expliquer pourquoi ce passage figure une deuxième fois dans le texte, mais ne dit pas explicitement que cette redondance crée une difficulté.

[12] Calmet, *ad* vs.2, essaie d'expliquer la mention d'Ecbatane, qui ne paraît dans Esdras qu'ici, en supposant, d'après Hérodote, *Historiēs*, liv.1, section 153, que Cyrus régnait à Ecbatane ou Agbatana avant de conquérir la Babylonie.

[13] Es. i.7-11.

[14] Es. vii.19.

[15] Voltaire n'est pas d'accord avec la chronologie calculée par Calmet, p.vi-vii, qui ne trouve que 69 ans entre l'accession de Cyrus au trône à Ecbatane et le décret d'Artaxerxès.

ESTHER

[1] Calmet, *ad* Est. i.1, p.540, essaie d'identifier cet Assuérus et déclare que 'Le nom d'Assuérus, ou Artaxercés, a été fort commun parmi les Rois de Perse; et il y a de fort habiles gens, qui croient qu'il leur était commun à tous', et dans la 'Préface sur le livre d'Esther', p.504-505, 'Le temps auquel cette histoire se passa, est un autre point de critique assez embarrassé. Les uns l'ont placée avant le retour de la Captivité de Babylone; et d'autres, après cette Captivité. Les uns, et les autres se sont encore partagés en divers sentiments; car quelques uns prétendent qu'*Assuérus*, dont nous parle ici l'Ecriture, est*Astagés*, père de Darius le Mède, ou Darius le Mède lui-même.' Voir aussi les *Examens de la Bible* I.426, 'Le temps de cette histoire et l'auteur sont inconnus, les uns disent que l'Assuerus dont il est question est Astiages; d'autres que c'est Darius fils d'Hi[sd]aspe'.

[2] Mme Du Châtelet fait la même comparaison, *Examens de la Bible* I.426, mais on ne peut déterminer si Voltaire se rappelle sa caractérisation du livre d'Esther comme conte oriental, ou si c'est elle qui s'est inspirée d'une remarque allant dans le même sens que Voltaire aurait faite devant elle. Aucun des auteurs cités ici par Voltaire n'a rien publié sur le livre d'Esther, sauf Meslier qui remarque en passant (*Mémoires des pensées et sentiments*, *Œuvres*, t.1, p.126) que les 'hérétiques de nos derniers siècles', *i.e.*, les protestants, le rejettent 'comme apocryphe', ce qui est inexact, remarque répétée dans l'*Extrait des sentiments de Jean Meslier*, *Œuvres*, t.3, p. 442, et *OCV*, t.56A, p.106.

[3] C'est Flavius Josèphe qui prétend que les anciens Perses étaient relativement sobres. Cette idée est suggérée par Calmet, vs.4, qui cherche dans le légendaire païen d'autres festins également ou plus grandioses.

[4] Voir les *Examens de la Bible* I.426 pour la même comparaison entre le luxe de la cour d'Assuérus et celui des cours décrites dans *Les Mille et une nuits*. Voltaire parle encore du coq d''Aboulcassem', qui ne boit pas sans appeler les poules à boire avec lui, dans l''Epître dédicatoire' des *Scythes* (1766-1767, *M*, t.6, p.264). Il s'agit en fait du coq d'Abou Hassan dans l''Histoire du dormeur éveillé' des *Mille et une nuits*. Mme Du Châtelet en parle sous le nom d'Aboukasem, dans les *Examens de la Bible* I.345 au sujet des richesses de Salomon. Quant aux 'voiles' et aux 'pavés d'émeraudes' du texte de Voltaire, l'hébreu ne parle que d'étoffes, d'une pierre non identifiable (בהט, *bahat*) et du marbre (שש, *shesh*).

[5] Calmet traduit Est. i.10 par 'lorsque le roi était plus gai qu'à l'ordinaire, et dans la chaleur du vin'.

[6] Voltaire introduit dans sa version du texte biblique cette précision qu'il a trouvée chez Calmet, *ad* Est. i.11, 'Le Caldéen veut qu'on ait voulu la faire paraître nue, et la couronne sur la tête.' En fait, son texte 'caldéen' n'est autre que le 'Targum Esther', version araméenne plus midrashique que littérale, qui lit, אחזאה לעממיא ורברבניה

ארום שפירת חזו היא, *aha֊a'a le'amamya ve-ravrevanaya arum shapirat héֈo hi*, qu'elle soit vue par les peuples et les chefs nue, car elle était belle à voir.

[7] Ceci est un littéralisme tel qu'on en a déjà remarqué à propos de I Rois xiii.6. Voir Samuel, n.281.

[8] Hérodote, *Historiēs* liv.1, sections 8-12. Calmet ne fait pas cette comparaison si évidente.

[9] Flavius Josèphe, *Antiquitates*, liv.11, ch.6, signe 1, non cité par Calmet.

[10] Hérodote, *Historiēs*, liv.1, section 199, que Voltaire connaît depuis les *Notebooks* de 1720, *OCV*, t.81, p.68. Ce passage est devenu le sujet d'une dispute entre lui et Pierre-Henri Larcher après la parution en 1765 de *La Philosophie de l'histoire*, ch.2, *OCV*, t.59, p.129 et 205. Larcher, dans son *Supplément à la Philosophie de l'histoire* (1767, 1769), critiqua Voltaire pour avoir révoqué en doute le témoignage d'Hérodote sur la prostitution rituelle des femmes de Babylone, et Voltaire lui répondit la même année dans *La Défense de mon oncle*, ch.2, puis dans plusieurs écrits subséquents. Voir l''Introduction' de José-Michel Moureaux à *La Défense de mon oncle*, *OCV*, t.64, p.100-107, et sa n.5, p.278, ainsi que ses p.102-103 pour une liste complète des ouvrages où Voltaire met en question ce témoignage d'Hérodote, bien que Thomas Hyde, en qui Voltaire avait en général confiance, le répète dans son *Historia religionis veterum Persarum, eorum magorum*, p.89-90. Ce qu'écrit Voltaire ici et ailleurs est une 'histoire critique' dans le sens de l'oratorien Richard Simon qui inventa cette méthode et lui donna son nom avant 1678. Elle consiste à examiner les témoignages anciens par tous les critères possibles et à refuser ceux qui ne semblent pas fiables. En fait, certains des critères de fiabilité que Voltaire invoquait pour récuser le témoignage d'Hérodote n'étaient pas pertinents. Comme le dit Moureaux, Voltaire 'était incapable de penser autrement qu'à travers sa transposition [de ce que dit Hérodote] dans le monde moderne' (p.280, n.9). En particulier, 'le témoignage de Flavien Joseph' que Voltaire invoque ici est trop général pour invalider le témoignage d'Hérodote sur les pratiques religieuses à Babylone.

[11] Voir Calmet, *ad* Est. i.10, p.554, 'Les Perses avaient une espèce de superstition pour le nombre de sept. Nous verrons encore ci-après, les sept Conseillers du Roi. Dans Tobie, Raphaël dit qu'il est un des sept anges qui assistent devant le Seigneur; en quoi il semble faire allusion à l'usage de la Cour de Perse.'

[12] Est. ii.5.

[13] Est. iii.1.

[14] Calmet considère, suivant la Vulgate, que le vs.22 s'applique plutôt à la soumission des femmes perses à leurs maris, car 'l'hébreu est au masculin'. Ce que signale Calmet est que dans וכל הנשים יתנו יקר לבעליהן, *ve-khol ha-nashim itnu yekar leva'aleihen*, 'que toutes les femmes donnent du respect à leurs maris', au lieu du préfixe ת de la troisième personne au féminin pluriel qui est habituel, le verbe (נתן, NTN, donner) prend le préfixe י, *yod*, comme le fait normalement la troisième personne au masculin pluriel, donc יתנו. (En fait ce qu'on voit ici est une conjugaison archaïque, où le *yod*, י, s'employait aussi pour la troisième personne du féminin.)

[15] C'est une glose de Voltaire qui contredit l'explication de Calmet, *ad* vs.2, lequel

identifie l'acte d'hommage demandé par Haman avec les honneurs divins que Mardochée avait bonne raison de lui refuser. Mme Du Châtelet est d'accord avec Voltaire, 'que tous ceux qui etaient à la porte du roi adoraient [Haman] [...] ce qui ne veut dire autre chose sinon qu'ils lui faisaient la révérence. [...] Le Juif Mardochée [...] ne voulut point faire cette civilité à Aman, en quoi il avait eu grand tort' (*Examens de la Bible* I.428).

16 L'hébreu dit, כורעים ומשתחוים להמן, *kore'im u-mishtahavim le-Haman*, 'se mettent à genoux et se prosternent devant Haman' (Est. iii.2) ou, dans la traduction de Calmet, 'fléchissaient les genoux et l'adoraient', ce qui est plus fort que la 'salutation' dont parle Voltaire.

17 I Sam. xv.33, et voir, ci-dessus, Samuel, n.43.

18 Est. viii.11. Version très infidèle que Voltaire a héritée de Calmet, 'de leur ordonner de s'assembler tous, et de se tenir prêts, pour défendre leur vie, pour tuer, et exterminer leurs ennemis, avec leurs femmes, leurs enfants, et toutes leurs maisons, et de piller leurs dépouilles', car, selon l'hébreu, comme l'avoue Calmet, 'Le roi envoya ces lettres aux Juifs, qui étaient dans chaque ville, afin qu'ils s'assemblassent, pour se défendre contre leurs ennemis, et pour les mettre à mort.' Mme Du Châtelet n'est pas bien disposée envers Esther et Mardochée, mais elle reste plus proche du texte biblique, 'Il semblerait qu'Esther et Mardochée eussent dû être satisfaits de cette vengeance [la pendaison de Haman]. Mais des Juifs n'étaient pas d'humeur à se contenter pour si peu de choses; aussi Mardochée qui dicta les lettres d'Assuérus par lesquelles il révoquait l'ordre donné contre les Juifs, y ajouta-t-il que le 13e jour du mois d'adar [...] les Juifs pourraient tuer tous les Perses qu'ils soupçonnaient être de leurs ennemis' (*Examens de la Bible* I.436).

Voltaire omet complètement le récit de l'intervention courageuse d'Esther pour obtenir du roi le droit pour les Juifs de se défendre.

19 Est. ix.12. Calmet traite les batailles comme une 'vengeance exercée par les Juifs contre leurs ennemis' (p.622), suivant Est. viii.13, ולהיות היהודיים עתודים ליום הזה, להנקם מאויביהם *ve-lihyot ha-yehudim 'atidim la-yom ha-ze le-hinakem mé-oyevéhem*, 'que les Juifs soient préparés pour ce jour-là afin de se venger de leurs ennemis'. Cependant Voltaire saute ici l'intervention d'Esther en faveur de son peuple que l'auteur du livre représente comme particulièrement courageuse, et décrit ce que le texte traite d'une défense légitime comme une proscription. Pourtant le massacre de Perses dont il s'agit ici ne figure pas dans la liste de proscriptions, en termes modernes, de génocides, que Voltaire attribue aux Juifs dans *Conspirations contre les peuples ou proscriptions*, section I ('Conspirations ou proscriptions juives'). Voir *Cahiers Voltaire* 1 (2002), p.132.

20 Encore une version assez méchante héritée de Calmet, 'Combien grand croyez-vous que doive être le carnage, qu'ils font dans toutes les Provinces?' (Est. ix.12). (Mme Du Châtelet emploie la même expression, 'Assuérus ayant appris ce carnage', *Examens de la Bible* I.436). L'hébreu ne porte que 'et quelle est votre demande et elle sera accordée, et quelle est encore votre requête? Et Esther a dit [au roi], [...] qu'il soit permis au Juifs de Suse de faire demain comme ils ont fait aujourd'hui' (vs.12 et 13),

et le vs. 10 affirme, dans la version de Calmet, 'Ils ne voulurent toucher à rien de ce qui avait été à eux', *i.e.*, aux Perses tués, et voir aussi vs.15 et 16, mais Voltaire n'en tient pas compte. Calmet remarque dans le commentaire sur le vs.13, 'Il paraît un peu trop d'envie de se venger dans Esther, et dans les Juifs, si l'on ne consulte que les lois de l'humanité et de la clémence: mais si l'on a égard aux règles de la justice rigoureuse, on trouvera que leur vengeance n'excède pas les bornes du talion, qui est la justice la plus naturelle.'

[21] *A Tale of a tub*, conte satirique de Jonathan Swift (1704), que Voltaire et Mme Du Châtelet lisaient à Cirey, voir *Les Lettres de la marquise Du Châtelet*, éd., T. Besterman (Genève, 1958), no.18, vers le 15 juillet 1734, t.1, p.47.

[22] Horace, *De arte poetica*, vers 7, '*isti tabulæ fore librum / persimilem, cuius velut ægri somnia, vanæ / fingentur species*', 'ce tableau vous offrira le portrait fidèle d'un livre où, pareilles aux songes d'un malade, ne seront retracées que des images inconsistantes', trad. François Villeneuve, cité aussi par Mme Du Châtelet, *Examens de la Bible* I.160.

[23] Il semble que cette fois 'les critiques' sont bien Mme Du Châtelet qui s'était déchaînée dans sa haine pour Esther, mauvais modèle pour la jeunesse chrétienne (*Examens de la Bible* I.438), et pour Mardochée qu'elle représente comme sanguinaire. Comme Voltaire, elle semble avoir été influencée dans sa lecture d'Esther par le texte de la Vulgate et par le commentaire de Calmet qui minoraient autant que possible l'auto-défense des Juifs et leur désintéressement, sur lesquels le texte hébreu insiste, en réitérant le refus des Juifs de prendre du butin après avoir tué leurs ennemis. Voir aussi *Le Siècle de Louis XIV*, ch.27, où Voltaire discute l'*Esther* de Racine.

PROPHÈTES

[1] Voltaire a tort quant aux pratiques des synagogues. Des passages tirés des livres prophétiques sont lus en public, à haute voix, après la lecture du Pentateuque, tous les samedis et tous les jours de fête. Que les prophètes 'parurent' pendant la captivité contredit le contexte historique des carrières de ceux des prophètes pour lesquels des traits biographiques sont fournis.

Dans le *Commentaire littéral* de Calmet, les livres de Daniel et d'Ezéchiel constituent un seul tome, et Mme Du Châtelet les discute avant ceux d'Isaïe et de Jérémie, alors que dans la chronologie biblique, Ezéchiel suit Isaïe et Jérémie, et Daniel suit Ezéchiel, et ainsi aussi dans le canon catholique. Mais dans le canon juif le livre de Daniel trouve sa place parmi les livres hagiographiques, et ceci malgré les visions et prédications de la fin de l'exil qui se trouvent dans ce livre.

DANIEL

¹ Evidemment, dans son *Commentaire littéral*, Calmet suivait l'ordre du canon catholique où Ezéchiel et Daniel suivent Isaïe et Jérémie. Mais Mme Du Châtelet changea l'ordre de ces livres dans ses *Examens de la Bible*, faisant Ezéchiel et Daniel précéder Isaïe, Jérémie et les douze petits prophètes. Comme elle, Voltaire traite ces deux livres avant les autres prophètes, en renversant pourtant l'ordre de Daniel et Ezéchiel. Il se peut que ce tome de Calmet, dans la bibliothèque de Mme Du Châtelet puis de Voltaire était placé avant les tomes contenant Isaïe et Jérémie.

Voltaire se contredit au sujet de la première apparition des prophètes sur la scène juive. Il remarque d'abord que les premiers prophètes s'appelaient 'voyants' (voir, ci-dessus, Samuel, n.277 et 275) et étaient plus ou moins diseurs de bonne aventure, tandis que plus tard des prophètes étaient présents à la cour de David et de Salomon, puis à celle des rois qui leur succédèrent. Les grands orateurs, comme Isaïe et Jérémie, dont Voltaire a décrit le rôle, représentaient encore un autre type de prophète. Voir, ci-dessus, Samuel, n.390, 427 et 431. Isaïe et Jérémie, ainsi qu'Ezéchiel dont il parlera dans la suite, furent, comme il le laisse entendre ici, des figures historiques de la fin de la monarchie. Les visions de Daniel sont d'un autre type encore, et son livre figure dans le canon juif avec les récits de la captivité babylonienne, Esdras I et Néhémie (Esdras II dans la Vulgate).

² Porphyre (233-301 environ de l'ère moderne) avait déjà donné pour date de la rédaction du livre de Daniel l'époque de la révolte contre les rois séleucides. Ses thèses furent rapportées par Jérôme qui cherchait à les réfuter. Voir Calmet, *Commentaire littéral ... Ezéchiel et Daniel* (1715), p.518 19, 'Porphyre prétendait que les Prophéties que nous lisons sous le nom de Daniel, lui étaient faussement attribuées; que l'auteur de ce livre était un imposteur qui vivait en Judée sous le règne d'Antiochus Epiphanes.' Sur Porphyre, voir les *Examens de la Bible* I.476, n.50.

³ Dan. i.3, 7. Selon Lévit. xxi.16-21, un prêtre ne peut pas servir dans le temple s'il est châtré. Or Daniel était de la tribu de Juda et par conséquent inapte à la prêtrise de toute façon. La Bible ne spécifie pas de qualités physiques nécessaires pour la prophétie.

⁴ Jardiniers ou surveillants de sérails. Mot turc entré en français en 1546 selon *Le Grand Robert*, *s.v.*, qui ne cite pourtant aucun emploi du mot avant le *Constantinople* de Théophile Gautier.

⁵ Dan. ii. 'Les critiques' sont Mme Du Châtelet. Voir ses *Examens de la Bible* I.458.

⁶ Dan. iii.19-100 (y compris un cantique qui ne se trouve pas dans les textes juifs).

⁷ Dan. iv.29-31. 'Nos critiques qui s'égayent' semblent être, encore une fois, la seule Mme Du Châtelet qui discute dans ses *Examens de la Bible* I.461-65 cette métamorphose qui deviendrait le point du départ du conte de Voltaire, *Le Taureau*

blanc (1773). Celui-ci n'est pas mentionné ici, ce qui suggère que ce texte sur Daniel est une ébauche rédigée pour une autre publication.

[8] Dan. v.5.

[9] Voir Calmet, *ad* Dan. v.1, où il essaie de débrouiller la confusion généalogique.

[10] Dan. vi.8-24. Mme Du Châtelet parle de cette aventure, *Examens de la Bible* I.467-68, mais non des épouses et des enfants dévorés par les lions.

[11] Dan. viii.

[12] Arnould Wion ou de Wion (1554-1610?), bénédictin né à Douai, actif à Mantoue, auteur de *Lignum vitæ ornamentum et decus ecclesiæ* (Venise, 1595). Voir la *Bibliothèque générale des écrivains de l'ordre de saint Benoît, patriarche des moines d'Occident* (Bouillon, La Société Typographique, 1778), t.3, p.262 (consulté en fac-similé: Ivry, Phénix éditions, 2001). Le *Lignum vitæ* est une histoire, dédiée à Philippe II d'Espagne, des hommes illustres de l'ordre bénédictin. L'auteur y attribue des prophéties à un Malachie, né en 1094, devenu bénédictin, nommé au siège d'Armagh en 1127 et mort en 1148. Wion déchiffre les prophéties de Malachie et y en trouve qui identifient les papes jusqu'à 1590. Voir Moréri, *Dictionnaire*, éd. 1759, *s.v.*, 'Malachie', article assez critique cité ici par Beuchot, 'L'explication est donnée sur [les prophéties] qui concernent les papes de 1143 à 1700 (de Célestin II à Clément XI). Les noms des quatre papes suivants (Innocent XIII, Benoît XIII, Clément XII, Benoît XIV [qui ont régné après l'édition du *Lignum vitæ*]) sont mis à côté des phrases qui les concernent, mais sans explication. Parmi les sept papes qui ont régné depuis Benoît XIV, deux (Pie VI et Pie VII) ont rapport à deux phrases dont l'explication n'est pas difficile: *Peregrinus apostolicus* et *Aquil rapax*. C'est au successeur de Grégoire VI que s'applique, dans les prophéties dites de Malachie, les mots *Crux de cruce*, après lesquels il n'y a plus que dix prophéties dont l'accomplissement doit être suivi de la destruction de la ville à sept montagnes.' Voltaire exploite le *Lignum vitæ* aussi dans 'Abbaye' du fonds de Kehl, avec d'autres textes qu'il a sans doute lus pendant un séjour studieux auprès de Dom Calmet à Senones en juin 1754. Voir Dominique Dinet, 'Voltaire et dom Calmet', dans *Dom Augustin Calmet. Un itinéraire intellectuel*, p.343-52.

[13] Dan. ix.24-27. L'expression 'chef oint' est précisément la traduction de 'messie'.

[14] Pour Houtteville, voir Lévitique, n.23. Il s'agit ici du ch.4, p.170-94, de sa *Religion chrétienne prouvée par les faits* qui, selon le *CN*, t.4, n'a pas de notes marginales dans l'exemplaire de Voltaire.

Guillaume Dubois (1656-1723), surintendant des postes, ambassadeur, conseiller d'Etat, académicien, cardinal, et finalement premier ministre.

[15] Dan. x.13-21. Que Dieu, les étoiles ou les anges se battent pour les Israélites est un thème relativement fréquent dans la Bible. Voir le Cantique de Déborah, Juges v.20, Ps. xviii.33-48 et son 'doublet', II Sam. xxii.30-49, et Habacuc iii.8-13. Comme le laisse entendre ici Voltaire, cette vision de Daniel des princes angéliques des nations qui rivalisent est une version démythologisée des contes grecs où des dieux et non pas leur représentants se battent entre eux, thème autrement inconnu dans la Bible.

¹⁶ Dan. xiii. Ce chapitre ne se trouve pas dans le texte massorétique. Voir Calmet, 'Préface sur Daniel', p.517, 'Jule Africain dans sa lettre à Origenes, nie expressément les histoires dont on vient de parler; et Saint Jérôme les [les récits sur Susanne et sur Bel et le dragon] traite de fables [*Prologus, Commentarium in Danielem, P.L.*, t.25, col.492]. [...] Quant au sentiment de Jule Africain, Origenes l'a réfuté au long dans un ouvrage exprès, où il montre la vérité de l'histoire de Susanne.' Voir les *Examens de la Bible* I.481, 'Le chapitre 13 contient l'histoire de Suzanne qui est une des plus raisonnables de l'Ancien Testament.' Voltaire parle de Suzanne dans 'Cirus' des *Questions sur l'Encyclopédie, OCV*, t.40, p.116.

¹⁷ Le récit sur le prophète Habacuc – apparemment homonyme du prophète qu'on compte parmi les douze petits prophètes – apportant de la nourriture à Daniel se trouve dans Dan. xiv.32-37. Ce chapitre ne figure pas non plus dans le texte hébraïque du livre de Daniel.

ÉZÉCHIEL

[1] Le texte de Voltaire a été sans doute mal composé. Ez. i.6, qui ne dit pas que chacun des anges (חיות, *hayot*, 'animaux') avait quatre figures humaines: 'Chacun d'eux avait quatre faces, et quatre ailes' (version de Calmet, *Commentaire littéral ... Ézéchiel*, 1715). En fait, le vs.10 explique que chacun des 'animaux' avait quatre figures différentes, une première celle d'un homme, une seconde celle d'un lion, une troisième celle d'un bœuf et une quatrième celle d'un aigle. Voir *Collection d'anciens évangiles*, *OCV*, t.69, p.53. Le vs.8 ne décrit les mains des *hayot* autrement que 'des mains d'homme sous leurs ailes'.

[2] Ez. iii.1.

[3] Ez. iii.25.

[4] Ez. iv.1-3.

[5] Ez. iv.4-13, et voir *Un chrétien contre six Juifs* XXVIII, *M*, t.29, p.528.

[6] C'est évidemment une glose de Voltaire.

[7] Ez. iv.14-15. Calmet traduit, 'Je dis alors: Ah, ah, ah, Seigneur *mon* Dieu! mon âme n'a point encore été souillée.' L'origine du 'pouha! pouha!' que Voltaire avait déjà employé dans 'D'Ezéchiel' du *Dictionnaire philosophique*, *OCV*, t.36, p.89, n'est pas claire. *Le Grand Robert*, *s.v.*, signale le quasi-homonyme 'pouac' au seizième siècle et 'pouacre' en 1532, mais ni ce dictionnaire, ni le *Littré* ne mentionnent l'emploi du mot par Voltaire. Voltaire et surtout Mme Du Châtelet, *Examens de la Bible* I.443-50, remarquent plusieurs actes symboliques que fait Ezéchiel au cours de sa carrière, voir *La Philosophie de l'histoire*, ch.43, *OCV*, t.59, p.240; *Il faut prendre un parti* XXI, *OCV*, t.74B, p.56, etc. Meslier en avait déjà parlé, *Extrait des sentiments de Jean Meslier*, *Œuvres*, t.3, p.466, et *OCV*, t.56A, p.138-40. (Aucun texte des *Mémoires des pensées et sentiments* de Meslier ne correspond à ce passage de l'*Extrait*.)

La théorie des actes réels ayant une valeur symbolique qu'accomplissent Jérémie, Ezéchiel, Osée et plusieurs autres prophètes est exposée par Calmet *ad* Ez. iv.5, p.33. En général, Calmet refuse de nier l'historicité des récits bibliques, s'opposant à l'interprétation de ces actes symboliques comme des visions ou des métaphores, allant jusqu'à refuser de suivre St Jérôme, 'Il y en a qui croient qu'il n'arriva rien de tout cela qu'en vision; qu'un homme ne peut demeurer si long-temps couché sur un même côté, sans miracle: on ne doit point multiplier les actions miraculeuses, sans nécessité.' Puis il explique son système, 'Si tout cela n'était arrivé qu'en vision, comment les Juifs de la captivité auraient-ils compris ce que leur voulait dire Ezéchiel? Comment ce prophète auroit-il exécuté les ordres de Dieu? Il faut donc dire aussi qu'il ne dressa le plan de Jérusalem, qu'il ne représenta le siège, qu'il ne fut lié, qu'il ne mangea du pain de différents grains, qu'en esprit, et en idée.' Pourtant Calmet fait exception pour ce qui 'est impossible dans l'exécution', comme manger son pain servi avec des excréments humains (p.35). Voir *Instructions ... au frère Pédiculoso* XIV, *OCV*, t.62, p.234.

⁸ Ez. v.1-17. Le texte ne décrit pas l'épée comme étant 'nue'. Voir *Instructions ... au frère Pédiculoso* XIV, *OCV*, t.62, p.234.

⁹ Voir Calmet, *ad* Ez. iv.5, p.33. Il s'abrite sous l'autorité de Jérôme Prado qui prétendait avoir vu un fou couché tout nu sur son côté, pendant quinze ans.

¹⁰ Cette remarque est le symétrique de celle de Calmet concernant le poisson qui avait avalé Jonas. Dans sa dissertation sur l'identité de ce poisson, il prévoyait que si l'on refusait de croire en ce miracle, rien n'empêcherait de cesser de croire en les autres, plus centraux à la théologie, ou plus importants dans l'apologétique. Voir Bayle, *Dictionnaire*, art. 'Jonas', Rem. B. Voir le renvoi à Calmet et une citation de son texte complet dans les *Examens de la Bible* I.525, n.33 et 34.

Voltaire cite ce texte en latin dans la *Lettre de M. Eratou à M. Clocpitre* (1761), en tête du *Précis du Cantique des cantiques*, *OCV*, t.49A, p.228-29.

¹¹ Ez. xvi.7-8, 10-13, 15, 33. Calmet, vs.7, 'Votre sein s'est formé, vous avez été en état d'être mariée', ce que Voltaire traduit par, 'tes tétons sont enflés, ton poil a poussé'; Calmet, vs.33, 'à toutes les femmes prostituées [...] afin qu'ils vinssent de tous côtés pour commettre avec vous une infamie détestable', ce que Voltaire traduit par, 'les filles de joie, et tu as payé tes amants pour forniquer avec toi'. Voltaire parle souvent de ce chapitre et du ch.xxiii, notamment dans 'D'Ezéchiel' du *Dictionnaire philosophique*, *OCV*, t.36, p.93, et dans *La Philosophie de l'histoire*, ch.43, *OCV*, t.59, p.240-41. Voir aussi l'*Examen important*, ch.10, *OCV*, t.62, p.207, *Le Dîner du comte de Boulainvilliers*, second entretien, *OCV*, t.63A, p.367, *Traité sur la tolérance*, ch.13, *OCV*, t.56C, p.212, et les *Questions de Zapata* 46º, *OCV*, t.62, p.397. Voir Meslier, *Extrait des sentiments de Jean Meslier*, *Œuvres*, t.3, p.467, et *OCV*, t.56A, p.140, où ces versets sont traduits. Aucun texte dans les *Mémoires des pensées et sentiments* de Meslier ne correspond à ce passage de l'*Extrait*. Mme Du Châtelet n'écrit rien sur cette représentation de la Judée et de la Samarie comme deux filles débauchées. Voir *Instructions ... au frère Pédiculoso* XVI, *OCV*, t.62, p.235-36.

¹² Ez. xxiii.20. Calmet traduit pudiquement, 'Et elle s'est abandonnée avec fureur à l'impudicité, pour se joindre à ceux dont la chair est comme la chair des ânes, et dont l'alliance est comme celle qu'on aurait avec des chevaux.' 'Alliance' traduit l'hébreu, זרם, *ʒerem*, dans זרמת סוסים זרמתם, *ʒirmat susim ʒirmatam*, le courant (ou l'écoulement) des chevaux est le leur. La Pléiade, *ad loc.*, prend *ʒerem* pour une métonymie pour 'membre' en parallèle avec בשר, *basar*, 'la chair', du début du verset, ce qui donne, 'Elle fut prise de désir pour leurs débauchés dont la chair est comme la chair des ânes et le membre comme le membre des chevaux.' Voir aussi le *Lexicon* de Koehler et Baumgartner, *s.v.*, זרמה, *hapax* qu'ils traduisent 'membre', d'après un mot arabe de la même racine. Dans 'D'Ezéchiel' du *Dictionnaire philosophique*, *OCV*, t.36, p.92 et 93, Voltaire avait traduit le latin de Jérôme sans hésitation. Peut-être en raison d'une solidarité proto-féministe, Mme Du Châtelet ne signale jamais les turpitudes d'"Olla' et d'"Ooliba' (mieux transcrits par Ohola et Oholiba), métaphores pour l'infidélitié religieuse de la Judée et d'Israël, qui remplissent le ch.xxiii.

¹³ Que les Juifs ne lisent pas certains chapitres d'Ezéchiel en public et interdisent cette lecture aux jeunes gens est une assertion fausse que Voltaire avait déjà énoncée ailleurs (voir, par exemple, le *Traité sur la tolérance*, ch.13, *OCV*, t.65C, p.212), héritée de Calmet, 'Le commencement, et la fin de sa prophétie surtout, sont d'une obscurité qui a fait la croix des anciens, et des nouveaux commentateurs. La Synagogue n'en permettait pas la lecture avant l'âge de trente ans' ('Préface sur Ezéchiel', p.iv). Pourtant, de même qu'il n'y eut jamais de prohibition de lire les récits de la Genèse (voir, ci-dessus, Genèse, n.11), il n'y eut jamais de prohibition de lire le livre d'Ezéchiel, seulement d'étudier seul les mystères de la théophanie, *ma'asei merkava*, ch. i et x (voir aussi Mishna Haggiga, ch.2, *halakha* 1). L'autorité que Calmet cite pour cette prétendue prohibition est Jérôme, *Commentariorum in Ezechielem*, liv.1, *P.L.*, t.25, col.17, mais Calmet parlait des passages, notamment sur les sacrifices, qu'il était difficile d'harmoniser avec le Pentateuque. Il ne semble pas avoir connu les sources primaires: T.B., Shabbat 13*v*, que Spinoza avait cité, *Tractatus theologico-politicus*, ch.2, p.141, ni T.B., Haggiga 13*r*, où il est raconté qu'un certain rabbin de l'époque de la Mishna, Hanania ben Hizkiya, avait entrepris d'harmoniser Ezéchiel avec la *halakha*, notamment au sujet des sacrifices, et qu'ainsi ce livre de prophéties était resté canonique.

¹⁴ Voltaire avait déjà cité ce verset dans 'D'Ezéchiel' du *Dictionnaire philosophique*, *OCV*, t.36, p.83. Voir Calmet, *ad* Ez. xx.25, p.180-82, où il signale la difficulté: 'S'ils [les préceptes] sont mauvais, comment Dieu en peut-il être l'auteur, et que peut-on dire de notre Religion qui observe les mêmes préceptes moraux que les Juifs?' Puis il cite Origène, Justin, Théodoret, Chrysostome, Cyrille d'Alexandrie, Tertullien, Jérôme, Grégoire le Grand et Augustin. Ce verset peu proéminent dans la masse des versets bibliques sera cité, d'après Spinoza, *Tractatus theologico-politicus*, ch.17, section 3, dans *De l'Esprit des lois*, liv.19, ch.21, dont la rédaction date des années quarante, comme celle des *Examens de la Bible* de Mme Du Châtelet qui cite elle aussi ce verset (I.449). Il ne semble pas que ce verset ait beaucoup perturbé les rabbins car le Targum et six des sept commentateurs médiévaux classiques rapportés par Menachem Cohen dans son édition, מקראות גדולות הכתר (2000), *ad loc.*, l'interprètent soit comme une ironie, soit comme une description, non pas des lois du dieu d'Israël, mais de celles sous lesquelles les Israélites vivraient après la destruction de leur Etat.

¹⁵ Ez. xxxix.4. Calmet, 'je vous ai livré aux bêtes farouches, aux oiseaux, et à tout ce qui vole dans l'air, et aux bêtes de la terre, afin qu'ils vous dévorent' et 'Que vous mangiez la chair des forts, et que vous buviez le sang des Princes de la terre, des béliers, des agneaux, des boucs, des taureaux, des oiseaux domestiques, et tout ce qu'il y a de plus delicat.' Ce chapitre apocalyptique est une prophétie de l'attaque de Gog et Magog et de leur défaite finale, mais Voltaire n'a jamais identifié le genre de prophétie apocalyptique.

¹⁶ Ez. xxxix.19-20. Calmet, 'Et vous mangerez de la chair grasse jusqu'à vous en soûler, et vous boirez le sang de la victime que je vous immolerai, jusqu'à vous enivrer. Et vous vous soûlerez sur ma table de la chair des chevaux, et de la chair des cavaliers les plus braves, et de tous les hommes de guerre, dit le Seigneur *nôtre* Dieu.'

[17] Ceci est l'interprétation de Voltaire. Calmet ne fait pas cette distinction entre le verset 4 d'une part et les versets 19 et 20 de l'autre. Quant aux Scythes, Hérodote les décrit dans les termes que Voltaire emploie ici. Voir *Historiēs*, liv.4, signes 64-65.

OZÉE

[1] Selon Osée i.1, ce prophète vivait du temps de Jéroboam fils de Joas, roi de Samarie. Il est donc Samaritain au sens originel du mot, natif du royaume 'schismatique' du nord, et malgré cela, comme le remarque Voltaire, il appelle ses compatriotes à adorer exclusivement le dieu de la nation, comme si elle comprenait les deux royaumes. Voir la fin de l'article, 'Prophètes' des *Questions sur l'Encyclopédie*, où Voltaire traite Osée de Samaritain, *M*, t.20, p.282.

[2] Dans l'hébreu, בת דבלים, *bat Divlayim*, 'fille de Diblaïm'. Dans la transcription de Voltaire, Diblaïm a perdu sa consonne initiale, probablement par assimilation avec le *t* de *bat*, et a acquis une voyelle supplémentaire. Voltaire emploie la même transcription dans *Un chrétien contre six Juifs* XXVIII, *M*, t.29, Voir *Instructions ... au frère Pédiculoso* XVI, *OCV*, t.62, p.236-37, et, ci-dessous, Sommaire historique des quatre évangiles, n.5, p.770.

[3] Osée i.2-3, 8-9. Mme Du Châtelet remarque, plus charitablement que Voltaire, qu''on ne sait guère comment des enfants de prostitution sont faits' (*Examens de la Bible* I.510). Voltaire mentionne souvent les mésalliances d'Osée: *Dieu et les hommes*, ch.33, *OCV*, t.69, p.421; 'D'Ezéchiel', *Dictionnaire philosophique*, *OCV*, t.36, p.96; *Questions de Zapata* 49°, *OCV*, t.62, p.399; *Homélies prononcées à Londres* III, *OCV*, t.62, p.475; *Le Dîner du comte de Boulainvilliers*, second entretien, *OCV*, t.63A, p.367; *Il faut prendre un parti* XXII, *OCV*, t.74B, p.57, etc.; *Un chrétien contre six Juifs*, XLIV, *M*, t.29, p.541.

[4] Osée iii.1-4. Mme Du Châtelet remarque, encore une fois plus charitable que scandalisée, que '15 pièces d'argent et deux mesures de farine, ce qui n'est pas cher, si elle est jolie' (*Examens de la Bible* I.511).

[5] Isaïe marche tout nu à Jérusalem selon Is. xx.2-5. Voir *La Philosophie de l'histoire*, *OCV*, t.59, p.239, l'*Examen important*, ch.10, *OCV*, t.62, p.208, et *Il faut prendre un parti*, *OCV*, t.74B, p.56.

[6] Is. xx.2-4. Mme Du Châtelet remarque ironiquement, 'cela s'appelle une action prophétique, laquelle signifiait de très belles choses selon les Pères' (*Examens de la Bible* I.510). Voir *Un chrétien contre six Juifs* XLII, 'Des types de des paraboles', *M*, t.29, p.539.

JONAS

[1] Calmet, 'Préface sur Jonas', *Commentaire littéral ... Les XII petits prophètes* (1715), p.291.

[2] Voltaire suit Calmet ici, car le livre de Jonas ne donne aucune information sur la biographie du prophète. II Rois xiv.25 parle d'un Jonas de Gat Ofer, ville ou village qui, selon Josué xix.13, était dans les terres de Zabulon, dans le royaume du nord. Voltaire en déduit que Jonas était 'né parmi les hérétiques'. Voir, ci-dessus, Samuel, n.306.

[3] Calmet, *ad* Jonas i.3, auquel Voltaire fait écho, renvoyant à Gen. x.4, avait identifié Tarshish, un des quatre fils de Yavan, avec le Taurus, montagne de Cilicie. Pourtant, ici et ailleurs dans l'Ancien Testament, Tarshish désigne un pays éloigné, non identifiable, accessible par bateau (I Rois x.22; xxii.49; Is. ii.16; xxiii.14, etc.), source d'or (Ez. xxxvii.13) et d'argent entre autres métaux (Jér. x.9; Ez. xxvii.12), ou bien, par métonymie, ce mot peut désigner une pierre précieuse comme celle du pectoral du grand prêtre (Ex. xxvi.20 et xxxix.13), peut-être une 'topaze espagnole'. La version grecque identifie Tarshish avec Carthage. Mais il y a une raison philologique, l'étymologie *tarshish* < *Tart(uli)* ou *Tartessos*, pour y voir un toponyme ibérique, et de plus, la péninsule ibérique était connue comme source de métaux précieux et de pierres. Voir *The New Koehler-Baumgartner in English. The Hebrew and Aramaic lexicon of the Bible* (Leyde, Boston, Cologne, Brill, 1999), *s.v.*

[4] Encore un mot anachronique, qui suppose un corpus de doctrine dont on devient convaincu, mais le texte, vs.16, prétend que les hommes, sans doute les passagers et les matelots, sauvés du naufrage, étaient impressionnés au point de 'craindre Yahweh', expression fréquente dans la Genèse pour le sentiment religieux envers Elohim ou Yahweh.

[5] Ceci se trouve dans Calmet, 'Dissertation sur le poisson qui engloutit Jonas', p.xl, qui ne cite pas Homère, car l'*Iliade*, liv.20, ne parle pas du combat d'Hercule avec l'hydre de Lerne, serpent de mer venimeux. Cet épisode est chanté par Hésiode, *Théogonie* vs.313-16, et raconté en prose par Diodore de Sicile, *Bibliothēkē historikē*, liv.4, section 11, signe 5, par Apollodore d'Athènes, *Bibliothēkē*, liv.2, section 5, signe 2.77, et par Gaius Julius Hygin, *Fabulæ* 30. La comparaison de Jonas avec Hercule se trouve déjà dans Bayle, art. 'Jonas'.

[6] Lycophron, *Alexandra*, vers 1327-28, ou du moins il semble que c'est le texte très énigmatique auquel Calmet renvoie, p.xli, n.*a.* Le texte de la 'Dissertation' contient assez d'information pour que Voltaire n'ait pas dû se mettre à la peine de traduire le grec de la n.*a.*

[7] Hésione, fille de Laomédon, roi de Troie, et sœur plutôt qu'épouse de Priam. Son père était prêt à l'offrir en sacrifice à un monstre marin, mais Hercule arriva à

temps et tua le monstre, Gaius Julius Hygin, *Fabulæ* 89; Apollodore d'Athènes, *Bibliothēkē*, liv.2, section 5, signe 9.104.

⁸ Calmet est bien conscient des opinions des 'naturalistes' modernes sur la circulation du sang et sur la respiration, mais il admet des exceptions, p.xliii, et il ne sait rien sur des dauphins apprivoisés.

⁹ Ricciardetto, personnage menacé d'être brûlé vif pour avoir couché avec Marsile, fille du roi d'Espagne, sauvé finalement par Roger pour plaire à la belle Bradamante, dans Ludovico Ariosto, *Orlando furioso*, chants 22, 24, 25, 27, 30-38 et 44, manque à la BV.

¹⁰ Niccolò Forteguerri, *Richardet. Poëme*, trad. Anne-François Duperrier-Dumouriez (La Haye et Paris, Lacombe, 1766; BV1367). A ce traducteur (1707-1769) qui lui avait envoyé un poème, Voltaire a dédicacé un petit poème, 'A Monsieur Dumouriez, auteur du poème de Richardet' (1766), *M*, t.10, p.579.

CONTINUATION
DE L'HISTOIRE HÉBRAÏQUE.
LES MACHABÉES

[1] C'est une traduction de la métaphore de Montesquieu, *Lettres persanes* LX (*Œuvres de monsieur de Montesquieu*, Amsterdam et Leipzig, 1759; BV2494, *CN*, t.5, p.707, qui n'indique aucun trait ni commentaire marginal sur cette lettre), où le judaïsme est la mère de deux religions, le christianisme et l'islam. Voir, ci-dessus, Lévitique, n.(*e*).

[2] Dans cette deuxième formulation de l'idée précédente, Voltaire se rapproche plus du texte de Montesquieu.

[3] Humphrey Prideaux, *Histoire des Juifs*, liv.7, t.3, p.116, raconte, d'après Marcus Junianus Justinus (actif au deuxième ou troisième siècle de l'ère moderne), auteur d'un abrégé de l'histoire universelle de Trogus Pompeius, *Historiæ Philippicæ*, liv.9, section 6, et Diodore de Sicile, *Bibliothēkē historikē*, liv.16, section 94, signes 2-4, que Pausanias avait assassiné Philippe car il avait été violé à l'incitation d'Attalus, premier des conseillers de Philippe.

[4] Ce n'est pas exactement ainsi que Diodore de Sicile raconte cette histoire, *loc. cit.*, ci-dessus. Selon lui, Attalus rendit Pausanias insensible avec du vin non dilué, puis le fit violer par des muletiers ivres. Voltaire a sans doute trouvé ces informations dans l'*Histoire ancienne des Egyptiens, des Carthaginois, des Assyriens, des Babyloniens, des Mèdes et des Perses, des Macédoniens, des Grecs* de Charles Rollin qu'il possédait dans deux éditions, Paris, Vve Estienne, 1731-37, 11t.; BV3008, et Amsterdam, J. Wetstein et G. Smith, 1734-39, 13t.; BV3009. Voir l'édition de Paris, liv.14, ch.8, t.6, p.155-57, pour l'assassinat de Philippe de Macédoine.

[5] Voir Rollin, *Histoire ancienne des Egyptiens*, liv.15, ch.15, t.6, p.528-34 pour le récit de la mort de Clitus. Voir aussi Plutarque, *Vies des hommes illustres*, 'La Vie d'Alexandre' LI, signes 9-11.

[6] Le Justin dont il s'agit ici est Marcus Junianus Justinus (voir, ci-dessus, n.3). Diodore de Sicile écrivait vers 40 avant l'ère moderne.

[7] Plutarque (vers 46-vers 120) a pu copier Diodore, mais non Justin qui naquit pendant sa vieillesse, voire après sa mort.

[8] Doyen de Norwich, Prideaux, était hébraïsant, arabiste et auteur d'une biographie de Mahomet. Voltaire ne possédait pas tous les tomes de l'édition révisée, corrigée et augmentée de son *Histoire des Juifs*. Voir Genèse, n.269 et 326.

En effet, l'article 'Alexandre' des *Questions sur l'Encyclopédie*, *OCV*, t.38, p.181, est surtout une critique de Rollin qui voulait que la politique militaire et civile d'Alexandre le Grand eût été orientée autour de sa rencontre respectueuse avec le grand prêtre juif, décrite et peut-être aussi inventée par Flavius Josèphe, *Antiquitates*, liv.11, ch.8, sections 4-5. On voit ici soit un antécédent, soit un écho de la thèse énoncée dans 'Alexandre' selon laquelle la rencontre d'Alexandre et du grand-prêtre fut inventée. Voltaire se plaint aussi du manque d'originalité de Rollin comme historien dans *La Défense de mon oncle*, ch.9, *OCV*, t.64, p.213.

⁹ Il s'agit des critiques de Boileau dans ses *Satires* VIII, vers 109-10, 'Heureux si de son temps, pour cent bonnes raisons, / La Macédoine eût des petites-maisons', et XI, vers 82-84, 'Qu'on livre son pareil en France à la Reynie, / Dans trois jours nous verrons le phénix des guerriers / Laisser sur l'échafaud sa tête et ses lauriers', cité par Voltaire dans 'Alexandre' des *Questions sur l'Encyclopédie*, *OCV*, t.38, p.178-79, et voir sa critique de l'entêtement des peuples entichés de leurs rois dans *Charlot ou la comtesse de Givry* (1767), Acte 1, Scène 7.

¹⁰ Plutarque, *Vies des hommes illustres*, 'La Vie d'Alexandre' XXI, signes 1-6.

¹¹ Voltaire parle de cette digue dans les *Questions sur l'Encyclopédie*, art. 'Alexandre', *OCV*, t.38, p.180, d'après Plutarque, 'La Vie d'Alexandre' XXIV, signes 4-5.

¹² Le siège de La Rochelle commença le 12 octobre 1627, avec une digue de 1500 mètres, élevée sous la direction des ingénieurs-architectes Clément Métezeau (1581-1652) et Jean Thiriot, pour empêcher la flotte anglaise d'entrer dans le port et ravitailler les protestants assiégés dans la ville par les forces du roi sous la commande de Richelieu, et la ville dut capituler le 28 octobre 1628.

¹³ Voltaire parle de la conquête de Tyr dans 'Alexandre' des *Questions sur l'Encyclopédie*, *OCV*, t.38, p.179-80, mais il n'y dit rien sur une telle punition des habitants de Tyr. Il y parle, pourtant, p.185, d'un certain Callisthène qui, de l'avis de certains historiens, fut condamné 'à mort et mis en croix par ordre d'Alexandre' – voir Plutarque, 'La Vie d'Alexandre' LIV, signe 9, 'certains disent qu'il fut pendu par l'ordre d'Alexandre, et d'autres qu'il fut lié [...] et mourut de maladie'.

Voltaire ajoute ici que 'la croix n'était point un supplice en usage chez les Grecs', comme il le fait dire en des termes identiques à son 'Rabbin Zechiel', synthétiseur des arguments des rabbins Yehiel de Paris (Jechiel dans le latin de Wagenseil), mort en Palestine vers 1265, et Moïse Nahmanide (1195-1270), dans les *Lettres à Son Altesse Monseigneur le prince de* *** IX, 'Nous n'avons pu crucifier celui dont vous parlez du temps d'Hérode le tétrarque, puisque nous n'avions pas alors le droit du glaive; nous ne pouvons l'avoir crucifié, puisque ce supplice n'était point en usage parmi nous', *OCV*, t.63B, p.474. Voltaire parlera aussi, ci-dessous, d'Alexandre, fils du roi juif Aristobule et 'auteur de tous les troubles', qui fut crucifié sur l'ordre de Métellus Scipion. Il en avait parlé dans *Des Juifs*, *OCV*, t.45B, p.127.

¹⁴ En 56 avant l'ère moderne Jules César fit exécuter les 'sénateurs' de Civitas Venetum ou Darioritum (Vannes) après sa victoire, *Commentarii belli gallici*, liv.3, section 16.

¹⁵ Tyr était une ville située 25 kilomètres au sud de Sidon. Joël iv.4-8, comme Ez. xxvi-xxviii, sont des oracles contre Tyr. Voir Rollin, *Histoire ancienne*, t.6, p.334, qui, pourtant, ne renvoie pas à Joël.

¹⁶ Flavius Josèphe, *Antiquitates*, liv.11, ch.8, section 5.

[17] Pour l'exil des dix tribus, voir II Rois xvii.6 et 24 et xviii.11 ainsi que I Chr. v.26 et Es. iv.1-2, 9-10. Voir aussi, ci-dessus, Samuel, n.373. 'Assaradon' ou Assarhaddon (אסר-חדן *Eisar Haddon*, dans la vocalisation massorétique), fut le fils et successeur de Sennachérib II selon II Rois xix.37.

[18] Rien dans les récits de II Rois ne suggère un retour même partiel des dix tribus en Palestine. Il y a des prophéties (Is. xi.11, Jér. xxxi.14-19, Ez. xxxvii.15-28 et Zach. viii.13 et x.6) sur un retour de ces tribus dans la terre d'Israël, ce qui signifie qu'un tel retour n'avait pas encore été accompli du temps de leurs auteurs. L'opinion majoritaire dans la Mishna, Sanhedrin, ch.10, *halakha* 3 (vers 125 de l'ère moderne) soutient que les dix tribus ne reviendront jamais. Il existe cependant des histoires dans le folklore juif sur les descendants de ces exilés qui seraient restés cachés dans des recoins de l'empire babylonien qui deviendrait l'empire persan. Voir Flavius Josèphe, *Antiquitates*, liv.11, ch.2, où il qualifie la population de Samarie de 'Cuthiens', Perses et Mèdes qui y furent installés par Salmanazar II, et voir aussi Actes xxvi.6 et Jacques i.1. Le nombre de douze pour les apôtres (Actes i.26) puis pour les trônes (Luc xxii.30) suggère que la mémoire de la perte de dix des tribus et l'espoir de leur réintégration parmi les Juifs était encore vifs parmi les premiers chrétiens. Voir les *Examens de la Bible* II.36-37 et 115.

[19] Ceci est un souvenir de la bénédiction de Juda par Jacob, 'Le sceptre ne sera pas enlevé à Juda avant que vienne Shilo', Gen. xlix.10. Voltaire avait parlé de cette prophétie, ci-dessus, Samuel, n.(*dr*). Aucun prophète ne répète ce verset, mais l'éternité de la souveraineté de la famille de David est un thème fréquent, surtout dans les psaumes dits 'royaux', comme les psaumes ii, cx et cxxxiii.

[20] Flavius Josèphe, *Contra Apion.*, liv.1, section 22.

[21] Voltaire confond ses récits. Le temple avait déjà été reconstruit sous Esdras, Zorobabel et Néhémie vers 538 avant l'ère moderne. Mais qu'il restait dans l'empire de Cyrus une population juive non négligeable qui choisit de ne pas retourner en Israël n'est pas contesté.

[22] Flavius Josèphe, *Contra Apion.*, liv.1, section 22.

[23] Pour les sources premières qui racontent qu'Alexandre fut l'élève d'Aristote, voir 'Aristote' des *Questions sur l'Encyclopédie*, *OCV*, t.38, p.1, n.1.

[24] Mme Du Châtelet avait remarqué, dans ses *Examens de la Bible* I.383: 'Malgré les contradictions qu'on trouve dans les livres des Machabées, il est certain cependant qu'ils sont beaucoup plus raisonables et ecrits avec plus d'ordre que les autres livres de la Bible. On y voit un autre style et un ton tout différent et on sent que le commerce des Grecs successeurs d'Alexandre avoit un peu poli ces barbares. Il est certain qu'ils sont beaucoup plus raisonnables et écrits avec plus d'ordre que les autres livres de la Bible. On y voit un autre style et un ton tout différent et on sent que le commerce des Grecs successeurs d'Alexandre avoit un peu poli ces barbares.' C'est presque une définition du style dit horatien que Voltaire prétendait et peut-être même croyait être le seul digne des révélations de Dieu. Quand il signale ici, lui aussi, que les Juifs avaient appris des Grecs comment écrire dans un style plus soutenu et moins rude, Voltaire contredit l'esthétique du sublime prônée par Robert Lowth

(voir ci-dessus, Genèse, n.68, Samuel, n.(*j*) et n.28), dans son *De sacra poesi Hebræorum* que Voltaire avait admiré dans la *Gaʒette littéraire* du 30 septembre 1764. L'éloquence de la poésie biblique était le résultat, selon Lowth, des juxtapositions abruptes de termes, souvent même sans conjonctions, exactement ce que Voltaire déplore dans les lignes 140-41.

25 Chez Platon, la doctrine de l'immortalité de l'âme est explicite dans l'*Apologie de Socrate* 40.C-42, dans *Phédon* 64C-68B et dans *Phèdre* 245C-247C. L'association des pharisiens avec la doctrine de l'immortalité de l'âme dépend du témoignage de Flavius Josèphe dans deux passages, *Antiquitates*, liv.18, ch.1, sections 2-3, et *De Bello jud.*, liv.2, ch.8, parallèles de Mt xxii.23 et Actes xxiii.6-8 qui distinguent les pharisiens des saducéens d'après leurs différences sur plusieurs points de doctrine, dont l'immortalité de l'âme et la promesse de récompense ou châtiment posthume que ceux-là admettaient et que ceux-ci refusaient de croire. (Cf. 'Tolérance', fragment publié par Beuchot en 1821, *M*, t.20, p.517-18. Voir aussi *Des Juifs*, *OCV*, t.45B, p.133-34.) Mais les témoignages dans la Mishna sur ce qui partageait ces deux sectes, par exemple dans Mishna Yadaïm, ch.4, *halakhot* 6-8, mettent toujours l'accent sur des différends *halakhiques*, *i.e.*, concernant les manières de pratiquer une religion commune. Flavius Josèphe ne suggère pas que les pharisiens avaient subi plus d'influence grecque que les saducéens. Ceci est une invention de Voltaire.

26 Discours d'*'un certain Eléazar, l'un des principaux scribes'* (trad. Pléiade), sans aucun rapport avec la famille de Judas Maccabée, II Mac. vi.24-28, déjà signalé par Mme Du Châtelet, *Examens de la Bible* I.379, afin de montrer que le suicide était 'honoré [par les Juifs] dans de certaines circonstances', et justifié par Calmet, *Commentaire littéral ... Les Maccabées* (1722), *ad* II Mac. vi.21, 'Ce grand homme, et ce généreux Martyr, aime mieux souffrir la mort, que de scandaliser les faibles, par une action permise en elle même; mais qui serait prise infailliblement pour une prévarication des lois. Il suivait dès lors dans la pratique, les belles règles de morale que Jésus-Christ, que S. Paul, que nos martyrs, ont depuis enseignées, et pratiquées.'

27 II Mac. xii.38-45.

28 Voltaire parle ici de la légende du martyre d'une mère et de ses sept fils (II Mac. vii) qui acceptent leur sort parce qu'ils attendent la résurrection (vs. 9, 14, 23). Cette famille n'avait aucun rapport avec la famille et les exploits de Judas Maccabée. Mme Du Châtelet n'a pas hésité à en faire l'éloge, 'il faut avouer que c'est un des grands exemples de courage qu'on voye dans l'antiquité' (*Examens de la Bible* I.379) et même l'auteur, éventuellement Jean-Baptiste Mirabaud, du manuscrit clandestin des années 1730, *Opinion des anciens sur les Juifs* (Londres [Amsterdam?], 1769), p.52-57, et son abrégé, la *Lettre sur les Juifs*, ne pouvait pas s'empêcher d'admirer la constance de leur martyre. Voir B. E. Schwarzbach, 'Le Martyre comme indicateur d'humanité', à paraître.

29 Voir Calmet, *ad* I Mac. i.11. Calmet signale qu'il se qualifiait d'Antiochus l'Illustre (p.8) et qu'il avait passé du temps à Rome comme otage, mais pour le reste, ce que Voltaire prend pour générosité dans son caractère, Calmet le qualifie de bassesse, 'On l'a vu dans les boutiques des orfèvres, parler de ce qui regardait ce

métier, avec des maîtres, et faire avec eux une vaine parade de son savoir. Il allait aux bains publics avec les derniers du peuple, et se faisait frotter, et parfumer devant tout le monde. Il n'avait point de honte des saletés les plus honteuses, et commettait en public, avec des femmes débauchées, des actions que la pudeur ne permet ni de penser, ni d'exprimer. Toute sa conduite marquait l'inconstance, et la vanité de son esprit; on ne savait à qui le comparer, tant il y avait de haut, de bas et d'inégalité dans ce qu'il faisait' (p.9).

[30] Pour Antiochus en Egypte, voir I Mac. i.18-21. Pour la victoire d'Alexandre sur Poros en Inde en 326 avant l'ère moderne, voir Plutarque, 'La Vie d'Alexandre' LX, signes 14-16, et voir 'Alexandre' des *Questions sur l'Encyclopédie*, *OCV*, t.38, p.182, n.15.

[31] I Mac. i.3-10. Voir les *Examens de la Bible* I.367. Voir Calmet, *ad* I Mac. i.7, p.5.

[32] I Mac. i.3, dans la version de Calmet, 'Il avait ouï parler des combats qu'ils avaient donnés, et des grandes actions qu'ils avaient faites dans la Galatie, et comment ils s'étaient rendus maîtres de ces peuples, et les avaient rendus tributaires.' Voir aussi les *Examens de la Bible* I.370. Pour l'ethnologie des Galates, voir I Mac. viii.2, et voir Calmet, *ad loc.*, p.117, pour la victoire de Cornelius Scipion.

[33] Voir I Mac. i.11 pour la défaite d'Antiochus le Grand, mais le texte ne dit pas qu'il fut fait prisonnier. Il dit qu'il donna des otages, dont son fils, le future Antiochus Epiphane.

[34] Calmet, *ad* I Mac. viii.7, p.120, 'Tout le monde convient que du temps de Judas Maccabée, les Romains n'avaient pas porté leurs armes ni dans les Indes, ni dans la Médie. Il ne paraît pas même par l'histoire, qu'ils soient jamais allés jusqu'aux Indes', et voir les *Examens de la Bible* I.370.

[35] I Mac. viii.7-8. Voir les *Examens de la Bible* I.371.

[36] I Mac. viii.16. Voir les *Examens de la Bible* I.370-71 et Calmet, *ad loc.*

[37] I Mac. viii.20. Calmet a attiré l'attention sur ce récit par sa 'Dissertation sur la parenté des Juifs et des Lacédémoniens', p.xvi-xxii.

[38] I Mac. xii.20-23. Voir les *Examens de la Bible* I.374.

[39] Voltaire avait déjà employé cette phrase dans ses 'Remarques sur l'*Œdipe* de Corneille', acte 3, scène 5, *Commentaires sur Corneille* (1764), *OCV*, t.55, p.813, comme si la comparaison était bien connue, 'Cette aventure ressemble [...] à Arlequin, qui se dit curé de Domfront, qui en est quitte pour dire *je croyais l'être.*'

[40] Voir I Mac. xii.19-20 pour des 'copies' des lettres d'Arius, 'roi des Lacédémoniens' au grand prêtre Onias. Le vs.21 mentionne Abraham comme ancêtre commun des Israélites et des Lacédémoniens, d'où sa mention ici par Voltaire.

[41] II Mac. iii.7-36. Si Voltaire croyait que c'était le seul miracle raconté dans II Mac., il n'a pas lu, ou a bien oublié, les autres que Mme Du Châtelet avait signalés: l'"eau borbeuse' allumée par les rayons du soleil (I.376), les hommes à cheval qui couraient dans l'air de Jérusalem habillés de drap d'or et armés de lances (I.378) et les cinq hommes sur des chevaux qui viennent au secours de 'Maccabée' (I.379-80).

[42] Voir l'*Essai sur les mœurs*, ch.123, éd. Pomeau, p.181, 'François Ier, qui dans de telles circonstances dépensait trop à ses plaisirs, et gardait peu d'argent pour ses

affaires, fut obligé de prendre dans Tours une grande grille d'argent massif dont Louis XI avait entouré le tombeau de saint Martin; elle pesait près de sept mille marcs.'

⁴³ Voir, ci-dessous, 'Sommaire de l'histoire juive', lignes 119-30.

⁴⁴ La légende sur Charles Martel que Voltaire cite ici figure aussi dans l'article 'Abbaye' du fonds de Kehl et dans 'Apparition' des *Questions sur l'Encyclopédie* (*OCV*, t.38, t.532, voir la note introductive et les n.8, 9 et 10). La source de cette légende se trouve dans une *Vita* anonyme, recueillie dans les *Acta sanctorum* (éd. Jean Bolland; Anvers, Ioannes Mersium, 1643-1794, t.3, p.222c), mais étant donné que cette série manque dans la Bibliothèque de Voltaire et que cette légende fait partie des arcanes bénédictins que Voltaire présente dans 'Abbaye', il se peut qu'il l'ait apprise lors de sa visite à Dom Calmet à Senones pendant l'été de 1754.

⁴⁵ II Mac. ix.2. Voir Calmet, *ad loc.*, 'Quinte-Curce dit qu'Alexandre, par le conseil d'une courtisane, brûla et la ville et le palais, après avoir bu. Depuis cet embrasement, Persépolis ne se remit plus: et l'on croit que l'Auteur de ce livre a mis ici le nom de *Persépolis*, au lieu de celui d'*Elymaïs*, qui est bien marqué dans le premier livre des Maccabées, et où arriva ce qui est dit ici de Persépolis.'

⁴⁶ II Mac. ix.2 emploie le mot grec de Persépolis pour la ville de Cyrus et de Darius, pillée en 331 avant l'ère moderne par Alexandre. Sestekar ou mieux Isthekar est le nom donné à cette ville par les géographes arabes. Voir Calmet, *Dictionnaire de la Bible* (Paris, 1730; BV615), *s.v.*, Persépolis, t.3, p.173, 'Les Perses l'appellent Esthekar', se basant sur la *Bibliothèque orientale, ou Dictionnaire universel contenant généralement tout ce qui regarde la connaissance des peuples de l'Orient* de Barthélemy d'Herbelot (Paris, 1697), p.327.

⁴⁷ Voir Calmet, 'Préface sur les deux livres canoniques des Maccabées', p.viii-ix, 'On avoue que si l'Antiquité s'était expliquée d'une manière uniforme, et constante sur ce sujet; si les premières, les plus grandes et les plus nombreuses Eglises avaient déclaré dans leurs assemblées, que ces Livres n'étaient point Canoniques, on ne pourrait aujourd'hui nous les donner pour tels. [...] Or quoique les Livres des Maccabées ne soient pas mis dans le Catalogue des Livres Canoniques, par Méliton, par le Concile de Laodicée, par Saint Athanase [...] on peut leurs opposer un bien plus grand nombre d'auteurs anciens et quelques Conciles qui les ont reconnus pour canoniques. [...] Origènes, dans sa Préface sur les Pseaumes, exclut les deux Livres des Maccabées du nombre des divines Ecritures; [...] S. Jérôme, dans sa Préface sur les Livres de Salomon, dit que l'Eglise lit à la vérité les volumes des Maccabées, mais qu'elle ne les reçoit point parmi les ouvrages canoniques. [...] Enfin on doit faire attention que la plupart des Pères qui ont exclu ces Livres du Canon, n'ont parlé que dans le sentiment des Juifs, qui ne les y reçoivent pas encore aujourd'hui.' La lecture des livres 'apocryphes', appelés ספרים חיצונים, *sefarim hizoni'im*, livres extérieurs au canon, était en fait découragée par les rabbins de la Mishna. Voir l'opinion du seul R. Akiva, Mishna Sanhedrin, ch.10, *halakha* 1, et voir T.B., Shabbat 13*v*.

⁴⁸ I Mac. vi.16, 'Le Roi Antiochus mourut là en l'année cent quarante-neuf.' Pour l'emploi de la chronologie grecque par les Juifs de l'époque, voir Calmet, *ad* I Mac.

i.11, p.9-10. Beuchot, *ad loc.*, soupçonne que Voltaire consultait une Bible avec un texte fautif, 'anno centesimo octogesimo nono' pour 'anno centesimo quadragesimo nono', mais n'identifie pas une telle édition, et il est clair que Voltaire employait surtout le *Commentaire littéral* de Calmet où le texte de I Mac. i.11 est juste. Mme Du Châtelet se plaint aussi du récit de la mort d'Antiochus, *Examens de la Bible* I.375.

49 II Mac. ix.28. Calmet discute les 'difficultés sur le temps auquel elle [la mort d'Antiochus] arriva', *ad* I Mac. vi.20, p.89-90.

50 I Mac. vi.2, et vs.5-16.

51 Pour la chute d'Antiochus de son char, voir II Mac. ix.7. Voir aussi les *Examens de la Bible* I.375.

52 II Mac. ix.17.

DU TROISIÈME LIVRE
DES MACHABÉES

¹ Les deux derniers livres des Maccabées n'étant pas canoniques, il n'en existait pas de versions latines faisant autorité. Calmet se permettait donc de publier des versions françaises, sans texte parallèle en latin ou en grec. On pense que le troisième livre dont il s'agit ici date du premier siècle avant l'ère moderne voire du premier siècle de l'ère moderne de l'avis de certains auteurs, et que les persécutions et les martyres dont il contient le récit dataient de 221-217 avant l'ère moderne, donc un siècle avant la révolte des Maccabées dont l'auteur de ce troisième livre ne semble pas avoir eu connaissance. Calmet explique qu'on connaît même un cinquième livre des Maccabées d'après une description rédigée par Sixte de Sienne dans sa *Bibliotheca sancta* (Cologne, 1586), t.1, p.3, à partir d'un manuscrit que celui-ci avait vu dans la bibliothèque de Sancte Pagnino, à Lyon. L'histoire de la Judée depuis la mort de Judas Maccabée jusqu'à celle de la reine Alexandra contenue dans ce manuscrit était, selon Sixte, la même que celle racontée par Flavius Josèphe, *Antiquitates*, liv.13, mais le style est différent et abonde en hébraïsmes. Malgré le titre de cette section, Voltaire ne s'intéresse pas beaucoup à ce livre.

² Calmet, *ad* III Mac. iv.14, cite Flavius Josèphe, *Antiquitates*, liv.12, ch.18, et, dans son renvoi *c*, Philon, *Pro Flacco*, section VI, repère 43, qui pourtant ne parle explicitement ni de Ptolémée Philopator, ni d'un recensement.

³ III Mac. ii.19-v. Horace, *De arte poetica*, vers 192, 'Qu'un dieu n'intervienne pas, à moins qu'il ne se présente un nœud digne d'un pareil libérateur', trad. François Villeneuve, p.212. Voltaire vient de citer les mêmes vers, ci-dessus, Samuel, n.(*ei*).

SOMMAIRE DE L'HISTOIRE JUIVE
DEPUIS LES MACHABÉES
JUSQU'AU TEMPS DE JÉSUS-CHRIST

[1] Voir, ci-dessus, Les Machabées, n.19.

La pertinence de ce chapitre pour l'explication définitive de la Bible promise dans le titre de l'ouvrage est un peu vague, mais à partir du chapitre précédent, 'Continuation de l'histoire hébraïque. Les Machabées', il semble que Voltaire ait changé de direction, abandonnant l'exégèse philologique et historique au sens large du texte biblique pour faire l'histoire des Juifs post-bibliques, éventuellement en vue d'une discussion approfondie du Nouveau Testament sur un fond de politique et de religion juives. Ces pages sont soit une reprise de *Des Juifs*, *OCV*, t.45B, p.125-29, probablement rédigé avant la mort de Mme Du Châtelet en septembre 1749 mais inédit avant 1756, et de *Dieu et les hommes* (1769), ch.29 et 30, soit une ébauche de l'un ou l'autre de ces essais qui traitent surtout des derniers siècles de la république juive. Cette section et celles qui la suivent peuvent également être une synthèse de notes de lectures dans les *Antiquitates* et le *De Bello judæorum* de Flavius Josèphe et dans l'*Histoire ancienne* de Charles Rollin.

[2] En fait, les exilarques, phénomène post-biblique, étaient des dirigeants laïcs de la communauté juive dans la diaspora qui prétendaient être de la race de David. Voltaire aurait pu apprendre cela chez Basnage, *Histoire des Juifs*, liv.3, ch.4, sections 5-10, t.5, p.94-106, qui les appelait déjà, 'princes de la captivité'.

[3] Flavius Josèphe, *Antiquitates*, liv.13, ch.4, section 9. Les asmonéens étaient bien des *kohanim*, de la race des prêtres qui remontait à la période du premier temple, mais la description de leur autorité comme 'pontificale', adjectif venant évidemment de *pontifex*, est tout de même étonnante, étant donné son emploi dans l'Eglise romaine.

[4] Simon meurt l'an 134 avant l'ère moderne. Voir Flavius Josèphe, *De Bello jud.*, liv.1, ch.2.

[5] 134-33 avant l'ère moderne.

[6] Flavius Josèphe, *De Bello jud.*, liv.1, ch.2, section 5.

[7] Flavius Josèphe, *De Bello jud.*, liv.1, ch.2, section 7.

[8] Ici, comme ci-dessus, Genèse, n.(*es*), et Samuel, n.(*dw*), Voltaire confond d'une part la secte des Samaritains, dont il avait déjà parlé, avec, de l'autre, les habitants du royaume du nord qui seraient exilés en 722 avant l'ère moderne. Ceux-ci ne sont jamais qualifiés dans l'Ancien Testament de 'Samaritains' bien que leur capitale ait été la ville de Samarie. Voir II Rois xvii.29-41, mais voir aussi Jean-Pierre Rothschild, '*Halakhah*, histoire et "réalité": le cas samaritain', *Les Cahiers du judaïsme* 9 (hiver-printemps 2001), p.2-13, et M. Mor, 'Samaritan history. 1. The Persian, Hellenistic and Hasmonean periods' et '2. The Samaritans and Bar-

Kokhba', dans A. D. Crown, éd., *The Samaritans* (Tübingen, 2001), p.1-31, pour une définition non dogmatique de ce qu'étaient les ancêtres des Samaritains. Ceux-ci subsistent actuellement en Israël en nombre fort réduit et possèdent un texte du Pentateuque légèrement différent de celui des massorètes qui est celui employé dans toutes les autres communautés juives. Il manque aux Samaritains actuels le reste de l'Ancien Testament, et ils offrent encore des sacrifices, notamment l'agneau pascal, sur le mont Garizim, comme le faisaient leurs ancêtres avant que le canon juif fût fixé.

⁹ C'est une répétition d'une comparaison faite ci-dessus. Voir Samuel, n.384, ainsi que *Des Juifs*, *OCV*, t.45B, p.135.

¹⁰ Description de la modalité de communication entre Moïse et Dieu, Nom. xii.8 et Deut. xxxiv.10.

¹¹ Analyse prise, mot pour mot, de Flavius Josèphe, *Antiquitates*, liv.13, ch.10, section 7, 'on assure que Dieu lui-même lui parlait' et 'car [Dieu] lui-même daignait lui parler' (version d'Arnauld d'Andilly (Paris, Ganeau, 1744), t.3, p.227 et 231).

¹² Observation un peu bizarre. En fait, malgré la révolte intégriste des ancêtres de ces deux princes contre l'influence culturelle grecque, un siècle et plus après la révolte des asmonéens, elle avait continué de concourir avec la tradition biblique à en juger d'après les noms grecs, tels que Tarphon, Antigonos, Avtalion, Horkenos, Zoma, Levitas et Yanaï, que portaient certains des rabbins de la Mishna, notamment ceux dont on cite des maximes dans le traité d'Avot, et d'après la quantité de mots grecs qui entrèrent dans l'hébreu de l'époque.

¹³ Pour la vision de Hircan, voir Flavius Josèphe, *Antiquitates*, liv.13, ch.10, section 3, réitérée dans le ch.12, section 1. Voltaire propose ici une transcription bizarre, de כהן, *kohen*, prêtre.

¹⁴ *I.e.*, Flavius Josèphe, dans ses *Antiquitates*, liv.13, ch.11, section 1, pour le sort de sa mère, section 2, pour celui de son frère, et section 3 pour le caractère d'Aristobule. Le compliment fait à Flavius Josèphe, qu'il est le Thucydide juif, doit être ironique à en juger d'après *Des Juifs* où Voltaire l'avait qualifié de 'Josèphe l'exagérateur', *OCV*, t.45B, p.130, ce qu'il répète ici, ligne 162.

¹⁵ Voir Flavius Josèphe, *Antiquitates*, liv.13, ch.12, section 1, qui raconte qu'Alexandre Janné tua un de ses frères mais en laissa vivre un autre qui n'avait pas d'ambitions politiques.

¹⁶ Ceci est précisément le jugement de Flavius Josèphe, *Antiquitates*, liv.15, ch.10, section 7. Dans la version d'Arnauld d'Andilly, '[Hircan] laissa cinq fils, et Dieu le jugea digne de jouir tout ensemble de trois merveilleux avantages; savoir la principauté de sa nation, la souveraine sacrificature, et le don de prophétie' (t.3, p.231). La version anglaise de William Whiston est moins respectueuse de la royauté que la version d'Arnauld d'Andilly, et plus proche de ce que Voltaire écrirait.

¹⁷ Voir Flavius Josèphe, *Antiquitates*, liv.13, ch.13, section 3, pour les nombreux Juifs tués par Alexandre Janné à Gaza, ainsi que ch.14, section 2 du même livre, 'Car en même temps qu'il faisait un festin à ses concubines dans un lieu fort élevé et d'où on pouvait découvrir de loin, il en fit crucifier huit cents devant ses yeux, et égorger en leur présence durant qu'ils vivaient encore leurs femmes et leurs enfants' (version

d'Arnauld d'Andilly, t.3, p.249). Voltaire omet ces huit cents crucifixions. Le récit des brutalités des successeurs de Judas Maccabée dans les *Antiquitates* est encore plus effrayant que ce que Voltaire laisse entendre ici.

Pour la 'lapidation' d'un grand-prêtre avec des fruits devant l'autel, qui n'a que peu de rapport avec les grandes lignes de l'histoire dynastique que Voltaire expose ici, voir *Antiquitates*, liv.13, ch.13, section 5. (La Mishna, Sukka, ch.4, *halakha* 9, décrit la cérémonie, pratiquée pendant la fête de Sukkot, où l'on puisait de l'eau de la source de Siloam afin de la verser sur l'autel. Une fois un grand-prêtre, identifiable avec cet Alexandre Janné dont Voltaire vient de parler d'après Flavius Josèphe, versa l'eau sur ses pieds, car il était saducéen et sa secte rejetait ce rite comme dépourvu d'autorité scripturaire. Le public présent dans le temple en fut furieux et lança contre lui les cédrats qu'ils avaient dans leurs mains en raison de cette fête, non pas les pommes et citrons dont parlait Voltaire, car ces fruits ne s'employaient dans aucun rite du temple.

[18] Flavius Josèphe, *Antiquitates*, liv.13, ch.16.

[19] Flavius Josèphe, *Antiquitates*, liv.13, ch.15, section 1, parle d'une expédition d'Antiochus Dionysos contre la Judée avec huit mille fantassins et huit cents soldats de cavalerie.

[20] Flavius Josèphe, *Antiquitates*, liv.14, ch.1.

[21] Flavius Josèphe, *Antiquitates*, liv.14, ch.2, section 2.

[22] Voir, ci-dessus, 'Continuation de l'histoire hébraïque. Les Machabées', n.37.

[23] Mithridate, roi du Pont entre 120 et 63 avant l'ère moderne et le plus formidable des adversaires de Rome, fut finalement vaincu par une révolte menée par son fils, Pharnace, et dut se donner la mort brutalement, car il avait pris tant de contre-poisons qu'il s'était immunisé contre tout poison. Il est le sujet d'une tragédie de Racine (1684).

[24] Cette note peut venir d'une main autre que celle de Voltaire, ou elle a été composée par un autre compagnon que celui qui avait composé le texte qui l'entoure, car les désinences des verbes à l'imparfait sont en *oit* plutôt qu'en *ait* comme est la règle dans cet ouvrage. Beuchot ajoute, 'La mesure appelée muid variant selon les pays et les temps, le raisonnement de Voltaire n'est pas exact.'

[25] Evidemment les deux premiers livres des Maccabées ne parlent pas de l'histoire de Rome après la mort du dernier des frères Maccabée. Les finalités des deux autres livres étaient encore moins historiques.

[26] Flavius Josèphe, *Antiquitates*, liv.14, ch.1, section 4.

[27] Flavius Josèphe, *Antiquitates*, liv.14, ch.2, section 3.

[28] Flavius Josèphe, *Antiquitates*, liv.14, ch.3, section 1. Voir Strabon qui parle dans sa *Geographia*, liv.16, par.40, de la chute de la Judée, sans mentionner le cep de vigne en or offert à Pompée.

[29] Comme on a vu ci-dessus, Genèse, n.(*bp*), Samuel, ligne 125, et n.(*fd*), le seul mot hébraïque que Voltaire connaît, ou presque, est מלך, *melekh*, roi, qu'il écrit sans sa seconde voyelle, 'melch' ou parfois 'melk'.

[30] Flavius Josèphe, *Antiquitates*, liv.14, ch.9, sections 4 et 5.

[31] Flavius Josèphe, *Antiquitates*, liv.14, ch.3.

[32] Flavius Josèphe, *Antiquitates*, liv.14, ch.4, sections 3-4.

[33] Flavius Josèphe, *Antiquitates*, liv.14, ch.4, section 4.

[34] Voltaire se répète au sujet des richesses toujours renouvelées du temple. Voir, ci-dessus, Samuel, n.(*dr*), (*ea*), (*ef*). Voir Flavius Josèphe, *Antiquitates*, liv.14, ch.7, section 4, où il explique la source des richesses apparemment inépuisables du temple qui feraient s'émerveiller Voltaire.

[35] Flavius Josèphe, *Antiquitates*, liv.14, ch.4, section 4. Voir aussi Cicéron, *Pro Flacco* 68.

[36] Rollin, *Histoire ancienne*, liv.20, art.4, t.9, p.506, 'On a remarqué que jusque-là tout avait réussi à Pompée: mais que depuis cette curiosité sacrilège son bonheur l'avait abandonné, et que l'avantage remporté sur les Juifs fut sa dernière victoire.'

[37] Voltaire se fait ici décisionnaire de droit juif et contredit l'attestation de Flavius Josèphe, *Antiquitates*, liv.14, ch.4, section 4, selon laquelle il était interdit à toute personne autre que le grand-prêtre d'entrer dans la partie la plus sainte du temple, et de regarder ce qu'y voyait le grand-prêtre.

[38] L'arche fut sauvée de la destruction du premier temple par Nabuchodonosor en 587 avant l'ère moderne et fut sans doute transportée avec le reste du mobilier du temple à Babylone, puisque Balthasar en employa dans son festin (Daniel v.1-4). Darius rendit les vaisseaux au temple construit par Zorobabel et Néhémie (Es. v.5), mais il n'est pas spécifié que l'arche se trouvait parmi les articles rendus.

[39] La bataille de Pharsale en Thessalie eut lieu en l'an 48 avant l'ère moderne.

[40] Flavius Josèphe, *Antiquitates*, liv.14, ch.4, section 5.

[41] Flavius Josèphe, *Antiquitates*, liv.14, ch.7, section 4.

[42] Voir, ci-dessus, Les Machabées, lignes 222-27.

[43] Flavius Josèphe, *Antiquitates*, liv.15, ch.1, section 2, et *De Bello jud.*, liv.1, ch.18, section 3. Aucun de ces textes ne parle de la crucifixion d'Antigone sur l'ordre d'Antoine.

[44] 'Aristocratique sous l'autorité des Romains' est précisément l'expression de Flavius Josèphe, *Antiquitates*, liv.14, ch.5, section 5.

[45] Flavius Josèphe, *Antiquitates*, liv.14, ch.5, section 4, prétend que Gabinius, agissant pour Pompée, établit cinq conciles locaux (συνέδρια, *synhedria*), mais il n'est pas évident que l'on puisse les identifier avec le grand sanhedrin de Jérusalem dont parlent la mishna, les récits de la passion de Jésus, Mt xxvi.59-68, Marc xiv.53-65 et Luc xxii.66-xxiii.1, ainsi qu'Actes v.21-39 et xxii.30-xxiii.10, lequel fut censé décider des questions de droit religieux. Il y avait une tradition selon laquelle Moïse transmit à Josué des précisions sur la législation qui est énoncée dans le Pentateuque, et que celui-ci les transmit à son tour aux anciens qui les transmirent aux prophètes qui les transmirent aux 'membres de la Grande Assemblée', אנשי כנסת הגדולה, *anshei knesset ha-gedola*, créée par Esdras, devenue par la suite le sanhedrin (Mishna, Avot, ch.1, *halakha* 1). Cette tradition est citée par divers auteurs que Voltaire lisait, ce qui rend impossible l'identification du lien précis entre Avot i.1 et Voltaire.

[46] 'Apporté' n'est pas le meilleur verbe possible pour décrire la situation en

Palestine au début de l'époque romaine. En fait, autant de Grecs que de Juifs habitaient la Palestine, et, comme il est signalé ci-dessus, n.12, beaucoup de mots des voisins grecs pénétrèrent dans la langue de la Mishna. On y voit que de nombreux éléments de la culture matérielle et technologique des Grecs étaient familiers aux Juifs. Voir, par exemple, Elias J. Bickerman, *The Jews in the Greek Age* (Cambridge, MA et Londres, 1988) et Victor Tscherikover, *Hellenistic civilization and the Jews* (New York, 1975).

[47] Flavius Josèphe, *Antiquitates*, liv.14, ch.7, section 1.

[48] C'est la cinquième fois que Voltaire remarque les richesses toujours renouvelées du temple. Voir, ci-dessus, n.34.

D'HÉRODE

[1] Hérode joue un rôle si important dans les évangiles qu'il figurait dans un grand nombre de catéchismes et d'histoires que Voltaire aurait pu connaître, et en particulier dans Calmet, *Dictionnaire de la Bible*, s.v., 'Hérode', t.2, p.220, col.2, qui renvoie, exceptionnellement, à l'historien huguenot des Juifs, Jacques Basnage, *Histoire des Juifs*, liv.1, ch.1. Pourtant Voltaire n'a pas saisi le nœud du problème de la judéité d'Hérode. Selon Flavius Josèphe, *De Bello jud.*, liv.1, ch.10, section 9, Antipater l'Iduméen épousa une fille d'un certain arabe nommé Kypros, nom très grec, de qui il eut une fille et quatre fils dont Hérode. Selon la loi biblique, Deut. xvii.15, un roi né d'une nation étrangère, ce qu'était Hérode par son père et par sa mère, ne pouvait être élu quelle qu'ait été la religion qu'il professait. De plus, par la loi mishnique, Kiddushin, ch.3, *halakha* 12, suivi par T.B., Kiddushin 68*v*, la judéité d'un individu était déterminée par celle de sa mère, qui, dans le cas d'Hérode, n'était pas juive. Dans *Dieu et les hommes* (1769), ch.30, *OCV*, t.69, p.405-409, Voltaire répète qu'Hérode n'était pas juif. Pourtant Basnage, *Histoire des Juifs*, liv.1, ch.2, section 18, t.1, p.60-61, prétend qu'à l'époque du premier temple la loi qui refusait l'identité juive aux enfants de femmes étrangères n'était pas suivie scrupuleusement.

[2] Voir Diodore de Sicile, *Bibliothēkē historikē*, liv.17, section 47, où pourtant le nom de ce jardinier ne figure pas. Il figure dans Quinte-Curce, *Historiarum Alexandri magni macedonis*, liv.4, section 1, repères 15-23.

[3] Gen. xxvii.1-40.

[4] Dans son *Historiæ ecclesiasticæ*, liv.1, ch.6, section 18, *P.G.*, t.20, col.86, Eusèbe parle d'Hérode d'après Flavius Josèphe.

[5] Histoire racontée par Basnage, *Histoire des Juifs*, liv.1, ch.2, section 5, t.1, p.33-34.

[6] Voir Basnage, *Histoire des Juifs*, liv.1, ch.2, section 5, t.1, p.34.

[7] Flavius Josèphe, *De Bello jud.*, liv.1, ch.10, section 9.

[8] Qu'Hérode fournit des troupes à Pompée et à César ne figure ni dans Basnage, ni dans Calmet, *Dictionnaire de la Bible*, s.v., Hérode, t.2, p.223, col.1, où le bénédictin ne dit pas plus qu''Hérode prit le parti d'Antoine, son bienfaiteur', et dut, dans la suite, après la défaite de celui-ci à Actium, faire ses excuses à Auguste.

[9] Voir, ci-dessus, 'Sommaire de l'histoire juive depuis les Machabées jusqu'au temps de Jésus-Christ', n.45.

[10] Voir Flavius Josèphe, *Antiquitates*, liv.14, ch.9, sections 4-5.

[11] Voir Flavius Josèphe, *Antiquitates*, liv.14, ch.9, section 4.

[12] Voir Actes xxii.3. Saméas est identifié avec Shim'on ben Shetah. Voir Flavius Josèphe, *Antiquitates*, liv.14, ch.9, section 4 et liv.15, ch.1, section 1.

[13] Histoire racontée par Basnage, *Histoire des Juifs*, liv.1, ch.2, section 6, t.1, p.35, et par Calmet, *Dictionnaire de la Bible*, t.2, p.221, col.2. La source primaire commune

est Flavius Josèphe, *Antiquitates*, liv.14, ch.13, section 3, ouvrage que Voltaire connaissait relativement bien.

[14] Ceci n'est mentionné ni dans Basnage, liv.1, ch.2, t.1, p.36, ni dans Calmet, 'Ce premier Degré d'élévation fut traversé par la Guerre que fit Antigonus, dont les Parthes avaient embrassé les intérêts', *Dictionnaire de la Bible*, t.2, p.223, col.1.

[15] Flavius Josèphe, *Antiquitates*, liv.14, ch.13, section 7; Calmet, *Dictionnaire de la Bible*, t.2, p.222, col.1.

[16] Flavius Josèphe, *Antiquitates*, liv.14, ch.14, sections 4-5.

[17] Flavius Josèphe, *Antiquitates*, liv.15, ch.1, section 2, parle de l'exécution d'Antigonus mais non de sa crucifixion, tandis que Calmet ne mentionne pas cette exécution mais décrit sa défaite à Jérusalem et comment le commandant romain, Sofius, l'insulta. Pourtant Basnage, *Histoire des Juifs*, liv.1, ch.2, section 7, t.1, p.38, décrit comment Antigonus fut crucifié à Rome. Voir, ci-dessus, 'Sommaire de l'histoire juive depuis les Machabées jusqu'au temps de Jésus-Christ', n.43.

[18] Lévit. xxi.16-23.

[19] Voir Flavius Josèphe, *Antiquitates*, liv.17, ch.6, section 5.

[20] Le philosophe romain, Ambrosius Theodosius Macrobius, actif au début du cinquième siècle de l'ère moderne, écrit dans ses *Saturnali*, liv.2, 4. 11, qu'Auguste a dit, 'Melius est Herodis porcum esse quam filium', il vaut mieux être le porc d'Hérode que son fils. Voltaire cite le même épigramme dans l'*Histoire de l'établissement du christianisme*, ch.6, *M*, t.31, p.59, n.1.

[21] Voir Flavius Josèphe, *Antiquitates*, liv.17, ch.6, section 5, répété par Basnage, *Histoire des Juifs*, liv.2, ch.24, section 6, t.4, p.689, et Calmet, p.224, col.2, sans le scepticisme de Voltaire pour la question médicale.

[22] Lucius Cornelius Sulla Felix (138-79 avant l'ère moderne), général et homme d'Etat romain. Voir Plutarque, *Vies des hommes illustres*, 'La Vie de Sulla' XXXVI.

[23] Philippe II mourut le 13 septembre 1598, 'après six semaines d'horribles et répugnantes souffrances, corps qui s'en allait en lambeaux et où ne vivait plus que l'âme', Henri Hauser, *La Prépondérance espagnole 1556-1660* (1933, réimpression, Paris, La Haye, 1973), p.162. Une des sources des travaux historiques de Voltaire était l'*Histoire générale d'Espagne* (Paris, Le Mercier, Louttin, Josse le Fils et Briassin, 1725) de Juan de Mariana, jésuite, trad. Joseph-Nicolas Charenton, mais ce livre manque à la *BV*. Cette *Histoire* se termine en 1516, mais le 'Supplément' continue jusqu'en 1621 et parle bien de la mort de Philippe II, t.5, partie 2, p.83, sans mentionner les vers qui, d'après le folklore cité par Voltaire, rongeaient le corps de ce roi. Voltaire parle aussi de sa mort dans l'*Essai sur les mœurs*, ch.166 et 181, mais sans préciser la nature de sa maladie. Voir l'*Essai sur les mœurs*, ch.173 et 174, éd., Pomeau, t.2, p.528 et 553, et les *Remarques sur Le Cid*, dans les *Commentaires sur Corneille*, *OCV*, t.54, p.51-52.

[24] Il s'agit, soit des jeunes étudiants qu'Hérode fit tuer pour avoir déposé et détruit la statue d'un aigle qu'il avait fait poser à l'entrée du temple (voir Flavius Josèphe, *Antiquitates*, liv.17, ch.6, section 4, et *De Bello jud.*, liv.1, ch.13, section 4), soit de sa cruauté envers ses propres enfants et du massacre des innocents que, selon Mt ii.16-

18, il commanda. (Voir Basnage, *Histoire des Juifs*, liv.2, ch.24, section 6, p.689-90, '[Hérode] signala sa vieillesse et sa maladie par la mort de ses enfants, et par des massacres', généralisant, semble-t-il, le 'massacre des innocents' du récit de Mt ii.) Calmet, p.224, col.2, ne dit rien sur un massacre d'enfants, ni de l'emploi de leur sang. Aucune des sources de l'antiquité, sauf Apion, cité par Flavius Josèphe (*Contra Apion.*, liv.2, section 8) qui réfute cette prétention, n'attribue aux Juifs l'emploi thérapeutique ou cultuel du sang d'enfants ou d'adultes, juifs ou non juifs, mais de telles accusations sont connues en Europe à partir de celles de Norwich en 1144, de Gloucester en 1168, de Blois en 1171, et de Saragosse en 1182. (Voir les sources citées par Pierre Birnbaum, *Un récit de 'meurtre rituel' au Grand Siècle. L'Affaire Raphaël Lévy. Metz, 1669* (Paris, 2008), p.16-21 et 40-42, où il discute l'association du meurtre rituel d'enfants avec la sorcellerie.) Malgré sa nouveauté relative, cette accusation s'est enracinée dans le folklore chrétien et Voltaire la projette ici, non pas sur les anciens Juifs en général, mais sur un roi réputé pour sa cruauté.

[25] Voir *Essai sur les mœurs*, ch.94.

[26] Voltaire décrit le principe de la médecine hippocratique actuellement appelé allopathie, 'Contraria contrariis curantur', version latine d'un aphorisme d'Hippocrate, 'Les maladies causées par la réplétion sont guéries par la déplétion; celles par la déplétion sont guéries par la réplétion, et en général, les contraires sont guéris par les contraires' (section 2, no.22), ce qui est l'opposé de l'homéopathie. Voir Miles Weatherall, 'Drug treatment and the rise of pharmacology', dans *The Cambridge history of medicine*, éd., Roy Porter (Cambridge, 2006), p.211-37.

[27] Pratique connue en Angleterre depuis 1664 environ aux dires de l'article 'Transfusions' dans l'*Encyclopédie*, t.16, p.547a-553b, qui raconte surtout les disputes entre les transfuseurs et les anti-transfuseurs en France au cours des années 1666 à 1668, quand la pratique fut interdite après la mort de plusieurs patients des transfuseurs.

DES MONUMENTS
D'HÉRODE
ET DE SA VIE PRIVÉE

[1] Ce chapitre, comme le précédent, semble être tiré en partie des témoignages de Flavius Josèphe, soit directement, soit tels qu'ils avaient été repris par Calmet ou Basnage.

[2] Qu'Hérode avait tyrannisé les Juifs et qu'aucun 'hérodien' n'aurait salué Hérode comme messie en raison de ses cruautés étaient les thèses de Basnage, *Histoire des Juifs*, liv.2, ch.24, section 5, t.4, p.689. Calmet ne juge guère Hérode si défavorablement, malgré le 'massacre des innocents' que Mt ii lui attribue.

[3] Voir Calmet, *Dictionnaire de la Bible*, t.2, p.223, col.2.

[4] Voir, ci-dessus, Esdras, n.2.

[5] Voir l'*Encyclopédie*, art. 'Temple', t.16, où Jaucourt décrit les divers temples des anciens: celui de Jupiter, p.74a-75b, le temple égyptien de Memphis, p.63b, celui de Vénus à Memphis, p.79b, celui d'Ephèse, p.71a-b, et celui de Delphes, p.70. Jaucourt ne parle pas d'un temple à Olympie dans cet article, mais il en avait déjà parlé, art. 'Olympie', t.11, p.455b. Il fait des comparaisons architecturales entre le temple de Salomon et ceux des Grecs, art. 'Temple', p.61b-62a.

[6] Les *Cérémonies et coutumes religieuses de tous les peuples du monde* (Amsterdam, J[ean]-F[rédéric] Bernard, 1723), t.1, seconde partie, *Cérémonies ... des peuples idolâtres*, contiennent des gravures de Bernard Picart dont des représentations fantaisistes de temples du sous-continent indien: après la p.124 ('Ixora sous le nom de Mahadeu'), après la p.130 ('La pagode de Kamaetsma') et après la p.134 ('Le pénitent ...' et 'Jogui ...'). Cette série de folios manque pourtant à la BV, et le volume sur la religion en Inde semble avoir été censuré dans plusieurs exemplaires de la série. On peut voir ces gravures – Bernard prévoyait qu'elles offenseraient les lecteurs prudes –, accompagnées des descrptions des cérémonies du mariage indien, dans l'exemplaire de la Bibliothèque Mazarine. Voir aussi l'article 'Pagode' dans l'*Encyclopédie*, t.11, p.746a.

[7] Voir Calmet, *Dictionnaire de la Bible*, *s.v.*, Temple, t.3, p.640, 'Explication du plan du temple rebâti par Hérode le Grand, selon les dimensions données par Joseph', puisant chez Flavius Josèphe, *De Bello jud.*, liv.6, ch.6, et *Antiquitates*, liv.15, ch.14.

[8] 'L'église Saint-Sulpice à Paris a une place depuis une trentaine d'années [*i.e.* depuis 1808, voir Jacques Hillairet, *Dictionnaire historique des rues de Paris*, sixième éd., Paris, 1963, *s.v.*, 'Saint-Sulpice (Place)']; mais Saint-Gervais n'en a point encore [en 1832, la place n'ayant été ouverte qu'en 1850-54]' (Note de Beuchot). 'Les façades de ces deux églises sont aujourd'hui [1880] bien en vue' (Note de Moland).

⁹ Potosi désigne soit la ville de Bolivie qui possédait des mines d'argent très riches, soit la ville San Luis de Potosi au Mexique qui possédait aussi des mines d'argent. Selon I Rois ix.28; x.11; xxii.49; I Chr. xxix.4 et II Chr. ix.10, on trouvait dans l'Ophir de l'or de bonne qualité.

¹⁰ Voir Flavius Josèphe, *Antiquitates*, liv.15, ch.9, section 6.

DES SECTES DES JUIFS
VERS LE TEMPS
D'HÉRODE
SADUCÉENS

[1] Cette section puise presque exclusivement à Calmet, 'Dissertation sur les pharisiens, les saducéens, les hérodiens, et esséniens' qui introduit le *Commentaire littéral ... Marc* (1715), p.ix-xlvii, où il traite les saducéens dans l'art.II, p.xxii-xxx. L'histoire ecclésiastique, du moins telle qu'elle était racontée par Claude Fleury, *Histoire ecclésiastique* (Paris, 1722-58; BV1350), 37v., *CN*, t.3, p.479-610, et sans doute par des catéchismes y compris le sien, était l'histoire d'une succession de sectes qui se distinguaient par leurs différends doctrinaires, celles qui triomphaient se déclarant orthodoxes, et les vaincues étant anathémisées puis quasiment oubliées (voir 'Conciles' et 'Zèle' du fonds de Kehl, *M*, t.18, p.205-13, et t.20, p.608-16). Il n'est donc pas étonnant que Voltaire, suivant Richard Simon, *Histoire critique du Vieux Testament*, liv.1, ch.16, Léon de Modène, *Cérémonies et coutumes qui sont aujourd'hui en usage parmi les Juifs*, trad., Richard Simon, cinquième partie, I, Basnage, *Histoire des Juifs*, liv.2, 'Concernant l'Histoire des Sectes, qui subsistaient au tems de Jésus-Christ ...', et Calmet, 'Dissertation sur les pharisiens, ...', ait conçu l'histoire du peuple juif du temps d'Hérode comme une histoire de sectes. Etant donné que Simon, Basnage et Calmet fondaient leurs histoires sur les mêmes sources, notamment Flavius Josèphe, les évangiles et les Actes des apôtres, leurs histoires des sectes juives ne diffèrent guère entre elles, et par conséquent il est difficile de savoir laquelle ou lesquelles Voltaire abrégeait ici. (Seul Simon avait des connaissances en sources rabbiniques pour contrôler l'histoire des sectes par les sources mishniques, mais il ne s'y intéressait pas beaucoup.)

Voltaire parle souvent ailleurs des sectes des Juifs, notamment dans l'*Histoire de l'établissement du christianisme*, ch.4, *M*, t.31, p.51-54, où, comme ici, il imagine les saducéens comme des proto-caraïtes car ils 's'en tenaient à la loi mosaïque', comme si les pharisiens s'en écartaient intentionnellement. Voir aussi 'Tolérance II' (1765) du *Dictionnaire philosophique*, *OCV*, t.36, p.561, 'Christianisme' des *Questions sur l'Encyclopédie*, *OCV*, t.40, p.77-79, *Dieu et les hommes*, ch.29, 'De la secte des Juifs et de leur conduite après la captivité, jusqu'au règne de l'Iduméen Hérode', et ch.30, 'Des mœurs des Juifs sous Hérode', *OCV*, t.69, p.402-409, qui traitent des mœurs des Juifs et de la politique d'Hérode, mais de manière mieux organisée qu'ici, en omettant plusieurs des détails de pertinence douteuse qui sont rapportés ici.

Déjà dans *Des Juifs*, *OCV*, t.45B, p.134, Voltaire avait exploité la diversité de sectes parmi les Juifs pour prétendre que celles de l'époque du second temple, contrairement à celles de l'époque biblique, traitaient les sectes rivales avec

759

indulgence et, en l'occurrence, que les saducéens 'demeurèrent pas moins dans la communion' (mot très mal choisi car il n'y avait pas de communion parmi les Juifs de l'époque du second temple ni depuis) des pharisiens (*Traité sur la tolérance*, ch.13, *OCV*, t.56c, p.217).

² C'est à Actium qu'eut lieu, le 2 septembre de l'an 31 avant l'ère moderne, la bataille navale où Octave vainquit les forces d'Antoine et de Cléopâtre.

³ Voltaire dit cela d'après Calmet, 'Dissertation sur les pharisiens', p.xxii, xxiv, qui affirme que le fondateur de la secte était un certain Zadok, d'où le nom de la secte, saducéens, et que ce Zadok était un disciple d'Antigonos de Sokho, mentionné dans la mishna, Avot i.3, comme ayant été disciple de Siméon le Juste, qui fut, selon Avot i.2, un des derniers maîtres à avoir fait partie de la 'grande assemblée' établie par Esdras.

⁴ Sur la doctrine des saducéens on connaît seulement les quelques mentions qui se trouvent dans la Mishna, toujours dans un contexte halakhique. Mais Calmet, Basnage et tous les historiens et théologiens chrétiens suivaient la description de leur doctrine préservée dans le Nouveau Testament (notamment Mt xxii.23-33 et Actes xxxiii.8), confirmée par Flavius Josèphe, *De Bello jud.*, liv.2, ch.8, section 14, et *Antiquitates* liv.13, ch.5, section 9, et ch.10, section 6, liv.18, ch.1, section 4. (Pour la question de savoir si le texte du Nouveau Testament fut parfois harmonisé avec les histoires de Flavius Josèphe ou si les histoires de Flavius Josèphe ne furent pas, parfois, harmonisées avec le Nouveau Testament, lors de la transmission par des copistes chrétiens, voir Joseph Sievers, 'The Ancient lists of contents of Josephus' *Antiquities*', dans *Studies in Josephus and the varieties of ancient Judaism. Louis H. Feldman jubilee volume*, éd., Shaya J. D. Cohen et Joshua J. Schwartz (Leyde, Boston, 2007), p.271-92, et surtout p.290, n.61, où il soupçonne l'existence d'interpolations chrétiennes introduites pour harmoniser les histoires de Flavius Josèphe avec les évangiles, et son 'Josephus, First Maccabees, Sparta, *The Three Haireseis* – and Cicero', *Journal for the study of Judaism* 32, no.3 (2001), p.241-51, où il démontre que le passage des *Antiquitates* traitant des 'écoles' des Juifs est une interpolation de Flavius Josèphe lui-même dans une ébauche où il ne figurait pas.)

Pour l'opinion de Voltaire sur la question de la prétendue rigueur des saducéens par rapport aux pharisiens en matière de droit pénal, voir Calmet, 'Dissertation sur les pharisiens', p.xxiii-xxiv, qui dit que les premiers étaient remarquables pour 'cette exactitude inflexible à faire observer les Lois, et à punir les coupables sans miséricorde.' Calmet répète ce que dit Epiphane, *Adversus hæreses*, liv.1, hæres.14 (contre les saducéens), *P.G.*, t.41, col.239-42, qui était loin d'être une source primaire pour la période en question, répétant ce que disait Flavius Josèphe dans les *Antiquitates*, liv.13, ch.10, section 6, et, dans le sillage de Calmet, Voltaire le répète, tout en fournissant une étymologie, saducéens < צדק, *zedek*, mot polysémique voulant dire le plus souvent 'justice'.

Le *CN*, t.2, p.324-58, n'a trouvé aucun trait ou note concernant Hérode dans les *Dissertations* de Calmet qui reprennent la matière dynastique et biographique qu'il avait déjà publiée dans le *Commentaire littéral ... Matthieu*, ad Mt ii.1, p.23-25, et le *CN* ne contient pas de notes marginales sur le commentaire sur Matthieu.

⁵ Voir *Des Juifs*, *OCV*, t.45B, p.134, et le *Traité sur la tolérance*, ch.13, *OCV*, t.56C, p.216.

⁶ Voir, ci-dessus, Machabées, ligne 164.

⁷ Voltaire contredit ici l'exégèse d'Ex. iii.6 dans Mt xxii.31, dans la Mishna Sanhedrin, ch.10, *halakha* 1, et dans T.B., Sanhedrin 90r-v. Voir 'Ame' du *Dictionnaire philosophique*, *OCV*, t.35, p.311-16, et 'Ame V' des *Questions sur l'Encyclopédie*, *OCV*, t.38, p.234-37, pour des renvois aux nombreux autres écrits de Voltaire et notamment aux *Lettres de Memmius à Cicéron* III, sections 13 à 15, *M*, t.28, p.453-58, où il soutient la thèse que l'immortalité de l'âme et la résurrection ne sont pas des doctrines énoncées dans le Pentateuque.

⁸ Gen. xlii.38; Deut.xxxii.22; I Sam. ii.6; etc.

⁹ Deut. xxxii.21-24. Ceci est la version de Voltaire, assez fidèle à l'hébreu, dont la logique est par endroits impénétrable, et plus vigoureuse que celle de de Sacy adoptée par Calmet qui est paraphrastique et introduit des ajouts exégétiques (en italiques) dans sa traduction: 'Ils m'ont voulu comme piquer de jalousie, et *adorant* ceux qui n'étaient point dieux, et ils m'ont irrité par leurs vanités *sacrilèges*. Et moi je les piquerai de jalousie, en *aimant* un autre, qui n'est pas mon peuple, et je les irriterai, *en justifiant à leur place* une Nation insensée. Ma fureur a allumé un feu qui brûlera jusques au fond des enfers; elle dévorera la terre, avec ses moindres herbes; elle embrasera les montagnes jusques dans leurs fondements. Je les accablerai de maux; je tirerai contr'eux toutes mes flèches. La famine les consumera, et les oiseaux les déchireront par leurs morsures cruelles; j'armerai contr'eux les dents des bêtes *farouches*, et la fureur de celles qui se traînent et qui rampent sur la terre.' Comme la Vulgate, mais contrairement à Calmet, Voltaire supprime la métaphore inspirée de Gen. iii.14, et identifie les זחלי עפר, *zohalei 'afar*, 'ceux qui rampent dans la poussière', directement avec les serpents. En effet, la version de Voltaire semble une modernisation de la version de Robert Olivétan (Genève, 1535): 'Ils mont provocque en cestuy qui nest point Dieu / et mont incite a indignation par leurs vanitez et je le provocueray par cestuy qui nest point peuple / et les conciteray à indignation / par la gent folle: car le feu mest allume en mon ire / et brulera jusque au fond denfer: et devorera la terre et le fruit dicelle / et embrasera les fondemens des montaignes. Je assembleray sur eulx des maulx / et employeray toutes mes fleiches sur eulx. Ils seront bruslez de famine / e consommez dardeur / et de extermination amere. Si leur envoyeray les dents des bestes / avec le venin de celles qui trainent en la poussiere.' (Le texte que Voltaire présente à ses lecteurs est encore plus loin de l'autre version protestante de l'époque, celle de Sébastien Châteillon (1555), que de celle d'Olivétan.)

¹⁰ Deut. xxxii.22, que Voltaire vient de traduire.

¹¹ Voltaire a raison ici, car l'expression dans la Mishna Sanhedrin, ch.10, *halakha* 1 n'est que אין לו חלק לעולם הבא, *ein lo helek la-'olam ha-ba*, il n'aura pas de part dans le monde à venir, et ne précise pas la nature du sort qui attend les mécréants (dans le sens le plus littéral du mot).

¹² Voir Calmet, 'Dissertation sur les pharisiens', p.xxviii.

ESSÉNIENS

[1] Les sources secondaires auxquelles Voltaire puise dans cette section sont encore une fois Calmet, 'Dissertation sur les pharisiens, les saducéens, les hérodiens, et esséniens', art.III, du *Commentaire littéral ... Marc* (1715), p.xxx-xxxix, et éventuellement aussi Basnage, *Histoire des Juifs*, liv.2, ch.20, section 20, pour la théologie des esséniens. Il se peut que cette section dans *La Bible enfin expliquée* soit une ébauche de l'art. 'Esséniens' des *Questions sur l'Encyclopédie*, *OCV*, t.41, p.255, ou d'un des autres traitements de la vie religieuse du premier siècle où Voltaire voulait démontrer qu'à la création du christianisme, les chrétiens n'étaient qu'une des nombreuses sectes juives. Cf. des *Questions sur l'Encyclopédie*, 'Apôtres', *OCV*, t.38, p.520, 'Christianisme', *OCV*, t.40, p.79, 'Clerc', *OCV*, t.40, p.122, 'Economie de paroles', *OCV*, t.40, p.613, 'Eglise', *OCV*, t.41, p.1, etc. Surtout, voir le *Prix de la justice et de l'humanité* III, *OCV*, t.80B, p.64, où Voltaire parle encore une fois de toutes les sectes juives du premier siècle. Voir aussi les *Questions sur les miracles* I, *M*, t.25, p.368.

[2] Dans 'Esséniens' des *Questions sur l'Encyclopédie*, *OCV*, t.41, p.255, Voltaire associe, comme il le fait ici, les esséniens avec les 'dunkars de Pen[n]sylvanie', traitant les deux de sectes outrées. Celle des 'dunkars' ou 'dunkards' ou 'tunkers', officiellement 'German Baptist Brethren', fut fondée à Schwarzenau, près de Wittgenstein, en 1709, par Alexander Mack, et ses membres commencèrent à émigrer en Pennsylvanie en 1719, où ils essayaient de suivre l'enseignement scriptuaire et de pratiquer un baptême trin, et refusaient de se conformer aux mœurs mondaines.

[3] Ici Voltaire suit Flavius Josèphe, *De Bello jud.*, liv.2, ch.8, sections 2-13, et contredit Calmet, 'Dissertation sur les pharisiens', p.xxxii.

[4] Pline, *Naturalis historia*, liv.5, section 15, cité par Calmet, 'Dissertation sur les pharisiens', p.xxx.

[5] Ceci rappelle, encore une fois, *Des Juifs*, où Voltaire dresse, d'après Flavius Josèphe, un tableau de Juifs séditieux, se battant entre eux perpétuellement.

[6] Calmet mentionne cette thèse, 'Dissertation sur les pharisiens', p.xxxv, comme étant l'avis de Flavius Josèphe, puis il la nie.

[7] Voir Calmet, 'Dissertation sur les pharisiens', p.xxxv.

PHARISIENS

¹ Voir Calmet, 'Dissertation sur les pharisiens', art.1, p.ix-xxii. Calmet se base sur Flavius Josèphe, *Antiquitates*, liv.18, ch.1, section 3, et sur les récits des conflits de Jésus puis de Paul avec les pharisiens. Voltaire en parle souvent, notamment dans l'*Histoire de l'établissement du christianisme*, ch.4, *M*, t.31, p.51, où il prétend que cette secte fut fondée par le R. Hillel, mais Flavius Josèphe en avait parlé souvent au sujet d'événements arrivés longtemps avant la naissance de Hillel. Voir aussi l'*Examen important*, ch.11, 12, 15 et 16, *OCV*, t.62, p.210, 221, 234, 242 et 243, *Le Dîner du comte de Boulainvilliers*, *OCV*, t.63A, p.379, *Dieu et les hommes*, ch.30, *OCV*, t.69, p.408, *Prix de la justice et de l'humanité* III, *OCV*, t.80B, p.64-65; *Épître aux Romains* V, *M*, t.27, p.91, *Lettres de Memmius à Cicéron* III, section 22, *M*, t.28, p.462.

² Voir Calmet, p.xviii, qui ne s'appuie pas sur des sources, même secondaires. En fait il semble que Flavius Josèphe, *Antiquitates*, liv.13, ch.10, section 6, ait été le premier à parler de la prétention des pharisiens à détenir une tradition exégétique et halakhique orale remontant à Moïse, tradition dont les saducéens niaient l'authenticité. La Mishna, source en partie contemporaine de cet historien et en partie plus tardive, n'en parle pas explicitement, mais deux cents ans plus tard la notion d'une tradition orale largement intacte est déjà courante parmi les rabbins de la guemara et du *midrash*. Voir T.B., Shabbat 31r et Kiddushin 10r, sans parler de *Midrash rabba*, Exode 47 et *Midrash Lamentations*, introduction 2. Ces *midrashim*, comme tous les autres, sont difficiles à dater.

³ Voir Calmet, 'Dissertation sur les pharisiens', p.xvi, xvii, encore une fois sans appui dans les sources primaires. Voltaire s'intéressait à la doctrine de la métempsychose. Voir les *Fragments sur l'Inde et sur le général Lalli*, partie 2, art.4, *OCV*, t.75B, p.209-12. Pourtant, selon la *Jewish encyclopedia*, *s.v.* 'Transmigration of souls', la doctrine de la métempsychose était inconnue des penseurs juifs avant le huitième siècle, quand elle fut introduite sous l'influence de philosophes musulmans mystiques puis déplorée et réfutée par Sa'adia, premier philosophe juif, dans son ספר אמונות ודעות, *Sefer emunot ve-dé'ot*, traité 6, ch.8. Mais elle acquit du crédit chez les cabalistes juifs et pénétra, finalement, après le quinzième siècle, dans les cercles de penseurs rationalistes comme Isaac Abravanel.

⁴ En fait, contrairement à ce que prétend Voltaire, ni la Mishna, rédigée par des héritiers des pharisiens, ni le talmud de Palestine, composé au début du IIIᵉ siècle de l'ère moderne, ni le talmud de Babylone, assemblé au Vᵉ, ne parle de possessions, ni d'exorcismes sauf dans un seul endroit ambigu: le traité de la Mishna, Sanhedrin, ch.6, *halakha* 4, raconte que le R. Shimon ben Shetah pendit quatre-vingts femmes à Ashkelon en un seul jour pour un ou plusieurs délits non spécifiés, éventuellement pour avoir pratiqué la sorcellerie ou des exorcismes. Ce récit est répété dans le T.B., Sanhedrin 46ᵥ et dans le T.J., Sanhedrin, ch.6, *halakha* 9, 23C, encore sans précisions

sur le ou les délits qui leur furent imputés. Par contre, le Talmud de Babylone est assez riche en démonologie, apparemment adoptée sous l'influence des croyances babyloniennes. Flavius Josèphe parle d'exorcismes dans *De Bello jud.*, liv.8, ch.6, section 3, et dans *Antiquitates*, liv.8, ch.2, section 5, où il en attribue à Salomon, et le Nouveau Testament, Mt xii.22-28, prétend que les pharisiens réussissaient des exorcismes par la puissance de Béelzebub, d'où il faut conclure qu'ils en pratiquaient.

⁵ *Baápaς, Baaras.* Voir Flavius Josèphe, *De Bello jud.*, liv.7, signe 180, pour cette racine dont le contact est fatal. Voir aussi *Le Dîner du comte de Boulainvilliers*, second entretien, *OCV*, t.63A, p.380, n.63, *La Philosophie de l'histoire*, ch.47, *OCV*, t.59, p.252, 'Démoniaques' des *Questions sur l'Encyclopédie*, *OCV*, t.40, p.377, et l'*Histoire de l'établissement du christianisme*, ch.5, *M*, t.31, p.55. L'éditeur du *Dîner du comte de Boulainvilliers* croit que Voltaire avait pris connaissance des propriétés de cette racine dans l'art. 'Exorcistes' du *Dictionnaire de la Bible* de Calmet.

⁶ Des légendes remontant à Flavius Josèphe, *Antiquitates*, liv.7, ch.2, section 5, attribuent à Salomon plusieurs livres de magie dont une *Clavicule*, 'petite clef'. (Voir l'appendice de Schwarzbach, 'Les études bibliques à Cirey', *SVEC*, 2001:11, p.53-54, pour les origines de ces légendes.) Au dix-septième siècle plusieurs '*Clavicules de Salomon*' furent rédigées et publiées, notamment une en français (1634) et une autre en latin (1686). Voltaire en parle dans l'*Histoire de l'établissement du christianisme*, ch.5, *M*, t.31, p.51.

⁷ Voir, ci-dessus, n.4.

⁸ Voir Calmet, 'Dissertation sur les pharisiens', p.xvii, citant Mt xii.22-28. Que les pharisiens avaient des 'mystères' est une invention de Voltaire, un transfert des pratiques des Grecs et des Orientaux aux Juifs dont le culte n'en contient aucun.

⁹ Mt xxiii.27.

¹⁰ Curieusement, Voltaire suit l'argument du *Traité des trois imposteurs*, selon lequel les chefs de communautés religieuses poursuivent leur propre intérêt en le déguisant comme la volonté de dieu, plutôt que de suivre Calmet qui, se basant sur les évangiles, notamment Mt xxiii.13-36, accuse les pharisiens de fierté et d'hypocrisie entre autres traits de caractère déplorables.

THÉRAPEUTES

¹ Voir Calmet, 'Préface à l'évangile de saint Marc', p.viii, et sa 'Dissertation sur les pharisiens', art.3, p.xxxviii et xxxix, qui introduisent le *Commentaire littéral* ... *Marc* (1715) qui croit que cette secte proto-chrétienne 'faisait tant d'honneur à la Religion des Juifs'. On ne connaît cette secte que d'après ce qu'en dit Philon dans son *De vita contemplativa* qui est tout entier consacré à la description des thérapeutes comme modèles de la vie contemplative, par opposition aux esséniens, modèles de la vie active, mais Voltaire en parle très souvent, notamment dans l'*Essai sur les mœurs*, ch.10, *OCV*, t.22, p.201, et ch.139, éd., Pomeau, t.2, p.279; le *Traité sur la tolérance*, ch.13, *OCV*, t.56c, p.213-18, 'Christianisme' et 'Tolérance II' du *Dictionnaire philosophique*, *OCV*, t.35, p.552 et t.36, p.561, dont voir n.33. Dans les *Questions sur l'Encyclopédie*, voir 'Abbé, Abbaye', *OCV*, t.38, p.32, où voir n.2, qui conjecture que c'est le *Traité des bénéfices* de Paolo Sarpi qui aurait pu orienter l'intérêt de Voltaire pour les thérapeutes. Voir aussi du même recueil, 'Apôtres', *OCV*, t.38, p.524, 'Athéisme', *OCV*, t.39, p.192, 'Christianisme', *OCV*, t.40, p.79, 'Clerc', *OCV*, t.40, p.122, 'Economie de paroles' *OCV*, t.40, p.613, 'Eglise' et 'Esséniens', *OCV*, t.41, p.1 et 255. Voir aussi 'Messe' du fonds de Kehl, *M*, t.20, p.60, *Questions sur les miracles* I, *M*, t.25, p.368, *Examen important*, ch.11, 12, 15 et 16, *OCV*, t.62, p.210, 221, 234, 242 et 243, *Le Dîner du comte de Boulainvilliers*, *OCV*, t.63A, p.379, *Dieu et les hommes*, ch.30, *OCV*, t.69, p.408, *Prix de la justice et de l'humanité* III, *OCV*, t.80B, p.64; *Epître aux Romains* V, *M*, t.27, p.91, *Histoire de l'établissement du christianisme*, ch.4, *M*, t.31, p.52, *Lettres de Memmius à Cicéron* III, section 22, *OCV*, t.72, p.269, où Voltaire parle d'une secte qui habite le lac de Mœris et qui prend le nom de thérapeutes, etc. Parfois il les présente comme des enthousiastes qui dansent (*Examen important*, p.234), et parfois, avec les esséniens, comme des ascétiques, en les comparant aux récabites (*Examen important*, p.221, et *Portrait de l'empereur Julien*, *OCV*, t.71B, p.254) qui étaient en fait membres d'une secte ou famille ascétique qui figure dans Jér. xxxv. Voir 'Apôtres' des *Questions sur l'Encyclopédie*, *OCV*, t.38, p.509. Ceux-ci ne sont plus attestés à l'époque du second temple dont parle ici Voltaire, mais Calmet, dans sa 'Dissertation sur les pharisiens', p.xxxi, avait conjecturé un rapport entre eux et les esséniens. Il y a d'autres livres de l'époque de Voltaire sur les thérapeutes, notamment Bernard de Montfaucon, *Lettres pour et contre, sur la fameuse question, si les solitaires appelés thérapeutes dont a parlé Philon Juif, étaient chrétiens* (Paris, J. Etienne, 1712; manque à la BV) qui contient une lettre de Jean Bouhier à ce sujet.

² En effet, pour Calmet les thérapeutes n'étaient qu'une secte des esséniens. La seule source ancienne qui traite des thérapeutes est Philon, *De vita contemplativa*, à partir du signe 3, et Calmet le cite en divers endroits de son exposé, sans renvoi précis, 'Dissertation sur les pharisiens', p.xxxvii-xxxviii.

³ Calmet ne compare pas explicitement les institutions communautaires des esséniens à la vie austère des cloîtres catholiques, mais voir Basnage, *Histoire des Juifs*, liv.2, ch.23, t.4, p.659, où il distingue entre les esséniens et les thérapeutes, 'Ces remarques font voir que les esséniens étaient un Ordre de Moines en Judée, comme les Thérapeutes en Egypte', et voir aussi section 12, p.667.

⁴ Voir Philon, *De vita contemplativa*, signes 24-25, qui décrit les bâtiments dans lesquels les thérapeutes résidaient comme suffisamment modestes pour ne pas créer d'obstacles à la contemplation, mais encore suffisamment proches l'un de l'autre pour que les membres de la communauté s'aident en cas de besoin. Calmet prétend que l'Eglise établit ses premiers monastères d'après le modèle de la société des thérapeutes, p.xxxix.

⁵ Voir Basnage, *Histoire des Juifs*, liv.2, ch.21, section 22, t.4, p.593, qui parle de l'abbé Pierre-Valentin Faydit, auteur d'une lettre au R. P. Martial de St Jean Daphise, qui s'était plaint que Faydit, dans un de ses livres, probablement *Eclaircissemens sur la doctrine et l'histoire ecclésiastique des deux premiers siècles* (Maastricht, 1695), avait affirmé que Pythagore devint thérapeute par sympathie pour l'ascétisme extrême de cette secte (voir section 21, p.589-92). Pour cette raison le P. Martial 'met Pythagore au nombre des Carmes'. Cette lettre fut communiquée aux *Nouvelles de la République des lettres* (octobre 1704, p.471-75). Voltaire parle des pythagoriciens, thérapeutes, troglodytes et esséniens dans le *Prix de la justice et de l'humanité* III, *OCV*, t.80B, p.64, et dans l'*Histoire de l'établissement du christianisme*, ch.4, *M*, t.31, p.52, où il mentionne les mêmes sectes qu'ici: les pythagoriciens et les thérapeutes, qu'il associe, comme ici, avec les carmes, les esséniens, les hérodiens et les judéïtes. Au ch.22, p.104. il parle aussi d'une secte moderne qu'il prend comme il le fait ici, comme repère, la secte des quakers ou trembleurs (Society of Friends), fondée par George Fox vers 1650. Il avait fait connaissance d'un ou plusieurs Quakers lors de son exil en Angleterre.

DES HÉRODIENS

¹ Calmet, 'Dissertation sur les pharisiens', art.4, p.xxxix-xlvii. Voltaire suit plutôt Basnage, *Histoire des Juifs*, liv.1, ch.2, signe 1, t.1, p.29, qui suit le système du jésuite Jean Hardouin, 'Les Hérodiens, qui formaient une Secte de son nom, étaient des Platoniciens juifs: et les Saducéens étant les mêmes que les Hérodiens, puisque l'Ecriture nomme les uns au lieu des autres' (Kaufman Kohler, dans la *Jewish encyclopedia*, *s.v.*, les traite, au contraire, d'adversaires des saducéens, d'après le témoignage des évangiles, notamment Marc viii.15, lisant 'hérodiens' pour 'Hérode', et Uriel Rappaport dans l'*Encyclopædia judaica* les traite d'adversaires de Jésus.) Voir l'*Examen important*, ch.11, *OCV*, t.62, p.211 et n.a. Voltaire mentionne les hérodiens aussi dans *Dieu et les hommes*, ch.30, *OCV*, t.69, p.407. Les sources primaires où ils figurent sont Mt xxii.16 et Marc iii.6 et xii.13. Comme l'avoue Calmet, aucune source juive de l'époque ne parle d'eux.

² Pour une description détaillée de ce temple, avec des planches, voir Calmet, *Dictionnaire de la Bible*, *s.v.*, 'Temple', édn., 1730, t.3, p.628-41.

³ Voir 'Messie' du *Dictionnaire philosophique*, *OCV*, t.36, p.351, d'après la qualification de Cyrus dans Is. xliii.1 comme 'messie' parce qu'il a permis ou permettra aux Juifs exilés de retourner en Israël et de reconstruire leur temple. Voir surtout l'*Examen important*, ch.11 et n.a, 'Cette secte des hérodiens ne dura pas longtemps. [Messie] était un nom qu'ils donnaient indifféremment à quiconque leur avait fait du bien [...] Perse le dit expressément, *Herodis venere dies*', *OCV*, t.62, p.211. (Voltaire cite ces vers, *in extenso*, dans l'*Histoire de l'établissement du christianisme*, *M*, t.31, p.53.) Pourtant, c'est une thèse que Calmet avait réfutée, 'Hérode n'avoit nuls des caractéres du Messie. Sa vie et sa mort ne pouvoient donner de sa personne aucune idée favorable', p.xli.

⁴ Perse, *Satyres* V, vers 179-81, cité par Basnage, *Histoire des Juifs*, liv.2, ch.24, signe 3. Calmet cite les mêmes vers dans sa 'Dissertation sur les pharisiens', p.xl-xli.

DES AUTRES SECTES,
ET
DES SAMARITAINS

[1] Voir Calmet, *ad* II Rois xvii.24-41, *Commentaire littéral ... IV livre des rois* (1712), p.191-202.

[2] Voltaire ne se trompe pas pour la définition des caraïtes, seulement pour la chronologie. La secte fut fondée par Anan ben David (vers 760 à 770 de l'ère moderne) en Babylonie, et les caraïtes se trouvaient en Egypte, en Palestine et en Babylonie. Comme la persécution était moins forte en Pologne qu'ailleurs en Europe au seizième siècle et au début du dix-septième, c'est là que des communautés de caraïtes se sont établies, et il en restait encore au dix-huitième siècle, bien que le climat religieux se fût dégradé. Voltaire aurait dû lire les remarques de Richard Simon, *Histoire critique du Vieux Testament*, liv.1, ch.29, p.59, 160-63, pour éviter cette bévue. Simon ajoute, p.373, qu'Ibn Ezra se trompait quand il identifiait les caraïtes, qu'il devait connaître, avec les Samaritains qu'il aurait pu ne pas connaître, donc Voltaire se trompait en bonne compagnie.

[3] Voir Flavius Josèphe, *Antiquitates*, liv.18, ch.1, signes 1-6, et *De Bello jud.*, liv.2, ch.8, signe 1.

[4] Voir Basnage, *Histoire des Juifs*, liv.2, ch.5, section 4, 'Hégésippe [cité par Eusèbe, *Historia ecclesiastica*, ch.8, *P.G.*, t.20, col.382] met les Gorthéniens au rang des Hérétiques qui sont nez depuis le christianisme, et les fait descendre d'un Gorthéus.'

[5] Encore une des premières hérésies chrétiennes qu'on ne connaît que par la même lettre d'Hégésippe. Selon Basnage, *Histoire des Juifs*, liv.2, ch.20, section 10, les masbothéens niaient la providence.

[6] Les baptistes ne figurent pas dans le *Dictionnaire* de Calmet.

[7] Les génistes ne figurent pas dans le *Dictionnaire* de Calmet.

[8] Le mot μεριστής est un *hapax* (Luc xii.14) qu'on traduit actuellement par 'un arbitre' ou 'quelqu'un qui partage un héritage', mais ce nom est pris ici pour celui d'un membre d'une secte autrement inconnue.

[9] Voir II Rois xvii.24-41 et voir, ci-dessus, Samuel, n.306 et 416.

[10] Voir Néh. ii.10-vi.

[11] Que les Samaritains n'acceptaient du canon israélite que le Pentateuque était bien connu. Voir, par exemple, Simon, *Histoire critique du Vieux Testament*, liv.1, ch.11-13.

[12] Flavius Josèphe, *Antiquitates*, liv.17, ch.9, sections 1-3; *De Bello jud.*, liv.2, ch.1, sections 2-3.

[13] Flavius Josèphe, *Antiquitates*, liv.17, ch.10, section 1; *De Bello jud.*, liv.2, ch.5, section 2.

[14] Flavius Josèphe, *Antiquitates*, liv.17, ch.11, section 4; *De Bello jud.*, liv.2, ch.6, section 3.

[15] Flavius Josèphe, *Antiquitates*, liv.17, ch.13, sections 2 et 5; *De Bello jud.*, liv.2, ch.7, section 3, et ch.8, section 1.

[16] Voir sa *Collection d'anciens évangiles* (1769), *OCV*, t.69.

SOMMAIRE HISTORIQUE
DES QUATRE ÉVANGILES

[1] Mt i.1.

[2] Voir les *Examens de la Bible* II.7-9, 207-13 et ailleurs chez Voltaire: *Questions de Zapata* 50°, *OCV*, t.62, p.399-400; *Homélies prêchées à Londres* IV, *OCV*, t.62, p.477; 'Christianisme' du *Dictionnaire philosophique*, *OCV*, t.35, p.549; 'Généalogie' du fonds de Kehl, *M*, t.19, p.217-22. Voir aussi Meslier, *Extrait des sentiments de Jean Meslier*, dans ses *Œuvres*, t.3, p.467, et dans les *OCV*, t.56A, p.110. Le texte que Voltaire abrège ici se trouve dans les *Mémoires des pensées et sentiments*, *Œuvres* de Meslier, t.1, p.134-35.

[3] Voir les *Examens de la Bible* II.7-8. Clémence, p.17, remarque correctement qu'il y a une négligence ici. Voltaire aurait dû écrire, 'quarante-deux générations d'Abraham à Jésus-Christ', et non 'à David'.

[4] Mt i.1-17 et Luc iii.23-38.

[5] Jacques Abbadie (vers 1654-1727), apologiste huguenot; Augustin Calmet, exégète et apologiste bénédictin; Claude-François-Alexandre Houtteville, voir, ci-dessus, Lévit. n.24; Nicolas Thoinart, Thoynart ou Toinart (1629-1706), dont Voltaire renvoie soit à l'*Evangeliorum harmonia græcolatina* (Paris, G. Martin, 1709), soit à l'*Harmonie, ou Concorde évangélique contenant la vie de Notre Seigneur Jésus-Christ selon les quatre évangiles suivant la méthode et les notes de feu M. Toinart* (Paris, J.-B. Lemesle, 1716). Aucun des livres de Thoinart ne figure dans la BV, mais Calmet le cite assez souvent dans son *Dictionnaire de la Bible* pour les harmonisations des évangiles. Voir *Instructions ... au frère Pédiculoso* XVII, *OCV*, t.62, p.237.

[6] Ni ceci, ni la citation d'Augustin, *De Genesi ad litteram imperfectus liber*, ch.4, qui suit, *P.L.*, t.34, col.224, ne sont mentionnés dans les *Examens de la Bible*, mais Calmet en parle, *ad* Mt i.18. Pourtant il ne parle pas d'un 'oubli' de la part de l'évangéliste.

[7] Texte 'apocryphe' que Voltaire avait traduit et fait publier en 1769 sous le nom de 'Protévangile attribué à Jaques' dans sa *Collection d'anciens évangiles* (*OCV*, t.69, p.117-35). Cette citation se trouve dans Calmet, *Commentaire littéral ... Matthieu* (1715), *ad* Mt i.18. Voir aussi la discussion des évangiles apocryphes dans les *Examens de la Bible* II.1-4 et dans Meslier, *Extrait des sentiments de Jean Meslier*, dans ses *Œuvres*, t.3, p.451, et dans les *OCV*, t.56A, p.105-107. Le texte que Voltaire abrège ici se trouve dans les *Mémoires des pensées et sentiments*, *Œuvres* de Meslier, t.1, p.124-28.

[8] Voir les *Examens de la Bible* II.10.

[9] Voir les *Examens de la Bible* II.13-17.

[10] Voir Calmet, *Commentaire littéral ... Matthieu* (1715), 'Dissertation sur les mages', p.cxxxii.

[11] Maxime rappelée aussi par Mme Du Châtelet, *Examens de la Bible* II.15.

[12] Voir 'Kalendes' du fonds de Kehl, *M*, t.19, p.550-52.

[13] Luc ii.13-20, 22-24. Voir *Instructions ... au frère Pédiculoso* XVII, *OCV*, t.62, p.237.

[14] Calmet, *Commentaire littéral ... Matthieu*, 'Préface sur saint Matthieu', p.xxviii.

[15] Voir les *Examens de la Bible* II.18.

[16] Mme Du Châtelet cite le même chiffre, *Examens de la Bible* II.20. Voir Calmet, *Commentaire littéral ... Matthieu*, ad Mt ii.17, p.39, pour la source du nombre de 14 000.

[17] Voir les *Examens de la Bible* II.23-24.

[18] Ceci est un des arguments les plus originaux de Mme Du Châtelet, *Examens de la Bible* II.25-26.

[19] Jér. xxxi.14-15.

[20] Is. vii.14. L'apparition de l'ange à Joseph est racontée dans Mt i.20-21.

[21] Is. viii.3-4. Voir aussi les *Examens de la Bible* I.488.

[22] Voir les *Examens de la Bible* I.489.

[23] Maïmonide n'a publié aucune réfutation de l'apologétique scriptuaire chrétienne dans son *Guide des égarés*. Ses autres écrits sont majoritairement *halakhiques* et ne discuteraient pas une telle question. Maïmonide doit donc compter parmi les fausses autorités ou faux iconoclastes que Voltaire cite habituellement. Isaac de Troki a bien écrit un חזוק אמונה, *Hizzuk emuna*, 'le renforcement de la foi', pour réfuter l'apologétique chrétienne. Wagenseil a obtenu au Maghreb ('Ex. MS. Africano') le manuscrit qu'il publiait, d'où, peut-être, l'erreur de Voltaire. Voir Samuel, n.390. L'argument des Juifs qui réfute l'application à Jésus de la prophétie de Jér. xxxi.14 (Mt ii.18) est présenté dans la partie II du traité de R. Isaac, rédigée par un de ses disciples, Joseph, fils de Mordecai le martyr de Cracovie, ch.5 dans l'édition de Wagenseil, *Tela ignea satanæ*, t.2, p.395. Voltaire mentionne R. Isaac souvent, notamment dans les *Lettres à Son Altesse Monseigneur le prince de* ***IX, *OCV*, t.63B, p.475-76.

[24] Voir Calmet, *ad* Mt. iii.6, p.54, 'Le baptême que saint Jean donnait aux Juifs, était d'une autre nature; [...] Il voulait leur marquer par-là la nécessité de changer de vie, à peu prés comme les Hébreux obligeaient les prosélytes qui entraient dans leur Religion, à recevoir le baptême, avec la circoncision'. Voir aussi sa 'Dissertation sur le baptême', *Commentaire littéral ... Marc*, p.xlviii-lxvii, où, p.li, Calmet soutient que 'Quelques uns ont cru que les Juifs avaient imité cette cérémonie des Payens, qui baignaient dans l'eau ceux qu'ils invitaient aux mystéres, ou des Chrétiens, chez qui le baptême était d'une nécessité indispensable pour tous ceux qui voulaient faire profession de la Religion de Jésus-Christ', mais, contrairement à Voltaire, Calmet ne prétend pas qu'une plongée purificatrice dans l'eau se pratiquait chez les Egyptiens ou les Indiens. Parmi les Juifs, la pratique d'obliger les prosélytes à se baigner dans l'eau courante, ou dans un bain rituel, n'est attestée que depuis le deuxième siècle. Voir T.B., Yevamot 46r. Voir le *Discours de l'Empereur Julien*, *OCV*, t.71B, p.317, n.45.

[25] Ceci est un argument qu'avance Mme Du Châtelet au sujet d'autres miracles, qu'ils n'auraient jamais manqué d'impressionner tous les témoins, et que si les Juifs qui en furent les témoins ne furent pas impressionnés, ces miracles n'ont pas eu lieu. Mais pour ce miracle, elle n'invoque pas cet argument, *Examens de la Bible* II.29.

[26] Pour l'absence du diable de la théologie juive telle que Voltaire la connaissait, voir le *Traité sur la tolérance*, ch.13, p.214, n.*g*. Christiane Mervaud a découvert que, soit par erreur honnête, soit par plaisanterie, Voltaire a déformé en synonyme pour le diable le nom d'un théologien et érudit anglais cité parfois mais toujours avec des fautes d'orthographe par Calmet, Norton Knatchbull (1602-1685). Voir 'Carême' du *Dictionnaire philosophique*, *OCV*, t.35, p.435, n.8. Voir aussi *Il faut prendre un parti*, *OCV*, t.74B, p.62.

[27] Voir les *Examens de la Bible* II.31-36, où cette question n'est pas posée explicitement.

[28] Voir les *Examens de la Bible* II.35.

[29] Voir Calmet, *ad* Mt iv.8.

[30] Ceci est un verset cité très souvent par Voltaire: Voir par exemple *Dieu et les hommes*, *OCV*, t.69, p.471. Voir aussi les *Examens de la Bible* II.254-55 et *Instructions ... au frère Pédiculoso* XVIII, *OCV*, t.62, p.238.

[31] Voir les *Examens de la Bible* II.52-54. Voir *Instructions ... au frère Pédiculoso* XIX, *OCV*, t.62, p.238.

[32] Voltaire évoque ici l'histoire du figuier maudit racontée dans Marc xi.13 alors qu'il l'a omise dans son traitement de l'évangile selon Matthieu où elle figure dans le ch.xxi, verset 18. Voir les *Examens de la Bible* II.121-25, où Mme Du Châtelet puise à Thomas Woolston, *A third discourse* (Londres, 1728), *passim*. Voltaire discute le miracle du figuier ailleurs, notamment dans le *Discours de l'Empereur Julien*, *OCV*, t.71B, p.307, n.37.

[33] Meslier ne parle nulle part du miracle du figuier desséché.

[34] Voir les *Examens de la Bible* II.241.

[35] I Thes. iv.17.

[36] I Pierre iv.6.

[37] Jude vs.14.

[38] La 'Nouvelle Jérusalem' est une expression qui se trouve dans Apoc. xxi, et dans les *Examens de la Bible* II.526 et la dissertation de Mme Du Châtelet, 'De la fin du monde', *Examens de la Bible* II.552-54, basée sur Calmet, 'Dissertation sur la fin du monde, et sur l'état du monde après le dernier Jugement', *Commentaire littéral ... Les Épîtres de saint Paul* (Paris, 1716), t.2, p.lviii-lxxxv. Mme Du Châtelet ne mentionne ni Tertullien, ni Calmet, dans cette dissertation, et Calmet ne cite ni Justin ni Tertullien comme ayant vu descendre des cieux la 'Nouvelle Jérusalem' mais Voltaire a trouvé des informations complémentaires dans un manuscrit de Firmin Abauzit. Voir 'Apocalypse' du *Dictionnaire philosophique*, *OCV*, t.35, p.362-68, et surtout n.16. En effet, Voltaire parle de Justin et de Tertullien dans cet article au sujet de la 'Nouvelle Jérusalem' aux cieux, et il y laisse entendre que c'était Tertullien qui la voyait la nuit..

[39] Voir les *Examens de la Bible* II.301.

[40] Jean xii.24.

[41] Ps. lviii.5.

[42] Voir, ci-dessus, Tobie, lignes 41-43.

[43] Les versets ajoutés ici dans 77B ne sont cités ailleurs, ni dans les polémiques de Voltaire contre le Nouveau Testament, ni dans les *Examens de la Bible* de Mme Du Châtelet, et le style des citations est un peu différent de celui des autres versets que Voltaire commente dans ce paragraphe, car le chapitre est cité en chiffres romains et le verset n'est jamais spécifié. Il se peut bien que cette variante ne soit pas authentique ou, venant d'un manuscrit authentique, n'ait pas été harmonisée par l'éditeur ou le compositeur avec le style du reste du 'Sommaire historique ...'.

[44] La dispute dite phlégonienne sévit en Angleterre entre 1732 et 1733 entre Arthur Ashley Sykes et des astronomes anglais pieux. Ceux-ci soutenaient la valeur du témoignage de l'astronome grec, Phlégon, rapporté par Denis l'Aréopagite, sur une éclipse qui aurait été la cause naturelle des 'ténèbres de la passion' mentionnés dans Luc xxiii.44. S'il ne connaissait pas cette dispute de première main, Voltaire aurait pu la connaître d'après le traité clandestin anonyme, *La Religion chrétienne analysée*. Voir l'art. 'Eclipse' du fonds de Kehl, *M*, t.18, p.451, ainsi que Schwarzbach, 'The problem of the Kehl additions to the *Dictionnaire philosophique*: sources, dating and authenticity', *SVEC* 201 (1982), p.29-30. Comme Sykes, Mme Du Châtelet nie, pour des raisons astronomiques, qu'il pût y avoir eu une éclipse solaire au moment où Jésus rendit l'âme, *Examens de la Bible* II.156. Les éclipses solaires ne peuvent se produire qu'autour de la néoménie, et les évangiles prétendent que la passion de Jésus est arrivée le jour de la pâque juive, donc la nuit de la pleine lune. Mais elle ne parle pas du témoignage de Phlégon.

[45] Jean xix.14; Marc xv.23, mais il parle de la 'sixième heure', quand Jésus rendit l'âme, et non de l'heure, troisième ou autre, où il fut mis sur la croix.

[46] Gen. ii.7. Voir Calmet, *ad* vs.22, n.*d*, pour ce que Voltaire cite ici, mais Calmet ne parle ni du texte hébraïque, ni d'Ezékiel, ni du livre de la Sagesse.

[47] Is. xi.2.

[48] Probablement Ez. xxxvii.9 ou 14.

[49] Sagesse xv.11.

[50] Voir 'Apôtres' des *Questions sur l'Encyclopédie*, *OCV*, t.38, p.523-24, où Voltaire remarque, comme ici, 'Les disciples baptisaient les catéchumènes; on leur soufflait dans la bouche pour y faire entrer l'Esprit avec le souffle'. Voir aussi l'*Examen important*, *OCV*, t.62, ch.20, p.252.

[51] Voir 'Religion' du *Dictionnaire philosophique*, *OCV*, t.37, p.481, et les *Notebooks*, *OCV*, t.82, p.546. Voir aussi *Le Marseillois et le lion* (1768) 'On lui [Augustin] a [...] reproché d'avoir dit [...] que les puissances célestes se déguisaient ainsi que les puissances infernales en beaux garçons et en belles filles pour s'accoupler ensemble, et d'avoir imputé aux manichéens cette théurgie impure, dont ils ne furent jamais coupables', *OCV*, t.66, p.756, n.*e*.

[52] Le curé des Accoules, Louis Gaufridi ou Gaufridy, fut brûlé le 30 avril 1611

pour avoir ensorcelé Madeleine Demandols de la Palud. Dans sa confession, il admit avoir soufflé sur elle, mais cela semble un euphémisme pour avoir eu des rapports sexuels avec elle. Voir Robert Mandrou, *Magistrats et sorciers en France au XVIIe siècle* (Paris, 1968), p.199-210, qui pourtant ne cite pas cet aveu de la confession de Gaufridi mais, p.200, cite un long récit du premier président du Parlement d'Aix qui accusa Gaufridi d'avoir 'desbauché, fait sorcière et mené au sabbat' Madeleine Demandols. Voltaire parle de lui aussi dans *Le Siècle de Louis XIV*, ch.31, *M*, t.14, p.537, n.2, dans les *Fragments historiques sur l'Inde*, première partie, art.19, n.(*c*), *OCV*, t.75B, p.183, et dans le *Prix de la justice et de l'humanité* IX, *OCV*, t.80B, p.98-101.

[53] Urbain Grandier, accusé d'avoir ensorcelé un couvent d'ursulines à Loudun en 1632, fut condamné et exécuté le 18 août 1634. Voir Mandrou, p.210-19. Voltaire parle de lui dans *La Pucelle*, chant III, vers 182, *OCV*, t.7, p.307, dans les *Lettres à Son Altesse Monseigneur le prince de* *** III, *OCV*, t.63B, p.405-406, et dans *Les Honnêtetés littéraires* III, *OCV*, t.63B, p.121.

[54] 'Le jésuite [Jean-Baptiste] Girard fut accusé d'avoir ensorcelé [Catherine] La Cadière [en 1730]. Le curé [Urbain] Grandier d'avoir ensorcelé tout un couvent [en 1634]', dans *Fragments sur l'Inde et sur le général Lally*, *OCV*, t.75B, p.183, n.(*c*), et, dans le *Prix de la justice et de l'humanité*, *OCV*, t.80B, p.99-102. Voltaire spécifie le crime imputé à Girard, 'En soufflant dans la bouche de la fille nommée Cadière, il lui avait fait entrer un démon d'impureté dans le corps', p.98. Voir aussi 'Asmodée' et 'Quisquis' des *Questions sur l'Encyclopédie*, *OCV*, t.39, p.116 et n.13, et *M*, t.20, p.320, *La Défense de mon oncle*, ch.7, *OCV*, t.64, p.208 ('jusqu'au révérend père Girard accusé juridiquement d'avoir endiabolé la demoiselle Cadière en soufflant sur elle') et p.234-42, *Les Honnêtetés littéraires* XXII, *OCV*, t.63B, p.76, n.17, et le *Discours de l'empereur Julien*, *SVEC* 322 (1994), p.204n et 387, n.80.h., *Le Cri du sang innocent*, *M*, t.29, p.385, *Les Lettres chinoises* III, *M*, t.29, p.461. Voir Maurice Foucault, *Les Procès de sorcellerie dans l'ancienne France devant les juridictions séculières* (Paris, 1907), p.100.

[55] Pour Enoch et Elie, voir les *Examens de la Bible* II.527. Pour l'immortalité de St Jean, voir Jean xxi.22 et 23 et les *Examens de la Bible* II.324-35, puisant à Calmet, *ad* Jean xxi.22, et à sa 'Dissertation sur la mort de S. Jean l'évangéliste', *Commentaire littéral ... S. Jean*, p.ix-xii, où le passage cité se trouve à la p.xii.

[56] 'Dissertation sur la mort se S. Jean l'évangéliste', p.xiii.

[57] Jean xxi.24. L'inauthenticité du chapitre final (xxi) de l'évangile selon Jean n'est pas un argument qu'on trouve ailleurs dans la critique néotestamentaire de Voltaire, et semble un vestige d'une analyse plus poussée, peut-être d'un autre auteur puisant à Richard Simon, *Histoire critique du Nouveau Testament* (Rotterdam, Reinier Leers, 1689), p.106, ou même aux *Examens de la Bible* II.325-26, 'Il y a au verset 24 une preuve que si l'évangile qui porte le nom de St Jean e[st] de l'apôtre St Jean, ce chapitre 21 n'est pas de lui; car celui qui a écrit [ce chapitre] dit au verset 24, *Et c'est ce disciple là qui rend témoignage de toutes ces choses et nous savons que son témoignage est véritable*; [...] On ne sait quel est celui qui parle dans ce verset. Mais il faut bien

convenir que ce n'est pas St Jean; aussi tous les interprètes conviennent-ils que le chapitre 21 est postérieur au reste de l'évangile et qu'il n'est pas de la même main. Enfin l'auteur quel qu'il soit ajoute au verset 25 et d[erni]er que *Jésus a fait encore beaucoup d'autres choses, et que si on les rapportait en détail, le monde entier ne suffirait pas pour contenir les livres dans lesquels elles seraient écrites.*' En fait, Mme Du Châtelet puise à Calmet, *Commentaire littéral ... Jean*, p.439, 'Quelques savants croient que tout ce chapitre, ou du moins les deux derniers versets, sont l'ouvrage de l'Eglise d'Ephèse, qui rend témoignage à la vérité du saint Evangile, et à la sainteté de l'Evangéliste.' Mais Calmet ne mentionne pas que c'était Grotius qui avait traité le chapitre entier d'inauthentique, tandis que les grands érudits, Henry Hammond et Jean Leclerc, ne niaient l'authenticité que des deux derniers versets.

[58] Voir l'*Examen important*, ch.21, *OCV*, t.62, p.261, où Voltaire parle des mêmes théologiens dans à peu près le même langage, 'Que le lecteur fasse une réflexion avec moi: je suppose que les trois imbéciles Abdias, Hégésipe [*sic*] et Marcel, qui racontent ces pauvretés, eussent été moins maladroits, qu'il eussent inventé des contes plus vraisemblables sur les deux Simons, ne seraient-ils pas regardés aujourd'hui comme des Pères de l'Eglise irréfragibles?' Voir Richard Simon, *Histoire critique du texte du Nouveau Testament*, ch.3, et Calmet, 'Dissertation sur les évangiles apocryphes', dans son *Commentaire littéral ... Matthieu* (1715), p.cix-cxxx. Voir aussi Schwarzbach, 'The sacred genealogy of a Voltairean polemic: the development of critical hypotheses regarding the composition of the canonical and apocryphal gospels', *SVEC* 245 (1986), p.303-49.

[59] Voir Mme Du Châtelet sur les deux formules assez différentes du baptême prévues dans la Bible: la première, trinitaire, dans Mt xxviii.19, et la seconde, moins élaborée, dans Actes ii.38; viii.16 et x.48. Pour la constatation que Jésus n'a jamais baptisé personne, voir les *Lettres philosophiques* I, où l'interlocuteur quaker le rappelle à Voltaire. Voir Calmet, 'Dissertation sur le baptême au nom de Jésus-Christ', p.xix-xxix.

ÉDITIONS COLLECTIVES DES ŒUVRES DE
VOLTAIRE CITÉES DANS CE VOLUME

w68

Collection complette des œuvres de M. de Voltaire. [Genève, Cramer; Paris, Panckoucke,] 1768-1777. 30 ou 45 vol. 4°.

Les tomes 1-24 furent publiés par Cramer, sous la surveillance de Voltaire. Les tomes 25-30 furent sans doute publiés en France pour Panckoucke. Les tomes 31-45 furent ajoutés en 1796 par Jean-François Bastien.

Bengesco 2137; BV3465; Trapnell 68; BnC 141-44.

Genève, ImV: A 1768/1 (t.1-30), A 1768/2 (t.1-45). Oxford, Taylor: V1 1768 (t.1-45); VF (t.1-45). Paris, BnF: Rés. m. Z 587 (t.1-45), Rés. Z Beuchot 1882 (t.1-30), Rés. Z 1246-74 (t.1-30). Saint-Pétersbourg, GpbV: 9-346 (t.1-7, 10, 11, 13, 15-30), 10-39 (t.1-24), 10-38 (t.1-17, 19-24).

w71L

Collection complette des œuvres de Mr. de Voltaire. Genève [Liège, Plomteux], 1771-1777. 32 vol. 12°.

Edition faite vraisemblablement sans la collaboration de Voltaire.

Bengesco 2139; Trapnell 71; BnC 151.

Genève, ImV: A 1771/1 (t.1-10, 13-19, 21-31). Oxford, VF.

K84

Œuvres complètes de Voltaire. [Kehl,] Société littéraire-typographique, 1784-1789. 70 vol. (seul le t.70 porte la date de 1789) 8°.

Bien que de nombreuses modifications dans l'édition de Kehl semblent être des corrections éditoriales, les éditeurs de Kehl ont parfois modifié le texte de Voltaire sur la base de sources dont nous ne disposons plus.

Bengesco 2142; Trapnell K; BnC 167-69, 175.

Genève, ImV: A 1784/1 (t.1-70). Oxford, VF (t.1-10, 12, 13, 15-17, 20-43, 46-70). Paris, BnF: Rés. p. Z 2209 (t.1-70).

LISTE DES OUVRAGES CITÉS

Manuscrits

Paris
Bibliothèque de l'Arsenal
2091 – *Opinions des anciens sur les Juifs*, attribué à Jean-Baptiste Mirabaud.
Bibliothèque Mazarine
1577-78 – Boulainvilliers, Henri comte de, *Abrégé de l'histoire ancienne*.
Troyes, Bibliothèque municipale
2378 – *Notes* associées avec l'*Analyse de la religion chrétienne*.

Imprimés

Abbadie, Jacques, *Traité de la véritié de la religion chrétienne* (Rotterdam, Reinier Leers, 1694), 2v.
Ælianus, Claudius, *De historia animalium libri XVII*.
Aharon ben Yosef ha-zaken, ha-rofe, ספר המבחר, *sefer ha-mivhar* (Gozlow (Eupatoria), 1835).
Ambrosius, *De Noë et arca, P. L.*, t.14.
Andries, Lise, *La Bibliothèque bleue au dix-huitième siècle*, *SVEC* 270 (1989).
Anon. [Dumarsais, César Chesneau], *Doutes sur la religion suivies de l'Analyse du Traité théologique-politique de Spinosa. Par le comte de Boulainvilliers* (Londres [Paris?], 1767).
Anon., *Fioretti di san Francesco*.
Anon. [Annet, Peter], *The Man after God's own heart* (Londres, R. Freeman, 1761).
–, *David, ou l'histoire de l'homme selon le cœur de Dieu*, trad., d'Holbach (Londres [Amsterdam], 1768).
–, *A view of the life of king David* (s.l., s.d. [1747]).
Anon. [Burigny, Jean Lévesque de], *Examen critique des apologistes de la religion chrétienne* (s.l., 1766).
–, *Examen critique des apologistes de la religion chrétienne*, éd., Alain Niderst (Paris, Honoré Champion, 2001).
Anon. [Lévesque de Burigny, Jean], *Examen de la religion*, éd., Gianlucca Mori (Oxford, Voltaire Foundation, 1998).
Anon., *La Moysade*, éd., Antony McKenna, *Revue Voltaire* 8 (2008), p.67-97.
Anon., *La Religion chrétienne analysée*, par c.f.c.D.c. (Paris, 1767).
Anon. [Fréret, Nicolas], *Lettre de Thrasybule à Leucippe*, éd., Sergio Landucci (Florence, Olschki, 1986).
Anon., *Le "Traité des trois imposteurs" et "L'Esprit de Spinosa". Philosophie clandestine entre 1678 et 1768*, éd. crit., Françoise Charles-Daubert (Oxford, Voltaire Foundation, 1999).
Anquetil-Du Perron, Abraham Hyacinthe, trad., *Zend-Avesta, ouvrage de Zoroastre, contenant les idées théologiques, physiques et morales de ce législateur* (Paris, N.-M. Tillard, 1773).

Apollodore, *Bibliothēkē*.

Apollonios de Rhodes, *Argonautica*.

Argens, Jean-Baptiste Boyer d', *Lettres chinoises*, éd., Jacques Marx (Paris, Honoré Champion, 2009), 2v.

–, *Lettres juives* (La Haye, Pierre Paupie, 1736-1738).

–, éd. et trad., *Discours de l'Empereur Julien*, nouv. édn. (Berlin [Genève], Chrétien Frédéric Voss, 1768 [1769]).

Aristote, *Historia animalium*.

Armogathe, Jean-Robert, éd., *Le Grand Siècle et la Bible. Bible de tous les temps* 6 (Paris, Beauchesne, 1989).

Arrianus, Flavius, *Anabasis*.

Arthuys, Pierre-Joseph, *Benjamin, ou Reconnoissance de Joseph, tragédie chrétienne en 3 actes et en vers* (Paris, Cailleau, 1749).

Ashkenazi (Levita), Eliyahu, ספר מסרת המסרת (Venise, Daniel Bomberg, s.d.[1538]).

[Astruc, Jean], *Conjectures sur les mémoires originaux dont il paroit que Moyse s'est servi pour composer le livre de la Genèse* (Bruxelles [Paris], Fricx [Cavelier ou Cuvelier], 1753).

–, *Conjectures sur les mémoires originaux dont il paroit que Moyse s'est servi pour composer le livre de la Genèse*, éd., Pierre Gibert (Paris, Editions Noêsis, 1999).

–, *Traité des maladies vénériennes*, trad., A.-F. Jault et B. Boudon (Paris, G. Cavelier, 1764).

Aubignac, François Hédelin d', *Conjectures académiques, ou Dissertation sur l'Iliade, ouvrage posthume, trouvé dans les recherches d'un savant* (Paris, Fournier, 1715).

Aurelius Augustinus, *Contra mendacium*, *P.L.*, t.40.

–, *De Civitate Dei*, *P.L.*, t.41.

–, *De Genesi ad litteram*, *P.L.*, t.34.

–, *De Genesi ad litteram imperfectus liber*, *P.L.*, t.34.

–, *Epistola*, *P.L.*, t.33.

–, *Quæstiones in Genesim*, *P.L*, t.34.

Auvray, Paul, *Richard Simon (1638-1712). Etude bio-bibliogaphique avec des textes inédits* (Paris, Presses Universitaires de France, 1974).

Azambuja, Jeronymo da, dit Oleaster, *Commentaria in Mosi Pentateuchum* (Lisbonne, Apud J. Barrerium, 1556-1558).

Baillet, Adrien, *Jugemens des sçavans sur les principaux ouvrages des auteurs*, 2e édn. (Paris, Moette, Le Clerc, Morisset, Prault, Chardon, 1722).

Banier, Antoine, *La Mythologie et les fables expliquées par l'histoire* (Paris, Briasson, 1738).

Barnouw, Jeffrey, 'The contribution of English language and culture to Voltaire's enlightenment', dans Kölving et Mervaud, éds., *Voltaire et ses combats*, t.1, p.77-88.

Barré, Joseph, *Histoire générale de l'Allemagne* (Paris, Delespine et Hérissant, 1748).

Basnage de Beauval, Jacques, *Antiquités judaïques* (Amsterdam, Les Frères Chatelain, 1713).

–, *Histoire des Juifs* (La Haye, H. Scheurleer, 1716), 15v.

Bauderon de Sénecé ou Sénecy, Antoine, *Satires nouvelles* (Paris, P. Aubouyn, 1695).

Bayle, Pierre, *Dictionnaire historique et critique* (1697; Bâle, Jean Louis Brandmuller, 1741).

Beausobre, Isaac de, *Histoire critique de Manichée et du manichéisme* (Amsterdam, Jean-Frédéric Bernard, 1734-1739).

Benítez, Miguel, *La Face cachée des Lumières* (Oxford et Paris, Voltaire Foundation et Universitas, 1996).

Benjamin ben Yonah de Tudèle, ספר מסעות רבי בנימין, *Sefer mas'ot rabbi Binyamin*, trad., Jean-Philippe Baratier, sous le titre, *Voyages de rabbi Benjamin fils de Jona de Tudèle en Europe en Asie, & en Afrique ...* (Amsterdam, Aux dépens de la Compagnie, 1734).

–, *Voyage du célèbre Benjamin autour du monde commencé l'an 1173, dans Voyages faits principalement en Asie dans les XII, XIII, XIV et XV siècles ...*, trad., Pierre Bergeron (La Haye, J. Néaulme, 1735).

–, מסעות של רבי בנימין. *Itinerarium D. Benjaminis*, éd. et trad., Constantijn L'Empereur (Leyde, Elzévier, 1633).

Bergier, Nicolas-Sylvestre, *La Certitude des preuves du christianisme, ou Réfutation de l'Examen critique des apologistes de la religion chrétienne* (Paris, Chez Humblot, 1767).

Bernal, Martin, *Cadmean letters. The transmission of the alphabet to the Aegean and further West before 1400 B. C.* (Winona Lake, IN, Eisenbrauns, 1990).

Bernard, J[ean]-F[rédéric], *Cérémonies et coutumes religieuses de tous les peuples du monde* (Amsterdam, Bernard, 1723), t.1, seconde partie, *Cérémonies ... des peuples idolâtres*.

Berti, Silvia, Charles-Daubert, Françoise, et Popkin, Richard H., éds., *Heterodoxy, Spinozism, and free thought in early eighteenth-century Europe. Studies on the Traité des trois imposteurs* (Dordrecht, Boston,

Londres, Kluwer Academic Publishers, 1996).

Bessire, François, *La Bible dans la correspondance de Voltaire, SVEC* 367 (1999).

Bessire, François, et Tilkin, Françoise, éds., *Voltaire et le livre* (Ferney-Voltaire, Centre international d'étude du XVIIIᵉ siècle, 2009).

Bible. L'Ancien Testament, éd., trad., Edouard Dhorme *et al.* (Paris, Gallimard: La Pléiade, 1956-1959), 2v.

La Bible qui est toute la saincte escriture ..., trad., Pierre-Robert Olivétan (s.l. [Neufchâtel], s.d. [1535]).

Bible de Jérusalem (Paris, Editions du Cerf, 2001).

Bibliothèque générale des écrivains de l'ordre de saint Benoît, patriarche des moines d'Occident (Bouillon, La Société Typographique, 1778), consultée en facsimilé: (Ivry, Phénix éditions, 2001).

Bickerman, Elias J., *The Jews in the Greek age* (Cambridge, MA et Londres, Harvard University Press, 1988).

Bignon, Jean-Paul, *Les Avantures d'Abdalla fils d'Hanif, ...* (Paris, Pierre Witte, 1712-1714), 2v.

Bila, Constantin, *La Croyance à la magie au XVIIIᵉ siècle en France dans les contes, romans et traités* (Paris, J. Gamber, éditeur, 1925).

Birnbaum, Pierre, *Un récit de "meurtre rituel" au Grand Siècle. L'Affaire Raphaël Lévy. Metz, 1669* (Paris, Fayard, 2008).

Blau, Yehoshua, תורת ההגה והצורות (s.l., Hakibbutz Hameuchad Publishing House, Ltd., 1972).

Blay, Michel, *Les Figures de l'arc-en-ciel* (Paris, Belin. Pour la Science, 2005).

Bloch, Olivier, sous la direction de, *Le Matérialisme du XVIIIe siècle et la littérature clandestine* (Paris, Vrin, 1982).

Bochart, Samuel, *Geographiæ sacræ pars prior. Phaleg, seu de Dispersione gentium et terrarum divisione facta in aedificatione turris Babel* (Caen, Typis P. Cardonelli, 1646).

–, *Hieroʒoicon sive de animalibus Sacræ Scripturæ* (Londres, T. Roycroft, 1663).

Boguet, Henry, *Discours exécrable des sorciers, ensemble leur proceʒ, faits depuis 2 ans en ça, en divers endroicts de la France ...*, 2e édn. (Paris, D. Binet, 1603).

Boileau, Nicolas, *Œuvres* (Paris, Editions Garnier Frères, 1961).

Bolland, Jean, éd., *Acta sanctorum* (Anvers, Apud Ioannem Mersium, 1643-1794).

Bolingbroke, Henry St John, viscount, *The Works of the late right honorable Henry St John, lord viscount Bolingbroke*, éd., David Mallet (Londres, David Mallet, 1754).

–, *Letters on the study and use of history* (Londres, A. Millar, 1752).

–, *Lettres sur l'histoire*, trad., [J. Bareu Du Bourg] (s.l., 1752).

–, *Essay the fourth concerning authority in matters of religion*, dans *The Works*, t.4.

–, *Fragments or minutes of essays*, dans *The Works*, t.5.

–, *A letter occasioned by one of Archbishop Tillotson's sermons*, dans *The Works*, t.5.

Bossuet, Jacques Bénigne de, *Discours sur l'histoire universelle, ...* nouvelle édition (Paris, M.-E. David, 1739).

Bouhier, Jean, *Recherches et dissertations sur Hérodote* (Dijon, De Saint, 1746).

Boulanger, Nicolas-Antoine, *Dissertation sur Elie et Enoch* (s.l., s.d.).

–, *Recherches sur l'origine du despotisme oriental* ([Genève], 1761).

בראשית רבה. *Genesis rabbah.*

Brown, Andrew, et Kölving, Ulla, 'Voltaire et Cramer', dans Mervaud et Menant, éds., *Le Siècle de Voltaire*, p.149-83.

Brueys, David Augustin, *Histoire du fanatisme de notre tems* (La Haye, Scheurleer, 1755).

Buffon, George Louis Leclerc de, *Histoire naturelle* (Paris, Imprimerie royale, 1749-1767), 15v.

Burnet, Thomas, *Telluris theoria sacra, orbis nostri originem et mutationes generales ...* (Londres, G. Kettilby, 1681).

Calmet, Augustin, *Commentaire littéral sur tous les livres de l'Ancien et du Nouveau Testament* (Paris, P. Emery, 1707-1717), 23v.

–, *Dictionnaire historique, critique, chronologique et littéral de la Bible* (Paris, Briasson, 1720-1724), 4v.

–, *Discours et dissertations sur tous les livres de l'Ancien (et du Nouveau) Testament* (Paris, P. Emery, 1715), 5v.

–, *Traité sur les apparitions des esprits, et sur les vampires ou les revenans de Hongrie, de Moravie, etc.* (Paris, Debure l'aîné, 1751).

Cappel, Louis, *Critica sacra* (Paris, S. Cramoisy et G. Cramoisy, 1650).

Caquot, André, Sznycer, Maurice, et Herdner, Andrée, *Textes ougaritiques ...* (Paris, Les Editions du Cerf, 1974), 2v.

Challes, Robert, *Difficultés sur la religion proposées au père Malebranche*, éds., Frédéric Deloffre et Melâhat Menemencioglu (Oxford, Voltaire Foundation, 1983).

Chambers, Ephraïm, *Cyclopedia or Universal dictionary of arts and sciences* (Dublin, R. Gunne, 1742), 2v.

Champion, Justin, *Republican learning. John Toland and the crisis of Christian culture, 1696-1722* (Manchester et New York, Manchester University Press, 2003).

Châteillon, Sébastien, *La Bible nouvellement translatée* (Bâle, Jehan Hervage, 1555).

Chaucer, Geoffrey, *Canterbury tales*.

Cioranescu, Alexandre, *Bibliographie de la littérature française du dix-huitième siècle* (Paris, Editions du C. N. R. S., 1969), 3v.

Clémence, Joseph-Guillaume, *L'Authenticité des livres tant du Nouveau que de l'Ancien Testament démontrée [...] ou Réfutation de La Bible enfin expliquée* (Paris, Moutard, 1782).

Clément d'Alexandrie, *Stromates*, P.G., t.8 et 9.

Cohen, Menachem, éd., מקראות גדולות הכתר, *Mikra'ot gedolot ha-keter* (Ramat-Gan, Bar-Ilan University Press, 1996-).

Cohen, Shaya J. D., et Schwartz, Joshua J., éds., *Studies in Josephus and the varieties of ancient Judaism. Louis H. Feldman jubilee volume* (Leyde, Boston, E. J. Brill, 2007).

Colbert de Croissy, Charles-Joachim, *Catéchisme du diocèse de Montpellier* (Paris, Augustin Leguerrier, 1702).

Collani, Claudia von, *Die Figuristen in der Chinamission* (Francfort sur le Main, Verlag Peter D. Lang, 1985).

–, *P. Joachim Bouvet, S. J., Sein Leben und sein Werk*, Monumenta Serica Monograph Series XVII (Sankt Augustin-Nettetal, 1985).

Collins, Antony, *Discourse of the grounds and reasons of the Christian religion* (Londres, 1724).

–, *Discours sur la liberté de penser ...*, trad., H. Scheurleer et J. Rousset (Londres [Paris], 1766).

–, *Examen des prophéties qui servent de fondement à la religion chrétienne ...*, trad., d'Holbach (Londres [Amsterdam], [Marc-Michel Rey], 1768).

Côme l'Egyptien, *Christiana topographia, sive Christianorum opinio de mundo*, éd., Bernard de Montfaucon, dans *Collectio nova patrum et scriptorum græcorum Eusebii Cæsariensis, Athanasii et Cosmæ Ægypti ...* (Paris, C. Rigaud, 1706), v.2.

Cooper, Anthony Ashley, comte de Shaftesbury, *Characteristics of men, manners, opinions, times* (1711), 3v.

–, *Lettres sur l'enthousiasme de Milord Shaftesbuy*, trad., Lacombe (Londres, 1762).

Corpus des notes marginales de Voltaire, Olga Golubiéva, Natalia Elaguina *et al.*, éds. (Berlin, Akademie-Verlag, 1979-1994), t.1-5.

Cotoni, Marie-Hélène, 'Dénigrement de la Providence et défense des valeurs humaines dans les manuscrits clandestins de la première moitié du XVIIIe siècle', *SVEC* 153 (1976), p.497-513.

–, 'Présence de la Bible dans la correspondance de Voltaire', *SVEC* 319 (1994), p.357-98.

Cronk, Nicholas, 'Auteur et autorité dans les *Mélanges*. L'exemple des *Lois de Minos, tragédie avec les notes de M. de Morza et plusieurs pièces détachées* (1773)', *Revue Voltaire* 6 (2006), p.53-70.

Cumberland, Richard, *Sanchoniato's Phœnician history, translated from the first book of Eusebius's De præparatione evangelica* (Londres, W. B. for R. Wilkin, 1720).

Curtius, Ernst Robert, *European literature and the Latin Middle Ages*, trad., Willard Trask (New York et Evanston, IL, Harper Torchbooks, 1962).

Cyprianus, *Liber de habitu virginum*, *P.L.*, t.4.

–, *De singularitate clericorum*, *P.L.*, t.4.

Dante Alighieri, *Quæstio de aqua et terra*, dans *Li Opere di Dante. Testo critico della Società Dantesca Italiana* (Florence, Nella sede della Società, 1960), p.429-42.

Darlow, T. H., et Moule, H. F., *Historical catalogue of the printed editions of Holy Scripture in the library of the British and Foreign Bible Society* (1903; réimpression: New York, Kraus Reprint Corporation, 1963).

De Gandt, François, présenté par, *Cirey dans la vie intellectuelle. La Réception de Newton en France*, *SVEC* 2001:11.

Delaveau, Martine, et Hillard, Denise, *Bibles imprimées du XVᵉ au XVIIIᵉ siècle conservées à Paris* (Paris, Bibliothèque nationale de France, 2002).

Dictionnaire de théologie catholique, éds., Alfred Vacant et E. Mangenot (Paris, Le Touzey et Ané, 1899-1950).

Oxford dictionary of national biography (Oxford, Oxford University Press, 2004).

Dion Cassius, *Historiæ romanæ*.

Dehergne, Joseph, S. J., et Leslie, Donald Daniel, *Juifs de Chine à travers la correspondance inédite des jésuites du dix-huitième siècle* (Rome, Institutum Historicum S. I., Paris, 1980).

Dinet, Dominique, 'Voltaire et dom Calmet', dans Martin et Henryot,

éds., *Dom Augustin Calmet* ..., p.343-52.

Diodore de Sicile, *Bibliothēkē historikē*.

Dow, Alexander, trad., [Muhammad Kasim Ibn Hindu Shah Firishtah], *The History of Hindostan* (Londres, T. Becket et P. A. De Hondt, 1768).

–, *Essai sur les dogmes de la métempsychose et du purgatoire enseignés par les bramins de l'Indostan*, trad., Rudolph Sinner (Berne, Société Typographique, 1771).

[Du Châtelet-Lomond, Gabrielle-Emilie Le Tonnelier de Breteuil, marquise], *Examens de la Bible*, éd. crit., Bertram E. Schwarzbach (Paris, Honoré Champion, 2011).

–, *Les Lettres de la marquise Du Châtelet*, éd., Theodore Besterman (Genève, Institut et Musée Voltaire, 1958).

Du Fresnoy, Nicolas Lenglet, *Tablettes chronologiques de l'histoire universelle, sacrée et prophane, ecclésiastique et civile* (La Haye, F.-H. Scheurleer, 1745).

Du Halde, Jean-Baptiste, *Description géographique, historique, chronologique, politique et physique de l'empire de la Chine* (La Haye, H. Scheurleer, 1736), 4v.

Dupront, Alphonse, *Pierre-Daniel Huet et l'exégèse comparatiste au XVIIᵉ siècle* (Fontenay-aux-Roses, Librairie Ernest Leroux, 1930).

Efron, John M., *Medicine and the German Jews. A history* (New Haven et Londres, Yale University Press, 2001).

Encyclopédie ou Dictionnaire raisonné des sciences et des arts, éds., Denis Diderot, Jean Le Rond D'Alembert *et al.* (Paris, Neufchâtel [Paris], 1751-1772), 28v.

Eschyle, *Agamemnon.*

–, *Prométhée.*

Eizour vedam. A French veda of the eighteenth century, éd., Ludo Rocher (Amsterdam, Philadelphie, John Benjamins Publishing Co., 1984).

L'Ezour Vedam ou Ancien commentaire du Vedam, éd., Guillaume de Sainte-Croix (Yverdon, de Felice, 1778).

Eusèbe de Césarée, *Historia ecclesiastica, P.G.,* t.20.

Eusèbe (Pamphilius Eusebius), *Præparatio evangelica, P.G.,* t.21.

–, *Chronicon ..., P.G.,* t.19.

Fabricius, Johann Albert, *Codex pseudepigraphus Veteris Testamenti, collectus, castigatus ...* (Hambourg, Leipsig, C. Liebezeit, 1713).

–, *Codex apocryphus Novi Testamenti* (Hambourg, 1703-1719), 2v.

Fabricy, Gabriel, O. P., *Discours sur la révélation et sur les caractères d'authenticité des titres primitifs de la révélation, ou Considérations critiques sur la pureté et l'intégrité du texte original des livres saints de l'Ancien Testament* (Rome, P. Durand, 1772).

Faydit, Pierre-Valentin, *Eclaircissemens sur la doctrine et l'histoire ecclésiastique des deux premiers siècles* (Maastricht, J. Vanderplatt, 1695).

Feeß, Kurt, *Claude Genest. Sein Leben und seine Werke* (Strasbourg, Trübner, 1912).

Ferret, Olivier, 'Des "pots-pourris" aux "mélanges"', *Revue Voltaire* 6 (2006), p.35-51.

Ferret, Olivier, Goggi, Gianluigi, et Volpilhac-Auger, Catherine, éds., *Copier/coller. Ecriture et réécriture*

chez Voltaire (Pise, Edizioni plus. Pisa University Press, 2007).

Firmicus Maternus, *De errore profanarum religionum.*

Flavius Josèphe, *(Antiquitates judæorum) Jewish antiquities,* trad., H. St. J. Thackeray, Loeb Classical Library (Cambridge, MA, Harvard University Press, 1989), 6v.

–, *(De bello judæorum) History of the Jewish war against the Romans,* trad., H. St. J. Thackeray, Loeb Classical Library (Cambridge, MA, Harvard University Press, 1991), 2v.

–, *Contra Apionem,* trad., H. St. J. Thackeray, Loeb Classical Library (Cambridge, MA, Harvard University Press, 1966).

–, *Histoire des Juifs,* trad., Robert Arnaud d'Andilly (Paris, P. Le Petit, 1668).

Fleury, Claude, *Les Mœurs des Israélites* (Paris, Gervais, 1689).

Foucault, Maurice, *Les Procès de sorcellerie dans l'ancienne France devant les juridictions séculières* (Paris, Bonvalot-Jouve, 1907).

Frazer, James G., *Adonis Attis Osiris* (1914, réimpression: New York, St. Martin's Press, 1990).

Forteguerri, Niccolò, *Richardet. Poëme,* trad., Anne-François Duperrier-Dumouriez (La Haye et Paris, Lacombe, 1766).

Forster, Johann, *Dictionarium hebraicum novum* (Bâle, Froben, 1564).

Furetière, Antoine, *Dictionnaire universel* (La Haye et Rotterdam, A. et R. Leers, 1690).

–, *Dictionnaire universel français et latin contenant la signification et la définition tant des mots de l'une et l'autre langue* (Trévoux, Etienne Ganeau, 1704).

Garth, Samuel, *The Dispensary* (Londres, John Nutt, 1699).

Gaster, Theodor H., *Myth, legend, and custom in the Old Testament. A study with chapters from Sir James G. Frazer's "Folklore in the Old Testament"* (New York, Evanston, Harper & Row, Publishers, 1969).

Gaulemin ou Gaulmin, Gilbert, éd., דברי הימים ופטירתו של מ'רעה. *De Vita et morte Mosis ...* (Paris, Tussanum Du Bray, 1629).

–, *De vita et morte Mosis libri tres* (Hambourg, Ch. Liebezeit, 1714).

Gay, Peter, *The Enlightenment: an interpretation. The Rise of modern paganism* (New York, Alfred A. Knopf, 1966).

Génébrard, Gilbert, *R. Iosephi Albonis, R. Davidis Kimhi, et alius cuiusdam hebræi anonymi argumenta, quibus nonnullos fidei christianæ articulos oppugnant* (Paris, Martin le Jeune, 1566).

Genest, Charles-Claude, *Joseph, tragédie tirée de l'Ecriture Sainte* (Paris, E. Ganeau et J. Estienne, 1711).

George, A. R., *The Babylonian Gilgamesh epic* (Oxford, Oxford University Press, 2003).

Georgios le Syncelle, *Ecloga chronographica*, éd., A. Mosshammer (Leipzic, 1984).

Grelot, Pierre, *Les Poèmes du serviteur* (Paris, Les Editions du Cerf, 1981).

Grimm, Melchior, Diderot, Denis, Raynal, Guillaume, *et al.*, *Correspondance littéraire, philosophique et critique*, éd., Maurice Tourneux (Paris, Garnier Frères, 1877-1882).

Gordon, Thomas, *Discours historiques et politiques sur Salluste*, trad., [P. Daudé] (s.l. [Genève], [Cramer], 1759).

–, *Discours historiques, critiques et politiques sur Tacite*, trad., M. D. S. L. [Daudé] (Amsterdam, François Changuion, 1742).

Gozani, J. P, *Lettre du Père J. P. Gozani au Père Joseph Suarez, traduite du Portugais. A Cai-fum-fou, ... le 5 novembre 1704*, dans les *Lettres édifiantes*, 7e recueil (1707), p.1-28.

Grégoire de Tours, *Septem libri miraculorum*, liv.1, 'De gloria martyrum', *P.L.*, t.71.

Grotius, Hugo, *Annotata ad Vetus Testamentum* (Paris, S. et G. Cramoisy, 1644).

–, *Annotationes in libros evangeliorum* (Amsterdam, J. et C. Blaeu, 1641).

Guénée, Antoine, *Lettres de quelques Juifs portugais, allemands et polonais à M. de Voltaire avec des réflexions critiques, etc., et un petit Commentaire extrait d'un plus grand* (Lisbonne [Paris], [Laurent Prault], 1769).

–, *Lettres de quelques Juifs portugais, allemands et polonais, à M. de Voltaire* (Paris, Lecroix-Gautier, s.d.), 3v.

–, *Recherches sur la Judée* [*Mémoires de littérature, tirés des registres de l'Académie des inscriptions...*, t.50 (1784-1793), p.142-246)].

Gurney, O. R., 'Tammuz reconsidered: Some recent developments', *Journal of Semitic studies* 7:2 (1962), p.147-60.

Haag, Eugène, et Haag, Emile, *La France protestante* (Paris, J. Cherbulier, 1846-1859).

Hailperin, Herman, *Rashi and the Christian scholars* (Pittsburgh, University of Pittsburgh Press, 1963).

Hartzfeld, Adolphe, et Darmesteter, Arsène, *Dictionnaire général de la langue française* (Paris Ch. Delagrave, s.d.).

Hauser, Henri, *La Prépondérance espagnole 1556-1660* (1933; réimpression, Paris, La Haye, 1973).

Der hebräische Pentateuch der Samaritaner, éd., August Freiherrn von Gall (Giessen, Verlag von Alfred Topelmann, 1918).

Herbert de Cherbury, Edward, *Le Salut du laïc*, trad., Jacqueline Lagrée (1645; J. Vrin, 1989).

Hésiode, *Théogonie. Les Travaux et les jours. Bouclier*, trad., Louis Backès (Paris, Gallimard, 2001).

Hérodote, *Historiēs*.

והמדרשות המעשיות המבור חבור, *Hibbur hama'asiot ve-ha-midrashot* ([Venise], [311=1551]).

Hillairet, Jacques, *Dictionnaire historique des rues de Paris*, 6e édn. (Paris, Les Editions de Minuit, 1963).

Hobbes, Thomas, *The Leviathan* (1651).

Holwell, John Zephania, *Interesting historical events, relative to the provinces of Bengal, and the empire of Indostan* (Londres, T. Becket et P. A. de Hondt, 1766-1767).

Homère, *Iliade*.

Horace (Quintus Horatius Flaccus), *Satires, Epistles and Ars poetica*, trad., H. Rushton Fairclough, Loeb Classical Libray (Cambridge, MA, Harvard University Press, 1991).

—, *Odes et épodes*, trad., François Villeneuve (Paris, Les Belles Lettres, 1991).

—, *Œuvres d'Horace en latin et en françois*, éd. et trad., André Dacier (Amsterdam, Wetstein, 1727).

Houtteville, Claude-François-Alexandre, *La Vérité de la religion chrétienne prouvée par les faits* (Paris, G. Dupuis, 1722).

Huet, Pierre Daniel, *Demonstratio evangelica* (Amsterdam, Jansson Waesberg, 1680).

Hyde, Thomas, *Veterum Persarum et Parthorum et Medorum religionis historia*, 2e édn. (Oxford, Clarendon Press, 1760).

Hygin, *Fables*, trad., Jean-Yves Boriaud (Paris, Les Belles Lettres, 1992).

Hippolyte, *De Christo et antichristo*, *P.G.*, t.10.

Hytier, Jean, *André Gide* (Garden City, NY, Doubleday, 1962).

Irénée, *Contra hæreses*, *P.G.*, t.7.

Isaac de Troki, אמונה חזוק, *Hizzuk emuna*, 'Munimen fidei', dans Wagenseil, *Tela ignea satanæ*.

Israel, Jonathan, *The Radical Enlightenment* (Oxford, Oxford University Press, 2001).

Jacques Ier d'Angleterre, *Dæmonologia, hoc est adversus incantationem sive Magiam institutio, forma dialogi concepta et in libros III distincta* (Hanovre, Apud G. Antonium, 1604).

Jacques de Voragine, *Aurea legenda* (Paris, Gallimard: La Pléiade, 2004).

Jaquelot, Isaac, *La Conformité de la foi avec la raison, ou Défense de la religion contre les principales difficultés répandues dans le Dictionnaire de M. Bayle* (Amsterdam, H. Desbordes et D. Pain, 1705).

—, *Dissertation sur l'existence de Dieu, où l'on démontre cette vérité par l'histoire universelle, par la réfutation du système d'Epicure et de Spinoza* (La Haye, E. Foulque, 1697).

Jarick, John, éd., *Sacred conjectures: The Context and legacy of Robert Lowth and Jean Astruc* (Londres, Continuum, 2007).

Jastrow, Marcus, *A Dictionary of the targumim, the Talmud Babli and Yerushalmi, and the midrashic literature* (1903; réimpression: Milton Keynes, Lightning Source UK Ltd., s.d.).

Jérôme, *Ad Pammachium adversus hæreses Johannis Jerosolymitani episcopi*, *P.L.*, t.23.

–, *Adversus Jovinianum, P. L.* t.23.

–, *Commentariorum in Ezechielem*, liv.1, *P.L.*, t.25.

–, *Lettres de S. Jerosme, traduites en françois, sur la nouvelle édition des pères bénédictins de la Congrégation de S. Maur ...*, trad., dom Guillaume Roussel (Paris, Bordelet, 1743).

–, *Operum* (Paris, L. Roulland, 1683-1706), t.4².

–, *Vita Pauli primi eremitæ*, *P.L.*, t.23.

Johnstone, William, éd., *The Bible and the Enlightenment. A case study – Dr Alexander Geddes (1737-1802)* (Londres, New York, T & T Clark International, 2004).

Jules César, *Commentarii de bello gallico*.

Julianus, Flavius Claudius, *Contra Galileos*.

–, *Deffense du paganisme par l'empereur Julien*, éd. et trad., Jean-Baptiste le Boyer d'Argens (Berlin, Ch. F. Voss, 1764).

–, *Discours de l'Empereur Julien contre les chrétiens*, éd., Voltaire, *SVEC* 322 (1994); *OCV*, t.71B.

Jurieu, Pierre, *Histoire du calvinisme et celle du papisme saisies en parallèle ... Histoire du papisme* (Rotterdam, Renier Leers, 1683), 4v.

Justin, *Apologia*, *P.G.*, t.6.

–, *Cohortatio ad Græcos*, *P.G.*, t.6.

–, *Dialogo cum Tryphone*, *P.G.*, t.6.

Juvenalis, Decimus Junius, *Satires*, trad., Pierre de Labriolle et François

Villeneuve (Paris, Les Belles Lettres, 1983).

Kennicott, Benjamin, *Remarques critiques sur I Samuel, ch. VI, ver. 19* (Londres, J. Lister, 1768).

–, éd., *Vetus Testamentum Hebraicum cum variis lectionibus* (Oxford, Clarendon Press, 1776-1780).

Kenyon, John Philipps, *Revolution principles: politics of party, 1689-1720* (Cambridge, Cambridge University Press, 1990).

Kimhi, David, ספר השרשים, *Sefer hashorashim*.

Kircher, Athanasius, *Obeliscus Pamphilius* (Rome, Typis Ludovici Grignani, 1650).

–, *Œdipus Ægyptiacus* (Rome, Ex typographia Vitelis Mascardi, 1652-1654).

–, *Sphinx mystagoga* (Rome, Ex typographia Vitelis Mascardi, 1672).

Koehler, Ludwig, et Baumgartner, Walter, *Lexicon in vetus testamenti libros* (Leyde, E. J. Brill, 1985).

–, *The New Koehler-Baumgartner in English. The Hebrew and Aramaic lexicon of the Bible* (Leyde, Boston, Cologne, Brill, 1999).

The Koran, commonly called the Alcoran of Mohammed, trad., George Sale (Londres, J. Wilcox, 1734).

La Croze, Mathurin Veyssière de, *Entretiens sur divers sujets d'histoire, de littérature, de religion et de critique* (Cologne, P. Marteau, 1711).

Lambrechts, Pierre, 'La "résurrection" d'Adonis', *Mélanges Isidore Lévy*, *Annuaire de l'Institut de philologie et d'histoire orientales et slaves* (Bruxelles, 1955), t.13, p.207-40.

Lancre, Pierre de, *Tableau de l'incon-*

stance des mauvais anges et démons, où il est amplement traicté des sorciers et de la sorcellerie ... (Paris, J. Berjon, 1612).

Lang, Bernhard, *Joseph in Egypt. A cultural icon from Grotius to Goethe* (New Haven et Londres, Yale University Press, 2009).

Laplanche, François, *La Bible en France. Entre mythe et critique. XVIe-XIXe siècle* (Paris, Albin Michel, 1994).

Larcher, Pierre-Henri, *Supplément à la Philosophie de l'histoire* (Rotterdam, Changuion, 1767, 1769).

Las Casas, Bartolomeo de, *Brevissima relación de la destruyción de las Indias* ... (Séville, 1552).

–, *Histoire admirable des horribles insolences, cruautez et tyrannies exercées par les Espagnols ès Indes occidentales, briefvement descrite en langue castillane par Dom F. Barthélemy de Las Casas*, ... trad., Jacques de Miggrode (s.l., G. Cartier, 1582).

Le Brun, Pierre, *Histoire critique des pratiques superstitieuses qui ont séduit le peuple et embarrassé les sçavans* (Paris, Jean de Nully, 1702).

[Leclerc, Jean], trad., *Mosis prophetæ libri quatuor* (Amsterdam, Sumptibus auctoris, 1696).

–, trad., *Novum Testmentum* (Amsterdam, G. Gallet, 1698).

–, *Sentimens de quelques théologiens de Hollande* ... (Amsterdam, H. Desbordes, 1685).

–, trad., *Veteris Testmenti libri historici* (Amsterdam, H. Schelte, 1708).

–, trad., *Veteris Testmenti libri prophetæ* (Amsterdam, R. et J. Wettstein et S. Smith, 1731).

Lee, J. Patrick, 'Le *Sermon des cinquante* de Voltaire, manuscrit clandestin', dans McKenna et Mothu, éds. *La*

Philosophie clandestine à l'âge classique, p.143-51.

Le Jay, Guy-Michel, éd., *Biblia 1. Hebraica, 2. Samaritana, 3. Chaldaica, 4.Græca 5. Syriaca, 6. Latina, 7. Arabica*... (Paris, Antoine Vitré, 1645), 10v.

Le Pelletier, Jean, *Dissertations sur l'arche de Noé et sur l'hémine et le livre de S. Benoist* (Rouen, J.-B. Besongne, 1700 et 1704).

Le Quien, Michel, *Défense du texte hébreu et de la version de la Vulgate* (Paris, A. Auroy, 1690).

Lemaire, André, 'Essai sur les religions ammonite, moabite et édomite (X-VIe s. av. n. è.)' *Revue de la Société Ernest Renan* 41 (1991-1992), p.41-67.

Lenglet Du Fresnoy, Nicolas, *Tablettes chronologiques de l'histoire universelle, sacrée et prophane, ecclésiastique et civile* (La Haye, F.-H. Scheurleer, 1745).

Léon de Modène, *Cérémonies et coutumes qui sont aujourd'hui en usage parmi les Juifs*, trad., Richard Simon (Paris, L. Billaine, 1674).

–, *I riti degli Ebrei* (Paris, 1637).

Leslie, Donald Daniel, *Jews and Judaism in traditional China. A comprehensive bibliogaphy* (Sankt Augustin-Nettetal, 1998).

Lessing, Gotthold Ephraim, éd., *Fragmente eines Ungenannten*, dans *Aus den Papieren des Ungenannten* I – V, et *Von dem Zwecke Jesus und seiner Jünger*, dans *Werke* (Munich, Carl Hanser Verlag, 1976), t.7, p.331-457 et 496-604.

Lettres édifiantes et curieuses ... (Paris, N. Le Clerc, 1707-1776).

Libby, Margaret, *The Attitude of Voltaire to magic and the sciences* (1935;

réimpression: New York, AMS Press, 1966).

Littré, Emile, *Dictionnaire de la langue française* (Paris, Librairie L. Hachette et Cie, 1863), 5v.

Longuerue, Louis Du Four, abbé de, *Description historique et géographique de la France ancienne et moderne ...* (s.l., J. Le Grand, 1722).

–, *Longueruana ou Recueil de pensées, de discours et de conversations de feu M. Louis Du Four de Longuerue* (Berlin, 1754).

–, *Recueil de pièces intéressantes pour servir à l'histoire de France, et autres morceaux de littérature trouvés dans les papiers de l'abbé de Longuerue* (Genève, 1769).

Lough, John, *Essays on the Encyclopédie of Diderot and d'Alembert* (Londres, Oxford University Press, 1968).

Lowth, Robert, *De sacra poesi Hebræorum prælectiones academiæ Oxonii* (Oxford, Clarendon Press, 1753).

Lucas, Paul, *Voyage du sieur Paul Lucas au Levant* (Paris, N. Simart, 1714).

Lucci, Diego, *Scripture and deism* (Berne, Berlin, Bruxelles, etc., Peter Lang, 2008).

Lucien, *De dea Syria*, éd. et trad., A. M. Harmon, Loeb Classical Library (Cambridge, MA, Harvard University Press, 1925).

McKenna, Antony, '*La Moïsade*: un manuscrit clandestin voltairien?', *Revue Voltaire* 8 (2008), p.67-97.

McKenna, Antony, et Mothu, Alain, éds., *La Philosophie clandestine à l'âge classique* (Paris, Oxford, Universitas et Voltaire Foundation, 1997).

Macrobe (Theodosius Macrobius), *I*

Saturnali, éd. et trad., Nino Marinone (Turin, Unione Tipografico-Editrice torinese, 1997).

Maes (Masius), Andreas, *Josuæ imperatoris historia illustrata atq. explicata* (Anvers, Officina Christophori Plantini, 1573).

Maggs, Barbara Widenor, 'Answers from eighteenth-century China to certain questions on Voltaire's sinology', *SVEC* 120 (1974), p.179-98.

Mandrou, Robert, *Magistrats et sorciers en France au XVIIe siècle. Une analyse de psychologie historique* (*s.l.* [Paris], Plon, 1968).

Mariana, Juan de, *Histoire générale d'Espagne*, trad., Joseph-Nicolas Charenton (Paris, Le Mercier, 1725).

Marsham, John, *Chronicus canon ægyptiacus, ebraicus, græcus et disquisitiones* (Londres, G. Wells, A. Scott, 1672).

Martin, Philippe, et Henryot, Fabienne, éds., *Un itinéraire intellectuel, Dom Augustin Calmet* (Paris, Riveneuve éditions, 2008).

Maundrel[l], Henry, *A Journey from Aleppo to Jerusalem at Easter A. D. 1697* (Oxford, at the Theater, 1703).

Mayor, Adrienne, *The First fossil hunters. Paleontology in Greek and Roman times* (Princeton, Princeton University Press, 2002).

Menahem ben Yehuda di Lonzano, אור תורה, *Or tora*, dans שתי ידות, *Shtei yadot* (Venise, Calleoni et Bragadini, 1618).

Mervaud, Christiane, et Menant, Sylvain, sous la direction de, *Le Siècle de Voltaire. Hommage à René Pomeau* (Oxford, Voltaire Foundation, 1987).

Meslier, Jean, *Extraits des sentiments de Jean Meslier*, dans *Œuvres complètes*, t.3.

–, *Mémoires des pensées et sentiments de Jean Meslier*, dans *Œuvres complètes*, t.1 et 2.

–, *Œuvres complètes de Jean Meslier*, éds., Jean Deprun, Albert Soboul et Roland Desné (Paris, éditions anthropos, 1970), 3v.

–, *Testament de Jean Meslier*, éd., Roland Desné, *OCV*, t.56A, p.1-234.

Meyer, Lodewijk, *La Philosophie interprète de l'écriture sainte*, trad., notes et présentation, Jacqueline Lagrée et Pierre-François Moreau (Paris, Intertextes éditeur, 1988).

Mettra, François-Louis, *Correspondance littéraire secrète* 29 juin-28 décembre 1776 (Göteborg et Paris, Acta universitatis Gothoburgensis et J. Touzot, 1986).

מדרש איכה, *Midrash eikha* [*Lamentations*].

מדרש רבה, *Midrash rabba*.

מדרש תנחומה, *Midrash Tanhuma*, éd., Salomon Buber (Varsovie, 1851).

מדרש תהילים רבתא עם מדרש שמואל, *Midrash Tehilim rabbata im Midrash Shmuel* (Venise, Daniel Bomberg, 306 [1546]).

Milton, John, *Paradise lost*.

–, *Pro populo anglicano defensio* (Londres, Typis Du Gardianis, 1652).

–, *The Prose works of John Milton*, éd., Don M. Wolfe (New Haven, Yale University Press, 1966).

–, *A Defence of the people of England ... in answer to Salmasius's Defence of the king* (s.l. [Amsterdam], 1692).

–, *Defensio secunda pro populo anglicano ...* (La Haye, Comitum, 1654).

Montaigne, Michel de, *Essais*, éd., Maurice Rat (Paris, Garnier Frères, 1958), 3v.

Montesquieu, Charles-Louis de Secondat, baron de, *De l'Esprit des lois* (1747).

–, *Lettres persanes*, édn. dirigée par Jean Ehrard et Catherine Volpilhac-Auger (Oxford et Naples, Voltaire Foundation et Istituto italiano per gli studi filosofici, 2004).

Mor, M., 'Samaritan history. 1. The Persian, Hellenistic and Hasmonean periods', et '2. The Samaritans and Bar-Kokhba', dans Crown, A. D., éd., *The Samaritans* (Tübingen, 2001), p.1-31.

Morgan, Thomas, *The Moral philosopher* (Londres, 1738-1740), 3v.

Moshe ben Maïmon (Maïmonide), *The Guide of the perplexed*, trad., Shlomo Pines (Chicago, The University of Chicago Press, 1969).

Nahkola, Aulikki, 'The memoirs of Moses and the genesis of method in biblical criticism. Astruc's contribution', dans Jarick, éd., *Sacred conjectures ...*, p.204-19.

Newton, Isaac, *Observations upon the prophecies of Daniel and the Apocalypse of St John* (Londres, B. Smith, 1733).

Norzi, Shlomo Yedidya, מנחת שי (Disponible comme appendice à toute édition de l'Ancien Testament du type מקראות גדולות).

Nouvelle bibliothèque germanique ou Histoire littéraire de l'Allemagne, de la Suisse et des pays du Nord (Amsterdam, J. Schreuder, P. Mortier, 1746-60).

Origène, *Traité d'Origène contre Celse, ou Défense de la religion chrétienne...*, trad., Elie Bouhéreau (Amsterdam, H. Desbordes, 1700).

The Orphic hymns, éd., Apostolos N.

Athanassakis (Atlanta, GA, Scholars Press, 1977).

Outreman, Philippe d', S. J., *Le Vray Pédagogue chrétien* ... (Lyon, Chez J. Certe, 1686).

Ovide (Publius Ovidius Naso), *Metamorphoseon*, trad., Danièle Robert (s.l., Thesaurus-Actes Sud, 2001).

Pascal, Blaise, *Pensées et opuscules*, éd., Léon Brunschvicg (Paris, Classiques Hachette, 1961).

Pausanias, *Periēgēsis Hellados*.

Pennecuik, Alexander, *A collection of Scots poems on several occasions* (Edimbourg, Printed for, and sold by the booksellers, 1756).

[*Peri hypsous*], *Du Sublime*, trad., Henri Lebèque (Paris, Les Belles Lettres, 1965).

Perse (Aulus Persius Flaccus), *Satyres*, trad., A. Cartault (Paris, Les Belles Lettres, 1966).

Pétau, Denis, *Rationarium temporum* (Cologne, Sumptibus Societatis [Jesu], 1720).

Petit de Bachaumont, Louis, *Mémoires secrètes* (Londres, 1777-1789).

Philon, *Pro Flacco*.

–, *De vita contemplativa*.

Pindare, *Pythiques*.

פרקי דר׳ אליעזר, *Pirkei de R. Elieẓer*, édn. crit., Horowitz (Jérusalem, Makor Publishing Ltd., 1972).

Plaks, Andrew, 'Creation and non-creation in early Chinese texts', dans Shaked, éd., *Genesis and regeneration*, p.164-91.

Platon, *Apologie*

–, *Critias*.

–, *Phédon*.

–, *Phèdre*.

–, *Timée*.

Pliny (Gaius Plinius Secundus), *Naturalis histori*.

Plutarque, *De Iside et Osiride*.

–, *De Musica*.

–, *Vies des hommes illustres* ('Vie d'Alexandre', 'Vie de Sulla', 'Vie de Crassus' et 'Vie de Paul Emile').

Pomeau, René, *La Religion de Voltaire* (Pais, Nizet, 1956).

–, sous la direction de, *Voltaire en son temps*, nouv. édn. (Oxford, Voltaire Foundation, 1995), 2v.

Porphyre, *Vita Pythagoræ*.

Preyat, Fabrice, éd., *La Duchesse du Maine (1676-1753). Une mécène à la croisée des arts et des siècles. Etudes sur le 18ᵉ siècle* 31 (Bruxelles: Editions de l'Université de Bruxelles, 2003).

Prickett, Stephen, 'Robert Lowth and the idea of biblical tradition', dans Jarik, éd., *Sacred conjectures* ..., p. 48-61.

Prideaux, Humphrey, *Histoire des Juifs*, trad. de l'anglais [par de La Rivière et Du Soul] (Paris, J. Cavalier, 1726).

–, *Vie de Mahomet, où l'on découvre amplement la vérité de l'imposture* (Amsterdam, George Gallet, 1698).

–, *La Vie de l'imposteur Mahomet, Recueillie des auteurs arabes, persans, hébreux, caldaïques, grecs et latins* ... (Paris, Jean Musier, 1699).

Pritchard, James B., *Ancient Near Eastern texts relating to the Old Testament* (Princeton, NJ, Princeton University Press, 1955).

Protevangelion, trad. et éd., Johann Ernest Fabricius, dans *Codex apocryphus novi testamenti* (1719-1743), t.1, p.66-125.

Prudence, *Hymnus*, *P.L.*, t.60.

Quérard, J.-M., *La France littéraire* (Paris, J.-M. Quérard, 1833).

Quinte-Curce (Quintus Curtius), *History of Alexander*, trad., John C. Rolfe. Loeb Classical Library (Cambridge, MA, Harvard University Press,1992).

Reedy, Gerard, *The Bible and reason* (Philadelphie, University of Pennsylvania Press, s.d. [1985]).

Rémi, Nicolas, *Dæmonolatriæ libri tres ex judiciis capitalibus nongentorum plus minus hominum qui sortilegii crimen intra annos quindecim in Lotharingia capite luerunt* (Cologne, H. Falckenburg, 1596).

Rétat, Pierre, 'Erudition et philosophie. Mirabaud et l'antiquité', dans *Le Matérialisme du XVIIIe siècle*, p.91-99.

Reventlow, Henning Graf, *The Authority of the Bible and the rise of the modern world* (Londres, SCM Press Ltd, 1980).

–, 'English rationalism. Deism and early biblical criticism', dans Sæbø, éd., *Hebrew Bible. Old Testament. The History of its interpretation* II, p.862-74.

Ridley, Glynis, *Clara's grand tour. Travels with a rhinoceros in eighteenth-century Europe* (Londres, Atlantic Monthly Press, 2004).

Rio, Martin Anton del, *Disquisitionum magicarum libri sex quibus continetur accurata curiosarum artium et vanarum superstitionum confutatio* (Mayence, Apud J. Albinum, 1603).

Roger, Jacques, *Les Sciences de la vie dans la pensée française du XVIIIe siècle* (Paris, Armand Colin, 1963).

Rolland, Pierre, *Dictionnaire des camisards* (Montpellier, Les Presses du Languedoc, 1995).

Rollin, Charles, *Histoire ancienne* (Paris, Vve Estienne, 1731-1737).

Rømer, Ole, 'Démonstration touchant le mouvement de la lumière trouvée par M. Romer de l'Académie royale des sciences', *Journal des sçavans* (7 déc. 1676).

Rothschild, Jean-Pierre, 'Halakhah, histoire et "réalité": le cas samaritain', *Les Cahiers du judaïsme* 9 (hiver-printemps 2001), p.2-13.

Rousseau, André-Michel, *L'Angleterre et Voltaire*, SVEC 145-47 (1976).

Rousseau, Jean-Jacques, *Confessions*.

Sa'adia de Fayoum, *The Book of beliefs and opinions*, trad., Samuel Rosenblatt (New Haven, Yale University Press, 1948).

Sæbø, Magnus, éd., *Hebrew Bible. Old Testament. The History of its interpretation* II (Göttingen, Vandenhoeck & Ruprecht, 2008).

Saint-Exupéry, Antoine de, *Terre des hommes*, dans *Œuvres complètes* (Paris, Gallimard et Club de l'honnête homme, 1985), t.1.

Sarpi, Paolo, *Traité des bénéfices*, trad., Amelot de la Houssaye (Amsterdam, H. Wetstein, 1685).

Scaliger, Joseph, *Opus de emendatione temporum* (Genève, Pierre de La Rovière, 1629).

Scheuren, Eric van der, 'La tragédie biblique à Sceaux: Le *Joseph* de Charles-Claude Genest (1706)', dans *La Duchesse du Maine ...*, p.209-29.

Schwarz, Baruch J., 'העברת הזרע למלך', Ha'avarat ha-ẓer'a la molekh, dans שנתון לחקר המקרא והמזרח הקדום, éd., Sara Japhet (Jérusalem, Magnes Press, 2000), p.65-82.

Schwarzbach, Bertram Eugene, 'A quo?

Datation de l'*Opinion des anciens sur les Juifs. Ad quem?* – Une source des *Lettres persanes*', *La Lettre clandestine*, no.5 (1996), p.33-41.

–, 'Les Cauchemars et les concessions de dom Calmet', dans Martin et Henryot, éds., *Dom Augustin Calmet* ..., p.197-231.

–, 'Coincé entre Pluche et Lucrèce: Voltaire et la théologie naturelle', *SVEC* 192 (1980), p.1072-84.

–, 'La critique biblique dans les *Examens de la Bible* et dans certains autres traités clandestins', *La Lettre clandestine* 1-4 (1992-1995), p.577-612.

–, 'Les études bibliques à Cirey. De l'attribution à Mme du Châtelet des *Examens de la Bible* et de leur typologie', dans De Gandt, éd., *Cirey dans la vie intellectuelle* ..., p.26-54.

–, 'La datation de certains articles des *Questions sur l'Encyclopédie*', *Cahiers Voltaire* 10 (2011), p.57-71.

–, 'Geddes in France', dans Johnstone, éd., *The Bible and the Enlightenment*....., p.78-118.

–, 'How to read in the eighteenth century ... the Bible and other books' *SVEC* 308 (1993), p.323-48.

–, 'Le martyre comme indicateur d'humanité', en préparation.

–, 'The problem of the Kehl additions to the *Dictionnaire philosophique*: sources, dating and authenticity', *SVEC* 201 (1982), p.7-66.

–, 'The sacred genealogy of a Voltairean polemic: the developement of critical hypotheses regarding the composition of the canonical and apocryphal gospels', *SVEC* 245 (1986), p.303-49.

–, 'Remarques sur la date, la bibliographie et la réception des *Opinions des anciens sur les Juifs*', *La Lettre clandestine*, no.6 (1997), p.51-63.

–, 'Samuel Cahen's Bible commentary', dans Ilana Y. Zinguer et Sam W. Bloom, éds., *L'Antisémitisme éclairé* ... (Leyde, Boston, E. J. Brill, 2003), p.175-210.

–, 'Les sources rabbiniques de la critique biblique de Richard Simon', dans Armogathe, éd., *Le Grand siècle et la Bible*, p.207-31.

–, 'La tentation de tuer le messager, ou l'évolution des valeurs morales', *Cahiers Voltaire* 1 (2002), p.165-81.

–, 'Voltaire et les *Lettres à Eugénie*', *La Lettre clandestine*, no.16 (2008), p.41-66.

–, *Voltaire's Old Testament criticism* (Genève, Droz, 1971).

Schwarzbach et Fairbairn, Andrew Walker, 'The *Examen de la religion*, a bibliographical note', *SVEC* 249 (1987), p.91-145.

–, 'History and structure of our *Traité des trois imposteurs*', dans Berti, *et al.*, *Heterodoxy, Spinozism, and free thought* ...., p.75-129.

Selden, John, *De Jure naturali et gentium* ... (Strasbourg, G. A. Dolhoff & J. E. Zetzner, 1665).

–, *De Synedriis et præfecturis juridicis veterum Ebræorum* ... (Londres, C. Bee, 1650-1655), 3v.

Sénèque, *Thyeste*.

Shaked, Shaul, éd., *Genesis and regeneration. Essays on conceptions of origins* (Jérusalem, The Israel Academy of Sciences and Humanities, 2005).

Shaw, Thomas, *Voyages de monsr Shaw, M. D., dans plusieurs provinces de la Barbarie et du Levant: contenant des observations géographiques, physiques, philologiques et mêlées sur les royaumes *d'Alger et de Tunis, sur la Syrie, l'Egypte et l'Arabie Pétrée* ... (La Haye, J. Néaulme, 1743).

Sherlock, Thomas, *L'Usage et les fins de la prophétie* (Amsterdam, Les Wetsteins et Smith, 1729).

–, *Les Témoins de la résurrection de Jésus Christ examinez et jugez selon les règles du barreau, pour servir de réponse aux objections du sr Woolston* ..., trad., A. Le Moine (La Haye, P. Gosse et J. Néaulme, 1732).

–, *Lettre pastorale ... sur la cause morale des tremblements de terre* (Paris, De Bure l'aîné, 1751).

Sherlock, William, *Du jugement dernier*, trad., David Mazel (Amsterdam, P. Humbert, 1691).

–, *Préservatif contre le papisme, en deux parties, dont la première contient des conseils fort aisez sur la manière de disputer avec ceux de l'Eglise romaine* ... (La Haye, J. Néaulme, 1721).

Sievers, Joseph, 'The Ancient lists of contents of Josephus' *Antiquities'*, dans Cohen et Schwartz, *Studies in Josephus* ..., p.271-92.

Simon, prédicateur de Francfort, ילקוט הנקרא שמעוני, *Yalkut ha-nikra Shim'oni* (Venise, Bragadini, 1566).

Simon, Richard, *Histoire critique du Vieux Testament* (1678; Amsterdam, Pour la compagnie des libraires, 1685).

–, *Histoire critique du texte du Nouveau Testament* (Rotterdam, Reinier Leers, 1689).

–, *Histoire critique des versions du Nouveau Testament* (Rotterdam, Reinier Leers, 1690).

Smith, Morton, *Jesus the magician* (San Francisco, Harper & Row, 1978).

Spencer, John, *De Legibus hebræorum ritualibus et earum rationibus* ... (Cambridge et Londres, John Hayes et Richard Chiswell, 1685).

Sperber, Alexander, *A Historical grammar of biblical Hebrew* ... (Leyde, E. J. Brill, 1966).

Spinoza, Baruch, *Ethica*, dans *Complete works*, trad., Samuel Shirley (Indianapolis, Cambridge, Hackett Publishing Company, Inc., 2002), p.213-382.

–, *Tractatus theologico-politicus*, dans *Œuvres*, t. 3, éd., Akkerman, Fokke, trad. et notes, Jacqueline Lagrée et Pierre-François Moreau (Paris, Presses Universitaires de France, 1999).

–, *Réflexions curieuses d'un esprit désintéressé sur les matières les plus importantes au salut* ... (Cologne [Amsterdam], C. Emmanuel, 1678).

Stackhouse, Thomas, *New history of the holy Bible* (Londres, John Hinton, 1737).

Stanley, Thomas, *Historia philosophiæ vitas opiniones, resque gesta et dicta philosophorum sectæ* ... (Leipsic, Thomas Fritsch, 1711).

Strabon, *Geographicon*.

Swift, Jonathan, *A Tale of a tub* (1704).

–, *Gulliver's travels* (1726).

Tacite, Publius Cornelius, *Historia*.

תרגום אסתר, *Targum Esther* (Disponible dans toute édition de l'Ancien Testament du type מקראות גדולות).

Tertullien (Tertullianus), *Adversus gnosticoypes scorpicace*, P. L., t.2.

–, *De cultu feminarum*, P. L., t.1.

–, *De idolatria*, P. L., t.1.

Thomas d'Aquin, *Commentaria in octo libro physicorum Aristotelis*, dans *Opera omnia* (Rome, Ex Typographia

Polyglotta S. C. de Propaganda Fide, 1884), t.2.

Thomassin, Louis, *La Méthode d'étudier et d'enseigner chrétiennement et solidement les lettres humaines* (Paris, F. Mugnet, 1681-1682).

Thoinart, Thoynart ou Toinart, Nicolas, *Evangeliorum harmonia græcolatina* (Paris, G. Martin, 1709).

–, *Harmonie, ou Concorde évangélique contenant la vie de Notre Seigneur Jésus-Christ selon les quatre évangiles suivant la méthode et les notes de feu M. Toinart* (Paris, J.-B. Lemesle, 1716).

Tite-Live, *Ab urbe condita*, éd., trad., B. O. Foster *et al.*, Loeb Classical Library (Cambridge, MA, Harvard University Press, 1988), 14v.

Toland, John, *Christianity not mysterious* ... (London, 1696).

–, *The Miscellaneous works* (Londres, J. Whiston et J. Robinson, 1747), 2v.

–, *Lettres philosophiques* ([Amsterdam], [Marc-Michel Rey], 1768).

–, *Letters to Serena* (London, B. Lintott, 1704).

–, *Le Nazaréen*, trad., d'Holbach (Londres [Amsterdam], 1777).

Tornielli, Agostino, *Annales sacri et profani ab orbe condito ad eundem Christi passione redemptum* (Milan, Ex typograph. H. H. Pontii et J. B. Picaliæ, 1610).

Torrey, Norman, 'Voltaire and Peter Annet's *Life of David*', *PMLA* 43 (1928), p.836-43.

Tostatus, Alphonsus, *Opera omnia* (Cologne, Johann Gymnicus et Anton Hieratus, 1613).

Tov, Emmanuel, *Textual history of the Hebrew Bible* (Minneapolis, MN, Assen, 2001).

Tscherikover, Victor, *Hellenistic civilization and the Jews* (New York, 1975).

Trésor de la langue française, sous la direction de Paul Imbs (Paris, Editions du Centre national de la recherche scientifique et Gallimard, 1971-94), 16v.

Ulfilas, *Veteris et Novi Testamenta versiones gothicæ fragmenta quæ supersunt...*, éd., H. C. de Gabelentz et J. Loebe (Leipsic, 1843, 1846), 2v.

–, *Quatuor D. N. Christi Evangeliorum versiones perantiquae duæ, Gothica scil. Anglo-Saxonica* ... (Dordrecht, Typis & sumptibus Junianis, 1665).

–, *Quatuor D. N. Christi Evangeliorum versiones perantiquæ duæ, Gothica scil. Anglo-Saxonica* (Amsterdam, Jansson-Waesberg, 1684).

–, *Sacrorum evangeliorum versio Gothica* ... (Oxford, Clarendon Press, 1750-1752).

Valle, Pietro della, *Viaggi di Pietro della Valle il pellegrino* (Rome, Vitale Mascaradi, 1650).

Varry, Dominique, 'L'édition encadrée des œuvres de Voltaire (1775); Une collaboration entre imprimeurs-libraires genevois et lyonnais?' dans Bessire et Tilkin, éds., *Voltaire et le livre*, p.107-16.

Verbrugghe, Gerald P., et Wickersham, John M., *Berossos and Manetho, introduced and translated. Native traditions in ancient Mesopotamia and Egypt* (Ann Arbor, University of Michigan Press, 1996).

Vinograd, Yeshayahu, אוצר הספר העברי, *Ozar ha-sefer ha-'ivri* (Jérusalem, 1994).

Virolleaud, C., 'De quelques survivances de la légende babylonienne concernant la plante de la vie', *Journal asiatique* 239 (1951), p.127-32.

Virgile (Publius Virgilius Maro), *Enéide*.

Voltaire, *Charlot ou la comtesse de Givry* (1767), *M*, t.6, p.339-68.

–, *Collection d'anciens évangiles*, éd., Bertram E. Schwarzbach, *OCV*, t.69, p.1-245.

–, *Commentaires sur Corneille*, éd., David Williams, *OCV*, t.54 (*Le Cid*) et t.55 (*Œdipe*).

–, *Commentaire sur le livre Des délits et des peines*, *M*, t.25, p.539-77.

–, *Conseilles raisonnables à Monsieur Bergier pour la Défense du Christianisme*, éd., Alain Sandrier, *OCV*, t.65B, à paraître.

–, *Conspirations contre les peuples ou Des proscriptions*, éd., Ulla Kölving, *Cahiers Voltaire* 1 (2002), p.129-45, et *Questions sur l'Encyclopédie*, éd. Olivier Ferret, *OCV*, t.40, p.206-30.

–, *Défense de milord Bolingbroke*, éd. Roland Mortier, *OCV*, t.32B, p.217-49.

–, *La Défense de mon oncle*, éd., José-Michel Moureau, *OCV*, t.64.

–, *Des Juifs*, éd., Marie-Hélène Cotoni, *OCV*, t.45B, p.79-138.

–, *Dieu et les hommes*, éd., Roland Mortier, *OCV*, t.69, p.247-506.

–, *Discours de l'Empereur Julien*, éd., José-Michel Moureau, *OCV*, t.71B, p.139-457.

–, *Eléments de la philosophie de Newton*, éds., Robert L. Walter et W. H. Barber, *OCV*, t.15.

–, *Epître à l'auteur du livre des Trois imposteurs*, *M*, t.10, p.402-405.

–, *Epître à Uranie*, éd., H. T. Mason, *OCV*, t.1B, p.463-502.

–, *Essai sur les mœurs*, éd., René Pomeau (Paris, Editions Garnier Frères, 1963), 2v.

–, *Essai sur les mœurs et l'esprit des nations*, éd., Bruno Bernard *et al.*, *OCV*, t.22-24.

–, *Essai sur les mœurs et l'esprit des nations*, éd., René Pomeau (Paris, Garnier Frères, 1963), 2v.

–, *Examen important de milord Bolingbroke*, éd., Roland Mortier, *OCV*, t.62, p.127-362.

–, *Histoire de l'établissement du christianisme*, éd., Antonio Gurrado, *OCV*, t.79B.

–, *L'Evangile de la raison* (s.l. [Hollande?], [Du Laurens?], 1768).

–, *Le Fonds de Kehl*, *OCV*, t.34, à paraître.

–, *Lettres à Son Altesse Monseigneur le prince de ****, éd., François Bessire, *OCV*, t.63B, p.353-489.

–, *Lettres de Memnius à Cicéron*, éd., Jean Dagen, *OCV*, t.72, p.187-270.

–, *Fragments sur l'Inde et sur le général Lally*, éd., John Renwick, *OCV*, t.75B, p.1-264.

–, *Histoire du parlement de Paris*, éd., John Renwick, *OCV*, t.68.

–, *Homélies prononcées à Londres*, éd., Jacqueline Marchand, *OCV*, t.62, p.409-85.

–, *Il faut prendre un parti ou Le principe d'action*, éd., Paolo Casini, *OCV*, t.74B, p.1-65.

–, *Instruction du gardien des capucins de Raguse à frère Pediculoso*, éd., Simon Davies, *OCV*, t.67, p.217-40.

–, *Les Lettres d'Amabed*, dans *Romans et contes*, éd., H. Bénac (Paris, Garnier Frères, 1960), p.424-68.

–, *Lettres chinoises, indiennes et tartares*, *M*, t.29, p.451-94.

–, *Le Marseillois et le lion*, éd., Sylvain Menant, *OCV*, t.66, p.733-59.

–, *Micromégas*, dans *Romans et contes*, éd., Henri Bénac (Paris, Garnier Frères, 1960), p.96-113.

–, *La Philosophie de l'histoire*, éd., J. H. Brumfitt, *OCV*, t.59 (1969).

–, *Poème sur le désastre de Lisbonne*, éd., David Adams et Haydn Mason, *OCV*, t.45A, p.269-358.

–, *Précis de l'Ecclésiaste. Précis du Cantique des cantiques*, éd., Marie-Hélène Cotoni, *OCV*, t.49A, p.141-242.

–, *Prix de la justice et de l'humanité*, éd., Robert Granderoute, *OCV*, t.80B, p.1-205.

–, *La Pucelle*, éd., Jeroom Vercruysse, *OCV*, t.7.

–, *Questions sur l'Encyclopédie*, *OCV*, t.38-42A.

–, *Recueil nécessaire* ([Genève], 1765).

–, *Remarques sur les Pensées de Pascal*, *M*, t.22, p.27-61.

–, *Remarques pour servir de supplément à l'Essai sur les mœurs*, dans *Essai sur les mœurs*, éd., Pomeau, t.2, p.895-950.

–, *Saül*, éd., Marie-Hélène Cotoni et Henri Lagrave, *OCV*, t.56A, p.325-540.

–, *Les Scythes*, *M*, t.6, 259-338.

–, *Sermon des cinquante*, éds., J. Patrick Lee et Gillian Pink, *OCV*, t.49A, p.1-139.

–, *Sermon du rabin Akib*, éd., Antonio Gurrado, *OCV*, t.52, p.483-534.

–, *Le Siècle de Louis XIV*, dans *Œuvres historiques*, éd., René Pomeau *et al.* (Paris, Gallimard: La Pléiade, 1957).

–, *Traité sur la tolérance*, éd., John Renwick, *OCV*, t.56C.

–, *Un chrétien contre six Juifs*, *OCV*, t.79B.

Voltaire et ses combats. Actes du congrès international. Oxford-Paris 1994, sous la direction de Ulla Kölving et Christiane Mervaud (Oxford, Voltaire Foundation, 1997), 2v.

Vossius, Gérard, *De Idolatria liber cum interpretatione latina et notis* (Amsterdam, 1633).

Wade, Ira O., *The Clandestine organization and diffusion of philosophic ideas in France from 1700 to 1750* (Princeton, NJ, Princeton University Press, 1938).

–, *Voltaire and Madame du Châtelet. An essay on the intellectual activity at Cirey* (Princeton, NJ, Princeton University Press, 1941).

Wagenseil, Johann Christoph, *Tela ignea satanæ* (Altdorf, 1681), 2v.

Weatherall, Miles, 'Drug treatment and the rise of pharmacology', dans *The Cambridge history of medicine*, éd., Roy Porter (Cambridge, 2006), p.211-37.

West, M. L., *East face of Helicon* (Oxford, Clarendon Press, 1997)

Wion ou de Wion, Arnould, *Lignum vitæ ornamentum et decus ecclesiæ* (Venise, 1595).

Witter, Henning Bernhard, *Iura Israelitarum in Palestinam terram Chananæam commentatione in Genesin perpetua ...* (Hildesheim, 1711).

Wolfson, Harry Austryn, 'The veracity of Scripture from Philo to Spinoza', dans *Religious philosophy: A group of essays* (New York, Atheneum, 1965), p.225-26.

Woolston, Thomas, *A [second - sixth] discourse on the miracles of our Saviour* (Londres, Printed for the author and sold by him, 1727-1729).

Yamauchi, Edwin, 'Tammus and the Bible', *Journal of biblical literature*, vol.84, Pt.III (1965), p.283-90.

Zinguer, Ilana Y., et Bloom, Sam W., *L'Antisémitisme éclairé. Inclusion et exclusion depuis l'époque des Lumières jusqu'à l'affaire Dreyfus* (Leyde, Boston, E. J. Brill, 2003).

Zittel, Karl Alfred von, *Geschichte der Geologie und Paläologie bis Ende des 19. Jahrhunderts* (Munich et Leipsic, R. Oldenbourg, 1899).

INDEX

Aaron, 201, 208-12, 214-18, 225, 227, 229, 231-33, 241, 242, 245-49, 259, 260, 279, 312, 342, 402, 595, 606, 608, 609, 619, 631, 673

Abbadie ou Abadie, Jacques (apologiste), 235, 521, 613, 770

Abdénago (compagnon de Daniel), 470, 471

Abdias (chrétien du 1er siècle), 540, 775

Abdias (prophète), 579, 699

Abdolonyme (jardinier), 502

Abel, 67, 119, 120, 555, 556

Abigaïl (épouse de Nabal), 361, 362, 680, 681

abîme, 125, 540

Abimelec ou Abimeleck ou Abimelekh, 146-48, 158-60, 299, 565, 566, 578, 626, 652, 668

Abiram (Abiron), 245-47, 248, 251, 621

Aboulcassem ou Abou Hassan (personnage des *Mille et une nuits*), 463, 726

Abraham ben Méïr Ibn Ezra ou Aben Hesta ou Aben Hezra (grammairien, exégète), 38, 61, 154, 551

Abraham ou Abram, 30, 41, 50, 55, 68, 120, 124, 131-56, 158-60, 164-66, 170, 180, 185, 192, 196, 206, 207, 214, 228, 253, 254, 261, 271, 288, 297, 302, 305, 378, 383, 411, 412, 431, 476, 489, 490, 520, 521, 554, 558, 564-67, 569-71, 573-78, 580, 582, 593, 601, 626, 632, 676, 701, 745, 770

Abravanel, Isaac (philosophe, exégète), 763

Absalon, 20, 375, 377-82, 658, 689, 690

Académie de Lausanne, 86

accommodation, 545, 580, 616

Accoules (toponyme), 774

Achan (Acan), 237, 280, 281, 617

Achaz ou Ahaz (roi de Juda), 74, 443, 710-12, 714

Acra (mont d'), 685

Actes des apôtres (Bible), 539, 540, 564, 574, 595, 616, 642, 653, 674, 681, 694, 743, 744, 752, 754, 759, 760, 775

Actisan (roi d'Ethiopie), 216, 217, 601

Ada, 121, 176, 556

Adad ou Hadad (roi des Iduméniens), 304, 398, 415, 655

Adadézer, 372, 373

Adam, 52, 66, 70, 112-14, 116-23, 127, 130, 214, 286, 457, 476, 545, 546, 550, 552, 553, 555, 556, 558, 563, 621, 645

Adama (royaume), 134

Adar (mois), 467, 625, 728

Adonaï, 37, 136, 259, 288, 303, 304, 394, 398, 402, 408-12, 414, 415, 418, 419, 422, 423, 425-31, 437-46, 448, 449, 451, 461, 552, 568, 574, 621, 631, 693, 701, 713

Adonis (figure légendaire et dieu païen), 145, 304, 631, 654, 655

Adonisédec (roi de Jérusalem), 282

Adramélec (Adramalec) ou Hadramelekh (le dieu adoré par la population venant de Séfarvaïm), 304, 439, 440, 656

Agag (roi amalécite), 78, 350, 352, 367, 465, 466, 673, 675-77

Agamemnon, 416, 417, 657

Chrysander (Goldmann), Wilhelm Christianus Justus, 44, 45, 47, 546

Churchill, John, duc de Marlborough, 677

Chus, 129, 228

Chypre, 99, 573, 629, 666

Cicéron, 498, 499, 527, 752, 760, 761, 763, 765

Cilicie, 179, 480, 588, 739

Cinéen ou Cinei ou Kéni, 296

Cirey, château de, 4, 9, 12-14, 47, 592, 729, 764

Cisjordanie, 55

Clara (rhinocéros), 627

Clavicule de Salomon, 513, 764

Clémence, Joseph-Guillaume (apologiste), 36, 42-44, 82

Clément d'Alexandrie (saint), 206

Clément VII (pape), 329, 665

Clément IX (pape), 665

Clément XI (pape), 732

Clément XII (pape), 732

Clément, Jacques (assassin), 268, 293, 294, 649

Cléopâtre II, 688

Cléopâtre III, 688

Cléopâtre IV, 688

Cléopâtre V, 688

Clodomir, 652

Clotaire, 299, 652

cochon(s), 231, 232, 506, 530

Codorlahomer (roi), 133

Codrus, 227, 606

Cohen, Shaya J. D., 760

Colbert de Croissy, Charles-Joachim (évêque), 12

Collins, Antony, 37, 38, 99, 266, 271, 275, 422, 598, 634, 638

Colomb, Christophe, 612

Colvius, André (théologien), 560

Condorcet, Marie Jean-Antoine Nicolas de Caritat, marquis de, 3, 4, 6, 39

Constantin (empereur), 339, 348, 537, 541, 641, 676, 722

'Continuation de l'histoire hébraïque', 26, 91, 482-92, 749

Contra Celsum ou *Contre Celse*, 206, 597

convulsionnaires (secte), 189, 517, 591

'copistes (les)', 54, 58-60, 121, 122, 130, 133, 224, 242, 250, 251, 292, 304, 333, 344, 345, 369, 401, 556, 634, 649, 674, 760

Coré, 245-47, 249, 251, 260, 621

Corneille, Pierre, 28, 618, 745, 755

Cornélius Scipio (général), 488, 745

Corsini, Silvio, 86

Cotoni, Marie-Hélène, 11, 12, 29

Cramer, Gabriel, 15, 84, 85, 87

Crassus, 490, 500, 503, 661

Cronk, Nicholas, 29

crucifixion(s), 80, 630, 751, 752, 755

curé de Domfront, 489, 745

Curtius, Ernst Robert, 66

Cuzan Razathaïm ou Kushan Rish'atayim, 292, 647

Cyaxare (roi de Perse), 471

Cydnus ou Cydnos ou Çayi (rivière), 691

Cyrus ou Cirus ou Kir ou Kosrou (roi de Perse), 25, 26, 74, 220, 434, 439, 460-62, 471, 495, 716, 724, 725, 743, 746, 767

Dagan (dieu philistin), 20

Dalila (prostituée), 20, 660

Damas, 134, 135, 163, 252, 266, 294, 325, 373, 414, 426, 428, 508, 567

Damilaville, Etienne Noël, 9, 716

Dan (patriarche, tribu), 176, 308, 313-15, 317, 427, 708

Dan (région), 76, 134, 135, 205, 319, 369, 383, 385, 392, 402, 433, 567, 705

Daniel, 25, 38, 57, 73, 469-73, 587, 620, 642, 666, 696, 730, 731-33

Dante Alighieri, 599